JN246845

文藝市場
カーマシヤストラ

第1巻

第3巻第6号（昭和2年6月）
第3巻第7号（昭和2年7月）

［監修］島村　輝

ゆまに書房

『文藝市場』第３巻第６号。「内容改革六月号」とある。

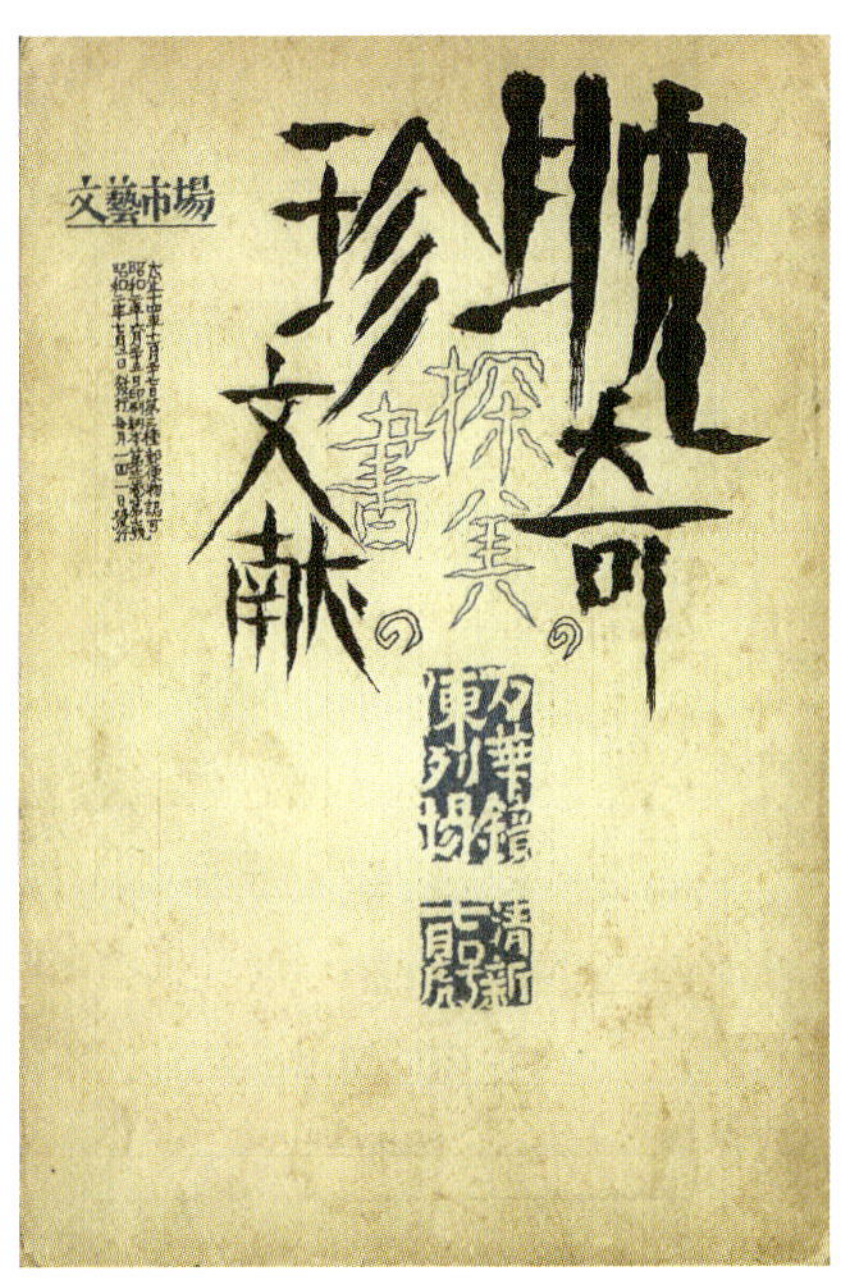

『文藝市場』第３巻第７号。
「耽奇、探美、珍書、文献の万華鏡陳列場　清新七月号」とある。

『文藝市場』『カーマシヤストラ』復刻刊行にあたって

監修　島村輝

『叢書エログロナンセンス』シリーズは、戦前ジャーナリズム界の異才・梅原北明を中心とした「珍書・奇書」類のうち、発刊当時の事情やその後の年月の経過によって閲覧・入手の困難となった書物、とりわけ多く「発売禁止」等の措置を受けた雑誌類を中心にして、復刻刊行しようとするものである。

そのスタートとして、大正・昭和エログロナンセンスを牽引した出版人、梅原北明の代表的な雑誌『グロテスク』（一九二八・一一〜一九三一・八）を復刻刊行した。また永く幻と謳われ、僅かに城市郎の発禁本コレクションに、その書影を確認するに留まっていた第二巻第六号（一九二九・六）も、無事これを発見し収録することができたのは幸運であった。

梅原北明の出版活動での到達点を『グロテスク』とするならば、その引火点は、同書肆より復刻刊行した『変態・資料』（一九二六〜二八）であり、そして導火線となったのが、今回復刻となる、北明個人の編集となってからの『文藝市場』（一九二七・六〜一〇）、上海にて出版されたとされる『カーマシヤストラ』（一九二七・一〇〜一九二八・五）である。『カーマシヤストラ』が、本当に上海で発行されたのか、それとも日本国内での刊行をカムフラージュするためのものだったのかは定かでないが、一九二八年に上海より帰国後、北明は出版法違反で市ヶ谷拘置所に長期拘置される。そして、仮釈放の後『グロテスク』刊行の内容見本制作に着手するのである。

今回の復刻により、『変態・資料』『文藝市場』『カーマシヤストラ』『グロテスク』という、梅原が編集に携わった雑誌が揃うこととなる。

サブカルチャーの領域から、近代をそして現代を照射する貴重資料であり、すべての文学・文化に関心を持つ人々が、この復刻を手許に置かれることを心から希望する。

凡　例

◇本シリーズは、『文藝市場』（一九二七〈昭和二〉年六月～同年九月＊梅原北明個人編集時期）、『カーマシャストラ』（一九二七〈昭和二〉年一〇月～一九二八〈昭和三〉年四月）を復刻する。

◇本巻には、『文藝市場』第３巻第６号（一九二七〈昭和二〉年六月一日発行）、『文藝市場』第３巻第７号（一九二七〈昭和二〉年七月一日発行）を収録した。また関連資料として『文藝市場』第３巻第５号（一九二七〈昭和二〉年五月一日発行）より次号予告などを収録した。

◇原本のサイズは、二二〇ミリ×一五〇ミリである。

◇各作品は無修正を原則としたが、表紙、図版などの寸法に関しては製作の都合上、適宜、縮小を行った場合がある。

◇本文中に見られる現在使用する事が好ましくない用語については、歴史的文献である事に鑑み原本のまま掲載した。

◇本巻作成にあたって原資料を監修者の島村輝氏よりご提供いただいた。記して深甚の謝意を表する。

目次

関連資料〈『文藝市場』第3巻第5号より〉

3　関連資料〈『文藝市場』第3巻第5号より〉（昭和2年5月1日）

文藝市場

MAY 1927

第三巻　第五號

文藝市場の内容改革に就いて

――(六月號豫告)――

梅原北明

本誌は本號を最終として、從來の同人雜誌の形式を一旦解散して了ひます。そして六月號より小生の個人編輯雜誌に改めます。每號ページは百五十頁以上定價五十錢で、つむじの曲つたへねくれた文献雜誌にして了ひます。今左記へその重なる記事及び執筆者諸氏の名を掲げれば

「八百屋お七」二百五十年追善供養記念文献

文藝上に於ける八百屋お七(約三十枚)　笹川臨風
八百屋お七の傳說と史實(約五十枚)　藤澤衛彦
歌舞伎劇に現はれたる八百屋お七(約三十枚)　渥美清太郞
八百屋お七艶物語(約三十枚)　梅原北明

◇

近世落書報道史(その一)(六十枚)　梅原北明
新聞記事に現はれたる死刑宣告當時の高橋お傳(百枚)　梅原北明
竹橋騷動と其史的文献(軍隊の反逆的發砲事件の眞相)(六十枚)　梅原北明
逆說乃木大將傳(一名乃木大將あら探し)(二十枚)　井東憲
世界珍書解題(その一)(二十枚)　酒井潔
一日一夜物語(五十枚)　酒井潔
明拾文藝漫談(原稿二十枚)　齋藤昌三
明治大正暴動反逆史(その一)(三十枚)

明治大正猥褻史（その一）（四十枚）　梅原北明

日本錦繪春畫筆禍史（その一）（二十枚）　梅原北明

梅原北明

成るべく直接に購讀されん事を希望いたします。直接ですと、發賣禁止を喰つた場合でも、來月號から新聞紙法に改めますから、納本と同時に發送する事が出來るからです。それに今一つは、直接讀者に限り毎號雜誌で發表の許されない奇拔な繪入通信を無料で差上げることにしたからです。何れにしても是非讀んで下さいまし。振替は東京六四一〇四番、東京牛込區赤城元町三四、定價毎號五十錢、三ヶ月以上前納の方に限り奇拔な通信を毎月二回無料で差上げます。電話牛込三九〇六番。以上梅原北明謹記、昭和二年四月二十日）

文藝市場社主催

「八百屋お七」二百五十年追善供養記念講演會

會場　東京日比谷公園音樂堂

時日　四月二十九日午後一時（雨天順延）

會費　三十錢（これはお七の墓の家根代及び碑の資金に當てます）

プログラム

文藝市場が追善供養をなす理由　梅原北明

お七と佛教　圓乘寺住職　市原廣界

文藝上に於ける八百屋お七　文學博士　笹川臨風

題未定　三田村鳶魚

同　木村毅

同　井東憲

八百屋お七の傳説と史實　藤澤衛彦

歌舞伎劇に現はれたる八百屋お七　渥美淸太郎

餘興　お七狂亂舞踊　藤間靜枝

お七のからくり唄　白山つた分竹　やな子（十六才）

福立花　福丸（十七才）

十七ぶし　房州の人　鈴木太平

尙ほ當日御出席の方には八百屋お七（妙榮禪定尼）のお守を一箇づつ差上げます。

澤田撫松居士追悼號筆者

正木不如丘　佐藤紅綠　松崎天民

田中貢太郎　村松梢風　生方敏郎

藤澤衛彦　木村毅　井東憲

石角春洋　座間止水　梅原北明　靑山倭文二

編輯後記

◆メーデーだ。吾等の祝福すべき勞働祭である。結束すべき五月祭である。——

◆本號は、いろいろの意味に於いて、各派多樣の人が寄稿して下すつた。玆で厚く諸氏に感謝の意を表する。もつと原稿を依賴した諸氏もあつたのだが、締切りまでに間に合はなかつたり、又は他の事情で、原稿の依賴が遲くれたりして、思ふやうに編輯の出來なかつたことは、編者として、讀者諸氏並びに寄稿家諸氏にお詫びしなければならない。

◆本號には、大分新人の方に原稿をお願ひしたと云ふのは外の意味ではない、行き詰れる既成文壇の諸氏の月並みな文字より、より眞しなより熱意ある新人の紹介に努めたかつたからである。今後もさうあり度いと思つてゐる。

◆創作欄の伊藤、中野、平林諸君の作品はそれ〴〵の新味あり、卓越した作品である岡田君の十月の話と共に愛讀して欲しい。

◆其の他評論に隨筆に諸家の筆も、ぎんみ三讀して欲しい。

◆本號は次號から豫告通り、梅原君の個人雜誌になる。が、從來の文藝市場と同趣旨のものが、他の表題のもとに創刊される筈である。その點諒として相變らずの御愛讀を乞ふ。

◆ここで哀悼の辭を述べるは、どうかとも思はれたが、先輩澤田撫松氏の突然に亡くなられたことは悼みても猶餘りあるものがある。同氏は、最近日活でその作「足にさはつた女」や又は平凡社の現代大衆文學全集に筆をとられ、飛躍これからと云ふところで、あたら挫折された事も返へす〴〵遺憾である。同氏在世の折りいろ〳〵御敎示にあづかつたことを玆で厚く感謝の意を表して筆を擱く。

（青山生）

大正14年11月27日第三種郵便物認可
昭和2年4月27日印刷納本
昭和2年5月1日發行

編輯代表　東京市牛込區赤城元町三四　梅原北明
發行兼印刷人　東京市牛込區赤城元町三四　上森健一郎
印刷所　東京市神田區旭町二三番地　正文舍印刷所　電話神田〇八八三、二六二六

東京市牛込區赤城元町三四
（發行所）文藝市場社
振替東京六四一〇四番
電話牛込三九〇六番

本號定價廿五錢（毎年新年號五十錢　四月、十月、三十錢）
（一年二圓九十錢　半年一圓四十五錢）（郵券謝絶）
註文は一切前金切手代用は一割増の事

『文藝市場』第3巻第6号

文藝市場
内容改革六月號
梅原北明編輯
◇「八百屋お七」二百五十年祭追善供養文献集◇
◇世界珍書解題（その一）◇
◇竹橋騒動史◇
◇近世落書報道史◇
◇澤田撫松追悼號◇
文藝市場

硯友社同人編

●複刻五百部限先着者へ實費頒布●

我樂多文庫

創刊より終刊まで

（別册）硯友社と我樂多文庫の由來　丸岡九華述

四六倍判、實物通りの淸朝活字を用ひ創刊號より終刊號まで揃美麗帙入別册共實費
金五圓也　書留小包料金廿四錢也

我樂多文庫複製の理由

梅原北明

硯友社の文藝運動は明治文藝史上到底見逃すことの出來ない一重要項目であります。而して此の硯友社の消息一切を知るには彼等の機關誌「我樂多文庫」に俟つより方法がないのです。が該誌は當時發行僅か百五十部より印刷されず而かも其れが日本中に飛び散らかつて四十年も經過した今日、何處をどう探し廻つたつて滅多に探し得られないのが理の當然で、よしんば見付かつたところで一揃ひ安くて二十圓お客次第で四十圓からの高價を呼んで居ります。文藝的古書蒐集家內田魯庵氏をはじめ神代種亮氏でさへ持ち合せて居りません。その意味に於ても該誌の複刻は充分な意義を持つのであります。

話にのみ聞いて嘗て實物に接したことのない我樂多文庫が本物そつくりの體裁で而かも市價の四分の一値で複刻されました。その方面の商賣人たる文壇人でさへ若い人達なら恐らく讀んでゐますまい。正に本誌は明治文藝の臺頭を物語る唯一無比の文献です。

內容執筆者

尾崎紅葉氏　石橋思案氏　廣津柳浪氏
山田美妙氏　巖谷小波氏　岡田虛心氏
川上眉山氏　江見水蔭氏　中村雲後氏
丸岡九華氏　大橋乙羽氏　その他諸氏

複製讃助者

丸岡九華氏　巖谷小波氏　江見水蔭氏　本間久雄氏　木村毅氏　齋藤昌三氏

東京市牛込區赤城元町卅四番
振替東京六四一〇四番
電話牛込三九〇六番

文藝市場社

お七地藏（小石川指ケ谷町圓乘寺祕藏）

八百屋お七（妙榮禪定尼）の墓

一日一夜物語（酒井潔畫）

文藝市場

（金五拾錢也の罰金とられるよりも文藝市場を買つてよめ）

1927.6

口上

サテ皆様！

ソチラニ色々陳列シテ御座イマス物ノ中デ御氣ニ召シタ物ガ御座イマシタナラ、御遠慮ナク御取リ下サイマセ。

ソレカラ、マア、此ノ馬鹿ナ安樂椅子ニ腰ヲ下シテ悠リ御休ミ遊バセ。御茶位ハ差シ上ゲ様ジヤ御座イマセンカ。

文藝市場喫茶部主任

梅原北明敬白

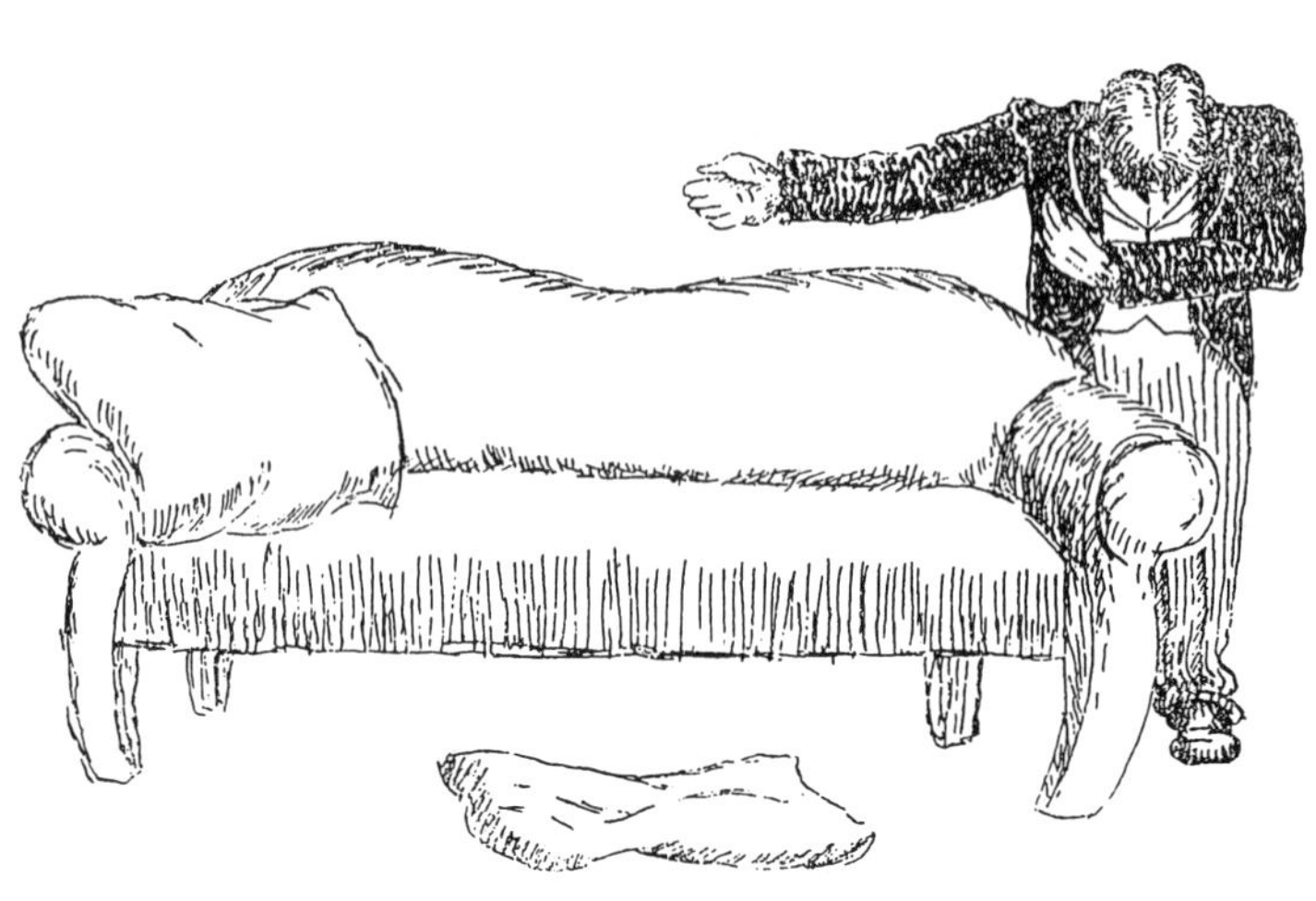

更生六月號献立表

――(文藝市場第三卷第六號目次)――

女權論者の未來の樂園

(上列左ヨリ)△女客の素見。サロンの紳士達（男娼）△はにかみ。△未青年誘惑　(下列左ヨリ)△强姦未遂。△いざなひ。

劇場支配人の男優傭入の豫備手續(身體検査)（「ポスターに曰・兄弟達の爲に身を賣られたジヨセフ＝巴里で最も美しき男＝」）

「八百屋お七」二百五十年追善供養紀念文献集

お七がためのお七祭

梅原北明

去る四月二十九日は、今度の聖上陛下御誕辰にわたらせらるゝ最初の天長節で、今後毎年繰り返される吾等にとつて新たなる祭日であるが、今より二百四十五年前の當日は、實に情熱の女、八百屋お七が鈴ヶ森で炙刑に處せられた日なのである。

お七の戀は、餘りに涙ぐましい記録に終つてゐる。そしてお七の讃美すべき肉體は、今や鈴ヶ森の灰となつて、その艶かしい姿は、ただ吾等の想像の中に甦るのみである。が、その純眞なる涙多き戀は過去現在に生き、而かも未來の人々の胸にも永遠に生きて行く。

私はお七を讃美する。お七に對する凡ゆる不純な考證を棄てゝお七を讃美する。私の讃美はお七に對する直感である。私には法律は解らない。がお七の放火は、確かに純眞な魂のひらめきである。お七の戀は、お七の常識を根底から奪ひ去つて了つた。だから私には十六や七の乙女を責める氣になぞなれない。

江戸市中にお七の評判が嵩まり、それが淨瑠璃となり演劇となつて全國的に宣傳され出し、江戸のお七が日本のお七となつた時、その史實は段々に實際を離れて行つた。そのプロセッスに就いては、笹川氏や渥美、藤澤氏等の論文に詳記しあれば、自分は其の重複を恐れて避けるものであるが、この日の前日たる即ち四月二十八日の御逮夜を期して、吾々が上野自治會館内に、お七がためのお七祭を催し、心許りの追善にお七の過去を弔ふた次第を、玆にお禮かた〴〵日本傳說學會の藤澤氏になり代り主催者の一名として御挨拶までに述べて置く。

當日の朝刊には幸ひ東京市中の全紙が報道して呉れたので、午前十時と云ふに、老若男女が、折柄の快晴に打ち伴れて上野の森へ寄せて來た。數名の新聞社の寫眞部の方も見えられた。

午後一時、プログラムの豫定通り、觀音樣で有名な淺草寺の大僧正救護榮海師が御老體にも拘らず御來會あり、お七地藏供養のため特に開扉の勞をとられ、一同の禮拜となつて、次にお七の菩提寺たる指ケ谷町圓乘寺の住職市原廣界師の法會あり、講演に移つたのであるが、前日來の諸準備に激勞を覺えた私は、碌々開會の挨拶も出來ず佛教藝術社の伊豆社長に代理を依賴し、酒で無理に昂奮させたからだも疲勞に勝てず、とんちんかんな進行係を僅に演じて、來會者のお叱りを受けた。が、プログラムは順調に進行して藤澤衛彦氏の、お七の史實と傳說、井東憲氏の、吉三の立場を論ず、渥美淸太郎氏の、歌舞伎劇に現れたるお七、笹川博士の、文藝上に現れたるお七等あり共に素晴らしい喝采を得たのは主催者の身に餘る光榮で、次に歌供養に移つたのであるが、當日は「お七和讃」の第一人者として有名な本所多田藥師小山正順師自ら御來會下され、お七のために、例の「賽の河原節」に似た哀音をたたえて左の和讃を朗讀されるに至つて、吾等をはじめ聽衆の凡ては、最早涙なしにゐられなくなつた。

八百屋お七和讃

哀れ成かなお七とて　たぐひまれなる娘也　悉くあげて尋ぬれば　所は本ごう二丁目の　八百屋お七の其の館
始て急火の難にあひ　菩提寺なる圓乘寺　親子三人假ずまひ　其ころ寺の小姓にて　吉三郎と申せしは
世に類ひ無美男にて　花をあざむく姿なり　お七は戀の念ふかく　吉三を見染て思よふ　夫婦の契を結ばんと
人目を忍で居間に入　心を通はすひまもなく　花にたわむれ蝶々の　つがひ離ぬ睦ごとの　堅き約束二世のゑん

はなしも盡ぬ其内に　もはや普請も成就し　我屋へかへる其時に　お七は名残おし鳥の　いわず語ず目に涙だ
親子諸共かへりける　吉三はお七を見送て　共に涙の增かゞ見　又も我屋へ歸りても　戀れて暮す羽ぬけ鳥
心の内の戀ざくら　吉三が姿まぼろしの　どふした成ば逢樣と　むすめ心の一すじに　身は空蟬のあとや先
しあん盡せし折柄に　又も我屋が無ならば　戀るゝ人に逢よふと　ある夜密に目を忍び　火燵の火をば取出し
逢んとおもふ一念で　登り詰たる段ばしご　なみだ乍に火を付じ　忽ちどふと燃あがり　誰知まいと思へども
はや此事が現はれて　捕はれ人と成ければ　なはめに及ぶ哀なる　栗毛の馬に乘られて　江戸町中を引まはし
しば品川を通りすぎ　涙橋にとさしかゝり　鈴ケ森にぞ成にけり　見る人數萬の其中を　おしわけ來る母親は
お七を見より歎つゝ　其悲さはいかばかり　現在この世の火の車　吉三戀とばかりにて　はなの姿も散はてゝ
ほのふと共に立登り　吉三は是と聞よりも　さては實や不憫やと　みどりの黑髪切捨て　去ば菩提を祈らんと
剃髪染衣の身と成て　腰に四寸の鉦をかけ　いとも憐れの姿にて　八百八町の他力にて　延命地藏を建立し
朝夕唱ふる念佛も　たゞ一筋にねんごろに　お七菩提と回向する　末世いまに至るまで　知ぬ人こそ勿りける
南無阿彌陀佛。

次は當日の呼物たる「お七からくり唄」(同唄は別項藤澤氏のお七と覗機關節に掲載しあればその項につき參照されたし)で、これは菩提寺に近い白山の三業組合中より特に數名の半玉連を寄せられた譯で、谷中の寛永寺が上野の全山に晩鐘をつぐる午後五時頃、溢れんばかりの盛會裡に散會したのであつた。

尙ほ當日は、菩提寺たる小石川區指ケ谷町圓乘寺よりは、お七の守袋を寄與されたので、來會者一同に此れを配つた。

終りに私は、笹川博士渥美氏井東氏の諸氏に對し、此の小さな催しに共鳴參加されたこと及び、電通の尾高三郎、小坐間茂兩兄を始め石角春洋、伊藤竹醉、杉枝進の諸兄にも手傳つていただいた勞を主催者の一名たる日本傳說學會の藤澤氏と共に感謝する次第である。

文藝上に現れた八百屋お七

笹川臨風

今年は八百屋お七が、鈴ケ森で火炙りに逢つてから、丁度二百四十五年目に當つてゐるが、それを二百五十回忌とされたのは、昔から法事などには、よく時日を繰り上げて早く行ふといふ事も間々ある事だから、今回もそんな意味でやられたのでありませう。又、一體こんな物好な計畫なんかする人は、いつ死ぬかも解らないから、生きてゐる間に早くやつて了ふなどゝいふ事から、こんな事になつたのでもありませふか。

八百屋お七が生れたのは、有名な風俗上で贅澤な時代として知られてゐる元祿時代の少し前で、徳川時世の六十年目である。

天和二年十二月二十八日駒込大圓寺から火事が出た。江戸人は意氣と火事早い人間で、火事は江戸の華と云はれた程であるが、有名なのは明曆の大火で、此の時は駒込から本郷、下谷、神田、淺草、深川、本所と江戸市中殆んど焼野原と化して了つた。例の俳人芭蕉が、當時深川の芭蕉庵に住つてゐたが、四方から焼けて來たので逃げ場を失ひ、池の中に浸つて危く助つたといふ事が本に出てゐるが、多分此の大火の時の事だらふと思ふ。兎に角、昔から一番大きい火事とされてゐたが、然し過般の關東大震災はもつとヒドかつたから、いかな明曆の大火も大震災には適はない。遂に横綱の地位を讓つて了つたわけだ。

お七の家は、本郷森川町だとも云ひ、或は片町だと書いてある書物もあるが、本當は今の高等學校の先を根津の方へ廻つた追分の近所であつたらふと思はれる。本業は八百屋で父の名も色々と說があり、久兵衛といふもの、市左衛門といふもの、或は八兵衛と書いた本もあり、芝居では久兵衛といふ事になつてゐるがはつきりした事は分らない。兄妹は三人で男が二人、お七は末ッ子といふ事になつてゐる。

お七の家が火事に焼け出されて避難したお寺も、俗說では駒込の吉祥寺といふ事になつてゐるが、これもはつきりした事は不明である。吉祥寺は元神田駿河臺にあつた寺であるが、明曆年間に駒込に移つて來たもので、宗旨は曹洞宗である然るにお七の家は曹洞宗ではない事が明かである點より見ても、この吉祥寺說の眞僞は遽に判じ難い。

吉祥寺といふ事を最初に書いた書物は、貞享三年に出版された、井原西鶴の『好色五人女』であるが、もと〳〵西鶴といふ人は大阪の人で、ずつと後に江戸に下つて來た事はあるが、江戸の地理には餘り詳しくなかつた人であらふから、或は單に吉祥寺としたのかも分らない。その外、寶仙寺、圓乘寺等と書いた本もあるが、何れも信ずべき證據は見當らない

お七の戀の相手である男を寺小姓の吉三郎と書いたのは、矢張り「五人女」が最初であるが、これも恐らく書違ひであらふ。實際は生田庄之助、山田佐兵衛とも云はれてゐるが、私は山田佐兵衛說に賛成である。生田庄之助と書いた書物は『天和笑委集』といふ本で、この書物は、お七が刑死してから間もなく出版されたもので、お七の事件は三卷に渡つて詳細に書いてあつて、一番信ずべき確かな書物であるが、餘り時代が近いので、或は名前などわざと隱してあるのではあるまいか。今日でも新聞などには、わざ〳〵假名を使ふ場合がある如く、昔でも矢張りその當時の人とか、或は餘りに時代の近い人の名は、假名で現はす事が往々にしてあるので、庄之助といふのも、或はその傳で假名であらふと思はれるのである。吉三郎說に對しては、當時丁度お七が火炙りになつた日、而も同じ鈴ヶ森で同じく火炙りになつた美少年で喜三郎といふのがあつたが、お七は美くしい少女であり、一方は美少年であつた事等から、お七喜三郎と當時の人々の噂に上

(10)

つたのが言ひ傳へられて、喜三郎が誤られたのではあるまいか、吉三郎といふのは恐らく實在の人ではあるまいと思はれる。芝居には吉三郎といふ無頼漢が出て、お七を脅迫して火を附けさせる事になつてゐるが、これは全く事實無根である。

さて、次にそれではどちらから言ひ寄つたかといふに、何れからとも判然とした事は今だに分らない。いや又そんな事は分らないのが當然であるが、「五人女」によると、「夕方綺麗な若衆が、一寸した刺をさしたので、椽側で毛ぬきを以つて抜かふとしたが、抜けないので困つてゐるのをお七の母親が見兼て、抜いてやらふとしたが、薄暗い時ではあり、年寄つてもいたので目がはつきりせぬためか、思ふ樣に抜けない。お七は此の時、遠くからそれを見てゐたが、相手が年若い男の事なので、自分から私が抜いて上げませうとも云ひ兼ねて遠慮してゐたが、母親が自分の手に合はないと見てお七に言ひつけたので、お七も喜んで抜いてやつたが、その時フト男の顔を見ると餘りにも綺麗であつたので、思はず眞赤になつたが、後程毛ぬきを返す時初めて男の手をキユッと握りしめ、それからお七の方からいつも押しかけて逢つてゐた」といふ風にお七はいかにも圖々しい娘の樣に書いてあるが、「天和笑委集」には男の方から云ひよつたとしてある。お七程の娘の事だから、恐らくは笑委集にある通り男の方から言ひよつたといふのが本當と思はれる。又そう思ふ方が、お七を愛する者にとつても都合がいゝだらふ。

お七の家が燒け出された翌年の正月二十五日、お七の新しい家が出來上つたので、愈々お七も新家に引越さねばならぬ事になつた。從つてこれ迄の樣に、思ふ樣に男に逢ふ事も出來なくなつた譯だ。でお七も何んとかして逢いたいと、色々と趣向を凝らしたのであらふが、結局、自分の家が燒けさへすれば又戀しい男に逢へるといふ、乙女心の淺慕な考へから或る日屑綿など積んで火をつけたのである。事實はそれ丈けで、火事は直ちに消し止められ、今日でいふ小火ですんだのであるが、お七にして見れば、氣も顚倒してゐたのか、綿屑などほつたまゝウロ〳〵してゐたので忽ちに放火犯人として揚げられて了つたのである。芝居によると、中山勘解由といふ奉行が、お七を助けてやらふと思つて、色々と考へて十五にしてやらふとしたが、お宮に奉納してあつた額によつて、どうしても年を隱す事が出來なくなり、遂に火炙りに處せられるといふ事になつてゐるが、これなぞは皆作り事である。然らばお七は當時幾歳であつたかといふに、「五人女」には十七歳となつてゐるが、他の書物には皆十六歳といふ事になつてゐるから、恐らく十六歳といふのが本當であらふ。「笑委集」には一切年齢の事は書いてはない。

この外『好色五人女』には、お七の辭世の歌が書いてあるが、外の本には一つも見へない。これも眞僞の程は頗るあやしい。

火炙りにされたのは天和三年舊三月二十八日ともいひ、墓には二十九日となつてゐるが、これも眞僞は不明である。

この事件がどうしてこんなに有名になつたかといふに、第一に罪名の恐ろしいにも關はらず。犯人の年齢が若かつたといふ事、一つは、今日であれば新聞の社會面の隅に簡單に葬られる位で濟んだであらうが、當時は、馬た乘せられて數日の間、江戸の市中を引廻しに逢はされた上、死刑に處せられたので、いやでも誰もの目に止まつたのが、前にも云つた通り十六やそこらの可憐な娘が、髮も島田にキチリと結つて、碁盤縞の着物を着せられ、綺麗に化粧した娘がシホ〳〵と曳かれて行く、餘りにもあわれであつた事が、非常に江戸市民の同情を募つたのが、後々まで言ひ傳へられて、今日の如く有名になつたものであると思はれる。お七はこの様に、非常に美くしい娘として傳つてゐるが我衣（わがころも）といふ書物には、お七は太つた女で、色は白かつたが白アバタのある美人でないと書いてあり、又大柄で色は黑く、見てくれの惡い娘であつたと書いた本もある。土左衛門も美人になる當世だから、或はそんな意味からお七も美人に取扱はれたのか？或はお七が餘りに同情され、宣傳されたので、多少の反感を持つた人が、殊更に美人でない様に書いたのかも分らない。

「五人女」の外の四人は何れも心中で終つてゐるが、お七だけが一人變つてゐるのが目につく。同書によると、小姓吉三郎は最後に坊主になる事になつてゐる。

お七が一番最初に、狂言の中に取入れられたのは、關西の操り人形で、寶永二年に紀海音といふ淨瑠璃作者の書いた、『お七歌祭文』といふ淨瑠璃である紀海音は當時の竹本座に反して、豐竹座といふのに據つた作者で、續いて享保十七年に

(12)

『八百屋お七戀緋櫻』といふのが出、延享元年に『潤色江戸紫』安永三年に『伊達娘戀緋鹿子』安永八年十月には『今盛戀緋櫻』等何れも操淨瑠璃として發表されてゐるが、歌舞伎劇に現れたのは、淨瑠璃より少し遲れて、寶永三年正月、嵐三右衛門座で『お七歌祭文』が上演されたのが最初である。江戸狂言に仕組れたのは更らに遲れ、寶永五年三月中村座で『中將姫京雛』といふ狂言に始めて顔を出してゐる。その後、お七狂言は隨分色々の形をして現はれ、お七は或はお姫樣になつたり、或は狂人になつたり、遂には刀の詮議の爲めに人殺しをする大それたお七になつたりしてゐるが、有名な默阿彌の『三人吉三』にまで顔を出してゐて、一々枚擧にいとまなき程數多くの狂言に取入れられてゐる。

お七の定紋は、芝居では丸に封文といふ事に一定してゐるが『天和笑委集』には『三ツ柏』といふ事になつてゐる。『丸に封じ文』といふのは、元々嵐喜代三郎といふ女形役者の定紋で、その役者がお七をやる時に自分の紋をつけて出たのが大當りを取つたので、そのまゝお七の型として後世に殘つたのが、現在まで使はれてゐるので、實際は矢張り『三ツ柏』が本當であらふ。

かうして、巷間の一少女八百屋お七は、事件が極めて簡單であつたにも拘らず、文藝作品に取り入れられると、色々と人情などを入れたりする爲め、遂には一つの立派な藝術上の八百屋お七が創造されて了つた。つまりお七は、藝術化されて後世に傳つたのであるがこれが、二百五十年の後になつても、尙且つお祭りまでされる價値のある處で、そこがお七の價値のある處である。

お七出現以前に、有名な婦人として後世に殘つてゐる人は、十九歳の花盛りで死んだ「先代萩」の高尾太夫が一人あるのみであるが、お七以後には、水茶屋の女とか、傾城とかに隨分殘つてゐる女がある。享保年間には有名な花魁玉菊があり、谷中で水茶屋（道端などに掛小屋を出してゐて、素茶を汲んで出したもので、現在ではない）を出してゐた笠森おせん淺草の水茶屋柳屋のお藤といふのがあり、このおせんとお藤とは、當時の双壁で、どちらが綺麗かといふので、江戸中の評判になり、當時、漸く盛んになつて來た錦繪などにも色々と畫かれ、蜀山人などといふ文人も二人の事に就いて色々の事を書き殘してゐるが、二人の容色比べでは、淺草の樣な人出の多い處で評判になるのよりも、谷中の樣な邊鄙の處に居ながら、これ程迄評判になるのだから、これはおせんの方が美くしいといふ事に定つて遂におせんが優勝したが、この問題は當時の江戸人中の大問題として騷がれたものである。

其の他、一時的には可成り有名になつた女も隨分あるが、お七が一番多く文藝作品として材料に使はれてゐる處を見れば、矢張りお七が一番偉いといふ事になる。即ち、藝術品になつたといふ一點にのみ、八百屋お七の價値がある譯である。普通の人なら、百五十年も經てば、大概忘れられたり、有耶無耶に葬り去られて了ふのが普通であるが、二百五十年の後までも種々と同情され、お祭りまでされて讃美されるといふのが、八百屋お七のいい所であると思はれるのである。

歌舞伎劇に現れたお七

渥美清太郎

歌舞伎劇に現はれた女も多いが、八百屋お七はその中の女王格で、上方の人に迄も餘程のショツクを與へたと見へて色々に仕組れてゐる。戯曲に現はれたお七には二つの流れがあり、一つは淨瑠璃で、他は歌舞伎劇である。お七を主材にしたもので一番最初に現はれたのは寶永元年、お七が鈴ケ森で火炙りになつてから二十三年目か四年目にか現はれた「お七歌祭文」といふ淨瑠璃で、こゝでは歌舞伎は完全にさきを越されたかたちになつてゐる。いま淨璃璃は、暫くおくとして歌舞伎劇の中にも又直系、傍系と二つに分れてゐる。即ち本筋のお七と變態のお七がそれで、本筋のお七劇は事實を潤色したもので數は餘り多くはないが、變態のものは非常に澤山ある。先づ順序として本筋のものからいふと、今日の文献によつて見るに、寶永五年三月、今から約二百二十何年前、お七の二十七回忌に、中村座（現在の人形町邊にあつた芝居小屋）で演つた「中將姫京雛」といふのがお七劇の嚆矢で、作者は中村清五郎といふ人である。この人は例の大奥の老女江島と、生島といふ役者との關係を芝居に書いて遠島になつた人であるが、中將姫京雛といふ芝居は、元來中將姫の事を脚色したものでお家騷動ものゝ一つであるが、この中では八百屋彌右衞門の娘お七は、繼母に虐められて雲雀山へ捨てられた中將姫になつて居る、即ち中將姫が繼母に虐待されて家出し後にお七となるのであつて、今日から考へると一寸不思議に思はれるが、當時ではこんな事はちつとも不思議ではなかつた。が何故關係もないものを一つの狂言に仕組んだかといふに、昔は今日と違つて一日の中には一つの狂言しかやらなかつた。即ち今日では一番目、中幕、大切などといつて、時には七つも八つも變つた狂言を並べる事もあるが、昔は絕體に一日一狂言が原則で、これは仲々破れないものと見へて、色々苦しんだ結果遂に二番續き三番續き等といふ事を考へ出した。即ち色々と變つた材料を綴り合はせて一つの狂言に作つたので「中將姫京雛」も御多分に洩れずこの原則に基いて、中將姫の傳說に八百屋お七の話をはめ込んで一つの狂言にこたもので、本鄕妙圓寺の小姓吉三郎は、お家騷動の難を避けてゐる唐橋の宰相で、元々中將姫とは許婚の戀仲であつたが、中將姫は戀人に逢ひたい爲めに養父を殺して了ふ。本物のお七は附け火だがこのお七は附け火よりもまだひどい親殺しになつてゐる。櫓の太皷どころではない大變なお七だが、親殺しで刑に所せられやうとした處へ舊臣が現はれて中將姫は助り後に尼になるといふ、簡單な極めて都合のいゝ芝居であるが、更に變つてゐるのは、尼になつた中將姫が說法してゐる處へ、中村吉三郎といふ役者が出て來て、この尼に自分の師匠中村七三郎（七三郎は中村座の座主兼役者で、その時代に非常な人氣のあつた名優である。）の追善をやるからその口上を述べて貰ひたいと交涉に來る處があつて、中將姫の尼がそれを承知して、「これから中村七三郎の追善芝居をやります」と口上を述べる。隨分人を喰つた話だが、昔ではこれなんか飛切りいゝ形式であつたに違いない。

こゝで一寸落してならぬのは、この時お七は大阪下りの女形で嵐喜代三郎といふ役者が勤めたが、これが大當りで大變な評判になつて、その型が今日迄殘つてゐる。

お七の紋は芝居では丸に封じ文といふ事になつてゐるが、實はこれはお七の定紋ではなく、喜代三郎の定紋であつたので、喜代三郎がこれをつけて芝居に出たので之れが今日迄傳つて一つの型になつたのである。その後色々とお七劇も上演されて、その數も五十位にも上るのだが、眼目だけ述べると、中將姬京雛が上演されて十一年後、享保三年正月市村座で「七種福壽曾我」といふのが上演された。この時は三條勘太郎といふ妙な名の女形がお七を勤めたが、これが又大當りで、後年この勘太郎をお七劇の中興の祖と稱してゐる。この狂言がお七狂言中の重要なものゝ一つであるといふ理由は、この狂言で初めて曾我の狂言と結びついたといふ事である。何故そんな事をしたかと云ふと、矢張り前にも云つた通り一つの狂言にするため無理矢理にお七をもつて來たもので、これから後お七は必ず曾我の狂言に結びつく事になつて終つた。

その後出來たお七の狂言で、歌曲に殘つた大事なものが二つある。一つは寬保二年一月中村座でやつた『娘曾我凱戰八島』で、これもさつぱり譯の分らない狂言だが、これによるとお七は狂人になつて、下男彌作と丁稚三吉を相手にして狂亂する件りがあるが、この時當時非常に流行してゐた河東節『亂髮夜編笠』を使つた。この曲は現在でも殘つてゐる名曲で、振りつけは藤間靜枝がつけたものだが、今から見ても非常にうまい手がついてゐる、これなどもお七狂言中の最も重大なものゝ一つに勘定してもいいと思ふ。

それからもう一つは、今から約二百年前延享元年三月、市村座でやつた『七種蛯曾我』で、このお七が又大變なお七で木曾義仲の娘といふ事になつてゐる。今日から考へると想像もつかない事だが、その木曾義仲の娘がお家沒落の後、身を忍んで江戸に下りお七になるといふ判斷に苦しむ不思議な筋で、吉祥院の所化辨長といふ惡僧主がお七に戀慕して、吉祥院の裏門でお七を手籠めに仕様とする處へ工藤左衛門祐經の奥方といふのが出て辨長を殺して了ふ。次の幕になるとお七は土手の道哲の傾城高尾の墓の前にたゞずんでゐる處へ高尾の幽靈が出る。この高尾は例の千代萩の高尾で、どういふ譯でこゝに幽靈になつて現はれるのか、まるで幽靈見たいな筋でさつぱり譯が分らないが、兎に角、そこで高尾の幽靈が踊を踊る事になつてゐて、その時使つたのが長唄の『高尾ざんげ』で、これも仲々流行したが、結局歌曲だけは殘つたが狂言はすたれて了つた。

つゞいて延享四年正月、森田座で『江戸紫根元曾我』といふのが出たが、この狂言がお七狂言中で一番いゝ狂言で、今日迄約百八十年位も續いてゐるから餘程の名作に違いない。最近では昨年二月本郷座で中村吉右衛門一座でこの狂言をやつてゐる。これによると、本郷駒込吉祥寺の欄間に彫つてある天人の像が、お七にそつくりといふ程よく似てゐるが、蒲冠者範頼がお七に戀慕し、家來に命じて拐はせよふとしたので、お七は吉祥寺に逃げ込み欄間の天人の彫り物を外して自分が天人になつて危地を脫するといふ狂言で、これが又大當りを取つた爲め、お七劇はこの狂言に止めを刺すと迄云はれる樣になつた。その後明和三年七月中村座で『八百屋お七戀江戸染』といふ狂言が演ぜられたが、これは欄間の天人の一件を更に增補して一層完全なものにしたものだが、これが又大當りを取つたので、お七劇はこれに限ると云つてその後はこの狂言に一定されて了つた。この狂言は、例の欄間の天人の一件があつて後、お七は吉三に逢ひたい爲めに櫓の大皷を打つ。昔は辻々に木戸が設けてあつて、夜になるとそれが明かない、櫓の太皷を打つとそれを合圖に木戸が明く事になつてゐた。が無闇に打つ者は死罪に行はれるのである。お七は男に逢ひたいばかりにこの太皷を打つて捕はれ、刑場へ送られる途中の馬上で、七夕の晩吉三郎と祝言する夢を見る件があり、夢が醒めるとお七が曳かれて出るといふ趣向で、この狂言のお七は首を打たれ樣とする時暫く〳〵で助け手が現はれ目出度く助命が叶ふといふ、極めて都合よく出來てゐるが一つ不思議な事にはドレを見ても肝腎の火をつける件がない事である。これは昔の芝居小屋といふものは大變不完全なもので度々火事に遭つた經驗から、舞臺では一切火事の場面はやるまい、書くまいといふので作者も決して火事場を取り入れなかつた。その關係で火事の代りに櫓の太皷になつたり、親殺しになつたりしてゐるのであつて、お七劇で本當に火事を使つたのは最近の岡本綺堂氏の『お七』といふ芝居が最初である。

處で、代々このお七は、色々な女形が必ず一度はやつたものだが、中で一番有名なのは五代目岩井半四郎であつた。半四郎は『眼千兩』とまで云はれた非常に眼のよかつた名優で、特にお七がいゝといふので爾來お七は半四郎に限ると折紙が附いてしまつた。從つて又半四郎も幾度もお七をやつたが、それが遂に岩井家の家藝になつて、八代目まで代々やつて來たものである。

俗にいふ『天人お七』は、その後も大分現はれたが、安政三年十一月市村座で『松竹梅雪曙』が出るに及んで從來のお七劇にも一つの革命が起つた。これまでは『天人お七』一方であつたのが、この狂言が出てからすつかり變つて了つたのである。作者は河竹默阿彌で、その頃江戸の役者で長らく大阪で修業して歸つて來た市川小團次（今の左團次の伯父）といふ大變人氣のあつた役者があつたが、この人は顔は汚いし、脊は低いといふ誠に役者に似合はない人であつたにも關らず、昔から綺麗なものとされてゐたお七を是非やりたいといふので、特に默阿彌に注文したもので、默阿彌は淨瑠璃の『伊達娘戀緋鹿子』を脚色し、この狂言に初めて淨瑠璃を使ふ事にした。從來は江戸狂言には絶體に淨瑠璃は使はなかつたものであるが、小團次は在阪時代に淨瑠璃を使つてやつた經驗があり、方々、お七を人形振りでやりたいと云ふのでこれを使つたもので、この狂言は淨瑠璃を使つたといふ事と、お七の人形振りを創めたといふ點で、お七劇中の最も重要なものゝ一つと記憶されねばならぬものである。人形振りといふのは、人間が人形の眞似をして淨瑠瑠に合はせて踊る事を云ふので、こゝではお七が吉三郎に逢ひに行ふとして、木戸が閉つてゐるのに困つて、雪の中に立つたまゝとつおいつ思案する處から人形振りになるのだが、これが又大變な大當りで、これから後には必ずこゝは人形振りでやる事に定つて了つた。昨年本郷座で福助がお七をやつた時にも矢張りこゝは人形振りでやつた樣に覺へてゐる。

今迄述べた狂言のお七は、何れも混合お七で、本當のお七は一つも出なかつたが、明治二年十月、中村座で『吉樣參由縁音信』が出るに及で初めて實際のお七が狂言に現れる事になつた。この狂言は旗本小堀家のお家騷動と八百屋お七の人情噺とを一つにしたもので、お七は八百屋の娘として現はれてゐるが、吉三郎は湯灌場買ひの吉三といふ惡黨になつてをり、舞臺にも初めて本物の圓乘寺を使つて、旗本の小堀左門之助といふお家騷動の難を逃れて圓乘寺に來てゐる色男に戀するといふ傳說を土臺にして脚色したものである。

扨本筋のお七はこれ位にしておいて、今度は變態のお七であるが、この方は本筋と違つて數限りなくあるので、一々列擧する事は到底困難な事だが、その中でも最も有名なのは例の默阿彌の『三人吉三』であらふ。この書替へといふのは、本筋は別にあつて、只お七の名前丈けを借りて來てはめ込んだもので、實際のお七とは何の關係もないものである。

この變態お七の代表的なものゝ一つに、文政四年五月、河原崎座でやつた『敵討櫓太皷』といふのがある。これは變な狂言ばかり書くので有名な鶴屋南北の作で、御多分に洩れずこの狂言も隨分變つた珍な狂言である。珍といつても吉三が珍なので、面白い事は飛切り面白い狂言である。大變に强慾な八百屋お七の親父は、金で嫌がるお七を無理に吉三の處へ嫁にやる。さてそこで色々あつて、愈々二人が屛風の中に入つて終ふと親父は金の催促を初める。するとそこへ泥棒が出て親父を縛り上げて終ふのだが、これと同時に、今迄とても素晴らしい立派な寮に見せてあつたものが、忽ちに荒れ果てたお寺と變つて了ひ、吉三は八丈小僧の吉三といふ大泥棒で、ドテラを引かけて出て來る。するとお七がこの泥棒にほれて親仁を棄てゝ二人で逃げるといふ、とてつもない新しいお七だが、これはその當時八丈小僧といふ大泥棒が捕つたので早速それを取り入れて狂言に仕組んだもので、だしに使はれたお七こそとんだ迷惑な話だが、更にこの外には、お七が踊の師匠になつてゐたり、刀の詮議の爲め辨長といふ坊主を殺したり、變つた處では品川の女郎になつてゐたり、甚しいのはお七が燒芋屋の女房で、吉三が町內の無賴漢なんての迄あるが、これではいかに優しいお七とても、定めて地下で憤慨してゐる事だらふと、いさゝか同情して筆を擱く。

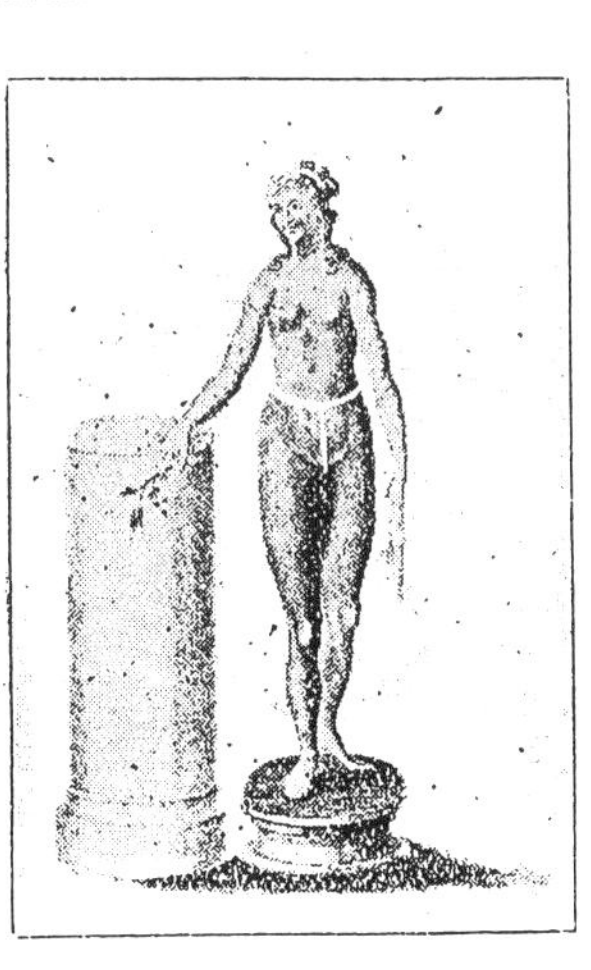

八百屋お七

藤澤衛彦

(一) 戀の目覺め

一本故になつかしい、江戸紫の色に生れて、海棠のまだうら若い、かわゆい瞳の八百屋のお七は、日本六十餘州の眞中に八百八町の戀を背負つて立つた、萌ゆる情の美しい、火のやうな紅牡丹、さて、儚さの影しい凌霄花……さうした性（セツクス）の娘であつた。

最大の熱望と懊惱焦燥、殆んど堪へ兼ぬる破瓜期の期待を、吉祥寺の闇がりにうつらうつら、女が一生に一度の命、至大至重の瞬間を過してから、お七はたゞ戀こそ人の命と知つた。女心の一筋に、戀ゆゑ恐ろしい罪人とはなつたけれど、嘘を言つて、自分のした事から逃れやうとするほどのさもしい女ではなかつた。その思想を悉く論理の配下となすべしといふ法の要求はあどけないお七をして寧ろ案外に思はしめたけれども、諦めは直に彼女の皆無であつた智的良心の歎きに代つた。惡いを知つてしたことではなし、吉三樣戀しと思ふたからしたこと、吉三樣に逢ふため罪人になつて殺されるのなら、悲しうても愁くはない……傳說のお七は、さうした性格（キアラクター）の娘であつた。

單純にして闇昧な、例へば夕の霧を隔てて、浮世の物を見るやうであつたお七が過去の心的狀態は、男を知つたその朝いともうららかに霽れ渡つて、形象自ら明かに、その性情も、處女が熱烈なる時代の戀の權化と變つた。

がなべて二百四、五十年前、恬凞漸く久しい德川の、四代、五代二世の將軍時代に亘る寛文、延寶、天和の世風を物語る井原西鶴の「好色五人女」は、忽ち寛文に生れて天和に刑死した、このあはれなるお七を捕へて、江戸を代表する唯一の女に取扱つた。一般に知られてゐる、お七、吉三の戀の傳說は、先づかうして醸されて行かうとした。

(二) お七火事

天和二年(壬戌)十一月二十八日辰の上刻(今の午前八時頃)から俄に吹き出した風は、辰の下刻(今の午前九時頃)に至つていとゞ烈しくなり、世間なんとなく物さうざうしく、都の人々を痛ましむ事頻であつたが、巳の刻(今の午前十時頃)に至つて、その不安はいよいよ實現された。お城の西北四谷の北を河田窪の原町遁世者の草庵から不慮の出火は、荒ぶる風に吹き立てられて火は忽ち軒に添ふた小家に燃え移り、妙火旺盛に燃え廣がり、水野對馬守屋敷から松平攝津守の上屋敷と次第次第に火勢募り、一方赤坂、麻布にも飛火するといふ始末。諸方の火は一所に燒け靡き、湯島より上野へ、神田より日本橋まで燒け拔け、見る見る本所深川を一舐にする勢であつた。此火事を最初の大火として、戌の霜月上旬から、翌年寅の二月中旬に至るまでは、品川を限り、目黑、麻布、四谷、市ヶ谷、牛込、小石川、染井、板橋、谷中、千住本鄕、下谷、淺草、本所、深川、鐵砲洲、此外前記の地、其餘自他繁昌の地はいふに及ばず、一箇所二箇所或は三箇所五箇所、五間七間又は一丁半丁の火事の出來ない日とては無く、火の見櫓の太皷の、終日音を鳴らし、夜々に響を出して、耳を驚かさぬといふ事はなかつた。

中にも、十二月二十八日の火事は、十一月二十八日の火事に次ぐ大火で、二十六日の暮方から吹き荒んだ大風晝夜片時も止む事なくして、二十八日に及び、其曉方に至つて一層狂ひ荒んだのであつた。本堂に勤行の鐘の音絕えて、午睡の夢今濃かならんとする駒込吉祥寺の寺僧は、ふと脅かされるやうな太鼓の亂打に目覺まされた。敷石を駈け出して見ると、唯ならない空模様に、かてゝ南の方が眞赤に見える。『火事は何處だい、丸山だい、牛の畢玉丸焼けだい。』小僧らしい者の聲が、かう飛ぶやうに聞えた。執着の火で名高い明暦の振袖火事（明暦三年正月十九日、江戸大火。丸山火事ともいふ。）の火元も、本妙寺といふ寺であつたが、今日の祝融氏も、駒込片町の中大圓禪寺門內の庵室へ先づ見舞つたといふから、この大風だし、きつと廣がるだらうといふ風上の噂さも、午の上刻（今の正午時。）に出た火事は大火になると、不安の念にかられる風下の迷信も、すつかり的中して、江戸名物の鳶頭が手練に死力を盡しての消防も何の甲斐もなく、不思議と大圓寺の庫裡と本堂とを仔細なく殘した（尤も此本堂庫裡も、越えて二月六日の火事（其夜丑の刻白山材木町より出火、風にまかして燃え廣がる。）に類燒灰燼となつた。）火の手は、瞬く間に同心屋敷に燃え移り、森川宿の立町横丁一文字に燒け通つて、阿部對馬守屋敷に移る。少し筋かひに切れては小笠原信濃守屋敷に飛火し、その邊の寺院一宇も殘さず燒き拂ふと、時を移さず松平加賀守の上屋敷に移るといふ始末、その火の手の早かつた事は明暦の火事以上、それには、振袖火事同樣、火の附いた艦の車長持が、いつそ延燒の仲介をした事が多かつたといふので間もなく、車長持禁制のお觸れが出たといふことであつた。

その頃、駒込片町にあつた（「武江年表」）お七の家（お七の家は、昔の森川宿の追分から、王子道の方へ五六間行つて、右へ曲つた北側の商人家でその向の南側には、森川出羽守の邸があつた。これを今日の地理で言へば、森川町の方から追分の方に向つて行き第一高等學校の表門前を通り拔けて、直に右へついて曲つた左側、即ち本鄉區駒込追分町一番地の邊に當る。「近世江都著聞集」や「江戶紫眞實錄」は、駒込追分願行寺門前町とし、「我衣」は丸山本妙寺門前とし、稗史小說や淨瑠璃は、或は本鄉丸山邊とし、又は本鄉二丁目としてゐるけれども、皆誤謬である。）も、風脇ではあつたが、此時の火事に、お七の家も類燒して、一家は其檀那寺（わが歸依する寺、菩提寺香華院に同じである。然し「天和笑委集」には、近所の正仙院といふ寺に立越え、身の難儀を語り偏に賴み込んだとしてある。）へ避難することになつたが、此火事が、お七傳說の發端となつてゐるので誰言ふとなく、後世この天和二年師走の大火を、お七火事とも呼ぶやうになつた。たゞ、俗に天和火事といふも、今ではお七火事を指すやうにはなつてゐるけれども、嚴確にいへば、お七火事は天和二年十二月二十八日の火事をいひ、天和火事といふ場合は、天和二年の霜月上旬から、天和三年の二月中旬に至るまでの諸所の出火を、ひつくるめて言つてをるのである。

(三) 檀那寺

その日の火事に焼け出されたお七の一家は、立退先か檀那寺(「天和笑委集」には、檀那寺となつてゐないが、これは、此書が、後の吉三なる人物に當る人の本名さへ憚つてゐる如く、寺をも假名にしたに起因してゐるやうである。)に賴んで其處を、暫くの假住居とすることになつた。

一般に信ぜられてゐるお七の家の檀那寺といふものは、駒込の吉祥寺となつてゐるが、これは、例の西鶴の「五人女」が最初に選んだ寺であつて、その據が、那邊にあつたかは分つてをらない。或はお七の父山瀨三郎兵衛(「天和笑委集」には、山形三郎兵衛。」はもと前田侯に仕へた足輕であつたといふ傳說(「著聞集」)から、前田家に由緒ある吉祥寺を選んだのであらうの、吉祥寺門番の息子に、吉三郎といふ惡漢があつた(「憤墓記」)のが、お七の傳說に交涉あるところから、吉祥寺とされたのだとも言はれてゐるけれど、全くはお七火事には確かに類焼を免れたと思はれ、お七の家の立退場所としては最も格好らしい距離の、且はかなりに知られてゐた寺でもあつたので、わけもなく、事實には拘泥せず、駒込の吉祥寺と勝手に書かさしむるに至つたのであらうと思はれるのである。

吉祥寺說に次いでは、正仙院であるといふ說(「笑委集」)と、圓乘寺であるといふ說(「近世江戸著聞集」)とがあるけれども、正仙院といふ寺號の寺院は、延寶の「江戸大繪圖」にも、天和の「分間江戸大繪圖」にも見當らない(尤も、正泉院といふ寺は、「江戸大繪圖」にも、「分間江戸大繪圖」にも見えてゐるが、これは、お七火事の火元であつた大圓寺前にあつて、當時類燒したものらしい。）し、且は「天和笑委集」の作爲した寺號（「笑委集」刊行の頃は、未だ當時の人々が生存してゐたので、吉三郎の事は、總て借名を用ひた傾向にある。）であるやうだし、圓乘寺とする說は、此寺の住職が、お七の父山瀨三郎兵衞が俗緣の弟であつたからと、尤もらしく筋道を立てゝゐるばかりか、其後お七の菩提寺ともなつてゐるので、有力なる寺院になつて見えるけれど、實證を求むるのに、圓乘寺の寺傳にも世代の閱歷は明かでない上、此說を揭げてゐる「著聞集」といふ書自らが、かうした穿鑿には杜撰な事が多い書物であるので、その記事をそのまゝにしては、これを漫りに受け入れ憎いのである。

之等の說の他に、また、お七の家の檀那寺を、或は吉祥院とする說、或は妙榮寺とする說、或は妙圓寺（「追善彼岸櫻」）とする說などがあるけれども、吉祥院は、勿論駒込吉祥寺の轉訛したもの、妙榮寺は、お七の戒名妙榮禪定尼（お七の戒名を秋月妙榮禪定尼とするは當らない。お七の死は春であるのに、ことさらに秋月とつける事はあるまいと思はれる。）の轉訛したもの、更に妙圓寺に至つては、お七の戒名妙榮禪定尼の上一字の妙と、お七が菩提寺圓乘寺に上一字の圓とが結び合せられ、一層附會な寺號を成したるものに過ぎないのであつた。尤も、妙圓寺といふ寺、谷中瘡守稻荷前に一箇寺あるけれども、實地調査の結果は、勿論何の據ろをも發見し得なかつた。

これを要するに、お七の家の檀那寺は、一般に言ひ傳へられてゐるやうに『お寺さんは駒込吉祥寺カーン。』でないといふ事だけは、確かな事でありながら、然らば、何處であつたかといふ事が、ちよいとその決定し兼ねるのである。

（四）借　夜　着

お七が一家の外に、檀那寺へ避難して來た人は、かなりにあつたといふ。誰彼の差別なしに住職が出してくれたものを纏つて、ともかくも夜寒身に浸む幾時かを防がねばならなかつた。白無垢鼠無垢といつたやうな夜着も、氣味惡しなどいつてはゐられぬ場合ゆゑ、誰も彼も、それを借りて寢た。

當時お七の一家は、父の八兵衞、母のおため、下男の久七、六藏、下女のおうめ、それにお七の六人であつたやうにも言はれるけれど、天和火事を委しく記した「天和笑委集」には、お七の父は市左衞門と呼び、駿河國から江戶へ出て來た農民となつてゐて、例へば「著聞集」等までが、お七を獨娘と記してゐるのに反して、市左衞門には、お七の外に、なほ男の子が二人あり、お七は其末子であつたと記してゐる。

淨瑠璃歌舞伎では、紀海音の「八百屋於七戀緋櫻」による故に、お七の父が久兵衞、母は夙く亡つて下女のお杉が母代りの、至つて淋しい家庭のやうに見受けられてゐるが、之は淨瑠璃でのことで、實錄には關係ないものであるし「著聞集」のお七の父は、山瀨三郞兵衞（又は中村喜兵衞）と言ひ、寛文年中浪人して、本鄕追分の先常信寺坂下に居たが、町人となり、八百屋太郞兵衞と名を改めて、安らかに渡世してゐたが、夫婦の間に子供の無かつたのを歎いて、七面大明神（「我衣」に、駒込吉祥院の七面大明神とし、且つ、吉祥寺を、元法華宗とせるは誤謬。）に祈り、お七を申受けた。七といふ名は、即ち七面樣の申し子を表明するものだといつて、お七を獨り娘とする說も、同書が杜撰な書であるところから、其儘には信じられないし、「江戶紫眞實錄」の親子三人說も、此書が多くを此「著聞集」に據つた書であるので、之も信じられないし、肝心のお七の菩提所である圓乘寺から、弘化二年に發行になつた「八百屋於七懺慕記」にさへ、お七父子の名前だに傳へてをらないので、今では、全く、八百屋の一家族の人數さへ、確とは定め兼ねるのであるが、何にせよ、さうした人達は皆お寺の抹香臭い借夜着の中に夜を明したのであつた。

然し、お七が其時の假夜着は、黑羽二重の大振袖に、梧桐銀杏のなべ紋、紅裏を、山道の裾分けに染めなしてある小袖であつたといふ。幽かにとめし香のかをりに包つて、何れのどのやうな上臈が、かうまで床しい絹小袖を、形見ともせずに、お寺のあがり物としたのであらうと、その折の夢までの行方を、小袖哀れと偲ぶのであつた。……想像は書かれてもゐる。

(五) 銀の毛貫

あくる日のお七は、見るともなく、書院窓の障子をうつらに眺めてゐた。障子には、日影が薄れて、ちらと緣の方に人のけはいがした。ふと眸を轉じたお七の眼に、吃驚する程に映つたは、緣に俯向きの若い人影であつた。お七は、ぢつと其小姓姿に見入つた。やゝ斜めに俯み加減な、その頸の美しさ、女にしても見まほしい領脚の邊を、お七は、現ともなく見入つてゐた。

美しい若衆は、それぞとも知らない。白い、細そりした左の手の、人さし指の刺を、不自由に抜きわづらうてゐる。お七は、何となく引きつけられるやうに、其人床しければもどかしくも、飛んで行て抜いてあげようか、それはあまりにはしたない。もの言ふて、どのやうな刺か問ふて見やうか、それもやつぱりはづかしい。いつそなかなかにじれじれしいと思ふ氣分は、先程から、久しさに見兼ねてゐたお七の母も同じであつた。『どれ、抜いてあげませう。』かう言つて抜いて上げやうとしたけれども、お七の母は、受合つた程頼み甲斐のある抜手ではなかつた。若衆の薄い薄い皮の間にあるかなきかの小い刺が、まして暮方のほの闇さに、決して抜けさうには見えなかつた。お七の母は、幾度か見當を違へて、その度に、若衆に眉根をぢつと寄らしめる。氣の毒さうに、それを見てゐた母親も、もう堪らなくなつた。で、心配さうに横から覗いてゐたお七に毛貫を譲つて『お前のよい目で代つて抜いてあげたらよい。』と、手をひいてしまつたといはれて、此場面は、よく繪で見るところだ。

汝のよいといふ詞に、若衆は思はずお七を見た。お七は、はつとして、その愛嬌深い顔(「我衣」の説によると、お七は色白く、小ぶとりで、顔に薄痘痕（うすあばた）があつたといふが、「著聞集」は『容貌類ひなく美にして、見る人情を通ぜざるはなかりけり。』と言つてゐる。「松屋筆記」の著者は、又『一實錄を見しに、色淺黑く、美女ならぬよしに記したりき、今は其書を忘れたりと言つてゐる。』)に紅をさゝした。若衆の面も匂ふやうに染つて、素直に任した刺の指端は顫へてゐた。お七は、胸の轟きを押へて、さりげない振で、しかも初初しう刺を抜きにかゝつた。今開き初めやうとする眼瞼のうるめき、お互ひは、それをお互ひに伏眼にして、もの一言いひかはさなかつた。白魚の指のふるひ、白銀の毛貫のふるひ、お七の手は、刺のある箇所へはなかなかにゆかずして、ともすれば狂ひがちであつた。さはいへ、お七は、その刺の挾み得ぬのを、いつそ、嬉しく思うてゐやう。あるかなきかの刺のさはりゐる若衆の指、それをぢつと支へたお七の指、其處のあはひには、しつとりと汗がうるんで、とろりとろりと性の暖かさが湧いて出る。上氣した二人は、時時にほうといふ深い溜息して、その都度に仰ぎ見る顏と顏との、ゆくりなくも相あふことのおもはゆさよ。

とかうして刺は拔けたけれど、お互ひの胸に、いや深くさゝりゆいた情の刺は、白銀の毛貫も、黄金の毛貫も、決して拔くことの出來ない金輪際の根を下した。眞白さと柔らかさのふさはしい二人の手は、母親の手前神妙さうに、離れがたなさが解かれたけれど、心に許しあつた情の手は、お七が毛拔を返へさうため、忘れたお若衆のあとを追つて行つた時、書院の入側の唐戸の陰で、今度こそしつかりと、眞紅の色に觸れあふたのであつた。

(六) お若衆樣

あどないと思はれた娘でも、戀にはさかしくなるものである。溫かい血潮の漲り流れる手に觸れたその夜のうちに、お七は、あのお若衆は、身柄のあるお人の子で、お住職樣が大切な預りのお小姓、何の誰樣だといふ事を知つた。

戀しいとお七の知つた其若衆は、記錄傳說によると、生田庄之助(「天和笑委集」)或は又山田左兵衛(「近世江戸著聞集」には、『其頃圓乘寺に、小姓の如く懸り人となり居たりし、山田左兵衛といふ人あり、此人は、御旗本（二千五百石）山田十太夫の次男なりけれども、讒あつて、其家に置き難く、檀那寺なれば、暫くその讒を逃れんために爰に置けり。後年山田左兵衛御旗本衆となり、文廟、章廟兩君に仕へければ、此事を狂言綺語には深く恐れ、その名を呼ばず、小姓吉三郎とせしは、實に雲泥の相違なり。さて、此山田左兵衛は、至つて美男にして、茶の湯、連俳、手跡など拙なからず、やさがたなる男なりける故、此寺に滯留中、お七は……いつしかわりなき仲となりにけり云云。』と見え、その後、此左兵衛は、正德元年に召出されて御納戸となり、御小姓に轉じ、更に御使番になつた後、遠江守に任官したと傳へてゐるけれども、檀那寺だつたといふ圓乘寺には、山田家の墓所が見當らない。「我衣」は又、『圓乘寺に、御旗本山田十太夫悴佐兵衛とて、若きかゝり人と成りてゐられけるが、お七と密通して、太郎兵衛（お七の父）が住みける寮へ、晝夜行いて遊びける云云』と見え、「八百屋於七慣墓記」には、山田左兵衛は、山田某の甥、一說には、勢州の住人藤堂某の甥にて、時の住持にも亦甥であつたやうに記し、さて『當寺に住し、小姓の如く仕へけるが、お七この門前に住居の間、いつしか此人を思ひそめて、互に人知れず契りけり。』と言つて、お七刑死の後、お七の後を追つて自害せんとしたが、住持の意見默止がたく、お七が後世を弔はんものと出家遁世して、名を西運と更め、朝夕念佛三昧に送り、その後文久二年十月四日、七十歳を以て大往生を遂げたと書いてあるが、その小姓の名は山田左兵衛であつたといふは、總て一致してゐる。」など呼ばれたと言ひ傳へられてゐるが、元來が「天和笑委集」は、お七の刑死後間もなく上梓になつた書で、まだ物語の主人公である人物が生きてゐたので、當時の習慣として借名を用ゐなければならなかつたに反し、「近世江都著聞集」の著者馬場文耕（始め西國の浪士（又伊豫の人ともいふ）で、曾て僧となつた事もあつたが、蓄髮して江戸に來り中井文左衛門と名乘り、後に馬場と改稱し、始めは易占の術を以て活業としてゐたが、後舌耕師となり、旁々著述を業とした。寶暦八年に、金森家一件を明細にして諸役人依估の沙汰なりと、其個條を指摘して陳べた書「平假名森の雫」が、公事を批判し、役人を誹譏した廉によつて、同年十二月二十九日、四十一歲を以て町中引廻しの上、淺草に於て獄門になつた。）は、活達の男で、自ら時を得ない事を憤り、大方の舌講にも滿腔の不平を漏らす體の人物であり、且は、後年公事を批判し、役人を誹譏したといふ罪により、町中引廻しの上、淺草に於て獄門になつた程の男だから、例へ、其事件の差細の穿鑿の杜撰はあつたにしろ人名までを作爲するやうな人物ではなかつたと思はれるから、當時お七の情人となつた小姓は、確かにこの山田左兵衛といふ若衆であつたであらうと思はれるのである。或書には、此左兵衛といふ若衆は、道樂の爲めに勘當を受け、檀那寺であつた圓乘寺へ轉がり込んだ男だなど言つてあるが、記錄を尊重して、彼の年齡を、天和三年に十六歲であつたとすればお七を知つた天和二年は十五歲、まだそれまでは戀知らずであつたとする方が、當つてゐるやうではないか。

その何れにせよ、お七が戀したに違ひはない。起るから寢るまで、お七は夢にも其人の事を思ひ詰めてゐたのだ。他の事は全く手にもつかない、耳にも入らない。かうもしたら、お若衆樣の顏を見ることが出來やうか、あゝもしたら、そのお若衆樣に逢ふことがなるかと、一度でも多きを願ふその首尾ばかりに、小い心を疲らかしてゐた、幸、お世話樣ついでに、新らしい八百屋の普請の出來上るまで、お七の一家はお寺に假の住居のまゝ天和二年の冬を越すといふことになつたのを、お七はどんなにか喜んだ事であつたらう。いとしいといふ文をかいて、ふと行き違うたお若衆の袂に忍ばせると、おなじやうに小姓も、懷にした文をそつと渡して行く。さうした仲になつたのも、一家がお寺に長い滯留の賜物であつた二人の間に芽が葺いて、やわやわと戀のそれ、培はれ、育ち、萠えて行く心ざしの、軈て根強く下されたのも、全くさうした長い間に、機會といふものが出來たお蔭であつたといふ。

(七) 常香盤の鈴音

年の瀨に、儚き戀の浮名も立たず、軈て二人は二八の春を迎へた。人目の關に忍ぶれど、物や思ふとお互ひの戀の、いともせつない日が重なつて行つた。ちやうどお七の家の普請も大方出來上つて、明日あたりは寺を引き上げねばならないといふ折であつた。紅い小豆の粥が炊かれて左義長の祝ひの偲ばるゝ一日を、わけて術なく過さねばならぬと思つたうら悲しい夜半、幸か不幸か、新佛の野邊送りがあつて、出家達は皆留守になつた。がらんとした庫裏には、新發意と飯炊きの嫗ばかりがしよんぼりとしてゐる。もう、其頃は、お七の一家のみの、それも父親は普請の差圖に店の方にばかり行つてゐて、廣い寺内が、眞に恐ろしさうも思はれる夜頃、時ならない雷までが鳴りはためく、この夜をおいては、またの首尾はないと思はせる程、物音もまぎれるをよい機會のやうに、お七はその夜頃にそゝのかされた。戀は死のやうに強い、日頃は鈬の鈴の音にさへ驚くお七が、戀ゆゑか、そのやうな夜頃の恐怖さを無くしてゐた。いつしか人目忍ぶといふことをも覺えてゐたか、お七は、拔き足、差し足、手探りにはためきの夜の暗闇を行く。それほど戀はお七を大膽にもさしてゐるたのであつた。然し、外の荒ぶるに似ず、本堂の靜かさはいやが上にも加はつてゐた。その折、ついした急ぎ足に、はたと、常香盤につまづいて鈴を落し、身の竦むほどに顫へあがつてゐたお七のあたりに、その鈴の音を賴りに、もの思ひ寢の左兵衛もまさぐりよつて、二人は振へながらに手を取り合つた。漸くの思ひして、かうして左兵衛の閨へ落ち着いた後の物語『わたくしは十六になります。』と男『わたくしも十六になりました。』と女『長老樣がこわや。』と男『おれも長老樣がこわい。』と女、二人はどこまでもまだ戀馴れない二人のやうであつた。

俗傳（或は「好色五人女」によると、お七吉三のなれそめは、かうした優しいゆかしさで、女から通ふ戀路であつたといふが「天和笑委集」は、男よりしかけた戀として、千束の文の果、お七の下女の雪が取持に、男から女の元へ忍んだのが始めだといふてゐる。それによると、正月十日の夜亥の刻、月なき時にあいそめたと、日時までも擧げてをり、其日のお七の裝束を『中立の雪時をはかり、模樣なき小袖二つ三つ取出し、着たる衣裝をあらため、幅廣き丹前帶うしろにまはして、吉彌結びも裾小褄を揃へ、襟ぎはくわらりとおしくつろげ、櫛にて髮をかき撫で、かひがひしくこしらへまかないける云云。』と記してゐるが、それは、全く想像に止つてゐるものに違ひない。

かうした戀路の出來たとも知らぬお七の一家は、其頃普請も出來上つたので、ちようどさうした戀のあつた翌る朝、長らく厄介になつたお寺を引拂ふ事になつたといふ（「お七吉三浮名緣結」が「天和笑委集」には、お七の家の燒跡の普請の出來上つたのは、正月中旬の事で、夫迄は毎夜忍び逢つたとも言つてゐる。

（八）あふれ者吉三郎

ほんの近くに住みながら、二人の心は思ふに任せなかつた。どうぞしてと、思ふ心は一つでも、二人の逢瀨は遂にまゝならぬ堪へやれぬ思ひに亂れて、お七が沈み勝な八百屋の店に、ちよくちよく遣つて來る近所のあふれ者で、吉三郎といふ男があつた。駒込吉祥寺の門番の息子なさうなが、博奕と酒に親の勘當受けて、今は何處とも住所不定の惡漢、お七の何やら案じ顔なのを言ひ當てて、われから戀路の使となり、それを枷に、お七から博奕の元手を絞り取つた。これが、「五人女」では、土左衛門の傳吉といふ破落者になる奴で、後にお七に放火を進める役廻りになる男、彼の「五人女」以下の小説の小野吉三郎とし、「八百屋於七戀緋櫻」以下の院本や、「追善彼岸櫻中將姫京雛」以下の脚本や、淨瑠璃、小唄、歌祭文、覗き機關節等の小姓吉三郎は吉三とする説は、全く小姓左兵衛に相當すべき人で、傳説の吉三郎とは全く裏腹の人物となつてゐる。「八百屋於七墳墓記」は、お七は、心ならず追分片町に歸るといへども、明暮男をのみ戀ひ慕ひて、色に出づるばかり思ひ焦れければ、此邊に徘徊する吉三郎といふ惡黨、早くそのけしきを推量……云云。』と言ひ、「我衣」は、『お七は、兎角佐兵衛の事忘れ難く、圓乘寺ばかりなつかしく煩ひ出し、人のいふ事も耳に入らず、忙然として暮しける。爰に吉祥寺の門番吉兵衛悴吉三郎とて、大酒家の博奕打、稍ともすれば喧嘩を好み、親の手に餘り終に勘當してけり。町所をゆすり、少々づつの小遣錢を貰ひ暮しける者あり、八百屋太郎兵衛方へ心易く出入しける。お七が煩ふを見ていふやう汝の病氣、われならでは知る人なし、極めて圓乘寺へ行きて、左兵衛に逢ひたき煩ひなるべし、それほどなづかしきは餘り不便のことなり、われら中立して參らすべし、一日一日の小遣錢を給はらば毎日も使せんと申しける。お七嬉しく、文認め、左兵衛方へ遣しける。度々かくの如く使して、お七より、心付を取り、後にはお七も心付なしがたく、文ばかり頼みけれども、吉三、なかなか取次がず、云云。』と記し、「近世江都著聞集」は、一層さうした傳説を委しく記して、『其頃、此近所に、吉三郎とて、甚だ不行跡のあふれ者あり。博奕を好み、大酒して親の勘當を受け、近邊をうろたへ歩き、或時は、近所の寺院に雇はれ、火消屋敷などへも入り込みて、わる者の仇名を取り、聊かの事をも喧嘩にして、人に厭がらるくたびれ者也。親は、吉祥寺の門番して居たり。是れを、狂言には、吉祥寺の吉三郎とて、お七が密通の男に拵へたり實は大なる相違なり（註にいふ。其後、江府に、吉三道心と云ふ發心者の坊主有りて、江戸六地藏を建立せしを、人誤つて、吉三道心をお七が密通の男にて、お七、天和の御仕置後小姓吉三郎道心して、お七が無き跡を弔ひの爲に、六地藏建立せしと、誠しやかに語る人あり、附會の説にして、大きに笑ふべし。いかにも、吉三と云ふ道心者、六地藏を建立せし也、是、別人なり。仔細を詳にせんには、お七存生の節、天和元年の頃、最早六地藏の内、二體は出來せし事明かなり、此吉三道心はお七十五六の節には、六十歳ばかりの老僧といへり。）吉祥寺の吉三郎はいつも八百屋の見世などへも來り、遊び居けるが、或時、お七が物思ひの顔を見て、そもじは、いかう何やら案じ煩ふ體なり、われ思ふに圓乘寺の左兵衛を戀ひ焦るゝと見えたり、戀路の習ひ不便なり、何卒取持ち逢せくれんと、念頃らしう申しけるより、お七嬉しく、志に免じて身の上の事委しく語り、取持たんといふを悦び、金銀など少し呉れければ左兵衛の文など認めさせ、其中立の便りして、小石川の圓乘寺へ持ち行き、左兵衛よりも返事を取り、お七に嬉しがらせ、其替りには、小袖やうの物を借りて、己れが博奕の元手となしけるこそ、不屆なる奴也、後は、お七も、父母に隱しての金銀自由ならねば、吉三郎に合力もなりたれば、其時はいかやうに賴みても、又請合はず、お七に物を思はせる罪の程こそ輕からね云云。』と見えて、後に、お七が戀故の放火もそれを唆かしたのは、此あふれ者の吉三郎だとしてゐるが、飜つて思ふに、「五人女」以下の小說綺語が、かうした惡者の名を、その儘に取つてもつてお七が戀人の名に借り用ゐ、別にその同型の惡漢の代りに、土左衛門傳吉のやうな借名を用ゐたといふことは、他に何かの根據がなしには、あまりに作爲が甚だし過ぎるやうにも思はれて來る。われわれは、取敢へず吉祥寺の記錄に遡つて、その門番の子息であつたといふ事蹟について、一應調べて見るの必要があらう。

（九）吉　祥　寺

私は吉祥寺吉三郎の昔調べにと、電車を駒込の吉祥寺門前に下りた。と見る、堅木の額に碧く、旃檀林（駒込の吉祥寺は、もと曹洞派江戸檀林の一つであつたので、旃檀林と號してゐた。長祿年間の草創で、元は神田駿河臺にあつたのを、明曆三年駒込に移した。今の水道橋は、元此寺の表門に當つてゐたので、舊名を吉祥寺橋と言つてゐた。）と彫まれた山門の左扉に、何時の頃からか『此邊にて自轉車の稽古などすべからず。』と張り出された木札が、その頃の門前の空地（吉祥寺門前の空地は、その頃、通りまで八間距離の廣さであつたが、電車工事に就ての道路改正に六間餘り取られて、今では僅かばかりとなり、自轉車の稽古など決して出來なくなつてゐる）を偲ばすかのやうに取り殘されてゐる。其邊、今も寂寞閑として一人の乞食、『不許葷酒山門』（寶曆壬申季春下院、施主羽州庄內現善寶寺喝禪、同州同寺弟子鐵獅と裏面に刻まれてある。）に凭りかかつて、頻りにお鳥目の勘定をやつてゐる。行き行くに、春深い諏訪吉祥禪寺（永源三世嫩恕全芳大和尙（永正十五年十二月十二日入寂）草創、前永平當寺開山普巖陽大和尙（天文十一年七月十八日入寂）當寺四世勅特賜天海禪師看榮稟閔大和尙（天正十九年四月二十三日入寂）禪宗、本尊釋迦如來、舊寺領五十石。）境內は晝いと靜かに、三町續き幅五尺ばかり平面の石疊に散り敷く、彼岸櫻の花柄ばかりが、そゝやの風に、俤も無い醜い殘骸を蠢めかしてゐる。

ふと、チヤキチヤキといふ物淋しい音が耳に入つたので、うつらに向を見ると、一團の墓碑を圍む扇骨木垣の、背並の高低ある若葉境に、木鋏の尖が光つて見える。覗き込むと、土の香がして、墓番らしい一人の老爺さん、一基の腰石にかう足を掛けて、のそつと伸び出した新芽の苅込に忙しさうである。

『お爺さん、世代の墓地はどの邊になつてゐます。案內してくれませんか。』

かう言つて賴むと、お爺さんは、木鋏を墓石の上に乘せて、ぢいつと一遍私を見たやうであつたが、承知をして案內に立つてくれた。

吉祥寺世代の墓表は、本堂の左橫手、一段高い地盛の點に、三列に長方形に並べられ、開山を中心に、西に向つて袖を成してゐた。一代、二代と、私が讀んで行く墓碑の間からは、ちよろちよろと陽炎が揚つて、經堂の方に鳥影が射して行つた。裏に廻つて調べても、古いのには、和尙が入寂の年月日さへ記されて無かつたので、私は、本堂に行つて、處用を便じる事に決めた。

『お爺さん、君は何時頃から此寺に居るの。』

『俺、三十五年ばかりになりますよ。その間に、和尙樣は三度もお更りになつた。現時の和尙樣は能登からおいでになつた方でさ。』
『お爺さんの家は、代々此寺の門番をしてゐたの。』
「いえ、俺の親父からで、親父が二十五年勤めてゐるのでさ。」
『それぢやあ、お爺さんは、其前の門番の事なんか、何にも知らないのかね。』
『さう、親父が、此寺の門番の株を買つて這入つたといふだけしかわからないね。』
『誰か其前の事を知つてる人はあるまいか。』
『ないねい。』

私は、老爺さんに別れると、直に本堂に行つて、種々私の尋ねたい事を問うて見たけれど、吉祥寺の若僧は開山の御名さへ知らぬ始末、執事に乞うて文化、文政前の「過去帳」を借用に及んで、天和後の分を根氣よく調べて見たけれど、天和頃の和尚が離北良重大和尚（前永平當寺十三世、天和三年七月二十日入寂。）及び衜天良志大和尚（前永平當寺十四世、元祿五年八月二十日入寂。）であつたといふ事の外には、吉祥寺門番の息子であつたと傳へらるゝ吉三郎親子の事蹟についての手掛りなどは、決して得る事が出來なかつた。

(十) 三通りの名

あふれ者吉三郎に似た事實の記錄といふものは、「天和笑委集」にも記されてゐる。その名も吉三郎に似寄りの喜三郎といふ十三歳の美少年（京都西陣の者で、父につれられて江戸に來り、小石川傳通院通前の醫師の元に使はれてゐた。）が、お七とは全然關係の無い他の場所に於てなされた放火犯（天和三年二月十日、わけもなく主家に放火すといふ。）に依つて不思議にもお七が火刑になつた同じ日に、同罪のもとに同じ刑場の露と消えたといふ事實（醫師が放火の發見者に無言の中に濟さん事を頼んだとの噂さが評定所に聞えた時、奉行は助けんとしたも其意が少年に通ぜず、確かに放火と斷言して罪定まるといふ。)で、それを、先づ「五人女」が、其頃はまだ山田左兵衞が實在の人物であつたところからの遠慮から、その勝手な交渉を同日同罪刑死の喜三郎の上に繋いで、些か名を更へた吉三郎を以て、當時の讀者にその趣向を領かしめたものが、其儘、後代の模倣となつて、狂言綺語はそれを繼承し、「著聞集」のやうな事實を主とする記錄を限り、山田左兵衞の實の名を以て記されるに至つたので、こゝに於て、お七の戀人の寺小姓が、二通りの名に分れて傳へらるゝに至つたものではあるまいか。

かうなつて來ると、例の「著聞集」などのあふれ者の方の吉三郎は、然らば全く作爲の人物であつたかといふ疑ひが起きて來るが、これとても全くそれを否定し盡す實證のない限り、成程度までの實在の人として存せしむるも差間へあるまいと思はれるのである。例へ「著聞集」に多少穿鑿の杜撰(例へば、丸山火事と、お七火事とを混同したり、駒込のお七を、本鄕お七としたりした杜撰。)があつたにしてもあふれ者吉三郎の存在を、いはれもなく影も形もない者とはすることが出來ない。すると「天和笑委集」の喜三郎「五人女」の吉三郎(小野)との名前の類似は判つたとしても、こゝに又をかしくなるのは「著聞集」の吉三郎の同名であるが、それは、或は文耕の例の杜撰の罪から、後世に大なる疑ひを招かしむるに至つたものではあるまいかとも思はれないではない。(こゝにおもしろいのは、お七の戀人として永く後世に傳承されるのが小姓吉三郎「天和笑委集」に、お七と同日同罪によつて刑死したといふ少年が喜三郎、お七が戀の文使ひしたあふれ者が吉三郎、お七が二十七回忌の頃、江戸のはしはしへ六地藏を建てて步いたが吉三道人、其人の俗名を吉三郎といふところから、其大地藏こそ、彼がお七の菩提の爲に立てたといふ評判に當て込んで、最初にそれを演劇にしたのが、中村勘三郎座でやつた、中村七三郎追善劇「追善彼岸櫻中將姬京雛」で其劇にお七を勤めたのが京下り若女形嵐喜代三郎といつたといふ。何れにせよ、何と不思議な三郎づくめではあるまいか。)

(十一) 放　火

あのあふれ者の情知らずに、文の便りもずつと絶えた時、松露土筆賣子に身を窶して、八百屋の店に一夜の宿を乞ふたお小姓は、お七の親戚の初產に主人夫婦の留守を幸、鴛鴦の思ひ羽重ねた折、お七に思ひ切つて一所に逃げてと勸めたけれど、お七は、お志は忝なけれど、直に追手の掛るは定、私にもちと思案があるに、機會を待つて下され。「五人女」と荅へた。……其心の眞實を見せたいと思ふお七が心の底迄見透してゐたのは、例の吉祥寺吉三郎、小說や物語本（例へば「お七吉三浮名の緣結など」が、土左衛門傳吉とするあふれ者であつた。「近世江都著聞集」等へ「我衣も」此書に因りしと見え同じやうな記事を載せてゐる）は、即ち、お七の心の戀に盲目となつてゐるところにつけ込み、火事場に一仕事をしやうとの企らみから、彼のあぶれ者は、お七に放火を唆かしたといつて、お七が放火の動機を明かならしめやうため『吉三郎惡事を思ひ立ち、或時、お七をだまし申しけるは、そなた左兵衛（「五人女」その他の物語の小姓吉三にあたる若者）に逢ひたく思はるゝならばとかく、火事にて家を燒き、圓乘寺へ行かずしては、望みは叶ふことあるまじ、又家を燒けば難なく小石川に行きて、自由に戀人にながなが逢はるゝ事ぞかし、結ぶの神は火事なる程に、たゞ火事有る事を祈るべしとぞ申しける。お七は、一途に戀慕の闇、誠に吉三郎いふ通り、火事ゆゑにこそなれし、あはれ、今一度火事あらば、戀しき人にも逢はれんものをと、終日、夜もすがら、居ても立ちても、たゞ火事の有る樣になぜ半鐘太皷は打たざると、半込邊の火消櫓の見えながら、何ぞ無沙汰の櫓かな、うてば打たるる物なるにとのかこち泣、女の愚痴、戀には鬼ともなるものをと、空おそろしくぞ聞えける。吉三郎、此虛に乘じて、お七を勸めて付火させ、其火事に紛れ、八百屋の家內、案內はよく知りたり、金銀衣服を奪ひ取り、わが爲にせんと思ひ立ちし、大惡心こそ、重重不屆千萬なれ、頓てお七を密かに招き、兎角左兵衛に逢ひ度くば、手前の家へ付火して燒き拂ひ、圓乘寺へ赴くべし、某能き仕方を敎ゆべしとて、付火の仕方能く能く指南し、八百屋ばかり燒き捨つれば、外の家をもみ消すべし、然れば罪にもなるまじ、戀の惡事は諸佛もゆるし給ふべしと申しければ、お七はせつなる心のやみ、たとへ未來はせうねつ大焦熱の地獄へ落つるとも、何かいとはん、夫の爲め、いかにも其通りにして、圓乘寺へ行かんと、吉三郎に習ひて、頓て、或時風烈しき日、手前の家の物干へ上り、屋根裏へ火をはさみけるが、折節風つよくして燃え揚り、忽ち火事となりにけり。その騒動斜ならず、吉三郎ひとりゐみして、煙の中をかけ付けて、八百屋の見世へ來り見れば、太郎兵衛夫婦はうろたへて、お七が手を引き何處へやら逃れ出でたり、吉三郎あら嬉しと、掛硯簞笥の中より、衣服金銀取り出し、盜み取り出でけるところへ、天命のがれず、火事場見廻りとて、其頃の盜賊改役中山勘觧由、馬上にて與力同心召連れ來り給ふところへ、吉三郎怪しき體にて出でけるところを、忽ち引き捕へ繩をかけ、こいつこそ詮議あれと、召連れ役所へ歸り給ひけりと云云。』(著聞集卷の一)と記してゐるが、その後、天和三年春三月、お七が御仕置になつた時、この吉三郎も、同罪によつて、お七と一所に火罪に行はれたと、同じ書の卷の二は記してゐるが、前述した通り、「天和笑委集」には、同日お七と同罪に行はれた男は、喜三郎といふ美少年で、お七には何の關係もなかつたとしてをり、小説は『或日、風の烈しき夕暮に、いつぞや寺へ逃げ行きし、世間の騒ぎを思ひ出して……逢見る事の種ともなりなんと、よしなき出來心……。』(この、ふとした出來心で、唆かされたでないといふことには、「天和笑委集」も一致してゐる。)に書いてゐる。逢ひたい、機會が作りたい、それにはやつぱり火事ほどよいものはない。家が燒けたりやこそ、お寺にも永うゐられたのだと考へついて、無分別な放火をしたお七の心には、いづれせよ、善惡の差別をつけるほどの、そんなそんな餘裕はちつともなかつたのであらう。

(十二) 御定法

お七の無智な心は、それほど惡い事とも知らずに、他所の娘は花見といふて浮きたつ彌生の始めつかた、戀ゆゑわが家に火をつけたのであつた。それは、ほんのお七の家が燒けたか燒けぬぐらゐのものではあつたが、火付といふ重い罪名は去年のやうな大火にならうと、たとへ、小火みたやうなものに過ぎぬでも、輕重なしの同じ罪であつた。

傳ふるところによると、お七を召捕つたのも、當時の盜賊改役であつた中山勘解由の手で、そして、放火の重罪人であるところから直に町奉行北條氏平の手に引渡されたといふことであるが、それが露顯の原因となつたのは、言ふ迄もなくあぶれ者吉三郎の口からであつたといふ。(「天和笑委集」によると、お七は、火はつけるにはつけたもの丶、とかう恐ろしきに心落ちつかず、竹筒などを持つてうろうろしてゐるところを、捕へられたと言ふ事である。)

これより先、吉三郎は、既に中山勘解由の手に召捕られて、拷問にかけられてゐる。其時の事情といふものを、「近世江都著聞集」は記して『今度の火事は汝なるべしと、例の通り、銅馬に乘せて、拷問强ければ吉三郎白狀申しけるは、全く拙者は付火仕らず候、駒込の火付は、八百屋太郎兵衛と申す者の娘、お七と申す者の所爲にてこそ候へと言上しけるによつて、糺明に及ばず、頓てお七を召出されて、御詮議あるべしとて、八百屋一家の者共、並に町所の長ども、殘らず呼出し、詮議有りて、吉三郎お七對決を仰せ付けらるる處に、一言の申し譯に及ばずしてたちまち白狀に及び、いかにも火を付け候仔細は、かやうかやうと申し上げる、因やて公法のがるべきやうもなく、お七は入牢被付ける。(中略)かくて、中山勘解由殿は、詮議落着に付、近日御定法の通りに、火あぶりに被仰付候はんと、御窺書差出さる、尤も御定法なれば、爭ふところもなく、火罪に可申付旨、御老中方思召也云云。』といつてゐる。

(十三)證據の額

お七の罪は極つた。火を附け候者、前前よりの例によつて、火罪といへば、お七の市に引廻されて、淺草若くは品川の刑場で、炮烙に處せらる丶(「要用集」)のも間があるまいと思はれた時、玆に一人、有力なるお七火罪處刑の反對者が出て來た。「著聞集」第二「松竹梅天和政要」は、それを、賢人土井大炊頭利勝(下總古河藩侯、食封八萬石、佐倉少將從四位、天和三年より四十年も前の正保元年七月に、七十二歳を以て死んでゐる。「温知叢書」の著者も、この說に註して『利勝は慶長中の人なり、天和の頃は、周防守利益といふ人なれども、老職とはならぬ也。』と言つてある。又、當時の大老は、堀田正俊であつた。)として、その口入から、坊間に有名なる掛額證據調といふことになつて來るやうに說いてゐる。利勝始め、此事たる日本の瑕瑾であると信じたので、早速中山勘解由を召して、お七十五歳以下なれば其罪を一段引下げよと、夫に付年齢再吟味を命じた。『中山委細畏まり候とて引退き、扨、其後に、お七が兩親、所の名主、家主等を呼出し給ひ、御尋ね有りけるは、昨日土井大炊頭殿忝くも仰せ聞けらるゝは、お七が此度の仕方誠に大人の心にあらず、大方は子供心にて、前後も辨へず致せしものなるべし、最前十六歳と申し上げしが、能く能く有體に申上ぐべし、大切の事也、公邊に對し間違ひ僞を申上ぐる事あらば、急度曲事ならんと、嚴しく申し聞せ給へば、兩親町所の者、中山殿詞のはしを聞き取りて、大きに喜び、いかにも、御意の如く、此女はやうやう當年十四歳に御座候へども、輕き者の儀、何方へも御奉公にも出し申したく、年少く申しては、有付かず申すべしと、兩親も、其身も、外に御屋敷へも御目見に出し候節、十六歳に申し候段申し立て候は、今度も右の通りに申上げ然るべしと其通り申し上げ候。人別帳にも十四歳と認め有之候由、名主請合申し上げ候と言上しける。これよりお七は、出牢になつたのであるが、それからの事に關しては『家來中山獨といふ者へ預け給ひ、はなし囚人同前に致しおかれぬ。獨はかれをいたはり、撫育しけり。是ひとへに土井利勝の寬仁によれるにて、公儀の汚名を思ひ、忠貞のいたし方といふべし。然るに、最初訴人致せし彼の吉三郎、大惡無道の曲物なれば、お七が罪を寬めらるゝをねたみそねみて、己が刑せらるゝことを殘念におもひ、中山殿へ訴へけるは、お七年十四歳にて、其罪をゆるしたまふのよし承り候。是は、いかなる公儀の御沙汰にて候ぞや、凡そ贔負依怙のなきを以て奉行とは申せ、かれは美しき女なるによりて、中山殿其色香にめでての沙汰か、其意を得ざる儀なり、かゝる大罪を助けたまはば、我々が罪は何とて糺さるゝに及ばんやと、大きにのゝしりけるゆゑ、中山殿大きに怒りて、己れにくき大罪人め、幼少にて前後もわきまへぬ女に、いろいろとすかしだまして火を付けさせ、己が盜賊をせん爲に、我が手を出して火を付ずといへ共正敷其罪己にあり、言語同斷の惡人かなと申し給へば、吉三郎大きにあざけり笑ひ、左樣に欺き宣ふこそ奉行の心暗きと申すもの也、子供心のおろかなるをそゝのかしてと仰せられ候へ共、渠は何から火を付けんとは致せしぞ、戀故にさむらはずや、男女色欲の情をおもふを、何ぞ子ども心と申されんや、年たけし事は色情の深きを以てあらそふべからずと申しけるこそ、道理に留りて聞えける、勘解由殿もこの返答にこまられしが、いやとよ、汝に其事の詮議を習ふべきか、ふりわけ髪のむかしより、井筒にかけしまろがたけ、君ならずして誰かあぐべしとよみしは、戀路の情を幼きより知る事、我朝の昔より言ひ傳ふるところ、何ぞ夫を以て證とすべき、渠は町所の名主家主、扨又渠が父母の申すところ實證也、子の年は、父母ならずして誰か知る者あらんやと申し給へば、吉三郎猶も言ひつのり、いやいや、夫は僻事なり、かゝる所にて父母町所の申分は、いかないかな誠になりがたし、夫こそ俗に縁者の證據、助けたしとおもふもの、白きも黑きと申さゞるべきや、父母よりも何よりも、渠が年十六歳に違ひなき、第一の證據こそ候へと申しける、中山殿大きに腹に据ゑかね其證據見るべし、早早出せと宣へば、いかにも申し上ぐべしと、彼のお七が十一歳の時に、谷中感應寺といへる日蓮宗の祖師堂（註にいふ。此節感應寺は未だ日蓮宗也、此後に、故ありて改宗し、天台宗となる、感應寺の祖師は、今同所の瑞林寺の飯がいの祖師是也）（衛彥いふ。此感應寺は、文政年中寺號を改めた。今の谷中の天王寺がそれである。又曰く、瑞輪寺の祖師ではなく、今猶名高い小傳馬町の祖師である。）に一の額を上げたり、額の文字は、常在靈鷲山法華最第一と云ふなり、其下に、本鄕お七十一歳筆と、右の通りの額あり、それは、延寶四年春二月と書きて有之候、よもやよもや神佛へ噓言は書きて上げまじ、噓を書きても今更僞とはいはすべきや、是にましたる證據あらじ、延寶四より五、六、七、天和元、二と、六年に成り申し候、十一歳より六年、丁度十六歳に候はずや、何とて見ぐるしくも、左樣に庇ひ給ふぞと、以て開いた吉三郎が惡口まじりの道理詰に、中山殿も心怒れど、理の當然に行きつまり、然らば、感應寺の額を取り寄せよと命ぜられて、頓て持參しけるところに、案に違はず、吉三郎が申せしに相違なし。（註に言ふ。今狂言綺語に、湯島にかけし松竹梅といふは、此事なり。）中山殿、爰において大きにあぐみ果て、せんかたなく、天下の大法もだしがたく、今はかゝる證據、世上一統知るところなれば、是を用捨せば、天下の仕置といふべからずと、御老中へ申し上げられ、御詮議の上お七は火あぶりに究り、鈴が森にて、天和二年春二月御仕置に放りにける。吉三郎も同罪にて、お七と一所にあぶりに行はれけるとなり。是、中山殿文庫の日記にして、聊も違ひなき實說なり。予、先年、公の御文庫に眼をさらしたる勤めの節、胸に覺え、心にこたへしが、今、舌講の師たるゆゑ、憚りを顧ず、爰に筆記するものなり。』と、其「松竹梅天和政要」

は言つてゐる。然し、文耕の依つた、其「中山殿文庫日記」といふものは、怪しいもので、其中には、世間先知の誤謬を澤山に持つてゐるのである。もし、さうした誤謬が、文耕の、胸に覺え、心に答へた記憶の誤謬だとすると、例の文耕の杜撰を責めなければならなくなる。時代の相違した土井大炊頭利勝を連れて來たり、駒込のお七を、わざわざ證據の額ばかりに本郷のお七とやつてのけたところなど、確かに、彼の舌講師氣質の、小いことはどうでもよい主義が、全體の價値をさへ疑はしめて來るので、其小い事が、決して小い事で濟まされない事だのにと、甚だ腑甲斐なく思はせるのであるけれど、今更如何ともする事は出來ない。殊に、お七の年齢は、尤も其間の生命となる問題であるのに、文耕は、これにさへちつとも注意を拂つてゐない。延寳といふ年は、總てで八箇年であるのに、文耕は七年に數へてゐる。そんなところから勢ひ何でも十六にする無理が出來て、お七が感應寺に奉納の額を、即ち延寳四年十一歳の時としてしまつた。何と立派に文耕は、當時の舌講師風を、遺憾なく現はしてゐるではないか。

なら、お七が生命にかゝる問題となつた奉納の掛額といふものは、一體お七が幾つの年に掛けたもので、それは何の年であつたかといふに加藤玄悦の「我衣」は、一説を立てゝ『其上慥かなる證據は、七面堂に、お七十一歳の筆にて、額かけ置き候なり、夫を御覧下さるべしと申しける。奉行聞きて額を取りよせ御覧あれば、天和二年十一歳書とあり。それより貞享二年まで算ゆれば十七歳に當る云云。」と言つてゐるが、之も甚だしい杜撰で、天和二年に十一歳なれば、貞享二年は十四歳である、かつは、お七の死んだといふ天和三年はやつと十五歳、何れにしても年數が合はない。その他「卯花園漫錄」「松屋筆記」「世事百談」など、皆此點に於て「著聞集」の系統を引いてゐるので、お七奉納の額を、延寳四年辰春二月十一歳書といふ事にしてしまつてゐる。獨り、「五人女」のみは、お七の眞直な氣質に、役人衆も、惡徒たちと同じやうに取りあつかふことを、可哀さうとも不便とも思はれたので、そちは十五であらうと、わざわざ年を少くして助けてやらうとしたけれど、お七には、其慈悲心が呑み込めなかつたとして、『いゝえ、わたくしは十六でござります。五歳の年に湯島の天神様へ納めた額がござります。丁度數へて十六になりまする。』と答へた爲に、罪にせねばならなくなつたとしてゐるが、これは、全く信ずることが出來ず、勿論、今の瑞輪寺（天正十九年草創、開山慈雲院、日新上人。）の祖師堂には『常在靈鷲山法華最第一』などの額の掛つてゐやう筈もなし（瑞輪寺の祖師は、昔からの瑞輪寺の祖師で、傳說寺傳にも、感應寺の交渉は少しもないといふ事である。別に、同寺には杓子の祖師といふがあるが、之は全然違ふ傳說を持つてゐる）感應寺其後の諸尊は、鼠山感應寺が一度再興になつて、再び廢寺となつた時、眞間山弘法寺に遷されたといふ事ではあるけれど、什器は、其時行方不明になつたとも、又は、谷中感應寺が廢寺となつた時、三千日の天王寺が預つてをる間に、とりこぼされたとも傳へられて、今更證據の額の調べやうもないのである。（八百屋お七の手習の師は、「我衣」には、高浦和尚と見えてゐるが、「武藏川越芳野名勝記」には、來迎山紫雲院大蓮寺地內に墓碑のある、俗名藤田佐助、秋元藩を浪人して江戸にある時、お七に教へたと見えてゐる。）

（十四）火　罪

今日はお七が刑場に引かれる日といふので、物見高い江戸中の人氣は要所の辻々に沸き立つてゐた。囚はれの身となつても、さうした罪に落ちた自分を怨まぬゆゑ、さして疲れた色も見せずに引かれて行つた。町中の人は、何事もかうなつてはと諦めた風情のお七を馬上に見て、さてそのいたいたしい繩目の姿に涙を落した。「天和笑委集」（第十二の卷。）には、お七が刑場に引かれて行くその時の態を書いて『七がいでたつ裝束には羽二重白小袖、甲州郡内の碁盤縞、淺黃の糸にて縫ふたる定紋三つ柏五所につけ、桃色の裏つけて、一尺五寸の大振袖を上に襲ね、横幅廣き紫帶二重にきりと引きまはしうしろにて結び留め、丈なる黑髮島田とかやに結ひあげ、銀覆輪の蒔繪書いたる玳瑁の櫛にて前髮をおさへ、紅粉をもつて面を色取り、さしもあでやかにぞいでたちける。』と記されてゐる。黃金の力も添つてゐたか、お七がその日の姿は、なかなかに美しかつたと見える。ぱつとさした春の日影が、馬上にゆられて行くお七の頰に映えて、そゝやの風に髮の幾筋かが落ちる。その時のお七の髮結振が、まことに風情があつたといふので、それからの江戸に、一頻り、其時の風に似せて前髪に赤手柄を下げる事が流行つたともいはれてゐる。お七は又、引かれながらにも、決して笑はれるやうな姿を見せまいと、つゝましやかに心がけたその樣が、又人の袂をしぼらせずにはおかなかつたといふ。「天和笑委集」によると、お七が處刑の同日、同じ場所で處刑になつた者は、本間小兵衞、八藏、喜三郎、以上火罪、雷七郎右門磔刑、森傳右衞門斬罪の都合六人で、不思議な運命を共にする喜三郎といふ美少年も、此日の處刑に定められ、引かれ行く道中には、お七に次で、觀物に相等同情の涙を絞らしたといふことである。

賤しい河原者は、刺股、鎗、長刀、棒等を擔ぎ連れて行く。白地の板、旗に、各罪人の假名實名罪科の次第は書き立てられて、罪の六人は馬にて引かれ行く。其後備への役人として、騎馬の與力三人、徒立の同心數十人、その他若黨、中間等、前後百餘人之を守つて、卯の上刻に籠を出された彼等は、鎌倉河岸、飯田町、麹町十三町を相續いて通り、町を引廻し神田筋違橋に下し置き、六人の者共一樣に並べて、河原の者共東西に並び警護の樣、まことに物々しう見られたのであつたが、やがて日本橋を引廻し、通町を南へ、行程二里、鈴ヶ森の濱表、波打際も程近い最後の場所へ引かれて行つた。

刑場（此時の刑場は、諸書皆品川（鈴が森）だと記してゐる。獨り「我衣」は千住だといつてゐる。自分は鈴が森說を取る）には、もう、ちやんと火罪柱（長さ二間、五寸角の栂の木材に、青竹で、手足の押えが輪に出來てる。）磔刑のための十字架の用意がしてあつた。規定通りに、お七も、他の火罪人と共共、こゝへ足に薪を踏へながら縛り上げられた。各所の繩も其結び目も、火に燒けぬやうに土で塗られた。と、瞬く間に茅薪は竹輪に結び付けられて、少し離れてお七を圍む。身近くにも幾つか撒き布らされた。さうした薪が高く積まれて行つて、段段お七の身體の見えなくなつて行く時には、わつとばかりに泣く者も出來た。やがて茅の束縛を持つた獄卒が、風上にあつて之に火を移した時には、誰も彼も、あつと思つた。草薦をもつて煽ぎ立てる中に、叫ぶやうなお七のけはひを感じた時、其慘しさに、知るも知らぬも袖ひぢるばかりに泣かされたのであつた。あゝお七は、あの馬上の姿のやうに、何の怨み顏もせず、淋しさうにして二八の春を散つて行つたのであらうか。炎燒將に盡きんとする時、死相を驗して、獄卒は、更にお七の鼻を燒いたさうだが、そんな慘酷しさまで見た者はなかつたであらう。あゝ、時にこれ天和三年三月二十八日(「天和笑委集」の說による。お七の墓表には三月二十九日とある。)お七は十六歳の短い命にして、あつたら刑場の灰となり終つたのである。

それからの江戶八百八町の噂さ、お七の虹のやうに消えて行つた姿を或は恐ろしいものとして、或は又、可憐なるものとして、種々に語り傳へてゐる。さうした噂さのうちに胚胎されて、今も口碑に殘る傳說に『「お七の干支は丙午だ。』といふことが流布されてゐる。「墳墓記」等が、お七の生年を寛文八戊申年（月も十月が正しいといふ。「江戶紫眞實記」には寛文八戊申年十月の出生也と、御公儀の御留書にある由に記してゐる）とし、その刑死を天和三癸亥年（天和二年とせるものあれど誤り）としてゐるのに、之は頑强にも、お七を丙午生れとしやうとしてゐるのである。尤も、さうした誤謬の原因をなす說として、例の「著聞集」などの寶曆四年に十一歳說、即ち還算すれば寛文五丙午生れとなるわけであるが、更に、お七が十八歳で死んだといふ、有力なる證據の上らない限りさうした傳說は、やつぱり坊間の流布で過ぎて行かねばなるまい。或は「著聞集」などが、狂言綺語の結構に誤らされて、實際はお七十八歳刑死であるのを、十六歳とするために、種々なる數の誤謬をも來さしめたのではあるまいかとも思はれぬでもないが、それでは、あまりに穿ち過ぎた說になりはすまいか。

(十五) 三つ鱗の紋章

それは兎に角、お七の噂さは、それからそれと廣まり傳へられたけれど、お七の一家の其後については、誰も遂に硏むるものがなかつた。「好色五人女」さへ、お七の兩親の、老さらばひて一人娘を失つた今は、せめて吉三を娘の形見に見たいと、お七の後を追つて死なうとした吉三をかきくどいたまで、他には何にも言つてはをらないが、一說によると再び故鄕に立ち歸つた(俗傳)とも、主人は妙意、妻は圓城と名を改め家は忠兵衞といふ奉公人を𡖋分として讓り、出家遁世して廻國修業の身となつた（江戶紫眞錄)とも、甲州にたち越え、親子三人行き連れて、一度農民となつて暮した（天和笑委集」)とも言はれてゐる。

お七が戀人の小姓の行末についても、お七が火罪の折、既に髪を下して、他所ながら暇乞ひし、行方定めぬ雲水の身となつた(俗傳「五人女」)とも後高野山に上つて、一生山を下らぬ僧となつた(「天和笑委集」)とも、一旦はお七の後を追つて自殺しやうとしたを、圓乘寺の和尚に止められ、さらば出家遁世して、お七が後世を弔はんものと、名を西運と更め、朝夕念佛三昧に送つたが、長壽を保ち、元文二年十月四日、七十歳を以て大往生を遂げた(「八百屋お七墳墓記」)とも言はれてゐる。なほ「墳墓記」には『西運睡眠の間に、夢ともなく現とも覺えず、妙榮(お七の戒名)の靈來りて告げるやう、われ在世愚痴にして大罪を犯し、一度惡趣に沈むといへども、上人勤行の大功德によりて、今は西方安養淨土に往生を遂げ侍りぬ、上人も、もはや娑婆の緣つき給へば、程なく圓寂したまふべし、かく申證據には、われ在世の時所持せし地藏尊を此處に止めおくべしと言ひ終りて、西に向ひ光明を放ち、紫雲に乘じ飛び去りぬ云云。』と見え、且は『此上人の行狀は、目黑莊明王院の緣起に委しく見えて、彼の夢中感得の尊像も、同寺に現在し給へり。』などと、世間定法の緣起の面目を發揮してゐる。然も、かうした緣起から、更に山田左兵衞の出家遁世の草庵の由來やら、其木像等迄實實しく傳承する寺院などがあるけれども、實際は、左兵衞の其後は、決して唯さうした遁世の身分ではなかつたやうに思はれる。(圓乘寺の過去簿によると「墳墓記」時代の住僧は、十九世惠運法印(弘化四丁未四月二十七日寂)であつた。)

これに就いて、「近世江都著聞集」の言ふところは、確かに事實を穿つてゐるらしく、其書の記す如く、山田左兵衞、正德元年に召出されて御納戸となり、次で御小姓組頭となつてゐる。「享保武鑑(享保二十年版。)の三」によると、御小姓組頭(布衣)のうちに、享保十九年よりとして、山田十太夫『父十太夫、神田橋外、鑓鞘黑たゝき(中白し)、馬。』と見えてゐる。「本朝武鑑(貞享五年版)下」には、父山田十太夫の身分を『父十太夫、三千石、神橋北、與力五騎、同心三十人。』と示して、惣御鐵砲頭(布衣)のうちにあげてゐる。)は、二千五百石取り、三つ鱗の紋章を、家の紋章としてゐるやうに記されてある。元文元年には、御使番に出世したやうに傳へられてゐるが、享保二十年には、既に六十八歲の高齡であつたやうである。（「佐渡年代記」（寛永の巻）に、當時の山田佐兵衛は、向山伏見小左衛門間歩御直山山主の由に見えてゐる。）

又、左兵衛が、御納戸に召し出された正徳元年は、四十四歳に當つてゐるが、されば、それ迄の彼は如何に暮してをつたかといふに、「江戸紫眞實錄」は、此間の事を記して、一旦髪を落し、寺に歸ると本堂の後にて自盡しやうとしたを、圓乘寺の和尚の注意によつて、弟子榮釋坊に見つけ出され、和尚がくれぐれの敎訓によつて思ひ止り、軈て父十太夫の元に歸された折は、繼母（浮雲）の心も直つてをつて、父ともども法體の儀を留められたにより、是非なく見合せ、後公儀へ召し出され、勤仕の身となつたが、親達の差圖ありしに關らず、左兵衛は胸中に一生女體不犯の覺悟を極めて、獨身を守つてをつた。然るに、不思議にも、彼が二十九歳の折、お七の亡靈夢枕に立つて『我今妙法功力の利益に依つて成佛得脱を遂げたり、御身わが爲めの獨身、親々の氣の遂ひ又は家の爲めに非ず、われ迷ひのうちこそ恨みとも思ふべけるが、今かかる佛果を得たれば、何ぞ常に闕くる事を悦ばんや云云。』と頻りに妻帶を勸めるにより思ひ直して、其後兩親の命に從ひ、或人の世話媒酌によつて、さる家の娘お萬といふを呼び迎へ、一年の後には一子助太郎を設けたと言はれてゐる。然し、此書が、左兵衛の其後を記して、後年家督を助太郎に讓つて隱居し、親御妻女とも相談の上、町方へ借宅して、後は妻女にも逢ふ事なく、心の儘に世間を離れ、再度法體して分米五拾俵づつ毎年合力を受けて、安々と世を送り、堂塔の勸化、貧者への布施、談議說法などの施主となり、佛道修行に心を委ね、數多の善根を盡し、一心不亂に後世を願ひ、大道心者として七十一歳の壽を保つたと書いてあるところは、「武鑑」の證明するところと相容れないので、全く信ずることが出來ない。然し、何れにせよ、彼が、七十歳か七十一歳の長壽を以て、元文二年か三年に死んだ事は確からしくも思はれるのであるが、彼の家の其後と、彼の家の系譜に就ては、遂に調べる事の機會に遭へなかつた。

（十六）墓　所

「八百屋於七墳墓記」に、『當寺境内に、八百屋お七の墳墓ありて、世人みな知る所なり、是は、當寺の住僧、其菩提を弔はんために建てけるよし云云。』とある記錄を其儘に信用すると、お七の墳墓も、隨分古く建てられたものである。「圓乘寺世代帳」(南緣山圓乘寺は元來法華宗であつたが、感應寺と同時代故あつて天臺宗に改宗したと言ふ事であるが、世代法名は皆天台宗式である。)によると、お七時代の圓乘寺法職は、辨衆法印の由で、圓乘寺世代の墓地に、『權大僧都竪者辨衆法印和尚位(中央)元祿八乙亥年(右方)三月廿二日(左方)と印されたる一基即ちそれであるが、此住僧こそ、傳說に、お七の父が俗緣の弟である(「著聞集」)とか、山田左兵衛は其甥に當つてゐた(「墳墓記」)とか言はれる人物であるが、さうした由緖については、世代の閱歷を記した何の記錄も寺にないので、實證を得兼ねるし、又、其圓乘寺なるものにしてからが、お七の家や左兵衛の家の菩提寺といふについても、お七の墓以外に、寺に何等兩家に關する墓表の一つ、過去簿の一片をも持つてをらぬので、それらに就いての斷定をもなし兼ねるが、如何なる由緖にせよ、お七の墓が圓乘寺に建てられた事は、餘程古い事と見えて、蜀山人の一話一言にも、『瀨名貞雄云ふ、八百屋お七が墓、小石川圓乘寺にあり、上に梵字ありて、妙榮禪定尼とあり、此碑古き碑にて、先年火災の時中より折れたりしを、その儘上に乘せてあり云云。』とある位だ蜀山人の出生は寬延二年三月三日で、お七の死より八十二年後に當つてゐるが、旣に蜀山人時代に古い碑と言はれる程のものとなつてゐたといへば、凡その時代も想像される。今も、其墓は、昔の儘のを存し、墓の表の眞中に『妙榮禪定尼。』左右に『天和三亥年、三月二十九日。』と刻書してあるが、頗るの廢墟をなしてゐる。(此墓の臺石は軍談師二代目千山の建てたるものであつて、墓よりも新らしい。)此他に、お七の墓といふもの猶二基ある。其一つは、船形へ阿彌陀の像を刻んで、その向つて右に『妙榮禪定尼』、同じく左に『天和三癸亥年三月二十九日』と記されてあるもので、此墓については、又、右同樣(古き方の墓を指す。)に銘もきりて、立像の彌陀を彫刻せしあたらしき碑、その側にあり。是は、近頃建てたる碑なり、予、此故を尋ねしに、しれず候ひしに、ある人語つて曰く、圓乘寺の住持に、此仔細を尋ねしに、住持答へて云ふ。駒込天澤山龍光寺は、京極佐渡守高矩の菩提所にて、彼家の足輕など、度々墓掃除に通ひたりし、何某とかいひたる足輕、ある夜の夢に、かの墓掃除に參りたる心地にて、小石川馬場の邊を夜深に通りけるに、鷄一羽出でたるをみれば頭は少女の首にて形鶏なり、彼の足輕の裾を喰へて引きたる故、其故を尋ねしに、少女のいふ、はづかしながら、われは以前火罪に行はれし八百屋の七といふ者也。今以て此の如く浮み不申候故跡を弔ひ給はれと頼みたるを、夢の心地にてうけがひたり。夢さめて思はざる夢を見し事と思ひたりしに。此夢三夜うちつゞきてみしまゝに、今は忍びあへず。駒込吉祥寺に行きて尋ねけるに、是は小石川圓乘寺へ行きて尋ぬべしと挨拶ありし故參りたりとて、圓乘寺へ、件の足輕尋ね來りし故、いかにもお七が墓は在るといへども、火災の節折れたりしが、無緣ものゆゑ、誰か再興すべき、空しき體に候と住持答へしに、右足輕、墳墓を新にたて立像の彌陀を彫刻させ、お七が法名をきらせ、立てそへて法事料を納めて法事を願ひけるよし、いかなる因緣にてかれが夢にみえ法會行ひける事かしれず、其後は、かの足輕も見えずと、圓乘寺住職物語の由』（『一話一言』）といふ傳説があるが、之も今夥しく破損してゐる。今一基は、寛政五年に、歌舞伎俳優女形四代目岩井半四郎が建てたもので、墓の正面中央に『妙榮禪定尼　靈位。』、向つて右に『俗名八百屋於七爲百十三回忌追善。』（因にいふ。此墓を建てた寛政五年は、お七の百十一年回忌であるのに、百十三回忌としたのは、取越追善といふ意味であらう。）同じく左に『天和三癸亥年三月二十九日。』そして、側面の右に『于時寛政五癸巳歳五月。』同じく左に『法界萬靈。』とあり、その臺石の正面に、『此役堺町中村座ニ而兩度相勤今巳年木挽町河原崎座ニ而相勤大繁昌仍建之、岩井半四郎。』と見えてゐたさうであるが、嘉永年間に至つて、此臺石は岩井粂三郎に改建されたと見え、今圓乘寺にあるものは、臺石の表面の右半に前記の文を彫刻し、右半面に『于時嘉永二巳酉年猿若町中村勘三良座而初役相勤古今稀成大繁昌仍之再建岩井粂三郎。』と記されてある。以上三基は、岩井氏の供養塔を中央にして右に古碑、左に京極佐渡守足輕建立の船形塔の順次に並んでゐるが、此外に、天明二年に建てられたといふ堺町福山安兵衛の水盤は既に跡方もなくなり、今に於ては、嘉永二年の記入ある猿若町長谷川金兵衛の水盤、及圓齋の施主になつた花立兼用の仙香立等が存してゐるばかりである。

　これら多くのお七の墓石は、其後、一種の迷信に驅られて、何人にか漸次闕き取られて行くので、是非なく、今の粗雜なお七靈堂を以て、これら多くのお七墓表の圍としたのであるといふが、その靈堂も、今日頗る頽廢して、屋根のトタン葺が氣にかゝるので、今年二百四十五年忌に當るを取越追善として、屋根葺のために於七祭を行ふことが、圓乘寺住職市原廣界師と私との間に話が進み、大方の贊成を得て、らくりし節まで復活するの段取となつたは、於七のためによい追善であつたと悦んでゐる。

お七と覗機關節

藤澤衛彦

お七のことは、淨瑠璃歌舞伎にものせられた外に、道行、いろは唄、ぢごくさんだんじようるり、說教節、和讃、十七節、其他の歌謠に多く唄はれたけれど、尤も行はれたのは覗機關節（のぞきからくりぶし）の唄であつた。覗機關は、近くまで（今でも殘つてゐる）地方の祭りの見世物の中に混つて、特異な歌調と共に見せしめたものであるが、二三十年前の賽日には、觀覽物情調の一つとして、都會にも無くてはならないものであつたさうだ、然し、活動流行の今では殆んど滅びへの經途にある。今では、その節もかはり、內容も「なさぬ中」とか、「不如歸」とかに變つてつまらないものになつてしまつたが、とにかく隨分古くからの觀覽物の一つだ。古を偲ぶ娛樂物の一つとしても、聞きも見もする價はあらう。

一體この覗機關の唄といふものは、口說節などと共に、誰が作へたものか分らないし、その內容に於ける事實も、甚だしい誤謬を傳へてゐるが、低級な人心には入り易かつたものと見えて、かなりに永く廣く行はれて來た。中でも、八百屋お七の機關唄は、彼の『春は花咲く青山邊の鈴木主水といふ侍……。』と唄はれる口說節の「鈴木主水白糸くどき」が口說節を代表してゐたやうに、「八百屋お七の唄」は覗機關節の唄を代表してゐた。今、その覗機關の濫觴を思ふに、山崎成美の「世事百談」は『予がいとけなかりし頃は、からくりに、お七事を、うたひながら見することのいたく行はれて、兒童の口すさみにも、かの唄をまねたることとなりしが、今にその名ごりありて、街には、をりをりは、お七がからくりを見

(50)

ることあり。かのからくりのいひ立てにうたふ唄の濫觴をおもふに、ふるき小唄をあつめし「松の葉」の類に、「松竹梅」と云ふ册子あり、その中載する京の唄の文句に、

『八百屋の娘お七こそ、戀路のやみのくらがりに、よしなきことをしいだして、罪は死罪にきはまりて、

といふことを見えたり、かゝれば、これらをやもとゝして作りまうけたるものならん。』と言ひ、蜀山人の「張文庫」はまた、

『その頃本郷二丁目に、名高き八百屋久兵衛は、普請成就する間、親子三人もろともに、旦那寺なる駒込の、吉祥院へ假住居、寺の小姓の吉三さん、書院座敷の奥の間で、間の襖をそよと明け、學問なされし後より、膝で突ついて目で知らせ、最早普請も出來たれば、私や本郷へ行くわいな、たとへ本郷と駒込と、道の如何程隔つとも、言ひかはしたる睦言を、必ず忘れてくだんすな、それより本郷へ立ち歸り、八百屋商賣するうちに、又もや普請あるならば、吉祥院に行かりよかと、かあい吉三さんに逢ひたさの、女心の一筋に、炬燵の炭を二つ三つ、小袖の小褄にちよいと包み、隣知らずの箱梯子、一桁あがりてほろりと泣き、二桁あがりてほろと泣き、三桁四桁とあがりつめ、これが地獄の數へ桁、ちよいと投げたる窓びさし、誰知るまいと思ひしに、釜屋の武兵衛に訴人され、こゝが詮議の御筋番所御番。是非なく白洲へ呼出され、お七は泣く泣く申すやう、これこれ申しお殿樣、申すまいとは思へども、肝心かのめじやマツカショモテコイコイ。その日の御裁許極まれば、蘆毛の胴畜生に乘せられて、傳馬町から引出され、髮の島田の油町、かゝる憂目の鹽町に、あふ見に出でし見物は、此處や彼處に立花町、富澤町を引廻す、姿は優しい人形町、裟婆と冥途の堺町、さても哀れや不便やと、てんでに涙葺屋町、雨も降らぬに照降町、數かぬ人も荒目橋、江戸橋越えて四日市、日本橋へと引出す科の次第の紙幟、われわが身を捨れば、是非中橋に京橋を、過ぎれば最早程もなく、お七が命は尾張町、あつたら娘をお仕置に、芝口越えて源助町、情なくなく渡る橋、見るも悲しき金杉の、町を通るや憂き辛や、嘘ぢやないぞえ本ぢやわい、田町九町は夢うつつ、最後も近寄り車町、品川表になりぬれば、品川表の女郎衆が、あれが八百屋のお七かや、

瓜核顔で色白で、吉三がのめずりこんだは無理もない。此處が納めの涙橋、鈴ケ森にぞ着きにけり、着きにけり。お江戸離れた仕置場へ、仕置場へ、四方に矢來をしつらいて、中に立てたる角柱、見るもいぶせき其中に、數多の見物押分けて、久兵衞夫婦駈け來り、これこれ娘これお七、此世で一目逢ひたさに、杖に縋りて逢ひに來た、言ひ置く事があるならば、息ある中に言ふてくれ、あれ喃うお七と言ふ聲も空に知られぬ曇り聲、わつと泣いたる一聲が、親子の名殘ほととぎす、哀れ此世の見納め、見納め

といふ其當時の覗機關節の八百屋お七の唄を擧げて『右は江戸の覗きからくりの歌なり。享和二年壬戌十一月、長崎より江戸に歸りし時、江戸の覗きからくり風一變して、悉く八百屋お七の唄となり、からくりの箱の蓋を叩き、二人して此唄をうたふ。』と言つてゐる。其後の唄の文句も、此唄の時代變遷したものに過ぎないと言はれてゐる。これで見てもからくり節の唄には、八百屋お七の唄の外に、まだ澤山の唄があつたやうに思はれる。

今度の於七祭にかけたからくり節の唄は、享和より化政期にかけて尤も行はれた江戸調からくり節の商賣化した原唄から、下卑たバレ句を略いたもので、からくりの乙女に唄ひ易くさしたものである。このからくり節の分布、變遷については、和讃、十七節などと共に、他はいふべき機會もあらうと思はれるので略く。

八百屋お七からくり唄

エヤーコリヤ初段はお江戸で名高きお寺は駒込の吉祥寺、ソリヤ書院座敷の奥の間で、間のふすまをそよとあけ、ヤレ學問なされる後より、ひざでチコリつつついて目で知らせ、私や本郷にかへります、コリヤたとへ本郷とこの寺と、ヤレ道のりやいかほどへだつとも、本堂の横丁でいふたことばかりは必ず〱忘すれてはくださるな。

變れば八百屋店となる、八百屋の店にて賣る品は、いもに、だいこ、とうなす、ごぼう、お七の好なとうもろこしなんでもうる、こんな商賣やめにして、ヤレも一度我屋をやいたなら、コリヤかあい吉三さんと添はれようかと女心の一筋に、

こたつのをきなら二つ三つ、コリヤ小袖の小褄にちよいとつゝみ、ソリヤほいとなげたか火事となる、隣知らずの箱梯子一桁のぼりてほろとなき、火事よ〳〵と火の見打つ、誰知るまいと思ひしに、釜屋の武兵衛が訴人する、ソリヤ難なくお七は召取られ

ソリヤ變ればお町の御奉行所、ヤレ一段高いが御奉行樣、コリヤ三尺さがればお七どの、コリヤそもじはいくつで何の年、私しや十五で丙午。

コリヤそれで御裁許極まれば、百日百夜が牢の中、コリヤ栗毛の馬にと乘せられて前には制札紙のぼり、大傳馬町から小傳馬町、顔はやさしき人形町で、ソリヤ髮は島田の油町コリヤ落して破れるのはせと物町、ソリヤストトンカラ〳〵お馬でハイハイ渡り越すのが日本橋、ソリヤ日本橋こえたら品川町、右と左りが女郎屋町、あまたの女郎衆がとんで出て、あれがやほやのお七かや、いろとりどうとり、ぬれ手で粟のつかみどりするよないろ娘め、ソリヤ吉三がまよふたもむりはない。

此の臺變れば天下仕置場鈴ヶ森、四方四丁四面で靑竹矢來、中に立てたる角柱花のお七をしばりあげ千束萬束の芝茅に一度にどつと火をつけるあついわいなゝくるしいわいな吉三さん、わつとないたるひとこえが無常のこえかけむり とお目がとまれば先客さま一トかはり

反逆異聞

竹橋騷動史

——(日本最初の軍隊の暴動)——

梅原北明

竹橋騷動とは近衞砲兵大隊二百十五名が給料と論功賞の不平に基く經濟問題より暴動を惹起し、夜半に乘じて其兵舍を毀ち其秣舍を燒き其長官を殺し、其兵器を弄し、遂に大擧して皇居に向つて發砲し、我國三千年の歷史を冒瀆せしめるに至つた明治十一年八月廿三日深更十二時に演ぜられた事件を云ふのである。實に斯かる例は嘗てボヘミヤの兵士が薄給に不平を抱きヒルセンの檄文に連署してワルレンスタインを奉戴し、以て日耳曼皇帝に反旗を飜した事件以來の出來事で、全く吾國にとつては未曾有の大逆的史實として後世に殘されるものである。

尤もその昔、坂東の武士が甘じて源氏の家人となりて其爪牙たりしは後三年の役を私鬪なりとして追討の官符を給はざるに原因したのであつたが、それと此れとは全くの別問題に屬し、殊に今日、社會主義運動が理論鬪爭の時代より、旣に實行過程に突進し、ストライキ萬能の流行時に當りて、今より五十年前に於ける我國の軍隊に旣に漠然たるマルキシズムの兆が現れ、遂に其賃金問題の爆發を見るに至りし事實を根據に考へるとき、而かもこと簡なる一勞働運動に止らず、ミリタリズム王國に名高き我國の軍隊が率先して最初の社會運動に火の手を擧げたるとは如何にも皮肉の極を超越したる奇怪事にして、更に其の暴徒たる一團を吾が皇室を護衛すべき近衞兵中に見出すとき、吾々は最早呆然として考ふる餘地を失ふのみである。

それは、明治天皇の東海道及び北陸道へ御巡幸さるゝ數日前のことであつた。

當時の情況に就いて、今少し調べ見るに、其の原因は當時近衛砲兵は他の諸兵より多くの給金を與へられゐたるに先頃陸軍省の豫算編成に於て定額を減ぜらるゝ所となつたので、遽かに其の給金を減殺せられたるを不平に思ひ、又その前年即ち十年の西南役に於て、此の近衛兵は植木、田原坂の戰爭に拔郡の功を顯はし、既に其折賊軍達に「赤い帽子と大砲が無けりや」云々とまでに謠はれし程なるに、官軍凱旋の折、自餘の諸隊はそれ〲の賞譽にあやかりたるも、吾が近衛砲兵に限り何等の御沙汰にも接しなかつたと云ふのが爆發を辭らしめた第二の原因である。

時の政府は、その眞因に就いて極力回避に務めたが、事實の前には如何とも成す能はざるものがあり、その眞相を詳細に報道して發賣頒布の禁止を食つた新聞の數も少くない。

扨て、以上に述べた二つの原因が、遂に彼等を逆徒に導き、聯隊長の指揮をも待たず、直接政府に當つて碎けろと云ふ容易ならざる團結となり、刻々に殺氣横溢し遂に廿三日午後十一時となるや最初の火蓋を切つて落したので、急報に接した近衛局にては事重大なりとして急據大山元帥（その頃の少將）へ報告なすところあり當時近衛參謀長たりし野津大佐と共に警衛網を張り、西少佐、深澤大尉等は死力を盡して鎭撫に務めたるも、激昂したる暴徒等は益々狂奔して發砲大事に及び、果ては既に火を放つやら土手に上りて大隈參議の邸内に發射なすやら大亂闘を演じたるも、遂に政府勢に打ち破られ、十二時を過ぐる頃には全く敗走してその場に討殺されし者六名、捕縛せらるゝもの七十餘名その他百四名は散々に追はれて代官町より半藏門を指して逃行きたるも、後ち一週間を經ずして悉く捕縛せられ、翌々月たる十月十五日陸軍裁判所の判決に依り越中島にて銃殺さるゝもの五十三名、流刑にあはされしもの百十八名、その他徒刑六十八名、戒役十七名、杖一名、錮六名、總計二百六十三名と云ふ夥しい數を見せるに至つた。

一方、此の暴擧の日、急を聞かせられて皇太后宮には青山御所より俄かに宮内へ成らせられ天機を伺はせ給ひしよしにて、又た大臣參議並に諸省の勅奏官連は即夜參朝し、或は東京の華族悉く參內する等軍隊の反逆的暴動は吾國史の上に前代未聞の一大椿事を記錄づけるものである。

殊に彼等は其夜東京鎭臺豫備砲兵等をも手に引入れんと企て、夜の十二時を報ずるや彼等は竹橋に事を起し、鎭臺砲兵には半藏門を固めさせ、それより大擧して皇居へ繰込む手筈であつたが、鎭臺兵の隊長は此れを以て由々しき一大事なりと思惟し、當日午後俄かに演習行軍の令を出して王子通へ卒へ往き、その夜は同所に宿陣し翌朝事果て、後ち歸營せしため彼等は此逆謀に參加せずして濟み得たのであつた。

又、此の騷ぎに近い飯田町、爼橋、小川町、富士見町、神保町邊にゐた住民は、それツとばかりに荷物を片着け逃げのびるなど上を下への大混亂を呈し、人力車などは此れをもつけの幸ひに竹橋神樂坂間を二兩も踏んだくると云ふ始末。

明治十一年八月二十五日以後の東京日々及び朝野、讀賣の各紙は、當時の光景を次の如く報道してゐる。

竹橋騷動（その一）

昨廿四日太政官より號外を以て各省院使並に東京府へ左の通り達せられたり

近衞砲兵ノ內暴擧ノ義ニ付別紙ノ通リ陸軍卿ヨリ屆出候條此旨爲心得相達候事

明治十一年八月廿四日、太政大臣三條實美

今午後十一時近衞砲兵隊卒ノ內徒黨ヲ企テ兵營ヲ毀チ聊カ發砲等致シ候者有之候ニ付直樣討留且脫走ノ者ハ大抵捕縛致シ鎭定ニ及ビ候然ルニ爆發ノ原因未ダ確然致シ難ク取調中ニハ候得ドモ右ハ全ク兵卒共ノ暴擧ニテ下士ニ於テハ暴擧ノ者無之候不取敢此段御屆申候也

明治十一年八月廿三日　陸軍卿　山縣有朋

太政大臣三條實美殿

又た陸軍省より送第三千十號を以て各府縣へ左の通り達せられたり

昨廿三日午後第十一時近衞砲兵隊卒ノ內徒黨ヲ組ミ兵營ヲ毀チ聊カ砲發等致シ候ニ付直ニ討留脫走ノ者ハ大抵捕縛鎭定ニ及候條爲心得此旨相達候事

明治十一年八月廿四日　陸軍卿　山縣有朋

又た東京府より各大區へ左の通り達せられたり

過刻

皇居ニ於テ相發ニ相成候號砲ノ儀ハ近衞砲兵營中ニ於テ隊卒之內爆發ニ及候者有之候ヨリ非常ヲ警メラレ候儀之處暴徒夫々捕縛或ハ自首全ク鎭靜ニ及ビ候條區內一同安

心可致此旨掲示候事

明治十一年八月廿四日　　東京府知事　楠本　正隆

讀者は前の官省府の達書と昨日の附錄とを以て既に諒知したるべし一昨廿三日の夜近衛砲兵の暴擧は實に不意の騷動にて上は大臣參議を初め下は吾輩庶民に至るまであはや大事と驚愕措く處を知らざりしに　皇威の及ぶ所ろは隈もなくて暴徒は其夜を終へず縛に就き速かに鎭定の功を奏せしは明治のせい代のいよゝ長なへに久しかるべき吉兆とこそ申し奉らめ爰に暴動の起原を尋るに一朝一夕の所以にあらず第一には是まで近衛砲兵へは他の諸兵より多くの給金を與へられしに先頃陸軍省の定額を減ぜられたるに付て遂に其給金を減殺せられたるを不平に思ひ第二には元來此の近衛砲兵と云へるは昨年の變亂の折り植木、田原坂の戰爭に抜群の功を顯はし既に其折賊軍にて赤い帽子と大砲が無けりや云々と謠ひしも此隊の事を云へるなりとぞ然るに官軍凱旋の後自餘の諸隊は夫れ〳〵の御賞譽ありしが此隊に限り何分の御沙汰なきを政府の不公平なりと妄想し此上は聯隊長の指揮を待たず廿三日の午後十二時を以て事を擧げ政府へ歎願し奉らんとて東京鎭臺豫備砲兵大隊をも我が黨類へ引入れんと謀りたり然るに近衛局にては昨夕七時半過頃にある筋より其夜の暴擧を探知せられしかば大山少將は早速騎馬にて同局へ馳付けられ近衛參謀長野津大佐は直に、皇居へ赴きて警衛の手配を指揮せられ西少佐は竹橋内なる近衛砲兵の擧動を窺はんとて其兵營に赴かれたり時に砲兵の大隊長宇都宮少佐は　皇居へ詰合されしが野津大佐より右の警報を聞き驚きて急ぎ竹橋内の營門へ走せ附けて樣子を見るに如何にも隊中物騷がしく今にも爆發すべき氣色なれば俄かに下士官を呼び精々鎭撫方を命ぜられしかど兵卒は聞入れずます〳〵騷立ちて午後十一時過ぎにもなれば一同銃器を捉へて營外へ出で早くも隊伍を組立てたり此時までも少佐は二階に居られしが最早捨置くべきにあらずと戸外に出でて頻りに制止の號令をかけられしかど兵卒の動搖に支へられて聊かも通せず押出すべき體なるを見て少佐は已を得ず風紀衛兵に命じ急に非常の喇叭を吹立てさすれば砲兵はこれを聞いて大に怒りスハ我々は誅せらるゝぞ當の敵の少佐を討果せ〳〵と呼はるが否や兇徒らは銃劍を打振り切てかゝるもあり小銃を放つもあり少佐も帶劍を抜て拒まれしが衆寡敵せず亂刀の下に討死せられしぞ無慙なる此時非常の喇叭を聞いて營門前に整列せし近衛歩兵第一第二聯隊は此有様を見て士官が打ての號令を相圖に小銃を亂發すれば兇徒も之に應じて二發の大砲を打放し猶小銃を取て拒ぎ戰ふ時に周番士官深澤大尉(砲兵大隊付)は群れ立ちたる兇徒の中へ躍り入り靜まれ〳〵と令する聲も終らざるに忽ち亂鎗の爲に刺殺さる兇徒は猶も暴威を助けん爲めに廐に走せ行き積累たる秣草に火を放ちて燒立て一手は土手に上りて搴下りに大隈參議の邸内へ發射し一手は小銃を亂發して近衛歩兵の營門へ向ひ暫く戰ひしが其内暴徒は二門の山砲を輓き來て近衛歩兵營門の正前に据付け既に彈藥を込めんとせし折から近衛の武庫を守れる番兵が背後より小銃を打掛けたれば暴徒は大砲を其場に棄てゝ引退き尚ほも小銃を以て戰ひたれども何分彈藥も續かず追ひ〳〵に勢ひ狹まりて十二時を過るころには全く敗走し其場に討殺さるゝ者六名捕縛せらるゝ者七十餘名其餘百四名は散々に打なされて代官町より半藏門をさして逃行きたるは見苦しくも心地よき有樣なりし此時池田少尉は砲兵の周番宿直なりしが此趣を皇居へ註進せんと表門へ馳出でたりしに兇徒の門を守るものに切つけられ已を得ず引返して竹橋内の石垣より堀中へ飛入り其儘皇居へ走せ向はる磯林中尉は此夜近衛局へ宿直せられしが俄かに野津大佐より各隊を巡視し不寀の舉動あらば報告すべしとの命を受け唯一騎、皇居を出で西丸下に至り大手前へ差掛られしに忽ち竹橋内の砲聲を聞き馬を飛ばせて歩兵の營門まで乘附けしが此時既に兇徒は宇都宮少佐、深澤大尉を討果し近衛歩兵と鏖戰の最中なれば頻りに其邊を乘廻はし戰爭の模樣を探るうちに兇徒は打負けて代官町を南へ崩れ行き官軍全勝の色を顯はしければ中尉は捷聞を本局へ報知せんと再び馬を走らせ半藏門を出る時星明りに透し見れば官賊の分ちは知らず百餘名の兵士が麴町の方へ押行くあり此は不寀かしと馬を駐め暫らく容子を伺はれしに彼の兵士はこれを見咎めて彼處へ來たりしは士官と覺えたり疾く討殺せと呼ばりながら七八人駈け來る中尉は惡しき處へ來掛りたりと思はれしがさりとて今更ら引かるべきにあらず誘して見はやと思案しければ暴徒が傍へ近づくを待ちけて汝らは何者ぞと問へば我々は砲兵なりと答ふ砲兵が今ごろ何用ありて此邊を行軍するぞと云へば歎願の筋ありて、皇居へ推參するなりと云ふ然らば大隊長は誰なるぞ大隊長の宇都宮少佐は唯今討果して來りたり然らば此處より兵營へ立戻り聯隊長野崎中佐（時に中佐竹橋內の步兵營にあり）に面會して願意を陳べよ將校の手を經ずして皇居へ直參するは不都合なるべしと說諭せられしかば其時暴徒は二ツに分れ百餘名の內三十餘名は其處より兵營へ立戻りしかども九十三名は　皇居の表門まで押し寄せて御門前へ整列したり此時　皇居へ詰合の將校は暴徒が御門前まで押し寄せたりと聞いて此上は詮方なし若し敵對せば忽ち討拂ふべしと評議一決して西少佐は磯林中尉と共に門內より出で來て暴徒の重立ちたるものを呼び出されければ隊中より一人の軍曹令に應じて前に進むと數步にして止まれり時に少佐はその軍曹に向て今夜近衛砲兵の擧動は實に非常なり既に其大隊長宇都宮少佐を殺し且つ深澤大尉を害したれば最早暴賊の名を免れずイザ其方の兵器を此方へ引渡せよと云はれしが軍曹は頗る不平の顏色にて今にも拔刀して西少佐に切掛らん勢なりしが少佐の護衛兵が進み寄りたるに畏れたるにや一言もなく兵器を引渡したれば少佐は再たび軍曹に向ひ此上は隊士に令を傳へて盡く兵器を脫せしめよと命ぜられしに軍曹は之に答へて若し令に從はざれば如何取計ひ然るべきやと云ひければ少佐は令に從はざる者あらば此方にて處分に及ぶべしと言ひ棄てゝ御門內より近衛步兵一中隊を率ひ來り銃に劍を付けて暴徒の內大久保某は罪の遁るべからざるを覺りしか銃を腹に押當て自ら打貫きて死したり餘の暴徒は大久保が自殺せし後勢挫けて異議なく兵器を引渡しおめ〳〵と縛に就きたりとぞ

此夜の暴擧に討死せしは前に記せし宇都宮少佐、深澤大尉と坂本少尉（步兵第二聯隊第一大隊第二中隊）の三名にて負傷は田中少尉（同第一中尉）野木中尉同第二大隊第四中隊池田少尉（砲兵大隊）中村軍曹（同第一大隊第四中隊）此外に砲兵大隊の下士三名兵卒の即死は第一聯隊第一大隊第四中隊にて一名負傷は同隊と砲兵大隊にて七名なりし兇賊の縛に就きし者は即刻陸軍裁判所へ送致になり直に審問所へ入れられ昨二十四日午前八時より糺問に取掛りしと又た昨日十一時ごろまでに暴徒の裁判所送りとなりたるは各所にて捕縛の者四十名宮內省にて縛に就きし者九十五名裁判掛りは坂本少佐、岡本大主理、恩地中錄事、安藤中錄事、石原少主理の五名なりとぞ　皇居にては變動の達するや否や五發の號砲を打ち放ちたる此際　皇太后宮には靑山御所より俄かに宮內へ成らせられ　天機を伺はせ給ひしよし又た大臣參議並に諸省の勅奏官は即夜參朝あり在京の華族は昨日より三日の間參內していづれも　天機を窺ひ奉らる右に付き宮內省より　勅使として昨日高辻侍從は（西少佐同道）近衞步兵營砲兵營へ おん出ありて左の勅文を達せらる但し近衞の騎兵工兵は護衞の爲め　皇居へ詰合中なるに付き皇居內にて、勅文を達せられたり。

　昨夜近衞砲兵暴動ノ節隊長以下兵卒ニ至ル迄一同盡力ニ依リ速ニ鎭定及候段深ク御滿足ニ被思召候事

且つ　特旨を以て將校の戰死人へ二百圓、負傷者へ百圓づつを賜はりたり」又た同日北條侍從を勅使として東京鎭臺管下各隊を鎭撫慰勞せられたり此の夜警視局にては迫田權少警視が巡査五百餘名を引つれ、皇居を警衞せらる大隈參議の邸へは巡査並に東京鎭臺騎兵步兵にて護衞したり兇徒の板橋へ脫したるものありとて各分署へ探索の電報ありし竹橋、半藏兩御門は東京鎭臺の護衞にて昨日は往來を留られたり又た廿四廿五の兩日は私報の電信を禁ぜらる陸軍省にては昨日臨時出頭又た警視局は同日臨時休暇此夜飯田町俎橋、小川町、富士見町、神保町の數ヶ町は荷物を片着け足弱を扶けて逃げ出るなど其の騷動は大方ならずこゝにも一所の小戰場を開きたり然るに人力車は忽ち非常の價を增して一町に付き二十錢內外の割合となり既に神樂坂より竹橋までにて二圓餘を奪はれたりと玉の降ると金の降ると同じ降るにも其損益は大ちがひ人間萬事多くは斯の如きものなるべし此夜警視局構內並に佃島の監獄より三千五百人前の辨當を焚き出し諸方へ配られたるは尤も神速の手廻しといふべし聞く處に據れば暴動の顚末を　奏上せられしは西少佐と磯林中尉なりと又聞く七八日前の事なりとか竹橋兵營の兵卒が密かに四斤半砲の彈藥を盜み出さんとしけるに忽ち士官に見顯はされ其者は立どころに縛に就きしと是が此擧を其筋にて探知せられし最初なりとぞ今度暴徒の總人數は無慮二百十五名にて最はや大體は縛に就き或は自首したりとぞ就縛の暴徒はすべて荒繩（細引が間に合はず）でくゝり上げられ取敢へず御所內なる營繕小屋へ入れ置かるゝが何分多人數の事なれば至急に和田倉橋外舊安部侯の邸を修繕せられ假牢とせらるゝよし暴徒は營內にて勢揃へし一發の號砲を合圖に竹橋、半藏より二手に分れて押出し　假皇居を圍みて歎願書を捧ぐる積りともいひ又は此折に際し參內の貴紳を襲擊する手筈なりしとも云へども後條の如きは尤も信を措き難し猶ほ本號に漏れたる事どもは得るに隨ひ聞くに任せて次號の紙上に登錄すべし玆には僅かに十が二三を載するのみ

編者曰す廿四日の附錄に記せし如く此の號外は昨日發行すべき筈なりしが確實なるが上にも確實なる報道を看官に示さん爲めに其筋にて原稿の檢閱を經たれば夫れ等の往復に時間を費し遂に今日發兌する都合となれり讀者諸君此旨を諒して遲延の罪を恕せられよ。(東京日々新聞明治十一年八月廿五日號外附錄所載)

竹橋騷動（その二）

去る廿三日の變動の顚末は廿四、廿五兩日の附錄にて讀者は諒知せられしなるべきが猶ほ昨日來探り得る處によれば暴徒は兼て東京鎭臺豫備砲兵をも我黨に引入れんと企ていよ〳〵此日の午後十二時を以て事を擧るに決したれば我隊は竹橋を守り鎭臺砲兵には半藏を固めさせ夫より竹橋內なる近衛步兵第一、第二聯隊(當夜暴徒と戰ひしもの)に迫りて強て應援を需め直ちに　皇居へ押出すべき手筈なりしを鎭臺砲兵の隊長は仄かに聞知り我隊を府下に置きて倶に暴發に及ばせなば由々しき大事なりと思惟し當日の午後俄かに演習行軍の令を出だし王子通へ率き往きて此夜は同所に宿陣し翌朝事果て後ち歸營せしかば該隊は倖いにして此逆謀に與からざりしと云へり

又た此夜大隈參議が私邸の裏塀より拔出で、參朝せられしとの風評もあれど跡かたも無き虛說にて其實同公は此日の薄暮より永田町なる岩倉公の邸に赴かれ右大臣と御談話の最中にはかに松田內務大書記官が走せ來られ此の變を同邸に報知ありしにて始めて聞知られ直さま右大臣と御同道にて　皇居へ參內せられたるなりと聞けり捕縛の暴徒は一時陸軍裁判所へ送致になり夫より和田倉外なる舊兵學寮の檻倉へ繫がれしが最はや同所にも置餘るとの事にて一昨夕俄かに愛宕下町舊東京鎭臺第二聯隊の營所跡へ假檻倉を造らせ囚徒の半ばを此處へ移さるゝことに成りしよし一昨日の午後より昨日の午前にいたるまで和田倉門外の衛戍本部へ暴徒の自首せし者十三人此うち二人ほど伍長があるとの風說暴徒が營內の厩に放火せし時軍馬の鼻綱を切はなちたれば幸ひに一疋も燒死なず其うち一頭は竹橋を走せ出で雉子橋通りを駈行くを巡行の巡査が取りとゞめ屯署へ繫

ぎ置きて昨日砲兵軍曹某へ引渡したりと又た廐の火は日比谷門内なる工兵第一方面本署の兵卒の手にて立切り一棟だけ消留たり我が不心得から云へ爰に不時の災難を蒙りしは近衛第二大隊四中隊の兵卒武井治平にて廿四日の霄ごろ圖部六に呑み醉ひて帽子も何處へか振落せしか大童の姿となりよろ〳〵足にて兩國橋を渡り行くを巡査は見て天晴れ敵よのがすなとて押取り込め屯署へ引き上げ糺したるに全くの生醉にて暴動などゝは以ての外酒となり討死をしませうが軍さは元來虫がすかぬとふるへ上りて申立てたれど脱帽の廉を以て這奴も矢張り裁判所へ送致脳中の鬼壁裏の人とは古人が隱微の發顯し易きを懼れたる比喩なるが此の暴擧の其筋へ最初に漏れ聞えたるほど怪しきはなし其は廿三日の午後三時過ぎの事とか內務省十等屬を勤むる西村某が退官の途中神田まで差掛りしに俄かに便通を催ふしけれど路傍の雪隱に入り頓と立出でんとしたりしに板羽目の隣りの小用所へ酒々とはじき掛けながら密やかに物語る者あり某は心ともなくこれを聞くに前の一人がいよ〳〵例の一條は今夜の十二時に竹橋から押出すと事が極れりたゞ可哀さうなるは守番の連中なりと云へば今一人が成るほど其事は兼て課合せもありたれば今夜とは思はざりし何さま御巡幸の御發輦も近よればぐづ〳〵しては間に遇ふまじ御褒美の前祝に一杯飲まんか宜からう〳〵と默頭き合ひて立去れり某は雪隱の中にて始終の咄を篤と聞き其の虛實は知れ難けれど聞捨にはならぬ次第とて直に車を飛ばせ課長の宅にいたりて今聞取りし趣きを語りけるに課長も驚きて即刻石井權中警視の邸に赴き云々の由を告られたれば權中警視も兼てかゝる模樣を探り知られしものと見えて一方ならず駭き取敢へず大警視へ上申あり大警視よりは急便を以て陸軍省へ通達ありければ早くも近衛局にては鎭撫に取掛られしなるべしと云へり尤もこの報を大警視の聞かれし時は同日の午後七時過ぎなるが火急に各分署の警部巡査を呼集め銃器彈藥を渡されて陸軍と打合せの上諸所の警備をつけられたれば今まで首鼠兩端を構へし兇徒らは敢て頭を出だすこと能はず僅かに砲兵の一部にて騷亂も疾く鎭定に及びしなりと或る紳士の語られしを聞たりと云ふ人の咄し此夜負傷の下士官並に即死せる兵卒へは金二十圓づつ負傷の兵卒へは金十圓づつ宮內省より下賜せられ又た東京鎭臺及び衛戍本部府下在營の步騎工輜の各隊下士官以下へ慰勞として司令長

官野津少將より酒饌料を與へられし。（東京日々新聞明治十一年八月廿六日第貳千拾九號所載）

原因に對する福地源一郎氏の説

近衛砲兵ノ暴擧

去ル廿三日ノ夜十一時近衛砲兵ノ暴擧ハ其事不意ニ出テ大ニ輦下ヲ騷ガシタリト雖モ時ヲ移サズシテ之ヲ鎭定セシハ吾曹ガ其翌朝ヨリ今日ニ至ルマデ逐次詳細ニ報道スル所ナレバ讀者必ラズ其顚末ヲ諒知シタルベシ殊ニ昨朝發行セシ號外附錄ノ如キハ確實ナルガ上ニモ確實ノ報道ヲ得ンガ爲ニ吾曹ハ親シク此變ニ處シタル諸君ノ檢閲ヲ乞ヒ誤ヲ正シ遺ヲ補ヒタレバ讀者ヲシテ十分ニ信ヲ措カシムルニ足レリトス

然ルニ此暴發ノ原因ハ即夜陸軍卿ヨリ太政大臣ニ進呈セラレタル書面ニ據レバ未ダ確然イタシ難ク取調中ナリトアレドモ其翌日ヨリ當局者ニ就テ探問スレバ蓋シ減給ノ事最モ其原因タルニ似タリ初メ近衛砲兵ハ他ノ諸兵ニ比スレバ多給ヲ賜ハリタルニ猶ニ陸軍省定額減少ノ故ヲ以テ已ムヲ得ズ砲兵減給ノ擧ニ至リシカバ隊卒ハ爲ニ不平ヲ懷キ其無智無識ナル遂ニ此暴擧ニ及ビタル者ナル歟陸軍裁判所ノ法廷糺問ニ於テ愈々然ル也ト招承セバ是擧ヤ恰モ先月下旬高島石炭礦ノ坑夫等ガ大ニ暴動セシト何ゾ異ナランヤ或ハ曰ク此砲兵隊卒等ハ去年西南ノ役ニ於テ拔群ノ武功ヲ顯ハシタルニ凱陣ノ後自餘ノ諸隊ハ應分ノ賞譽アリツレドモ此隊ニ限リ今ニ何分ノ賞譽ナキヲ以テ其如何ノ故タルヲ推知セズシテ一圖ニ朝廷薄恩ナリト怨憤シ兵力ヲ以テ皇居ニ接近シ賞與ヲ强請スルノ惡計ナリト其孰レカ眞ノ原因タルヲ知ラザレドモ現ニ就縛ノ暴徒等ガ口實トスル所ハ專ラ減給ノ事ヲ主トスル也ト云ヘリ然レドモ賞與ノ一條モ亦自カラ幾分ノ因ヲ成シタルガ如シト思ハルヽナリ

近衛砲兵ガ此暴擧ヲ企ルニ當リ固ヨリ士官ノ與テ知ヲザル所タルハ事實ニ於テ判然タリト雖ドモ誰カ此主謀タリシ乎ハ尤モ目下ノ疑案ナルベシ夫レ近衛砲兵大隊ノ兵卒ハ二百廿一人ニシテ現ニ暴擧ニ加ハリシ者ハ二百十五人ナレバ僅ニ六人ヲ除キタルノミ而テ此六人トテモ實ハ士官ノ側ニ在リシガ故ニ暴發ニ加ラザリシカモ知レズ之ヲ認メテ全隊一致トスルモ可ナリ是ノ如ク全隊ヲ一致シテ不逞ノ暴擧ヲ起サシムルニハ必ラズヤ内ニハ之ガ主謀ナカラザル可カラズ又或ハ外ニハ之ヲ敎唆シ之ヲ誘嗾スル者ナシトセザルナリ果シテ然バ減給ハ口實ノ容ニシテ賞恩ノ未ダ偏カラザルノ怨ハ反テ暴擧ノ眼目タリシカモ亦未ダ知ル可カラザル也

巷説ニ據レバ同夜ノ暴擧ハ其日ノ午後ニ漏レ内務省ノ官員某ガ神田ノ街路ニ側聽セシニ露ハルヽガ如クニ言ヒ傳レドモ既ニ

東京豫備砲兵ノ隊長カ俄ニ北郊ニ行軍シテ萬一ニモ其隊ヲシテ暴擧ニ與スル事ナカラシメタリト云フ説アリ然バ即チ近衛砲兵ノ暴擧ヲ廿三日ノ夜半ニ發スル事ハ疾ク同日ニ於テ陸軍省ニハ知レタルナルベシ況ヤ數週前ヨリ道路紛々兵隊不平ノ説ヲ傳ヘ或ハ檄文ヲ廻ハシタリト云ヒ或ハ密事ヲ議シタリト云ヒタル事アリシニ於テヲヤ然ルヲ之ヲ不問ニ置キ又之ガ不慮ニ備ヘズ一旦事發スルニ及テ急ニ討留メ幸ニシテ大事ニ至ラザラシメズト雖モ暴徒ノ一隊ハ銃器ヲ捉テ　皇居ニ接近スル迄ニ至レリ其迹ヲ見レバ是レ頗ル戒嚴ノ足ラザルニ由ルガ如クナレドモ熟々事情ヲ推察スルニ砲兵隊中ニ稍々不平ノ聲アリト云ヘトモ未ダ其形迹ニ反狀ヲ顯ハサヾル間ハ假令ヒ軍法ヲ以テスルモ直ニ其罪ヲ糺彈スルヲ得ベカラズ又廿三日ニ於テ此夜暴擧ノ企アルヲ聽クモ其確證ヲ得ザル間ハ決シテ容易ニ之ヲ捉捕シ難カルベシ然ハ則チ其隊長之ヲ說諭シテ聽カズ暴發スルニ及ビテ之ヲ討留ムル乃チ同夜ノ鎭定法ノ如クスルノ外ニハ決テ他ノ方法ナカル可ト信ズ若シ之ヲ既發ニ鎭定スルヲ遲シトシ徒ニ未發ニ消滅セシムルノミ是トスルガ爲ニ常ニ探偵ヲ兵營ニ放チ細作ヲ兵卒ニ交ヘ其一言一議ヲ得テ直ニ糺問ヲ施セバ是レ獨リ人生ノ自由ヲ妨害スルノミナラズ實ニ軍人ノ榮譽ヲ汚辱スル者ナルベシ是故ニ吾曹ハ同夜ノ鎭定方法ニ關シテハ敢テ間然スル所ナシト云フナリ

少佐宇都宮茂敏、大尉深澤巳吉ノ諸氏ガ暴徒ノ爲ニ無慙ノ最期ヲ遂ゲタルハ吾曹ガ深ク悲歎スル所ナリ世人或ハ此諸氏ガ暴徒ノ手ニ死シタルヲ見テ徒死ノ評ヲ下スモノアルベシト雖ドモ吾曹ガ見ヲ以テスレバ宇都宮深澤ノ諸氏ガ其隊中ニ變アルヲ聽キ單身ヲ以テ此難ニ當リ百方說諭シテ聞カレズ刀槍ニ其身ヲ刺サレ斃レ又後已ム者ハ眞ニ軍人ノ大勇ニシテ飽マデ其職務ヲ盡スノ隊長ト稱讚スベク設ヒ其成功ヲ見ザルモ其勳ハ決シテ沒スベカラザル者ナリ如何ゾ爲ニ悲歎セザルヲ得ンヤ將タ兵隊暴擧等ノ恐ルベク惡ムベキニ至リテハ吾曹自カラ說アリ他日ヲ以テ之ヲ開陳スベシ

（東京日々新聞明治十一年八月廿六日第貳千拾九號所載）

陰謀の計畫

彼等の斯かる陰謀は勿論一時の不平不滿が齎す不和雷同的な爆發ではない。實に其の擧を計畫したのは、同年の三四月の頃よりで、殊に其の計畫に至りては明治由井正雪とも稱すべき具體的なものがあり、當日使用すべき暗號なども豫め取り極めてゐたなど注目に價すべきものがある。

○

近衛砲兵の暴動はなか〳〵俄かの思ひ立ちではなく今年の三四月ごろより企だてた事で東京鎭臺の豫備砲兵や其外

へ諜し合せた事もあり合言葉や旗印しなども決めてあつたが誰が決めたといふ事は一昨日までに四十人も拇印が濟んだが一人も云ひ出さないといひまた東京鎭臺豫備砲兵隊は大隊長岡本少佐の計ひで王子へ行軍を命じられ暴擧の中へ加らなかつたのを殘念に思つたか何か穩やかでない様子ゆゑ今月二十五日に其筋で近邊へ哨兵を張られたのを見て四ツ谷市ヶ谷の人たちがソラまた初まると逃げ支度をした者も有つたが此豫備砲兵隊の内山少尉と柳田曹長は御不審のかどがあると見え赤坂邊で捕縛になつて陸軍裁判所へ送られまた暴徒は和田倉外の舊兵學寮と愛宕下の假檻倉へ入れられたが追々自首する者もあつて手狭になり其の上非常の氣遣ひもあるからとて山下門内の舊鍋島の邸へ假牢を拵へて入られるとの事また裁判所の囚獄の廻りは鎭臺近衛で護衛され一昨日より臨時糺問所を七八ヶ所へ開かれてお調べ中でありますがいづれ五六日うちには裁決にならうといひまた討死された深澤大尉は一昨日駒込蓬萊町の光源寺へ葬むり坂本少尉は青山の墓地へ葬むられ佐々木一等侍補高崎鍋島の兩侍補太田綾小路の兩侍從長坂乃木の兩中佐其外も參られて立派に葬式を營まれ又雪隱にて密事を洩聞かれた内務省往復課の十等屬西村織兵衛君は昨日内務省へお召出しになつて内務卿より猶委しくお尋ねになつたといふ。

（讀賣新聞第千八十六號明治十一年八月廿八日所載）

雜　報（その二）

去る廿三日の夜の暴動は近衛砲兵に發したれども其の同謀は自から他隊にも連なりしと見え既に一昨廿五日の午後の事なるが東京鎭臺豫備砲兵の少尉内山某および同隊付の曹長柳田某の二名は赤坂の邊にて捕縛せられ直に陸軍裁判所に送致せられたり

陸軍裁判所に送致せられたるものは昨廿六日の午後一時ごろまでに其の人員貳百參拾に及びたり此内には東京鎭臺砲兵隊および豫備砲兵隊のもの十八人ありと云へり前條の二名もこの十八人の内なるべし尤もこの豫備砲兵隊は其形迹すこぶる疑ふべきものありて目下吟味中の由なれば此上にもなほ送致せらるべきものあるやも計り難しと云へり或は云ふ同日かの豫備砲兵隊卒某より今夜の暴擧を其の大隊長岡本少佐に密告したりければ少佐は急ぎその趣を東京衛戍に報知して手配をなさしめなほ同隊を東京に置ては

危しと思ひ夕刻より遽に行軍を命じて王子に赴きしが十一時を過しころ隊卒は途中にて砲聲を聞き騒立たるを取鎭め王子村にて休息の折を見合せて拾貳名を捕縛し其他へは説諭を加へて翌日歸營したりとぞ

此度の暴動は中々俄の思ひ立にあらず既に本年の三四月の頃より密に陰謀を企て近衛砲兵より東京鎭臺の豫備砲兵其外へも諜し合せたる事などありて當日の暗號旗號なども取極め置きこの暗號等は昨日の曙新聞に載せたるを見たれどもやゝ相違する樣なり只今は差支あれば他日これを記載すべし實に容易ならざる企を成したるとは聞えたり現に捕縛の暴徒等が陸軍裁判所にて昨日その口書に拇印せしものは四十餘人なりしが皆その吟味の節に暗號を用ひし事を申立つれども其の暗號は誰が差圖にて定めたりと申さぬに由り主謀の巨魁は誰なるか未だ判然せざるなり

この暴徒等は和田倉外なる元の兵學寮と愛宕下の假檻倉とに繋ぎたれども人員充滿し且つ非常の氣遣もあればとて假牢を山下御門の舊鍋島邸に拵へなほ此外にも一ケ所を設くる事に着手せらると

東京鎭臺の所轄たる衛戍兵は平常五十人の定めなれども一昨廿五日より更に廿五人を增し其四十人を各所に配布し暴徒の脫兵なりと認めなば直に引捕へて之を裁判所へ送致すべしと定められたり

同夜の變報を聞込し時に其筋にては即時に警衛の兵を諸所に配賦したれども此の暴發の原因も未だ判然と分らず又各兵營の內にていづれの隊が此企に連累せしやも計り難ければとて樞要の場所へは其の一兩日前に宇都宮の分營より交代して歸京せし兵隊を配布に相成りたる由なり是はその前より東京に在ざりしを以て懸念すべき所なしと思はれたる故にやくはしくは知らず又神奈川臺場詰の砲兵隊は同夜の變報を電信にて知るや別仕立の汽車にて廿四日の午前二時すぎに着京し直に哨兵の間に合ひたりと云へり

同夜暴徒が半藏御門より、假皇居へ押し向ひたる途中いづれの組に出合たるか日本刀十五六本を奪ひ取り銘々これを挿て來りしを捕縛の時に取上られ其刀は今に近衛局にありてその刀の鞘には各々札紙を張り其第何百何十何號と朱漆にて認めありとか聞く

此の騒動にて飯田町邊のものはいたく驚き恐れて立退しが翌廿四日の夜もいかゞと案じて歸り來らぬものもあ

りつる由なり併し一昨日よりはいづれも漸く落付て平日に變る事なし。（東京日々新聞明治十一年八月廿七日第貳千貳拾號所載）

雜報（その二）

暴徒の用ひし暗號は皇居の表御門にて銃死せし大久保某が作りしと申立るのみにて如何に鞠問せられども其他の暴徒は實を云ず又一昨夜は十二時三十分に審問の終りて掛り官員は退散せられ犯人を兵學寮の檻倉へ送るとて手錠を掛けんとせしに彼奴は不服にて聞入れず據ろなく腰繩のまゝ警衛を嚴重にして送られたりと又た曰く軍曹柳田某は能辯にて審問のせつは我が云ふことをのみ云ひ立て裁判官の糺問は耳にも入れず頻りに寃を鳴らすよしといづれも道路のとり沙汰。（東京日々新聞明治十一年八月廿九日第貳千廿貳號所載）

戰死者宇都宮少佐及び深澤大尉の葬儀

去る廿三日の夜暴徒の爲に戰死せし故陸軍少佐宇都宮茂敏君の遺骸は昨廿六日午前八時の出棺にて牛込原町金谷寺へ葬り、故大尉深澤巳之吉君の遺骸は同日午前七時の出棺にて駒込蓬萊町光源寺に葬り又、故少尉坂本某君の遺骸は同日青山の墓地に葬り佐々木一等侍補、高崎鍋島の兩侍補、太田、綾小路の兩侍從、長坂乃木の兩中佐その外文武の方々がいづれも此葬式に會して勇士の戰死をかなしまれたりと。（東京日々新聞明治十一年八月廿七日第貳千貳拾號所載）

主謀者探索中

舊砲兵の少尉内山某曹長柳田某伍長二名は舊兵學寮の假檻倉へ繋がれしが一昨日裁判にて審問の末衛戍兵の護衛にて赤坂新町の陸軍本檻倉へ送られ一室に一名づゝ入れ置かるゝと云ふ總て此度の暴擧はこの四人が巨魁なるべしとの取沙汰又た此等の犯罪人は　御巡幸前に處刑せらるべき旨にて一昨廿六日などは翌日の午前二時までも審問せられしと申す

又た此度の暴徒の内軍律正條を以て處分し難き向もあれば夫等の事を同裁判所より其筋へ伺ひ出られし趣き

又た暴徒の所持せし日本刀十七本は暴動のせつ東京

鎭臺の兵卒にて分捕りしが昨日同臺より陸軍裁判所へ廻されたり其中には鞆を眞田にて巻きたるもあり肥後造りにて可成りの品と見ゆるもありあれでやられて溜るものかと人々はひねくり廻して冷笑したり

又た暴徒に掛けらるゝ手錠は裁判所在來の物にて間に合はず警視第三課へ備へある品までも借受けられしどいふ噂さ。（東京日々新聞明治十一年八月廿八日第貳千廿一號所載）

井關大尉の告諭文

先般竹橋暴擧の節東京鎭臺第一聯隊第一大隊長大尉井關君より左の一篇を部下へ告諭せられたり

過ル二十三日近衛砲隊ノ下士兵卒突然暴發騒擾スルニ當リ我隊ハ上下一同確乎其方向ヲ一ニシ直ニ衛戌本部ノ命ヲ奉シ半藏御門外ヲ警備シ其鎭定ニ從事セルヲ以テ翌日ニ至リ、至尊辱クモ勅使ヲ下賜リ其盡力ヲ滿足ニ思召サレ尋デ我鎭臺長官陸軍少將野津鎭雄閣下ハ書面ヲ以テ隊中一同ヲ賞譽シ且將來ノ方向ヲ誤ラザル事迄ヲモ慇懃ニ致諭セラル、ニ至ル我隊ノ光榮實ニ大ナリト云ハザルヲ得ンヤ然リト雖ドモ細カニ其事由ヲ熟思スルニ近衛砲隊ナルモノ抑モ何等ノ心底ニテ非常ノ變ヲ發起セシヤ正方千思萬考スルモ決シテ其理由ヲ領得スル能ハズ夫レ一時ノ誤謬ヨリ此ノ大事ヲ生出スルトセン歟其ノ事業タル一日二日ノ協議ヲ以テ容易ニ發スルモノニ非ザルガ如シ企謀熟シテ其日ノ久キヲ俟テ然ル後ニ發スルモノトセン歟其期望タル何ニヲ目的トスルモノゾ其所業ヤ亂暴ニシテ其心術ヤ迷惑セリト評セザルヲ得ズ（朝野新聞第千五百十二號明治十一年九月二十一日所載）

逆徒の判決

彼等の判決を出來るだけ詳細に發表するため左に東京日日及び朝野新聞の處刑記事を掲げやう。東京日々に簡單なる部分は朝野新聞に詳しく、朝野に簡單な部分は東京日々に詳しい。

竹橋兇徒ノ處刑（東京日々新聞記者）

近衛砲兵等不平ヲ賞典ノ遲キニ懷キ憤怨ヲ俸給ノ減殺ニ含ミ陰ニ諸隊ヲ慫慂シ密ニ夥黨ヲ結ビ其力ヲ恃ミテ以テ强請スル所アラント企テ明治十一年八月廿三日ノ夜半ニ於テ兵營ヲ毀チ其秣舍ヲ燒キ其長官ヲ殺シ其兵器ヲ弄シ遂ニ 禁闕ニ迫ル而ルニ近衛及ビ鎭臺ノ歩兵等勇戰善ク戰ヒタルニ依リ兇徒其意ヲ逞ウスルコト能ハズ勢窮シ力盡キ即

夜ミナ縛ニ就キ陸軍裁判所ノ法衙ニ審糾セラル、四旬茲ニ十月十五日ヲ以テ其獄ヲ決シ乃チ軍律ニ依リ死五十三人、准流百十八人、徒六十八人、戒役十七人、杖一人、錮六人總計二百六十三人ナリトス。（東京日々新聞　明治十一年十月十六日第貳千六拾號所載）

○

近衛暴徒並に東京鎭臺兵にてこれに與せし兵卒どもの審問は口供完結のうへ拇印全く相濟み昨十五日陸軍裁判所に於て左の通り宣告相成りたり

近衛歩兵第二聯隊第一大隊第二中隊兵卒　三添卯之助

其方儀妄リニ不平ヲ抱キ徒黨強願ノ企ヲ發意シ近衛砲兵大隊第二小隊兵卒小島萬助長島竹四郎等ヲ從慂シ遂ニ該隊暴動ヲ爲スニ至ルノ科ニ依リ死刑申付ル

近衛砲兵大隊第二小隊馭卒　長島竹四郎

其方儀近衛歩兵第二聯隊第一大隊第二中隊兵卒三添卯之助ノ發意ニ同ジ同隊卒小島萬助ト共ニ首唱隊中並ニ近衛鎭臺ノ各隊ヲ從慂シ徒黨ヲ結ビ去ル八月廿三日夜暴動ニ及ブ科ニ依リ死刑申付ル

近衛砲兵大隊第一小隊馭卒　小川彌藏

其方儀同隊兵卒小島萬助長島竹四郎等ト謀リ徒黨ヲ結ビ去ル八月廿三日夜暴動ニ及殊ニ週番士官深澤大尉ヲ斬害スル科ニ依リ死刑申付ル

近衛砲兵大隊第二小隊馭卒　小島萬助

其方儀近衛歩兵第二聯隊第一大隊第二中隊兵卒三添卯之助ノ發意ニ同ジ同隊卒長島竹四郎ト共ニ首唱隊中並ニ近衛鎭臺各隊ヲ從慂シ徒黨ヲ結ビ去ル八月廿三日夜暴動ニ及ブ科ニ依リ死刑申付ル

右の四人を始めとして廣瀬喜一郎、谷新四郎、金井總太郎野中與吉、松宮辨次郎、水上丈平、馬場鐵市、久保田善作新熊安三郎、是永虎一、伊藤太三郎、櫻井鶴二、菊地作次郎、布施千吉、岩本久藏、淺見綾次郎、近藤祖舟、松居善助、見山今朝治、山本丈作、笹井常七、今井政十郎、宮崎英四郎、永谷竹次郎、木村圓解、佐藤種五郎、新家仲吉、本橋彜次郎、浦塚丈次郎、吉田定吉、高橋竹四郎、松木久三郎、高橋小三郎、藤橋吉三郎、並に宇都宮少佐を斬害せし堺熊吉田島森助また週番士官深澤大尉を斬害せし辻龜吉（この者の宣告文中に該隊ノ官金ヲ盜ミ殊ニ深澤大尉ヲ斬害セシ覺ナシト陳スルモ所持ノ軍刀ニ血痕ヲ存シ且ツ下士之ヲ認ル云々とあり）羽成常助、門井藤七及び首として大砲を發射せし山中繁藏、暴動の間だ該隊の官金を盗みし澤本条吉、木島次三郎、山邊七藏、同じく秣舍に放火せし中澤章次外に東京鎮臺豫備砲兵にて近衛砲兵の暴擧を助んと首唱となりて兵卒を煽動し暴擧を企んとせし宮崎忠次、眞田粂松、高見澤卯助、鈴木直次、横山昇等以上の五十三人にて宣告おはる後ち直に深川越中島に於て銃殺せられ死體は青山の地墓へ埋葬に相成る其他準流十年に處せられしもの百十八人、徒刑三年の者四十三人同二年七人同一年十八人戒役十七人杖一人錮六人にて總計二百六十三人放免の者三人なり右のうち杖錮の二罪を除き赤坂の陸軍徒刑場へ入れられし殘りの者は即日京都府（九名）及び秋田（十三名）青森（十二名）岐阜（十三名）滋賀（十三名）島根（二十名）愛知（十名）岡山（十二名）廣島（十三名）福島（十三名）兵庫（十一名）山梨（十二名）岩手十二名の各縣へ護送せらるゝ筈に付き警視局監獄署の官吏は未明より陸軍裁判所へ出頭し宣告相濟むや否や二十人乃至十五人を一纒めとし東京を發し正午十二時頃までに殘らず護送の手續を終りしは如何にも神速なる措置なりしと云ふ。（東京日々新聞明治十一年十月十六日第貳千六拾號所載）

暴徒の處刑（朝野新聞記事）

近衛歩兵第二聯隊第一大隊第二中隊兵卒　三添卯之助

其方儀妄リニ不平ヲ抱キ徒黨强願ノ企ヲ發意シ近衛砲兵大隊第二小隊兵卒小島萬助長島竹四郎等ヲ慫慂シ遂ニ該隊暴動ヲ爲スニ至ルノ科ニ依リ死刑申付ル

近衛砲兵大隊第二小隊馭卒　長島竹四郎

其方儀近衛歩兵第二聯隊第一大隊第二中隊兵卒三添卯之助ノ發意ニ同ジ同隊兵卒小島萬助ト共ニ首唱隊中並ニ近衛鎮臺ノ各隊ヲ慫慂シ徒黨ヲ結ビ去ル八月二十三日夜暴動ニ及ブ科ニ依リ同斷

同　小島萬助

其方儀近衛歩兵第二聯隊第一大隊第二中隊兵卒長島竹四郎ト共ニ首唱隊中並ニ近衛鎮臺各隊ヲ慫慂シ徒黨ヲ結ビ去ル八月二十三日夜暴動ニ及ブ科ニ依リ同斷

近衛砲兵大隊第一小隊馭卒　廣瀬　喜市

同第二小隊馭卒　谷　新四郎

同　金井總太郎

同第一小隊馭卒　野中　與吉

其方儀同隊兵卒小島萬助長島竹四郎等ト謀リ近衛鎭臺各隊ノ兵卒ト會同徒黨ヲ結ビ去ル八月二十三日夜暴動ニ及ブ科ニ依リ同斷

近衛砲兵大隊第二小隊馭卒　松宮辨次郎
同第一小隊馭卒　水上丈平
同　馬場鐵市

右同文

東京鎭臺豫備砲兵第一大隊第二中隊砲卒　宮崎忠次
同第一中隊馭卒　眞田粂松
同第二中隊馭卒　高見澤卯助

其方儀近衛砲兵大隊兵卒大久保忠八金井總太郎等ト謀リ該隊ニ於テ首唱兵卒ヲ慫慂シ徒黨暴動ヲ企ル科ニ依リ死刑申付ル、（以下嗣出）（朝野新聞第千五百三十三號明治十一年十月十六日所載）

○

昨日一寸掲載せし一昨十四日陸軍裁判所に於て近衛砲兵下士官の處分は左の如し、曹長若松政繼は暴動の際鎭壓する方略を失なる科情狀を酌量輕減し閉門九十八日軍曹北村官三は守地を離れ畏避潛匿する科輕減錮三十五日同五十嵐政則、坂本勇三郎は卑怯狼狽營外へ逃避する科輕隆等一年、同佐々木喬俊は同斷に付同半年、曹長平岡瓢は暴動の際他に在つて非常の號砲を聞き、皇后に赴き歸營の途上本隊兵卒砲を挽き來るに遇ひ暴徒と見認めずと供すと雖ども隊伍をなさず服裝常に異なるをも問究せず之を率ゐて、皇后に赴きたる科輕減錮四十二日軍曹三並大佐久は鎭壓する方略を失するを以て錮同斷、馭卒武井保作は伍長代理中同斷營外に逃避するを以て錮同斷、軍曹三村道貫、西出淸行、吉成賢敬は鎭壓の方略を失するを以て錮卅五日、伍長平山留三郎海澤義行、駒井鋏三郎、片山政德、伊藤景治、中桐淸右衛門、加藤芳三郎、磯部安茂、藤枝言宣は前同斷に付錮卅八日、火工卒蓮池源吾、石橋銀次郎は武井保作同斷に付錮二十八日、曹長金子德輝、火工下長上原元量、軍曹荒見勝榮、岡能甚作、松丸晨政、高橋幾一、野村茂行、伍長淸水磯吉は鎭壓するの方略を失するを以て錮二十八日、軍曹平野安忠、山下八十郎、渡邊達吉、伍長中川浩、大場貞則は不束の廉無レ之を以て無罪と申渡されたり。（朝野新聞第千五百五十八號明治十一年十一月十六日所載）

○

十月十五日陸軍裁判所申渡（前號ノ續キ）

近衛砲兵大隊第一小隊馭卒　小川　彌藏

其方儀同隊兵卒小島萬助長島竹四郎等ト徒黨ヲ結ビ去ル八月廿三日夜暴動ニ及ビ殊ニ週番士官深澤大尉ヲ斬害スル科ニ依リ死刑申付ル

近衛砲兵大隊第一小隊馭卒　木島次三郎

其方儀同隊兵卒小島萬助長島竹四郎等ト謀リ徒黨ヲ結ビ去ル八月廿三日夜暴動ニ及ビ該隊官金ヲ盜ム科ニ依リ同斷

近衛砲兵大隊第一小隊馭卒　是永　虎一
同　伊藤大三郎
同　櫻井　鶴次
同　布施　千吉
同　久保田善作
同第二小隊馭卒　菊地作次郎
同砲卒　松居　善助
同第二小隊馭卒　見山今朝治
同砲卒　山本　丈助
同　笹井　常七
同馭卒　永合竹次郎
同第一小隊馭卒　木村　圓解
同第二小隊馭卒　佐藤種五郎
同砲卒　新家　仲吉
同馭卒　本橋兼次郎
同砲卒　沛塚城次郎
同馭卒　吉田　定吉
同馭卒　高橋竹四郎
同第一小隊馭卒　岩本　久造
同砲卒　淺見綾次郎
同第二小隊砲卒　近藤　祖舟

其方儀同隊兵卒小島萬助長島竹四郎等ガ徒黨ノ企ニ與ミシ去八月廿三日夜暴動ニ及ブ科ニ依リ同斷

東京鎭臺豫備砲兵第一大隊第一中隊火工卒　横山　昇

其方儀同隊兵卒高見澤卯助眞田兼松等ト謀リ近衛砲兵大隊兵卒ト相議シ徒黨ヲ結ビ去ル八月廿三日夜暴動ニ及ブ科ニ依リ同斷

近衛砲兵大隊第二小隊馭卒　羽成　常助

其方儀同隊兵卒小島萬助長島竹四郎等ト謀リ徒黨ヲ結ビ去ル八月廿三日夜暴動ニ及ビ殊ニ週番士官深澤大尉ヲ殺害ス

ル科ニ依リ同斷

近衛砲兵大隊第一小隊馭卒　山部　七藏

其方儀同隊兵卒小島萬助長島竹四郎等徒黨ノ企ニ與シ去ル八月廿三日夜暴動ニ及ビ殊ニ該隊ノ官金ヲ盗ム科ニ依リ同斷

東京鎭臺豫備砲兵第一大隊第一中隊火工卒　鈴木直次

其方儀同隊兵卒眞田兼松ヨリ近衛砲兵大隊兵卒等ガ徒黨暴動ノ企アルヲ聞知シ其謀議ヲ贊成シ該隊ニ於テ首唱兵卒ヲ慫慂スル科ニ依リ同斷

近衛砲兵大隊第二小隊馭卒　門井　藤七

其方儀同隊兵卒小島萬助長島竹四郎等徒黨ノ企ニ與シ去ル八月二十三日夜暴動ニ及ビ殊ニ週番士官深澤大尉ヲ斬害スル科ニ依リ同斷

近衛砲兵大隊第一小隊砲卒　山中　繁藏

其方儀同隊兵卒小島萬助長島竹四郎等徒黨ノ企アルヲ聞知シ去ル八月廿三日夜暴動ニ及ビ殊ニ大砲ヲ發射スル科ニ依リ同斷

近衛砲兵大隊第二小隊蹄鐵工　中澤　章治

其方儀同隊兵卒小島萬助長島竹四郎等徒黨ノ企ニ同ジ去ル八月廿三日夜暴動ニ及ビ殊ニ該隊秣舍ニ放火スル科ニ依リ同斷

近衛砲兵大隊第一小隊馭卒　堤　熊吉

其方儀同隊兵卒小島萬助長島竹四郎等ノ徒黨ニ與シ去ル八月廿三日夜暴動ニ及ビ殊ニ大隊長宇都宮少佐ヲ殺害スル科ニ依リ同斷

近衛砲兵大隊第一小隊馭卒　澤本　米吉

其方儀同隊兵卒小島萬助長島竹四郎等徒黨ノ企アルヲ聞知シ去ル八月廿三日夜暴動ニ及ビ殊ニ該隊ノ官金ヲ盗ム科ニ依リ同斷

近衛砲兵大隊第一小隊馭卒　高橋小三郎

同　藤橋吉三郎

同　新熊安三郎

同　松本久三郎

同第二小隊馭卒　宮崎關四郎

其方儀同隊兵卒小島萬助長島竹四郎等ト謀リ近衛鎭臺各隊ノ兵卒ト會同徒黨ヲ結ビ去ル八月二十三日夜暴動ニ及ブ科ニ依リ同斷

近衛砲兵大隊第一小隊馭卒　辻　龜吉

其方儀同隊兵卒長島竹四郎小島萬助等徒黨ノ企アルヲ聞知シ去ル八月廿三日夜暴動ニ及ビ該隊官金ヲ盜ミ殊ニ深澤大尉ヲ斬害セシ覺ナシト陳ズルモ所持ノ軍刀ニ血痕ヲ存シ且ツ下士之ヲ認ムル確證アルニヨリ斬害スルモノト認定ス右科ニ依リ同斷

近衞砲兵大隊第二小隊砲卒　今井政十郎

其方儀同隊兵卒小島萬助長島竹四郎等徒黨ノ企アルヲ聞知シ去ル八月廿三日夜暴動ニ及ビ且就縛ノ際士官ニ抗敵スル科ニ依リ同斷

近衞卒兵大隊第一小隊砲卒　田島森助

其方儀同隊兵卒小島萬助長島竹四郎等徒黨ノ企ニ協同シ去ル八月廿三日夜暴動ニ及ビ殊ニ大隊長宇都宮少佐ヲ殺害スル科ニ依リ同斷（朝野新聞第千五百三十四號明治十一年十月十七日所載）

朝野新聞の判批決判

半夜ニ兇器ヲ携ヘテ鬪起シ將校ヲ殺シ官廨ヲ焚キ大臣ノ宅ヲ砲擊シ親兵ノ營ヲ攻襲シ徒黨ヲ連合シテ九重ニ强訴セントセシ近衞砲兵ト之ニ通謀セシ暴徒トハ陸軍裁判所ニテ審判終リ遂ニ一昨十五日ヲ以テ夫々處斷ト爲リ死刑ニ處セラレシ者五十三人準流徒刑等合シテ二百六人ナリキ蓋シ竹橋暴動ノ事有ルヤ近衞砲兵ノ隊長岡本少佐以下數名モ右ニ關涉セル嫌疑ヲ以テ拘引セラレタリト聞ケリ然ルニ今回處刑ヲ申渡サレタル者ハ皆ナ兵卒ナルヲ見レバ竹橋ノ暴動ハ特ニ兵卒ノ擧動ニ出デ下士以上ハ毫モ之ニ關涉セザリシカ將タ之ニ連累セル者アルト雖ドモ將校下士ハ輙ク其ノ審問ヲ終ル能ハザルノ事情アルニ因リ先ヅ兵卒ヲ處斷シ然ル後チ他ニ及ボサントスルカ是レ亦未ダ知ル可カラザルナリ然レドモ概シテ之ヲ論ズレバ暴兵ノ處置ハ一昨日ニ於テ其ノ一大結案ヲ爲セシ者ナリ蓋シ兵民其ノ途ヲ分ツテ寬猛其ノ治ヲ異ニセリ故ニ軍律ノ嚴峻ナルハ通例ノ法律ト日ヲ同ウシテ語ル可カラザル者アリ徒黨ヲ嘯合シテ隊長士官ヲ殺シ放火發砲等ノ罪條ハ陸海軍々律ニ於テ明文ナシト雖ドモ三人以上相與ミシテ上官ノ命ニ抗スルヲ徒黨ト云ヒ罪ノ大小ヲ問ハズ首從ヲ分チ論ジ首謀ハ死ニ處シ從ハ一等ヲ減ジ脅從ハ懲罰ニ屬シテ論ズ（軍律第二十八條第八十三條ヲ參取ス）黨ヲ結ビ謀ル所アリ或ハ誓盟ヲ立テ或ハ時日ヲ期シ姦宄ヲ行ヒ變亂スル者ヲ黨姦ト云ヒ黨亂ト云フ凡ソ之ニ坐スル者或ハ慫慂事ヲ釀シ或ハ首唱事ヲ執リ或ハ其事ニ服行ス皆死ニ處シ餘ハ徒以下禁錮以上ヲ以テ論ズ軍律ハ十五條軍人軍屬聚訟スルニ遭ヒ長上ノ解散ヲ命ジタル後猶命ニ服セザルトキハ黨亂トナシテ之ヲ視、上官之ヲ鎭壓スル爲メニ酷烈ノ方畧ヲ取ルチ許ス若シ猶對桿シ或ハ冥頑動カザル者皆死ヲ以テ論ズ（軍律第八十八條第八十九條ヲ參取ス）ト爲セリ竹橋ノ暴動ノ如キ陰謀ヲ規畫シ遂ニ蜂起シテ其慘毒ヲ肆ニス之ヲ軍律ニ對照スルニ其罪科ノ重ク且ッ大ナル豈止ダ徒黨黨姦黨亂ノ如キノミナランヤ故ニ世人或ハ之レガ臆測ヲ爲シ其ノ兵亂ニ關渉シ砲銃ヲ操テ兇事ニ服行スル者ハ皆死刑ヲ免カル可カラズ或ハ一時ニ數百ノ士官兵卒ヲ銃殺スルノ悲慘ヲ見ルニ至ラン事ヲ悲歎セシ者アリシガ今ヤ其ノ裁判ノ落着ニ及ビ其ノ死刑ニ逢ヒシ者ハ五十餘人ニ過ギズ豈眞成ニ其ノ兇惡ヲ施行シタル者ハ此等ノ人數ニ止マリ其ノ餘ハ强逼セラレテ之ニ附隨シ敢テ陰謀ヲ參加セザリシニ因テ幸ニ一死ヲ免カレタルカ抑モ亦政府ノ慈仁ナル寬ヲ以テ猛ヲ濟フノ方畧ニ從ヒ其ノ間ニ極惡大罪ヲ犯セシ者アルモ特ニ頑愚ニシテ事理ヲ辨ゼズ狡慧者ノ爲メニ蠱惑セラレテ以テ此極ニ至ルニ外ナラズ其ノ情狀ノ憫諒ス可キニ因リ唯ダ慫慂者タリ首唱者タル者ニテ毫モ之ヲ寬假スルノ道ナキ者ヲ除キ其餘ハ務メテ之ヲ宥恕シ以テ輕減ニ從ヒシガ苟モ政府ノ所爲ヲシテ玆ニ出デシムレバ恩威並ビ行ハレ已ニ慘戮ヲ肆マヽニセズシテ又姑息ニ失セズ各管ノ兵士ヲシテ其ノ威ニ震慄シ其ノ恩ニ歸依セシム可シ寧ロ之ヲ稱シテ治安ノ政畧ヲ得タル者ト謂ハザル可ケンヤ

抑モ兵士ハ政府ノ命令ヲ奉承シ以テ國家ノ危難ニ備フ者ナリ殊ニ近衛隊ノ如キハ、　皐上ノ親兵ニシテ禁城ヲ護衛スルノ重任ヲ帶ブル者ニ非ズヤ昨年鹿兒島ノ暴動ノ如キ率先シテ軍ニ從ヒ硝烟ヲ侵シ彈雨ヲ衝キ以テ戡定ノ功ヲ奏シ生キテハ國家ノ干城ト爲リ死シテハ政府ノ然典ヲ受ク可キノ身ヲ以テ何ノ怨望スル所アッテカ自ラ匪擧ヲ圖リ以テ刑戮ヲ受クルニ至リシヤ其ノ暴力ヲ頼ンデ砲吼ヲ逞ウスルモ瞬頃ナラズシテ盡ク捕縛ニ就キ遂ニ銃丸額ヲ貫イデ以テ死スルニ非ザレバ囚衣ヲ着シテ長ク苦役ヲ徒場ニ受ケザルヲ得ズ之ヲ國事ニ殉シ招魂ノ社ニ合祠セラルヽ者ニ比スレバ其ノ得失榮辱果シテ如何ンゾヤ今日ノ兵士タル者ハ深ク玆ニ省視スル所アル可キナリ

吾儕之ヲ聞ク今回皇上ノ蹕ヲ金澤ニ駐メ賜フヤ特旨ヲ以テ懲戒中ノ兵士ヲ宥恕セラレタリト而シテ暴兵ノ處刑ノ如キモ寧ロ寬ニ出ルモ猛ニ失セズ以テ政府ガ兵士ヲ待ツノ慈仁ナルヲ知ルニ足レリ吾儕豈從テ之ヲ贊美セザル可ケンヤ嗚呼近衛ノ暴兵ハ已ニ其ノ典刑ヲ正ウセリ苟モ廟堂君子ト陸軍ノ士官ヲシテ長ク其ノ慈仁ノ心ヲ失ハズ已往ヲ顧ミテ將來ヲ察セシムレバ双ヲ主將ノ腹ニ剸テント欲セシ者ヲシテ翻テ己レガ爲メニ死ヲ視ル歸スル事ノ如クナラシムルモ亦何ゾ難シト爲ンヤ吾輩ノ之ヲ今日ニ贊美スル者ハ蓋シ將來ニ望ム所有ルガ爲メナリ（朝野新聞第千五百三十四號明治十一年十月十七日）

(76)

越中島にて銃殺さる

一昨十五日深川越中島にて銃殺の刑に處せられし近衞暴徒五十三人は愛宕下の監倉より未明に駕籠にて刑場へ送らるべしと評決せられ十四日の午後六時ごろ陸軍裁判所より千住、板橋、新宿、品川の四宿の區務所へ宿駕籠を十一挺あるひは十五挺と夫れ〴〵割り付けて即刻さし出すべしと達せられしが人力車と引き替りたる今日なれば何れも數ほどはあらず市中を捜し廻りて漸く三挺または五挺位づつ取り纒め夜に入りて裁判所へ差出せしに罪人の數の半ばにも足らざれば是非なく病者だけを駕籠に乘せ其餘は人力車にて送られしとぞ扨てこれに付きておかしき咄しあり其夜四宿より出し人足どもは何かは知らねども宿役人の跡につき裁判所へ行きしに暫くありて直に愛宕町の監倉へ參るべしと沙汰せられ雨を冒して同所へ至り斯くと門衞の兵卒に告ぐるに程へて門前にて控ゆべし去りながら決して高聲に談話などしては相成らぬぞと申付られ宿役人を始め人足どもも是は並々の事にてはあるまじどうぞ鎭守樣の御利益で鐵砲玉が飛び違ふ樣な大變事に及んでも命ばかりは助かりたいもの其うへ暗さはくらし雨は降る薄氣味はわろしと云ふても遁げ歸る譯にも行かずさるにても今としは如何なる星の運り合せにて斯る厄難に出逢ひしか嘸や家では妻アめが夢見がわろいで有うなど寒さと怖さに齒の根も合はず慄え居たる間も無くはや十五日の午前四時頃にも成れば內より此方へ入れとて監倉の構內へ駕籠をさし置きまた外へ出で待つにイザ舁き出せと云はれて怖る〳〵肩を入れ先に立たれし官吏につきて門を出しが中には何が這入りしか人間には相違なかるべけれど一圓合點のまゐらぬことかなと息杖つき連れて深川の方へ舁き行く道すがら曉かけて行き通ふ人のスワ今日こそ竹橋の暴徒が越中島へ打れに行くと云ひ合ふを聞いて始めて氣の付き漸く安心したるは今でこそ笑談なれ其時の心地は生きたりとも覺えざりしと右の人足どもが昨日陸運會社の請取書を持ち區務所へ來りて代金を請取るときに語りしと此駕籠代は總計六圓なりとぞ又た靑山墓地へ埋められし穴の堀手間は一つに付き五十錢にて總計二十六圓五十錢を其筋より渡されしと云ふ。(東京日々新聞明治十一年十月十七日第貳千六拾壹號所載)

○

去る十五日深川越中島に於て近衛暴徒を刑せられしとき大勢の事ゆゑ死骸の取扱人も多からでは差支ゆべしと前夜に及んで警視監獄署へ依賴せられければ同署にては兼て千住北組にて聊かの給料を與て死刑人取扱を心得させられしもの五人ほど有りしに付き其者どもを呼出して申付られしかば同夜の内に三十人程も雇入れ速かに間に合ひたるよし。（東京日々新聞明治十一年十月十八日第貳千六拾貳號所載）

（別　項）

五十三名の死刑に處せられしものどもは前三時三十分に假囚獄より人力車に乘せ越中島刑場へ護送され砲發の十字架は五本宛三組に立て並べ一時に十五人宛處刑になり前五時比より始まり九時比に畢はり死體は桶に入れ青山陸軍埋葬地へ送られたりといふ。（朝野新聞第千五百三十三號明治十一年十月十六日所載）

餘　譚

（その一）一ツ橋通町東京府士族小柳正雄の後家おきんは近衛砲兵馭卒金井總太郎が酒に醉ひて暴動の云々を口ばしりりしを其場の雜談と聞流がせしが其後ち事實なるを知りても訴へ出でざる科によりて違式重に問はれ昨廿九日懲役二十日の收贖金五十錢を申付られたり（東京日々新聞　明治十一年十月三十日第貳千七拾貳號所載）

○

（その二）近衛砲兵の暴擧に付き其頃より設けられし陸軍臨時裁判所は最はや殘務も片付きたれば先月三十日より閉ぢられたりと。（東京日々新聞　明治十一年十一月二日第貳千七十五號所載）

○

（その三）竹橋の暴徒を鎭壓のため非命の死を遂げられたる故宇都宮少佐故深澤大尉故松本少尉の三君は戰死に准ぜられ九段の招魂社へ合祀に相成るに付き來る六日の夜小澤大佐が祭主となり同社において臨時招魂祭を執行なはるるとぞ。（東京日々新聞　明治十一年十一月四日第貳千七十六號所載）

○

（その四）近衛砲兵暴動のとき其の隊の士官で有ながら職掌を盡さず卑怯の振舞ありし津田甲斐の兩人は去る十三日に陸軍裁判所において左の通り申し渡されたるうへ勳位

をも褫はれたりと

陸軍大尉　津田震一郎

其方儀近衛砲兵大隊第二小隊長勤務中過ル八月二十三日夜本隊兵卒等徒黨暴動ノ企アルヲ前知シ周番士官深澤大尉ニ通告スルモ豫防ノ處置ヲ爲サズ又事發スルニ及ビ鎭壓ノ方略ヲ失シ加之畏避潜匿スル科ニ依リ回籍修身武官大小ノ員ニ補スルヲ禁止被仰付

同　甲斐　宗義

其方儀近衛砲兵大隊第一小隊長勤務中病氣療養罷在ル處過ル八月十三日夜非常號砲ヲ聞病ヲ力メテ登營セントスル途中本隊兵卒徒黨暴動ニ及ブヲ聞キ某家ニ至リ猶豫シ徒ニ時間ヲ費シ登營緩慢ニ及鎭壓ノ方略ヲ盡サヾル科ニ依降官被仰付（東京日々新聞　明治十一年拾二月廿三日第貳千百拾六號所載）

　以上に於て、大體の眞相を摑み得られた事と思ふ。たゞ此處に遺憾とすべきは、死刑執行時に於ける逆徒の光景を詳細に描寫したる曙新聞の記事を諸氏の眼前に公開なすことの自由を許されざることである。當時該紙は發禁を食ひ又その號外には、一名六錢にて死骸取り片着けを引受けたる人足の話を載せ、これ又筆禍を蒙り、言論の抑壓は却て當時の人々をして灰暗き懷疑の念を抱かしめたのであつた

　越中島の銃聲は今尚ほ品川灣にこだまし、逆徒の懺悔は永遠に繰返されてゐる。

――一九二七、五、三日――

本誌次號豫告

入繪 世界張形考（その一）（原稿五十枚）……酒井潔

入繪 世界文身考（その一）（原稿五十枚）……ハムレイ著 梅原北明譯

入繪 世界富籤考（その一）（原稿三十枚）……藤澤衞彦

暗黒面觀察行脚（隨筆）

▽東都魔窟耽溺行……井東憲

▽東都木賃宿巡禮……石角春洋

▽東都留置場在監 彌次喜太訪問記……伊藤竹醉 梅原北明

▽東都死刑執行所覗き……小座間茂

▽東都てきや戸籍調べ……和田信義

▽東都不良少年考……サトウハチロー

▽子供乞食のせり市……梅原北明

◇

明治怪盗傳（原稿百枚）　梅原北明

世界珍書解題（その二）（原稿二十枚）　柳瀬正夢

古代東洋性慾教科書研究（原稿九十枚）　酒井潔

川柳に現れたる變態性慾（その二）（原稿三十枚）　佐藤紅霞

艶本目録（原稿紙數の許す限り掲載いたします）

世界珍書解題（一）

千一夜物語

酒井潔

世の讀者子よ！　君達が天下の一大奇書千一夜物語に下せる不當なる表價に對して、予はアラーの御名にかけて抗議せんとするものなり！

全く、諸君！　此の不幸なる東洋の大文學は吾々日本人に誤まられた姿で、あまりにも屢々紹介され過ぎて居る。明治の初期（或は江戸末期）より今日までに同書の飜譯がどの位發行されたかと云ふと、片々たる零本まで入れたら、數ふるに堪へぬ程あると思ふ。それがどれもこれも漁夫の話、金色の魚の話、火靈の話、航海談、盜賊の話等々である。だから五十年來日本人の頭には千一夜物語とは、子供のお伽噺であると云ふ感念が定着して仕舞つた爲、吾々アラビヤ黨が同書の妙を說く時、相當の讀書人さへも、「ヘェー、そんなに面白い本かネ？」なんて隨分呑氣な質問を發するのである。

この樣に同書が日本人に誤り傳へられたのは、第一飜譯のテキストが不完全だつたからである。第二には、假に善本のテキストを持つて居るとしても、それを完譯して刊行することは到底日本の樣な僞君子揃の國では不可能だからである。

千一夜物語を子供のお伽噺と思つて居る人は、先づ此の物語の發端がどんなものか考へて見るがいゝ。

往昔印度、支那の邦々を領した偉大な國王シヤーリヤール王は、王妃と奴隷の黑奴との不義を發見して、女子の不貞、不信を痛感しそれ以來國王は世界の女子に復讐する爲め每夜一人の乙女を召して、夜明には其の首を切り落さした、王は此の行を三年間續けた。それが爲め、都には最早や一人の處女も居なくなつて仕舞つた。それでも王は相變らず、乙女を連れて來る樣に、宰相に命令した。然し宰相は王の逆鱗を恐れながらも、如何ともなす術を知らず、呆然として居た時、宰相の娘シヤーラザード姬が父の心配を見兼ねて、自分を其の犧牲にする樣申し出た。それで宰相も致方なく、王の寢間へ姬を差し出した。王は例によつて姬を殺さうとすると、姬は今生の思ひ出に何か面白い話しがし度いと王に願つた。そして次々に其の朱唇より語り出されたのが即ち千一夜物語である。所が姬の物語に此の狂人の樣な王の心をも和らげる程の力があつた點から見ても、此の物語が如何に面白くあつたかと云ふ事は想像出來るだらう。荒みに荒んだ狂暴な王樣が魚の話や盜賊の話なんかを喜んで聞いて居たとは眞逆思はれまい。

實に此の東洋人の生んだ大文學の本當の姿は、奔放無碍の性慾描寫にあるのである。熱帶の炎天下に生れた羞耻なき男女の戀の物語である。而もそれが如何にも卒直に如何にも詩的の描寫である爲、どんな猛烈な話でも、決して不快を感じる樣な事は斷じてない。私見を以てすれば千一夜物語とは、斯うした愛慾の物語を骨子としてそれに怪異奇拔な空想的物語の皮を着せて出來上つたもので、其の本質はあくまでも人間情慾描寫の部分にあるのである。

殆んど此の物語中、どの話をとつて見ても必ず、牡鹿の樣な美男と、柳の枝の樣な美女が出て來て、一目見るや忽ち戀に落ち、それから纒綿たる戀物語が發展して行く。それが萬花一時に開く樣な華麗な文章と相俟つて、何んとも云へぬ素晴しい恍惚境に讀者を引き入れて仕舞ふ。斯うした部分を讀んでこそ、千一夜物語の眞の味が解るのである。

これで大體同書が決して子供のものでなく大人の、而も或る程度まで寫實的な戀愛小說を卒業した人達の爲の文學である事が解つて貰へたと思ふから、以下同書の文献について少し書いて見やう。

苟も千一夜物語を云々するには先づ第一にリチャード、バートン譯について語らねばならん。バートン本の初版は黒表紙（布製）に金銀文字でアラビアン、ナイツと現した裝幀で、（一八八五年）に Benares : MDCCCLXXXV : Printed By the Kama Shastra Society から出版と云ふ形式になつて居る。これが十卷まで出た。それから一八八六年―一八八八年迄に補足として六卷出版された。この補足版は表紙の文字が銀になつた丈で全く前の十卷と同裝幀である。即ちバートンの初版は十六冊と云ふ事になる。本の大きさは $6\times9\frac{11}{21}$ バートン本の第二版は一九〇〇年一九〇一年―にかけて、初版其のまゝのものが Stanley L. Wood. の挿畫を入れて Carson - Harper 會社で作られた、此れにはバートン協會員に配布と云ふ文字が這入つて居る。勿論限定版である。

右、バートン本の初版、二版は全く珍本であつて今日では仲々入手困難なレヤー・ブックになつて仕舞つた。

次に其の第三版と云ふ可きものは。例のバートン、クラブ版と云ふので、此の版が時々市場へ出され、よく初版と間違へられるのである。これは原版の十六冊を十七冊に、一冊增加させて居る。然し內容は初版通りで、つまり補足の第三冊目を二冊に分けたのである。挿畫は百枚餘もあるが、筆者はマチ／＼で、既刊の英、佛書から集めた樣に思はれる。此の本の表題は左の如き長いものである。

A plain and Literal Translation of the Arabian Nights entertainments, now entitled the book of the thousand Nights and a night with introduction explanatory notes on the manners and customs of moslem men and a terminal essay upon the history of the nights by Richard F. Burton.

以上三種の本がアラビヤ原書よりの最初の直接完譯であるバートン本中信用の出來る善本である。これ等以外にも所謂バートン本なるものは隨分多數に刊行されて居るが、皆抄譯或は轉化本でバートンの眞價を傳へたものではない。只カタログ位見た丈でバートン本だと思つて取り寄せたらとんだ目に會ふから御注意あり度い。左に僞バートン本を數種あげて置かう。

○バートン夫人版

一八八六年——一八八八年迄に六卷丈け出た。白い表紙へ金文字の圖案。表題には「家庭向」と云ふ文句が這入つて居るのを見れば內容は想像される。

○Nichols Smithers版

The Book of the Thousand Nights and a Night, translated from the Arabic by Capt. Sir R. F. Burton, reprinted from the original edition and edited by N. Smithers in 12 vols London. 1894.

この版には色々の種類がある樣だが、よく知らない。私の知つてるのは七十枚許りの挿畫があるのだが、其の畫は叮嚀に描いてある丈で一向に面白くない。內容も勿論バートン原版の抄譯である。

○次ぎの數種類はバートン版の僞版で普通、Catch Ward 版と呼ばれ、何れもアラビヤ附近の都市とか港とかの名をつけてゐる。例へば

Medinah版 1907年

Mecca版 1905年

Baghdad版

Aden版

と云つた具合に命名して高價に賣り付けたものである。甚だよろしくないヨタ版である。猶米國で刊行したパイレートもあるさうだ。これは最近の話だが、米國で新しくバートンの複製を作ると云ふ樣な事も聞き及んでゐるが、果してどんな物が出來るであらうか？

其の他、バートンの初版は一九〇七年にライプチヒで獨譯された事を聞いて居る。

これでバートン本の事は大體説明し得た様に思ふから次には、バートン以後に於けるアラビヤ原書よりの直接完譯である佛のマルドリユスの本の事を御話しよう。マルドリユス博士は有名な東洋學者で此の劃時代的な千一夜物語の完譯を初め猶數種の權威あるアラビヤ物の飜譯を出版して居る。で、同氏の千一夜物語は一九一八年にシヤルパンチエ社から次ぎの題名で發行された。

(1) Le livre des Mille Nuits et Une Nuit. Traduction litteral et complète du texte arabe par Le Dr J. C. Mardrus.
L'edition complète, en 16 vol. in-8°

(2) L'édition complète et illustrée par le fac-similé en couleurs des miniatures et des encadrements qui oruent les manuscrits et les originaux Persans et hindous. 8 vol. in-4° reliés.

(1)は普及版。挿畫なしで十六册。

(2)は贅澤本で素晴しい美本である。挿畫は印度やペルシヤの原畫から模寫した原色版で全然東洋的である。私達から見ればバートン本の寫實式の挿畫より遙かに結構に思はれる。本文の頁も毎頁模樣入りと云ふ凝り方で、全く美しい本である。大きさは普及版の二倍大。八册。

所がごく最近即ち一九二六年にとてつもない立派なマルドリユス本が出版された。出版書肆は L'Edition D'Art H. Piazza. 19. rue Bonaparte paris. で書名は

Le livre des Mille Nuits et Une Nuit. Traduction litérale et complète du text arabe par le Dr J-C. Mardrus. en 12 magnifiques volumes de luxe in-4° (23×30) Contenant chucan 12 grand miniatures hors texte en couleurs et or de

Léon Carré

et plus de cent compositions decoratives en couleurs et or (titres, en-tetes, bandeaux, lettres ornées, fleurons, Culsde-lampe) de Racim mohammed.

御覧の通りとても大變なものである。この新版のテキストは勿論、前のシャルパンチエ社のものと同様だが、挿畫が違ふので、レオン・カレ（愛撫の園の有名な挿畫を描いた畫家）の彩色密畫が各卷毎に十二枚宛あり、其の他ラシム・モハメッドの無數の裝飾的コムポジイションがあるのだから、全く目の醒める様なものである。從つて値段も目の出る程高い。一番上製は五十部日本の紙に印刷してあつて、一册の價、實に二百五十圓程、しかもこれは假綴の價であるから本裝幀のものだと更に裝幀料百餘圓を加へて、一册、三百五十圓。十二册揃で五千二百圓と云ふベラ棒な値段になつて仕舞ふ。では一番安いのはと云ふと、ベランと云ふ紙に印刷したので二千二百部限定、一册四十五圓、十二册で五百四十圓程になる。これも革裝幀にすれば勿論裝幀料一册百圓宛とられる。但し此の本はまだ第二卷迄しか出版されて居ない。

この外、マルドリユス譯の中から面白い所を拔萃した本も數種ある）。例のフランスに於ける最も有名な裝幀家であるキエフエの所からも立派な本が二種程出て居る。其の一ツの内容は、「三人の貴婦人と擔夫」と云ふ誰でも知つてる話だつたと思ふ。それから、このマルドリユス本が一九二三年にバートンの名譯を持つ英國で飜譯されて、非常な好評を博して居ると云ふ事實を知る時私達は同氏譯の權威を認めざるを得ないでないか。其の書名は、

The book of the Thousand Nights and One Night. rendered from the literal and complete version of Dr. J. C. Mardrus; and collated with other sources; by E. Powys Mathers. Frontispiece in colours, 4 vols. London 1923.

次ぎにバートン物とマルドリユス物以外の千一夜物語を、私の不完全な調査から拔き出して見よう。

先づアントアヌ、ガランの佛譯（一七〇四）、（この本は抄譯ではあるが非常にイヽ本である。）位から初まつて以下……

△ The Arabian nights Entertainments Carefully revised and occasionally Corrected from the Arabic. To which is added a selection of new tales, also an introduction and note by Jonathan Scott. With engravings, 6 vols, 1811,

△ New Arabian Nights, Entertainments, selected from the Oriental MS. by J. von Hammer; and now first translated into English by the Rev. G. Lamb. 3 vols. London. 1826

△ Arabian Nights Entertainments, Consisting of One Thousand and One Stories, Embellished with nearly one hundred and fifty engravings. pp, 556, London, 1832.

△ Book of the Thousand Nights and One Night, commonly known as" The Arabian Nights' Entertainments"; now, for the first time, published complete in the Original Arabic, from an Egyptian Manuscript brought to India by the late Major Turner Macan, Editor of the Shahnamch. Edited by W. H. Mac Naughten in 4 vols, Calcutta, 1839-1841,

△ The Arabian Nights' Eentertainments; translated by the Rev. Ed, Forster, carefully revised and corrected, with an explanatory and historical introduction, by G, Moir Bussey. Ills, London, 1844.

△ The Thousand Nights and One night, commonly called, in English, the Arabian Nights' Entertainments. A new translation from the Arabic, with copious notes, by E. W. Lane, illustrated by, many handred engravings on wood, from original designs by W, Harvey, A new edition, from a copy annotated by the translator; edited by his nephew E. S Poole. 3 vols. London. 1859.

△ Selections from the Alif Laylah for the higher standard examination in Arabic for officers in the military and civil services by Mojor H. S. Jarrete. Calcutte, 1880

△ Arabian Nights Entertainments consisting of 1001 Stories, told by the Sultaness of the Indies, to divert the Sultan from the execution of a bloody vow he had made to marry a Lady every day and have her head cut off next morning, to avenge himself for the disloyalty of his first Sultaness, &C. Containing a better account of the Customs, Manners, and Religion of the Eastern Nations. Viz, Tartars, Persians and Indians, than is to be met with in any author hitherts published, Translated into French from the Arabian MSS., by M. Galland, and now done into English from the last Paris Edition. 4 vols, London. 1892.

△ (The 1001 Nights) Arabian Nights Entertainments, 5 vols. complete. Illus. Cairo 1901.

△ The Arabian Nights. An expurgated edition. edited by P. Salhani S. J. 5 vols. Beirut, 1914.

△ Tausend und eine Nacht, arabische Erzählungen, deutsch von M. Habicht, H. v. d. Hagen und C. Schall, fifth and Sixth edition. 15 parts in 5 vols. Stuttgart, 1840-81.

△ Daezels' illstrirte Tausand und Eine Nacht. Sammlung persischer. indischer und ababischer Märchen, mit einem Vorworte vou Dr. H. Beta. mit 211 illustrationen nach den ersten Künstlern Leipzig.

△ Arabische Nachte, Nachdichtung en Arabischer Lyrik. Von Hans Bethge. Leipzig 1919.

扨て、私達は一度日本に於ける飜譯へ歸つて見よう。博文館や、富山房から出た子供のアラビアン、ナイツは吾々にとつて無關係であるから、構はぬ事にして於て、世界童話大系から出た縮版三冊の日夏氏譯と、世界名作大觀から出た森田氏譯とについて少しく云つて見度い。兩書ともテキストはレーンの英譯である。從つて、折角兩氏の努力も遺憾ながら、千一夜物語を完全に日本へ移植したとは云ひ得ない。此の點は兩氏とも其の序文に於て自ら言及して居られる。而も皮肉な事には日夏、森田兩氏ともやらうと思へば、いつでもバートン本をかづき出して來る事の出來る人達である。其の兩氏がバートン本を横目で睨みながら、レーン本の飜譯をせねばならぬと云ふのは、さぞ殘念な事であつたらうと御推察する。

然し、かく云ふのは理想論で、現在日本の檢閲狀態を考へれば、如何にジタバタしてもレーン譯位で滿足するより仕方はないであらう。そんなら、レーン本はつまらぬかと云ふと、必しもそうでない。私はレーン本のあの詳細を極めたノート丈でも同書のレーゾン・デートルを十二分に認めるものである。從つてこの煩瑣なノートを懇切に飜譯されたと云ふ點で森田氏譯は長く私達の感謝に値するだらう。兎に角私達は日夏森田兩氏の盡力で不滿足ながらも、此の天下の一大奇書の輪廓丈は知つた事になる。其の後は、日本にバートンやマルドリユスの様な威勢のいゝ男が飛び出すのを待つより仕方はない。

だが諸君。バートンにしろ、マルドリユスにしろ其の完譯は實に尨大なものであつて、とても、この忙しい現代では、そんなものを全部讀破するなんて事は人間業では出來ないと云ふ人がある。なる程、それも尤もな言ひ分だ。かく云ふ私だつて、それには同感する、斯うした要求が高まつて來れば書肆の方でも考へる。そこで、アラビアン、ナイツ、ラブテールスなんて便利な本が飛び出して來るのである。これは最近丸善にも來て居たが、ナイツの無數の話の中から十四許りの戀物語が拔萃してあつた。內容は勿論レーンを一歩も出て居ないし、話の數も僅だから問題にす可き本ではないがアラビアン、ナイツ尋常科卒業位の人の敎科書にはもつてこいだらう。然らば千一夜物語中の代表的戀物語の最も肝要な場所を拔萃して一本に纏め、それとレーン本位とを合せ讀めば、同書全部を讀破する超人間的の努力を避け得て而も、眞に同書の祕奧に觸れ得る様な手頃の本はないものかと、屢々、知人から聞かれる事がある。

例へば、レーン本（森田氏譯）の第一卷、第三章、「擔夫とバグダードの貴夫人と三人の王族托鉢僧の話」と云ふのは、一人の擔夫が三人の美女の邸へ荷を擔つて行つて、ついに御馳走になり、それから一層愉快な遊をするのだが、レーン譯ではその一層愉快な遊びと云ふのが、惜し氣もなく省略されて居る。それは森田氏譯の第一卷一四四頁で、次ぎの様な所である。

……………………………………………………………

たうとう酒が彼等の理性を弄ぶやうになりました。彼等はあらゆる拘束を投げ棄てゝ恰も男が其場に居合せないと同じ様な自由な態度を取りながら、思ふさま歡樂に耽りました。……………

此の思ふさま云々の一句が大變なので、道學者レーン先生はそれを正視する丈の勇氣がなかつたので此の様に簡單に片づけて仕舞つたが私はレーン先生よりは多少な勇氣を持ち合せて居るつもりであるから、いわでもの事かは知らんが、其の思ふさまの歡樂と云ふのがどんな事か、一寸種明しして見よう。

……………………………………………………………………………………

完全に酒が一同を捕へてしまふと、門番をして居た娘は、とう〳〵着物を脱ぎすてゝ眞裸になつて仕舞ひました。そして泉水の中へ飛び込んで口に水を含んでは、プップツと男に吐きかけたりして、水遊びに夢中になつて居ましたが、やがて全身をすつかり洗つてから、男の胸に身をなげ掛け、仰向に寢そべつて、自分の股間にあるものを指しながら、擔夫に問ひかけました。

「ネ、可愛イヽ人。あなた是れの名を知つてて？」

「ハハ……。まあ普通は『御慈悲の家』と云ひますネ」

これより以上は如何な私でも、閉口だから先づこの位で勘辨して貰はう。

つまり、斯う云つた具合の所ばかり集めた本がないかと質問されるのである。如何にもそんな本があつたら、無類だらう、イの一番に私が申し込む。

偖て、隨分長々と書いたが、要は、世界說話文學中の最高位に坐す可き、我が東洋人の生んだ大文献を、親愛なる諸君に、正當に認めて戴き度いのである。そして、いつかは此の大文學を完全に、我が讀書界へ移植する日の來らん事を、諸君と共に期待し度いのである。

完

附　記

近頃耳よりの話を聞いたから一寸御知らせして置きます。それは上海のE・S・協會で、此のアラビアンナイトをはじめ數種の世界的珍書が出るさうです、私もまだ委しい事は知りません。だが上海から梅原君の所へは確かに通知が來て居る筈です。それで知り度い人は左記へ信書で紹介して御らんなさい。

東京牛込區赤城元町三四梅原北明氣附E・S・協會御中

勿論限定本でしようから、無制限と云ふわけには行きますまい。それで問ひ合せの權利のあるものは文藝市場の直接讀者或は變態資料の會員に限るとの事です。以上

近世落書報道史

——今回は（赤穂義士復讐）の巻——

梅原北明

目的——關ヶ原の合戰以後明治初期に至る約二千七百の事件に伴ふ落書本位の報道。

順序——年代順を追はず每號氣のむく儘に書き綴る。

終局——年代順に事件を細別し上下二冊の本となす。原稿約六千五百枚となる豫定。

（先づ落書に就いて一言）

落書は今日に見る新聞の先祖で、當時一つの言論機關をも許されなかつた彼等の不平不滿欝憤の吐きだめが文字となり歌となつて現れるに及んだ具體化せる人間本來の自由意識の爆發で、これが後の瓦版を生み、續いて今日の新聞を現出せしめるに至つた最初の現れに他ならないのだ。

全く人々の不平は訴るに所なく、爲に幕吏の仕免賞罰天災地變その他の事件起るに及び、誰が爲るともなく、その欝積された不平乃至は報道熱に富む人々の發表慾が落書となつて現れたもので、歷史の裏面を觀察する上に最も重要な意義をもつものである。

而して此の落書には凡そ二つの種類がある。一は單なる風說に臆測を加へて報じたものであり、他は事實の眞相を傳へるためのものである。隨つて此の眞相を傳へるための落書の筆者は、その事件内にある渦中の人か乃至は直接その衝に當れる人々かで、その事件の世間へ有耶無耶に葬り去られんとする場合、その秘密を暴露して後世へ殘し置かんと此れを落書となし、窃に何處かへ貼紙するなり、或は張札にして掲げるなりしたもので、勿論この場合、筆者が發見されるに於ては、幕府の嚴罰を招くは必然で、思へば隨分險吞な惡戲である。又それだけに痛快の伴ふ惡戲であるとも云ひ得る。

故に、これ等多大の危險を伴ふ數多くの落書中には眞相その儘を描き盡したものが頗る多いのである。この意味に於て落書に依る歷史的研究は完全な史實を究める上に重大な意義を持つものであると自分は力說したのである。

私は今、德川氏が實權を握るに至れる關ヶ原の合戰より明治初期に亘る落書を不完全乍らも一通り蒐集するを得たのであるが、その發表に就いては殊更に年代順に依らず、手に觸れ易い所から順次に引出して見やう。事件を年代的に追ふ時は徒らに斷片的なもの多くなり、每號讀切り本位の雜誌としての本誌に添はない結果となるので、順序は目茶苦茶にすゝむが、何れ一冊の本に纏めあげる時には、勿論事件を細別し、年代順に隨ふ豫定でゐる。

先づ私は今回、赤穗義士の敵討が落書に現れた一件より此處へお目にかけることにしたと云ふのは、仇討史を脫稿して間のない私には四十七士のことに就いて多くの云ひ殘したことがあるので、多少氣になつてゐたからで、實際は矢張り關ヶ原を振り出しにする氣でゐたが、どうしても氣が進まない。この我儘は幾重にもお詫する次第である。

赤穗義士復讐の卷

その階級を超越し上下に漲り亘つたデカタンそのものなる元祿の奢侈風流を、突如根底より覆して人々の永い眠りを搖り醒したのは實に赤穗義士の復讐であつた。

私は今、その巷間に喧傳され盡した此事件を、當時の落書より見やうとするもので、その史實も出來るだけ正確に近い記錄としたい。

元祿十四年、吉例に依つて年頭の勅使が江戶へ下向した三月十四日、幕府では勅使を饗應するため其御馳走役を淺野內匠頭長矩及び伊達左京亮宗春に命じ、儀式上の一切は高家衆吉良上野介義央の指圖を受くべしとの事であつたが賄賂の嫌ひな長矩は義央に特別の禮を盡さなかつたがため義央の虐待は長矩の默し難き反感を買ひ、當日彼は遂に殿中に於て義央を傷つくるに至つた。が現場にはせつけた梶川與惣兵衛のために組留められしため、義央の生命を奪ふこと出來ず、當日、田村右京大夫に預けられ切腹仰付かつたのであるが、この刄傷を組留めた梶川與惣兵衛は、その功によつて五百石の加增になつたのは人の皆知る所である。

落書に依れば、次の如く此れを報道してゐる。

よい事にみぬふりはせど與三兵衛
　たくみ切たで加增一倍

梶川與惣兵衛は、當時幕府の御留居番を務め、七百石を領せられてゐたのであつた、今、彼の當時書き殘せし日記を見るに、長矩は先づ義央の肩に斬りつけ、次に眉間を傷つけてゐる。拔き打ちに眞向より斬りつけたのは脚本の與太で、これは竹田出雲の「假名手本忠臣藏」の罪である。

又、刄傷の時間は當日の午前十時過ぎで、義央は其儘殿中にて醫療を受け、長矩は其儘陸奥一ノ關藩主田村右京大夫建顯の許に預けられ、同夜幕府の使者が齎したる左の宣告に依り切腹仰せつけられたのであつた。

其方儀、意趣之れ有る由にて、吉良上野介を理不盡に切り付け、殿中をも憚らず、時節柄と申し、重疊不屆至極に候。之れに依つて切腹仰せ附けられ候。

ところが芝居の忠臣藏では、長矩が數日間、自邸に或は田村邸に蟄居し得たる如くに仕組まれてある。が事實は今云つた通りで、當日のうちに處分し果てたのであり、隨つて長矩は完全に義央を打ち果したものと信じ切つて自刄したのであつた。

當時の光景を落書は次の如く報道してゐる。

○

疵をいたみつら打恥の己のみ
　きら(吉良)れて物を思ふ上野

○

しやう〳〵(少將)できら(吉良)れぬ物を二タ刀
　淺井たくみ(內匠)と城はあかほ(赤穗)ぞ

○

きられけるきんか頭をみちかへど
　上野砥かと刀とぎけり

○

名を惜めおしむな命赤穂衆
　御主のかたききら（吉良）せ給へや

○

あさよりも内匠し事をしらずして
　つらを吉良れていいしやを上野

○

身より出るさびをおとさぬ上野疵
　名字のごとく吉良れこそすれ

○

餌をかはぬが鷹の羽（淺野家の定紋）の落度なり

○

鹽甘く見て上野はなめすぎる（赤穂鹽）

○

あさの（淺野）まに智惠ある人が集りて
　内匠しまゝに吉良れ上野

○

今まではあさい内匠と思ひしに
　ふかいたくみに吉良れ上野

○

上野はきられにけりな徒らに
　我身よぬけにせんとせしまに

○

一方、此日、幕府では長矩の邑を除くことに決し、使を赤穂に遣りて城地を收めしめたので、長矩の家老大石内藏助良雄は豫め藩中の同志と議し、城門前にて切腹し以て主君長矩に殉せんと計つたが、主家一門の大名より注意あり、又は彼等に再興すべき運動の意志があつたので、異議なく城地を引き渡したのであつたが、大石に此の深謀のありしことも氣附かなかつた當時の人々は、不平の餘り左の如き落書を諸所へ貼布したのであつた。

○

大石は鮓のおもしになる屋らん
　赤穂の米を喰つぶしけり

○

あかほとはいへどくさつた心かな
　このしろはりもうれぬ浪人

斯うして長矩は罪せられ、城は剝奪され、而かも人々の罵りが彼等の頭上に遠慮會釋もなく落下して來た今日、幕府の處置は義央を一向にかまはなかつたので、怒りに燃えた良雄等は先づ義央の罪を糺さんことを請うた。が赦されず其處で今度は長矩の弟大學を後繼に取り立てんと運動をしたのであつた、が幕府にては此れも顧みず、翌十五年七月大學の閉門を赦し、安藝の本家たる淺野侯に對して妻子諸共、彼等を引き取らせしのみであつたのである。斯くして淺野家の復興は今や全く望みを失して了つたので、良雄(よしたか)等は遂に復讐の決心を固めるに至つたのであつた。そこで良雄は先づ同志の士をして、江戸に入りて吉良の動靜を伺はしめ、自分は十月に至つて江戸に赴いたのであつた。(尤も其間に於て京都の山科に浪居したのは事實で、これは芝居にも示す通り、吉良の間諜を惑はすための所爲で、このためには多少の金錢を浪費して見せたりしたこともあつたが、芝居でやるが如く一年間も酒色に耽溺してゐたなどは與太である)。

扨て、當時、吉良家に於ては、義央は米澤の藩主上杉綱憲の父で、義央の嗣子たる左兵衛は綱憲の實子であつたが、その頃、綱憲は病氣であつた爲め、義央は屢々上杉家へ往來し、且つ義央は茶の湯が好きであつたため、同好の人々とも相往來して、其在邸の日が定まらなかつた。そのため良雄等の苦心一方ならず、遂に良雄は同志の一名大高源吾をして變名させ、義央の茶道の師たる山田宗倫の門に入らしめたのであつた。

斯うして其年の十一月二十三日に吉良邸に於て茶會の開かるゝことを嗅ぎ出し、一同は手ぐ脛ひいて此日を期待したのであつたが、延會となつたので已むなく思ひ止まり、その後、更に十二月六日を期せしも、これ又お流れとなり遂に十二月十四日、吉良邸に茶會ある夜に於いて、愈々復讐すべく、彼の有名な夜討を敢行したのであつた。

この夜討も「假名手本忠臣藏」や室鳩巣の「義人錄」などに依るものとは實際に於て違ひ、今その節、磯貝十郎左衛門及び富森助右衛門の兩名が留書した書類中より簡單に其實際を拾つて見るならば、先づ四十七名のものが、本所林町の堀部安兵衛、杉野十平次の借宅へ集つて支度を整へたのは、元祿十五年十二月十五日の寅の上刻であつた。それより彼等は直に吉良上野介の屋敷へ罷越し、屋敷脇にて二手に分れ、表門よりは階子を掛け、屋根より乘り入り、又裏門は打ち破つて押し入つたのである。そして表の玄關と隱居の玄關とを打ち破つた所、突然吉良の家來が出合ふて來たので、一刀のもとに突き臥せ、或は討ち捨てにして上野介の寢間へ亂入したのであつたが、上野介は早くも急變を知つて寢所を逃れ何處へか立消えてゐなかつた。そこで一同家内戸障子を打ち破り、殘る所なく探し始めたが、途中で手向ひしたもの三四人を斬り、立會ずに神妙にしてゐたものは其儘に、「出合ひ候者之れ有る可くや」と心懸けても、今は長屋の侍ども一向に手出しをしなくなつたので、更に屋敷中を打ち廻り吉良義央を探し當てんとせし折、二三人の家來が拔刀の儘にて打ち向つて來たので、即座に突留められて了つたが、肝心の上野介の姿が見えない。然るに勝手内にある炭部屋と見られた所に、戸が立てきつてあり、而かも一同は此處を何れも見逃してゐたので、これに氣附いた一行は戸を打ち破つて亂入せしに、內には二三名のものあり、彼等の亂入するや否や、皿や鉢や炭などを投げて手向ひ、極力これを防いだが、今は此迄と思つたか、炭部屋の中より拔刀の兩名現れ、外へ切り出て來たので富森助右衞門は先づ一名を討ち留め、殘りの一名をば間十次郎が一槍に突き立てたのであつたが、尙も手向つて來たので氣の早い武林唯七は一刀のもとに討ち取つて了つて。その死人こそ實に上野介であつたので、芝居では一槍突かれた上野介が、いまだ生きた儘顏を澁めて大石等の面前へ引立てられるのであるが、實際は武林唯七が、その前に一刀のもとに即死せしめて了つてゐたのである。が、この死人事に依つたら上野介ではないかと云ふ直感が、彼等の頭上を掠めたので、先づ、その裝束を見屆けることにした所、下著は白小袖であつた故、益々怪んだ彼等は顏と肩に殘る古疵の有無を調べた。ところが吟味の末、眉間の疵は判つきりせず一時は落膽したのであつたが、背の疵が慥かに見えたので小躍した彼等は、即刻十次郎に首を刎ねさせ、白小袖に包んで、兼て相圖の笛を吹き、表の玄關前に集つて、豫め上野介の首實驗役として捕へ置きたる番人三名に見屆けさせた所、果して「上野介の首級にて御座候」と在り體に申せしため、懷中にありし守袋三ツと共に是れも證據にと其場のものども取り添へ持參したのであつた。

斯くして上野介が首を打れた後は、一名の手向ひも現れず、彼等が長屋の前に向つて、「上野介殿討ち取り候」と聲を上げて叫びふれたが、戸を引き立てた儘、寂として聲を發するものもなかつた。そこで裏門の中へ惣人數を呼び集め、名書の帳面を出して人別に呼び改め、一同裏門より退出したのであつた。一行のうち深手を負ふもの一名もなくかすり傷を負ひし者僅かに一名を有するのみであつた。

そして表玄關へは左の口上を認め、役人の檢分に供するため、該書を立て殘したのであつた。

淺野内匠家來口上

去年三月、内匠儀、傳奏御馳走の儀に付き、吉良上野介殿へ意趣を含み罷り在り候處、御殿中に於いて、當座遁れ難き儀御座候か、双傷に及び候。時節場所を辨へざる働き、無調法至極に付、切腹仰せつけられ、領地赤穂城召し上られ候儀、家來共畏れ入り存じ奉り、上使の御下知を請け、城地差上げ、家中早速離散仕候右喧嘩の節、御同席御押へ留めの御方有之、上野介殿討ち留め申さず、内匠末期殘念の心底、家來ども忍び難き仕合せ御座候。高家御歴々に對して、家來ども鬱憤を挿み候段、憚り存じ奉り候へども、「君父の讐は共に天を戴く可からざる」の儀默止し難く、今日上野介殿御宅へ推參仕り候。偏に亡主の意趣を繼ぎ候志までに御座候。私共死後、若し御見分の御方御座候はば、御披見願ひ奉る。斯の如くに御座候。以上。

元祿十五年十二月　日

淺野内匠頭長矩家頼

大石内藏助良雄（よしたか）、吉田忠左衛門兼亮、原惣右衛門元辰、片岡源五右衛門高房、間瀨久太夫正明、小野寺十内秀和、大石主税良金、磯貝十郎左衛門正久、堀部彌兵衛金丸、近松勘六行重、富森助右衛門正固、潮田又之丞高教、堀部安兵衛武庸、赤垣源藏重賢、奥田孫太夫重盛、矢田五郎右衛門助武、大石瀨左衛門信淸、早水藤左衛門滿堯、間喜兵衛光延、中村勘助正辰、菅谷半之丞政利、不破數右衛門正種、千馬三郎兵衛光忠、岡野金右衛門包秀、木村岡衛門良行、吉田澤右衛門兼定、貝賀彌左衛門友信、大高源吾忠雄、岡島八十右衛門常樹、武林唯七隆重、倉橋傳助武幸、村松喜兵衛直秀、杉野十平次次房、勝田新左衛門武堯、前原伊助宗房、間瀨孫九郎正辰、小野寺幸右衛門包常、間十次郎光興、奥田貞右衛門行高、

矢頭右門七教兼、村松三太夫高直、神崎與五郎則休
茅野和助常成、横川勘平宗利、間新六光風、三村二
郎左衞門秀富、寺坂吉衞門信行。

以上であるが、夜討の節、蕎麥屋の二階で支度を整へたと云ふのは芝居の與太で、實際は本所林町の堀部安兵衞、杉野十平次の借宅で準備をしたのである。だから左に示す二つの落書は、芝居を見てのもので、事件本位のものでない。

○
五十膳程と晝來て金を置き

○
蕎麥切を二十うどんが二十七

討入り當時の落書

それは兎に角として、彼等の討入に對して、當時の落書は次の如く報道してゐる。

○
往昔少將百夜湮、此人何事一時鐲用心日比非深草、墜首流名淺草川

○
ふみよする家に油斷の上野を首より落るしずくにそ知る

○
おしよする床に音なき夜の敵はすき間をくぐるねまきにぞ知る

○
深叓騷動駭隣郷、其體一向似戰場、四十餘人無類働、討君主敵達本望

○
よち遠き里よりむかいおそければあるじや知らぬ宿本の者

○
吉良のぶし言わけすれど身は晴れず住所に迷ふ足もとの雪

○
雪中破陣彼忠信、其名高於吉野山、今夕忠臣拔群働、如斯手柄無一天間

○
三つまたの水すさまじく小夜ふけて首をひたせる川のき

し浪

○寝間脱出蒲團在、炭藏之中置主君、口々尋求言證據亡疵
兩所亦桐紋

○少將の人は出逢はぬ夜討にて人目をつゝむ白むくの首

○少將の夜着や蒲團はありながら涙の雨にこもる炭部屋

○四十餘人大剛者、破門越塀我先罵、家中男女不及言、還
江寢耳浮水夜

○家高き我よりうへのかたき討あらしと共に死なん人々

○無活意炭部屋中昔少將今笑止也、間敷喜兵逢一鎗、十次
不透揚首夜

○おしよするかたき聲なき夜半にいり門よりくぐるひびき
にぞしる

○よせてくる音すさまじくさよ更けて月にとらるゝ上野の
首

○ふみよする中に敵なき上杉も首より落る血づくにぞ知る

○三またの水すさまじく小夜ふけて首をひたせる川岸の浪

○少將で死なじと云ふも吉良れては
位だほれと人や云ふらん

○主從に二度に吉良れてけふこそは
胴と首との別れなりけり

○內匠けり宵からあすのかたきうち
本所で終に吉良れ上野

○朝の間（淺野）に內匠し事の甲斐ありて
古きず共に吉良れ上野

○

吉良れけり上野殿は淺漬よ
　赤穗の鹽に大名のおし

○

淺からぬ智恵あるものが寄合て
　內匠のまゝに吉良れ上野

○

手は淺野ふかき家來の心ざし
　吉良れて恥を何と少將

○

吉良れての後の心にくらぶれば
　昔の疵はいたまざりけり

○

きみ惡く縮み〳〵て隱れいし
　岩ほどなれよ炭俵まで

（こは明治以後になりて或人の讀みし落書也）

○

色青く黃なる涙を炭部屋で
　赤にそみたる白むくの袖

○

おとりあげなき巳の年の振り喧嘩
　相對でとる上野の首

○

大石が落かかりたる響にて
　上野砥石など堪まるべき

○

大石に押付られしかうのもの
　それは淺漬首は上野

○

（曲謠）本所迯盛

扨も本所の夜討破れしかば間十次郎內藏助が前にはせ參て申けるは十次郎こそきいの親父とくんで首取て候へ大將かとみれば續て家來もなし家來かと見れば白むくを着したり名のれ〳〵と責れ共終に名のらず聲は關東こゑにて候と申せば內藏助適夫は上野介殿にてや有らん然らば原惣右衛門社去年傳奏の時節見知りたるならんと呼れしかば惣右門來り只一目見てから〳〵とうち笑ひ莞嬉しや是社上野介殿にて候いけるぞや吉良殿常に被申付若し夜討など入たらば若

殿原と打合て切られん事もかなしかるらん又老人とて逃ん事も口惜し所詮隠れんと宣ひしが誠に隠れて候然共悪血かかりて首の慥に知れず候程にあらはせて御覧候へと申もあえず首を持座敷を立てあたりなる此手水鉢の側に望て白髪の顔をなで氷とけては水老體の首を洗て見れば悪血は流れ落てもとの上野と見へにける實名を流す腰ぬけは誰もかく耻あるべけれあら淺ましやとて皆一同に笑ひけり。

(その翌朝)

次は夜討の翌朝を歎つた落書である。

○

十五日朝の内匠は夜ふけにてかぶと吉良めく武士の内藏

○

此處に首かしこに胴とふみ荒し檢使につれてさわぐ市人

○

吉良うちて朝の(淺野)かへりを内匠しは大石くらがおもきふんべつ

(吉良佐兵衛の狼狽)

夜討に逢ひ、吉良義央の殺されたるを見て、嗣子吉良佐兵衛(上杉綱憲の子)が、本所の邸を逃げ出た時、當時の落書は何れも次の如く彼を冷笑してゐる。

○

先づ逃ぐる腰ぬけ共に誘はれてそらさぬ顔も又涙だなり

○

ときつくる夜討の聲に驚きて逃行足もまころぶなり

○

吉良れとる親の頭べは惜からで我逃疵のきりめいたけよ

○

吁嗟殘生水面萍、仰天偃地暗呑聲、不知爲國惜身否、一夕悲愁涙萬行、

○

大方にとりもらされて行雁は住もならわぬ諏訪の湖

○

逃散者共漸々集、父見死骸尋首急、今更落涙不得心、被討泣親痛疵泣

○

まづ殘るうしろの疵に驚きて空ゆく雁も又來るかと

○
三五夜中　夜打色　逃而後左兵衛心

○
父のおもに出る血の色をながむれば
今宵ぞ恥の最中なりける

○
首は飛ぶからだは殘る世の中に
さこそ左兵衛つれなかるらん

○
人まると云ふ人あれど逃げ丸も
ありとや云はん切られ(吉良)左兵衛

○
さきの世に如何なる罪を作りつゝ
我身の上にかかる父上

(上野介の家來を)

○
少將は吉良れたふりをする家來
手作の疵で恥の上ぬり

○
打よするときの聲なき夜の月に
壁よりくぐる逃道ぞしる

(たわけの辻)

次に落書は、この討入りを少しも氣附かなかつた野村の辻番に就いて、聲を大にして皮肉を浴せてゐる。野村とはたわけと云ふ意味である。

○
夜來騷動吁夥舗、欲遂詮議兵滿衢、辻番雖穜如尤、織長田跡振之逋

○
血の色は夜討の跡に猶見へて木部屋は暗きこがくれの宿

○
てきの色は入たる時によく見へてのくをも知らぬこがくれの宿

○
纔時飲盡二三升、巾着敲殘買夜鷹、夢裡檀那已無首、明朝驚識出挑燈

○ 押し寄する人音知らぬ辻番所壁よりくぐる家來をも見ず

○ 敵のいろ提灯の紋なほ見へて薄氣味惡く木がくれにけり

○ 血の色も夜討の跡になほ見へて喧嘩はくらき上野が首

○ 申立非番のうへの身ははれて住所に迷ふ足元の雪（但しこは殘士の非番に就きてよみし落書也）

（邸宅主君を失ふ）

○ 血引し吉良上野が明屋敷やけ殘りしも上杉のはぢ

○ 見舞ても何の旋なし首吉良れ明ともいわぬ人のぬけがら

○ 凄まじき師走の月の眺め哉荒たる宿に吉良〱として

（泉岳寺へ急ぐ）

本所の吉良の邸を出るや、先づ良雄は、寺坂吉右衛門に命じ、此事情を逐一亡主長矩の未亡人たる瑤泉院夫人及び安藝の淺野侯の許に在る弟大學に通知せしめたのである。斯くして良雄等は、義央の首を提げて泉岳寺に急ぎ、亡主長矩の墓に敵の生首を差上げたのであつたが、その途上より吉田忠左衛門、富森助右衛門の二名を遣して、大目附仙石伯耆守に屆けしめたのである。左の落書は此光景を物語るものである。

○ 君は船身は帆柱に立にけり泉岳寺へと急ぐ武士

○ 入相の鐘ききとほる切通し御目付方へ道いそぐなり

（泉岳寺の晩鐘）

泉岳寺へ着いた彼等が、上野介の生首を主君の墓前へ捧げたことは、今も云つた通りであるが、この時の泉岳寺の晩鐘こそ彼等に生涯の記念すべき印象を刻みつけたこと勿論である。

○

髑髏成功文學坊、今朝泉岳弔生亢(ナマグビヲ)、法音感衆梵鐘響、自似示嬌者滅亡

○

本望一遂無所恐、靜詣主墳以首供、四十餘人必死輩明日誰聽入相鐘

○

墓のうらを松の葉ごしに詠れば夕日によする芝の釣船

（義士の諸侯へお預）

吉田忠左衛門、富森助右衛門の訴狀に依り、大目附仙石伯耆守は幕府と相談の結果、四十六名を細川越中守、松平隱岐守、水野忠之岡崎侯及び毛利甲斐守方へ夫々手分けして一先づ預けることになつた。落書に依つて見るに、此れを左の如く報道してゐる。

○

端手本にして諸大名へ御預となり

○

細川や水野流れは淸けれど
毛利て甲斐なき隱岐のわるさは

○

流すなよ隱岐に甲斐ある大石を
細川水野せきとめよかし

○

細首を預りおきて甲斐もなく
水もたまらず打落しけり

○

忠臣を預り隱岐し甲斐もなく
細川水野あわとなりけり

○

あづけ隱岐なみたつ水野甲斐もなく
うき世のなみだながす細川

○

細川の水野流れは淸けれど
ただ大甲斐の隱岐ぞにごれる

（泉岳寺へ埋葬）

翌くれば元祿十六年二月四日、幕府は四十六士の罪を決し、目附は使番を四家に遣り・左の如き宣告を與へたのであつた。

淺野內匠家來へ仰せ渡され候覺

淺野內匠儀、勅使御馳走の御用仰せ付け置かれ、其上、時節柄、殿中を憚らず、不屆の仕形に付き、御仕置仰せ付けられ、吉良上野介儀御構ひ無く差し置かれ候處「主人の讐を報い候」と申し立て、內匠家來四十六人、徒黨をいたし、上野介宅へ押し込み、飛道具など持參し、上野介を討ち候始末、公儀を恐れざるの段、重々不屆に候之れに依りて切腹申し付くる者なり。

以上に依つて、彼等四十六士は共に切腹して相果てたのであつたが、その遺骸は、生前の請に依つて、泉岳寺なる長矩侯の墓側に葬ることを差し許された。そこで前記の四家にては、即夜、彼等を泉岳寺に送つたが、長矩の墓地の附近には適當な空地がなかつたがため、その上の藪を開いて其處へ埋葬したのであつた。

○

類なき敵打ぞと名を擧て諸國の武士の鏡とぞ見よ

○

方丈は四十七聲喝(カツ)と云ふ

○

石塔も大きな石が內藏介

○

去年まで只の寺なり泉岳寺

（吉良斷絶、上杉侮蔑）

一方、吉良義央の嗣子であり、米澤候上杉綱憲の子である吉良佐兵衛は、良雄が切腹仰付けられし日、即ち元祿十六年二月四日附を以て、幕府は評定所に彼を召し、左の宣告を與へたのであつた。

高四千石　吉良　佐兵衛

淺野內匠家來共、上野介を討ち候節、佐兵衛仕形不屆に付き、領地召し上げられ、諏訪安藝守へ御預け、仰せ付けらるる者なり。

以上に依りて吉良家は斷絶するに至つたが、玆に注目すべきは、後に至りて幕府が長矩の弟大學を取り立てゝ五百石の旗本となし、一方吉良佐兵衛は遂に赦されず、永久に其家を絕つたことである。

このため佐兵衛の實家たる上杉家は、必然人々の侮蔑をあがなふたのである。左の落書はこれを雄辯に物語るものである。

○

危焉合點無分別、大敵危時不審置、米澤元來阿保艸、武家作法夢不存

○

上杉をからめ集めて酒ばやし武士はなるまい商をせよ

○

腰ぬけて恥かく筆の命さへ
　永くもがなといのる上杉

○

米澤の城をばあけてあつかいて
　兜を止めて膏薬を賣れ

○

根は枯れて葉ばかり殘る上杉の
　武士をば止めて酒見世にせよ

○

大石に打ちつぶさるゝ吉良の家
　根つぎにすべき上杉もなし

○

上杉の枝葉おろして酒ばやし
　刀をやめて寒作りせよ

○

景虎も今は猫でもなかりけり
　長尾をふつて逃る彈正

○

上杉の車がかりも今ははや
　內藏におさめて出ぬ彈正

○

親仁を吉良るゝ迄も內彈正
　子の上杉し恥もやはある

○

鷹の羽の（淺野の紋所を指す）勢つよき紋所
　竹に雀は（上杉の紋所）ちうの音も出ず

○

おびただし大弱なのりいらぬもの
　米びつほどもないぞ彈正

○

上杉の火消は揚る名はけがる

竹に雀の尾をすぼめける

○

家のかたぶくさても見苦し

拔ぶしの上杉丸太朽木にて

○

(上杉をいろはに歌へしもの次の如し)

いかに彈正聞給へ　ろう人共の集りて　はぢをかかせて笑止さよ　にくや諸人に慮外して　ほむる者なれ上野をへいひとへなる家作り　とを見横目も付ざるは　ち慮の淺くやおはすらん　りこうな家來なき故に　ぬかつた體をしておいて　るいもあらざる敵うち　をもひのまゝに引とられ　わらひ草となるぞかし　かねて多勢をつかはして　よ廻りねずをいたさせば　れき〳〵防ぎたたかはば　そつじの負は有まいに　つね〳〵油斷有ゆへに　ねちう事をば知らずして　なを流したる淺ましや　らちなく家をふみちらし　むくろは外へけたをされ　うたてや首は泉岳寺　ゐんぐわや墓へ手向られ　のび〳〵として置たるは　おく病神の氏子とや　くちおしとはおをさぬか　やく時返る時迄もまぢ〳〵としてなみだぐみ　けうさめ顔で居給ふは　ふがいなしとや申らん　こしの拔たるなりをして　江戸の住居もけがらわし　でんかの人に爪はじき　あさましき身の風情かな　さすが由緒の有ゆへに　きらの家より養なはれゆみ矢の家來うとければ　めいわくそふな顔をして　みぐるしきめに逢給ふは　死しても恥はぬけまいぞ　ゐきなき命のびんより　ひそう石をのみ給へ　もしながらへて居るならば　世上の人にあなどられ　すいさんせられ共後は京の批判も恥の上杉

(大石良雄父子本望)

義士の切腹後、大石良雄父子にあびせる世間の賞讃は素晴しいもので、忠臣藏を語るもの大石を語らざるはなく、大石の存在は常に忠臣藏と共に人々の喧傳を高からしめたのである。

左の落書は大石父子のために作られたものである。

○

内匠つゝ世のもののふの目を覺す

あさの(淺野)うちにぞ楠はあり

○

赤穂鹽かろう（家老）宇まうてかうのもの
　はぎれの音をきくもきゝよし

○

淺漬のおもし大石内藏にあり
　小桶（高家）一つはこんなみぢんに

○

楠の今大石となりにけり
　猶もくちせぬ忠孝をなす

○

大石のくらに納るゐんなれば
　敵を討ちてみがく石塔

○

吉良が首大石臺で捧たる
　忠臣ほまれ名は萬代も

○

豆腐やがおし大石の麻衣
　ちから（主税）に恐れきられ上野

○

名にしおふ石にたつ矢を武士の
　みがくちから（主税）にくらからぬ道

○

大石になげうつちから（主税）いさぎよく
　天下にまれな又もあるまい

その他、原惣右衛門を歌ひし落書（年月の主の敵をうちおふせ今は思ひも原惣右衛門）、堀部父子を歌ひし落書（堀べいも彌わかたまりしやす／＼と親子でうちし君の怨敵）片岡源五右衛門の（片岡が片手にたらぬ吉良料理源五はゐいのたち賣をせよ）、小野寺十内の（小野寺が十念さづけ上野を後生は知らず現世首討）、不破數右衛門の（不破の闘數ならねども吉良殿を主のかたきと討とめる君）、安井彦左衛門の（主の敵他に討せて聞耳は痛さうなもの何が安井ぞ）、奥野將監の（奥野ちへ何と將監くもりしや危ないとこへ行かぬ分別）、大野九郎兵衛の（いや大野請合なしに逃たりし身の行末も金九郎兵衛）、奥村忠右衛門の（奥村の字は臆の字に書かへよ忠右ではなく不忠衛門よ）等の落書がある。

（本望）

次に本望讃美の落書としては

本望さいろはの數に落字無し

○

三年でいろはを上げる本望さ

等あり。尙ほ事件落着後、益々有名となつて、左の如き數多くの落書を生ましめたのである。

○

少將の首を小桶（高家）に入れおきて
寺より里へおくる初もの

○

高家とて吉良〳〵しきも今ははや
かかる浮名のたつは上野

○

御短慮で忠義は四十七と知れ

○

麻の實（淺野）の一粒ゑりは四十七

○

楠木の後に忠義の石二つ（大石、石田を指す）

○

手向水一荷で足らぬ泉岳寺

○

身を棄てゝ名をば雲井にあり明の
光をそふる淺野殿原

○

麻ならば織ても見なん武士の
打ひのもとに吉良をさらして

○

淺野をの內匠合せし赤穗ぶし
吉良が血首をからげ松明

○

淺野間に茶漬にたらぬ上野を
くらいて腹を据る二年越

○

あさのまに尋て來たか敵討
古疵ともに二ツ目でうつ

○

海近き芝の庵りのせんたくじ（泉岳寺）
麻の（淺野）衣をすゝぎこそすれ

○

吉良〳〵と月夜に仕こむ赤穗鹽
　味よく味噌を付かへしたり

○

すゞしくも朝の(淺野)中なる蓬にて
　謀み(内匠)切つたる上野が首

○

(謠曲)鉢の木

いでその時の恥の氣は夢さなかなる八ツにてありしよなその大將に門に大石かつちうに手鎗あわせて四十七人子々孫々に至るまで、かぎりの盡ぬかたきの首寢まきに取そへ玉はりて候

○

かぞへ歌

一ツとや人の惡見し上野が二ツ共なき首とられ三ッとや見ても氣味よき敵討四ッとや夜明て知らぬ上杉の五ッとや生て恥かくぞ六ツとやむりに病氣に取なして七ッとやなく〳〵佐兵衛逃らるゝ八ツとや役にたたざる家來ども九ツとや笑やかしこの笑草十とやとにもかくにも油彈正。

○

この稿も大體述べ盡したれば、今は本望を遂げ得た譯。が最後に上野介の戒名を彌次つた落書一つ残して、次の巻へ移ることにする。

吉良（きられ）院前彈正智腰拔親迯介大蛆損儀

○長　命　丸

妙藥不知誰發明　怪思効能背其名
閨房試向佳人用　煩悶呼來噎死聲

○九　勢

龍飛勢。　虎歩勢。　蟬附勢。　猿搏勢。
龜騰勢。　鳳翔勢。　兎吮勢。　魚接勢。
鶴交勢。

一日一夜物語

『東洋の國に生れし、奇しくも限りなく美はしき千一夜物語に歸依する吾がもろ〳〵の友に捧ぐ』

酒井潔

私は一冊の本を取り上げました。四ツ折り本と云ふ大形で犢の革で裝飾され、銀線を彫り込んだアラビヤ模樣、表題の所は赤金に緑眼石で、

『退屈は死なり』

と象嵌してありました、

大慈悲神の名に於て、

昔々、アリー、ハフィツと云ふ、世にも美しい若者が御座いました。詩人は彼の姿を歌つて居ります。

『黑き瞳、白き齒、
小牡鹿の身の振舞、
乙女の胸は千里の翼を持ち、
驅け行く汝の後を追はん。』

アリーの父は代々其の土地の商人中のスルタン（帝王）で、六十の倉庫は、金、銀銅、鐵、紅玉、綠玉、黃玉、猫眼石、水晶、琥珀、モスリン、天鵞絨、米、麥、砂糖、其の他あらゆる立派な品物で一杯になつて居りました。

かくも家は富み榮え、容貌は滿月の樣に美しいアリーにとつて、此の世は未來の極樂より愉快で快樂の滿ちた世界であらねばなりませんでした。彼は朝起きると、東方の柳の枝の樣にしなやかな三人の女奴隷が朝の身じまいをしてくれます、それから、六人の友達と、うまくて榮養になる朝飯を滿足するまで喰べて、町の浴湯へ出掛けるのが常でありました。浴湯には熟練なマツサージ師が居て、まるで古パンの屑をほぐす樣に、身も骨もグタ／＼になる程、巧みに揉み上げてくれました、さて湯から出ると、彼等は又、冷い飲物やおいしい果物を喰べながら、ありとあらゆる面白い遊びを致しました。日が暮れると、川へ舟を浮べて漕ぎ廻つたり、月の下で踊つたり、琵琶に合せて歌つたりして夜のふけ行くのも忘れるのでありました。斯うして毎日毎晩遊び暮して居るアリーの身の上は他から見て羨しい限りではありますが、アリー其の人にとつては案外滿ち足らぬ生活だつたので御座います。

アリーは小兒の時分から、何よりも先づ、美に對して敏感でありました。それで彼の小さな胸には、空想の美の肖像が描いては消され消しては描かれして、青年になつた今日でも、現實の女性の姿は、とても多年胸へ描いた想像の美を押しのける力はありませんでした。其の上、彼は賢人や詩人の書物を學んで、女の不信、卑劣、貪慾、荒婬等あらゆる惡德を知りつくしてゐるので結婚しようとする氣などは、兩親がいくら勸めて見ても起り樣がありませんでした。從つて此の美しいアリー●ハフイツは今日が日まで淸い童貞を保つて來たので御座います。

所がオヽ神よ！　遂にアリーの平靜が擾亂され、幸福が破壞される時が參りました。

……………雄鷄が俄に目を醒して唄ひ初めたので御座います。アリーは此の裏切り者に吃驚しました。全身の血が一度に此の不幸者へ集まつて來た樣に感じて、殆んどなす術を知りませんでした。

……………………………………

快活であつたアリーはだん〳〵憂欝になつて來ました。あんなに好きであつた友達も浴湯も、舟遊びも、舞踊も何もかも拒絶して、日がな一日部屋へ籠つたきりで、子供の時からの遊び仲間であつた三人の女奴隷にさへ、自分の身體の秘密をヒシ隱しに隱すと云ふ有様で御座いました。

兩親及び親戚一同の心配は極度に達しました。最早やアリーを此のまゝにして置く事は我慢が出來ぬので、どうしても嫌だと云ひ張るのを脅すやら賺すやら、頼むやらして、やつと其の當時最も有名な醫者の診察を受ける事を承知させました。

間もなく使と共にやつて來た、此の有名な醫者は一人ぎりアリーの室に殘つて叮嚀に彼の不心得者を診察しましたが、本人には何んとも云はず、藥の處方を父親に敎へて置いて歸つて行きました。

醫者を絶對に信用して居る父親は直ちに處方通りの藥を、其の息子に與へました。するとなる程靈藥の利き目は著しく、息子の身體はメキ〳〵回復して、頬は林檎の様に色づき、瞳は夕陽の中の黑耀石の様に輝きました。それで家人達は大きに安心して、もう〆たものだと喜びましたが肝心のアリー其の人は身體が回復し、元氣が旺盛になればなる程、心は滅入つて行くのでありました。と云ふのは、肉體の榮養に非常な効果のあるこの靈藥は當然、鷄冠のない雄鷄の發育にも効がある筈で御座います。…………………………………………………………

然しながら、アリーが如何に行ひ、如何に考へても、鷄冠のない雄鷄を默らす事は不可能でありまして、相變らず健全なる肉體に憂欝なる心神と云ふ、世の中で一番不愉快な狀態を脫する事は出來ませんでした。アリーは最早や我慢して居れなくなりました。

或る夜、アリーは秘かに醫者の門を叩きました。

「オヽ、限りなく醫術の玄奥を極めるシェイクよ。どうぞ私を救つて下さい。私のこの役に立たずは何んの爲に斯うもアラーにかけて私はこんな者を持つ事は不合理だと思ひます。」

「オヽ、美しい息子よ。其のお前を苦しめる目のない蛇は神の思召ぢや。わしの醫術をもつてしても如何ともなし難い。目のない蛇が其の樣に鎌首を上げるのは、蛇の體内に惡い火靈が住んで居る爲ぢや。その火靈の正體は、淡黄白色のドロ〳〵の溶液で、湯の樣に熱く、菌の樣な匂を持つて居る。其の惡い火靈を追ひ出すまでは決して蛇は鎌首を下げぬのぢや。」

「オヽ、シェイクよ。どうしたら其の惡い火靈を追ひ出す事が出來るでしよう？」

「オヽ、氣の毒な息子よ。それは仲々容易な事ではないのぢや。お前は此處から五千里の遙けき海山を越えて支那まで行かねばならん。そして角先生と云ふ偉大な老翁を訪ねるのぢや。其の角先生こそ、遠く印度の經典をうけて雲雨の術に長じ、秘具秘藥を製すること當代一のシェイクと云はれて居る。お前は其のシェイクの所へ行かねばならんのぢや。」

「然し、父なるシェイクよ。私は五千里の長旅にどうしてこんな邪魔者を連れたなりで出られませう？　その上、シェイクのお藥を飮む樣になつてから、呪はれた火靈は日に日に大きくなつて行きます。」

「息子よ。それはイヽ傾向ぢや。わしの力ではお前の火靈を退散さす事は出來ぬのぢや、然しお前が五千里の長旅に差しつかへのない樣に一時火靈を封じ籠める事は出來ると思ふ。それでわしはお前に强精の秘藥を處方して見たのぢ。やもう一週間辛棒して飮んで見なされ。

……………………………………………………

……………………………………………………

……………………………………………………

…………………………………………も一ッ、何んとも云へぬ、身體が痺れる様なやるせなさに時々襲はれるのが嘗て今迄になかつた不快な經驗でありました。然しこればアリー一人の事で、家人一同は息子の初旅を心配しながらも萬事手落ちのない様に、注意に注意して、五十個の荷物に、當地の特産物を一杯詰め、それを五十頭の駱駝に乘せ、五十人の駱駝引をつけました。其の他三人の同年輩の友達、十五人の從者、猶其の上にアリーの保護者とし、一行の指揮者として尊敬す可き一人のシェイクを附けました。

さてすつかり仕度も出來上つたので、愈々アリー一行は遙々支那をさして長い旅路に出るのでありました。旅へ出た一同は、道々賣つたり買つたり、儲けたり、損したり、危險に遭遇したり、愉快な目にあつたり、とても數へ切れぬ程種々の事に出會つて漸々或る美しい夏の日暮方支那の都に到着致しました。

アリー等はすぐ様、都の中へ這入つて、外交係りの役人を訪ねて父からの身元證明書及び依賴狀を差し出しますと、支那の役人達は直にアリー等の到着を上司へ報告致しました。何にしろアリーの父の名前は此處までも響いて居るので（と云ふのは、支那商人との交通貿易は總て商人中のスルタンであるアリーの父の支配下にあつたので支那の大官達もアリーの父をよく知つて居りました）一行は頗る叮重に取り扱はれて、其の滯在中は都の中、どこへ行く事でも出來る様に一時の公民權が附與されました。其處でアリー達は第一に市中目貫の場所に大きな家を借りて、遙々持つて來た稀しい特産物を山の様に店先へ陳して忽ち都中の人達の人氣と好奇心とを一軒で占めて仕舞ました。

かくして此の都へ居を定めてから、三四日は夢の様に過ぎると、今日しもかねて噂に聞いて居た燈火祭の第一夜に當つて居たのでありました。朝から町中は煮え立つ様な騷ぎで、人々は祭の用意に狂奔して居ります。勿論商賣は各戸とも休業なので、アリー達も早目に店を閉ぢ晩になつたら、音に聞えたお祭を見物しようと待ちかまへて居りました。

町の廣場の中央に立てられた五色の吹貫をつけた旗竿が眞赤な夕日を浴びて長く地面に影を落して居たがその影が一寸

二寸三寸と短くなつてついには鮮かな夕燒も暗い空の中へ溶け込んで、凉しい夕風がソヨ〳〵と吹き初めると、各寺院の夕の鐘が一齊に撞き出されました。

此の鐘を合圖として、奇を競ひ妙を爭ふ各戸の燈籠には一時に灯が入れられ、十燈は百燈を生み、百燈は千燈と變じ、千燈は萬燈を現じて、市中は瞬間にして光焔の海と化せられて仕舞ました。其の光の海を高く拔きんでゝ七色九彩の旗、吹貫は翩々と飜り、其の光の海の底には無數の群集が今日を晴れと着飾つて、町から町へ大波の一搖のれ如に移動して行きました。

この人波にまき込まれたアリーはいつしか連の者とも離れてしまひ、人と人との肩の間に挾まれて身動きも出來ぬ有樣で群集の動くまゝに連れられて行きました。時が移るにつれて人波は益々膨張し、爆竹の音、鐘の音、太皷の音、絃歌の響、人々の喚聲、あらゆる音と云ふ音、聲と云ふ聲、騷ぎと云ふ騷ぎが、沸き上る光りの中で、解けつ結びつ、組んづほぐれつ、亂舞狂騰して、全市の興奮は刻々最高潮に達しようとして居る時、アリーはとう〳〵一軒の家の中へ押し飛ばされて、折しも庭先の椅子に腰を下し、寛々たる道服を纒ひ、羽扇を悠々と使ひながら祭の樣を見物して居た一人の先生の膝の上へよろけ掛りました。それでアリーはやつと立ち直ると慇懃に頭を下げて詫を云ひました。

「オヽ德高き先生よ。御免下さい。私はつい群衆に押されて、先生の尊嚴を冒しました」

するとこの先生は少時アリーの顏を見て居ましたが、やがて「ア、」と嘆息してアリーに云ひました。

「若者よ。お前さんは異國人の樣だネ？　それにしても美しい方ぢやな。けれども、あんたには、陰鬼腎に下つて、血氣内攻すと云ふ惡い相が見える。棄てゝ置くと生命にかゝわる。危い哉、才子。」

「先生。私にはあなたの仰有る事はよく解りません。然しあなたこそ、私の惱の原因を觀破して私を救つて下さる方の樣に思へてなりません。一體先生はどなたで御座いますか？」

「わしは角先生ぢや！」

「エッ！　あなたが角先生？」

オヽ神よ。(神の名は讃へられてあれ)

あなたが本當に角先生ですか？私は踊り上り度くなつて來た。先生！私が遠く海山越えて此の地へやつて來ましたのは第一にあなたに會はんが爲でした。先づ此の手紙を御覽下さいませ。」

と云ひつゝ、アリーは國を出る時から肌身離さず持つて居た醫者から角先生にあてた紹介狀を取り出して、先生の前へ差し出しました。角先生はその手紙を受け取つて一讀すると、貌には滿悦の色が現れ齒は喜しさでガツ〳〵鳴つたが、それをヂット堪へて、今更の樣にアリーの貌を見詰めました。(何故先生がそんなに喜んだかと云ひますと、此の手紙によつてアリーが大金持ちの息子であり、病氣は自分の御手のものであると云ふ事を知つたので先生にとつては盆と正月とが一度に來た程愉快であつたからであります。)角先生は如何にもと云つた風に點頭いて手紙を卷きをさめ、

「若い御方、あんたの病狀はよく解りましたよ、わしの推察の通りぢやつた。まあ奧へ御出でなされ。よく解る樣に話して進ぜませう」

角先生はアリーを導いて、奧の一室へ這入つて來た。

其の部屋は先生の研究室であり、手術室であり祈禱室であり圖書室でもありました。正面祭壇の金襴の幕の中には、牛頭赤身の大魔王が白身朱唇の二天女を抱擁する歡喜佛を祭り、其の侍立としては、羊頭九尾四耳背目、狐身九首虎爪、梟身人面一足、無頭腹眼、人面蛇身、長股無腸、魚身蛇首馬耳六足等の怪淫佛が各々人間美女を抱いて居る物凄い像が置いてありました。右手の玻璃板を篏めた戸棚の中には、粉青、葱翠、疊翠、遠山青、翡翠、秘色、雨過天青、茶粉、瓜綠、梅子青等あらゆる色合を持つた青磁の壺が並べてあり、それには金紙に赤文字で、金屋得春湯とか、安錄山徹夜恣情散とか、隋煬帝遍宮春とか楊貴妃水浴盆とか云ふ名稱が書かれてありました。又其の上段には金製、銀製、錫製、革製、角製鼈甲製、木製等の形容も出來ぬ程色々の形態をそなへた秘具が陳列され、それにも各々、銀托子、相思套、羅鎧、硫黃圈

白綾帯子、懸玉環、勉鈴なぞと云ふ貼紙がしてありました。それから左手の壁には、あまねく當時の名手によつて描かれた秘戯春宮の畫を聚め、書庫には印度、亞剌比亞、波斯、土耳古の愛の經典、さては西洋諸國の奇書珍籍を網羅してありました。床に敷きつめた部厚な毛氈は雲を踏むが如く、適當に案配された椅子、クツション、卓子等に施された彩色彫刻は黄金製の枝附燭臺に點ぜられた靑白蠟燭の光に照り映えて、室內は玄妙な靈光に包まれて居る樣にも思へました、先生は靜かに祭壇に進んで恭しく禮拜し、七寶の香爐へ一抹の羅綵香をくべました。閉ぢ切つた部屋は完全に外界の雜音を斷つて、さしもの燈火祭の大騷ぎも、此の神秘の部屋の靜寂を破る心配はありませんでした。香爐から一條の紫煙がスートと立ち昇つて天井まで達し、グルリ〳〵と斜に旋回して、今しも土耳古風のヂイバンに腰を下したアリーの頭上に落ちかゝつて參りますと、異香が骨身にしみる樣に思はれて、豐滿な女の腕の中へ死にぎりの力で抱き〆められた……最もアリーには其の經驗は無いのですが……マア、譬へて見れば其んな氣持ちになつて來たので御座います。

其の時角先生はアリーの前に座をかまへて靜に語り初めました。

「アリーさんとやら、お前さんの不肖子には陰鬼がついて居る。つまりあんたの國の言葉で云へば惡い火靈ぢやな。さて其の火靈を退治るには只一ツしか方法はない。イ、かな。お前さんはスレイマン（ソロモン）の印璽の事を知つてぢやらうな？　火靈の上に無限の力を振ひ得るものは、世にスレイマンの印璽あるのみぢや。所で其のスレイマンの印璽はどこにあると思ひなさる？　あゝ賢明な醫者のシエイクはそれを知つて居て、あんたを、わしの所へ寄越したのぢや如何にも醫者なるシエイクの申した通り此の支那の都を除いては世界中のどこへ行つても、スレイマンの印璽は見付かるまい。ハハヽヽヽ、ヨシ〳〵、卒直に話してあげよう。いくらわしの力を持つてしてもソロモンの昔を今の世に現ずる事は不可能ぢや。で其のスレイマンの印璽と云ふのは早く云へば支那の美人、千人中の一人、或は萬人中の一人かそれは解らんが、兎に角絶世の一佳人の事をさして居るのぢや、よいかな、支那では美人の條件として三小と云ふ事がある。足小なるは、口も小にして、口小なるは、　　。そこでお前さんは明日から金蓮二寸の佳人を探しなされ金蓮三寸の佳人と云ふのは小説にも現實にもある話だが、金蓮二寸と云ふ足は仲々有ると思へぬが、然しあんたの病氣を治す爲には是非とも骨を折つて探さねばならん。それで、あんたが、運よく其の佳人を探し出す事が出來たら占たものぢや。佳人の持つ素晴しいスレイマンの印璽は直ちにお前さんの病の種の悪い火靈を吸ひ出してくれるぢやらう。火靈さへ出して仕舞へば鷄冠のない雄鷄もおとなしくなり又あんたの十九年以來の惱も無くなると云ふものぢや。

「だが先生！　果して其の佳人が私の爲にそんな事をしてくれるでしようか？」

「其處ぢやて。何んしろ其の女性は前にも云つた通り、二人も三人もある者ぢやない。從つてそれが高貴な方やら、人の妻やら（此處で先生は不思議な笑を浮べました。この先生の笑が非常に意味深長であつた事は後にぞ思ひあたる事でありませう）或は娘やら、それは解らぬ。マア、わしの考へでは、お前さんの其の美しさなら九分までは大丈夫だとは思ふが、さて此の道許りは好き嫌の烈しいもので、嫌だと云はれて仕舞へばそれまでな話ぢや。其處であんたに必要なのは此の靈藥ぢや

先生はそう云ひながら座を立つて棚から雨過天靑の壺を降して來ました。

古くは黄帝、素女の時代より、いづれの國にても無數に發見調劑されて居るが、さて男女の仲に目には見えぬ橋を渡して、戀々相寄らしむと云ふ……下世話で申す『惚れ藥』と云ふ奴ぢやな……靈藥は未だいづくにても發見された話を聞かない。勿論坊間、其の種の藥は無數にある樣だが、効果は甚だ怪しいものぢや。其處でわしは專念媚藥の發明に腐心して、ついに最近成功したのが此の壺中の神藥ぢや。そんな有樣でまだ名稱も付けてない。つまり、あんたが第一番にわしの神藥を試みる名譽を得た譯になる。で、あんたが前に云つた金蓮二寸の佳人を發見したら、それが何人であらうが、場所がどこであらうが、少しも構はぬから、此の藥を指につけてプッと彈きかけなさい、それ丈でもうよろしい。後はその佳人の方で、どんな手段を取つてでも、あんたに會ふぢやらう。たとひ、其の場に女の夫が居合せたとしもて、藥は男にまで作用して、夫から妻を見張る力を奪つて仕舞ふ。靈藥

の神威、懿く可きものがある筈ぢや」

アリーは此の説明を聞くと喜で狂氣の様になつて喚きました。

「オヽ、アラーにかけて、私は先生の藥を試るでしよう。サア、其の藥をすぐ私に下さい！」

「マズ〳〵、急く事はない。したが此の藥は少々高價ぢやが、承知かな？」

「いくらです？　商人中のスルタンの息子である、アリー・ハフィツに其の藥を買ふ丈の財産がないとでも仰有るのですか？　駱駝千頭差し上げませうか？

「イヤ〳〵、とんでもない。ヘツヘツ……たゞな、黄金百枚ぢや。ヘツ……」

「黄金百枚？　たつたそれ丈でイヽのですか？」

と云ひながら、アリーはムースール風のタバン（卷帽子）に挿して居た金剛石入りの黄金のピンを抜いて、角先生に差し付けました。先生はワク〳〵しながら、それを受け取つて、蠟燭の光りにかざしてツク〴〵ながめて居ましたが、それが黄金五百枚以上の價値のある事を確めたので思はず滿足の溜息をつきました。そして心の中でこんな事を考へるのでありました。

（なる程、ある所にはある物だな。流石商人中のスルタンの倅丈ある哩、ポンと此のピンを投げ出した所は素晴しい氣前ぢや。イイ鳥がかかつたものぢや。サア腕によりをかけて絞れる丈絞つてやるかな……）

アリーは大切さうに渡された白い粉藥を見ながら考へました。

（アヽ、素晴しい事だ。これで遙々五千里の長途を來た甲斐がある。その美人を發見したら、何んでも構はぬから、此の藥を振り掛ければイヽのだ。だが惡い火靈を吸ひ出すと云ふのはどんな事をするのかしら？……マア、そんな心配はしなくともよからう。先方で萬事うまくやつてくれると云ふのだから……愈々明日から、イヤ、たつた今から其の金蓮二寸の美人を探さねばならんぞ）

アリーはかく決心してフト室の奥の扉――それは角先生の寢室へ通ずるものらしい――の方を見ました。

すると………

オヽ、何んと云ふ偶然でしよう？　偶然と云ふものは運命が作る事もあるし、賢い人間が作る事もあります。此の場合の偶然は其の二者の中でどちらが作つたか後で解りますが、兎に角アリーにとつて生涯忘れる事の出來ぬ偶然が其の扉の隅から覗いて居りました。

赤絹の繻子に金銀の糸で牡丹を縫ひ取つた世にも美しい靴……金蓮二寸の双の足がアリーの眼に燒き付く樣に寫りました。アリーは感極まつて少時石像の樣につつ立つて仕舞ました。彼の手は無意識に例の藥を摘んで其の金蓮二寸の足へ彈きかけて仕舞ました。誰が此のアリーの亂暴な振舞を非難し得るでしよう？　熱情燃えるが如き東方の若者であるアリーが待ちに待つたる唯一の機會、しかも一代の神人角先生によつて許されたる千載一遇の場合に當面したのですもの、此處が角先生の家である以上、其の佳人も當然先生の何かに當つて居る筈だと云ふ平常なれば直に考へられる事もすつかり忘れ果てゝ無思慮、無分別にパツとやつて仕舞つたのも當然ではありますまいか。所が先生は未だに例の金剛石入りのピンに見とれて居たのと、扉の方に背を向けて居たので、其處にどんな大事件の種が蒔かれたか少しも心づきませんでした。

一秒、二秒、三秒………奥の扉が音もなく開かれて、一人の佳人がなよ〳〵と現はれて參りました。其の美しさ！　これはとても吾々の筆や言葉では其の千分の一も傳へる事は出來さうもありませんそれでむしろ一言の形容も用ゐず、すべて其の美しさは讀者諸君の御想像に委した方が、讀者に對しても、其の美人に對しても妥當だと信じますから、ここでは、單に絶世の一佳人と云ふのみに止めて置きます。その絶世の一佳人が春風に嬲られる靑柳の小枝の樣にアリーの眼前に現はれたのであります。

アリーはアツと叫んでヂイバンの上へドツサリと倒れ込んだまゝ、またゝきもせず、其の顔を見詰めました。長い事、左樣物心ついて其の無垢の心に、吾が美しと思ふ乙女の姿を描き込んでより、或は消し、或は描き足し、十九の今日まで只其人の姿のみ、夢の中で求め慕つて居た憬れが、滿月の様に此の佳人に具現して居るではありませんか！　アリーは只胸が怒濤の様に打ち騷ぐ丈で舌はこわばり、身體は强直して、頭の中が空洞になつた様に感じました。

天界の美姬とも思はれる此の佳人は蓮步靜やかに近づいて來て、どちらへ云ふとなく、

「今晩は」

と云ひました。此の聲に角先生は吃驚して跳ね返る樣に飛び上つて後を振り向きました。そして其の佳人を見た時の先生の顏と云つたら、それは〳〵珍とも妙とも申し上げ樣はありませんでした。先生が何事か云はうとするのを素早く身振りで制した佳人は、とろける樣な聲で、

「ネー、あなた、今、白い粉が妾の身體にパツトかゝつたかと思ふと、氣もちが變になつて、身體がほか〳〵して來ましたのよ。それで淸凉劑を戴かうと思つて御邪魔に來ましたの（それから始めてアリーを見付けた樣に）あら御客樣がいらつしやるのネ。異國の御若い方？　マア妾すつかり好奇心が起つて來たのよ。どうしてどしよう？　ネあなた、妾しばらく此の方に異國の物語を話して戴いてもよ御座んしよう。ネ……ネ」

佳人の態度は優美であり典雅でもありましたが、かの魅力ある婦人のみが持つ、男性に對する無言の勝利と云つた態度を敢て隱さうとは致しませんでした。それからアリーの方へ手をさし延べて、

「サア、異國の御若い方、いらつしやいませ。そしてあなたの面白い旅の御話でもして下さいませ」

アリーにとつて此の佳人の一擧手一投足は、最早絕對命令でありました。アリーは旣に此處がどこである事も、角先生の事も、商賣の事も、いや自分の事さへすつかり忘れて、仕舞つて燃ゆる胸にヒシ〳〵と感じる事は、只此の佳人の云ふまゝに服從すると云ふ骨身も熔けさうな快感だけでありました。それでアリーは主人の後を慕ふ犬の樣な當然な權利を持つて佳人の後から奧の一間へついて行きました。此の間角先生は二人の行動を無言のまゝ見守つて居りました。すると先生は佳人とアリーについて無關心の樣にも思はれますが、本當の事を云へばどうして〳〵先生としては生れて初めての大失

敗、大難關、大屈辱であつたので御座います。で、まあ一口に云へば泰然と椅子の上へ腰を拔かして居たのでありませう讀者諸君も既に御想像なさつたでしようが實の所、此の佳人は角先生にとつて唯一無二、生命にも換へ難いほどの愛妻であつたので御座います。それで先生がアリーにスレイマンの印璽について說明した時、意味深長な微笑を浮べたと前に申し上げましたのは、あの時、多分先生は自分の愛妻の持つスレイマンの印璽の事を思ひ出して、世にも此の俺は幸福な男だ哩とでも考へたからだと思ひます。それはさて置き、强烈な愛は强烈な嫉妬を伴ひ易いと云はれて居ります通り、流石の角先生にも此の弱點があり過る程ありました。それで當然不幸な夫人は面白くもない寶石の生活をせねばならなくなりました。

先生は夫人を幾重にも包んで函に入れ、更に包んで又函に入れ、錠をピンとかけて置くと云つたやり方で、自分の研究室の奧の一間へ閉ぢ籠めて完全に外界との交涉を絕つて仕舞ました。それで若くて、美しくて、丈夫な夫人が治まる筈がありません。所が此の夫人は非常に藝術的天分のある人で、從つて、人達をアツと云はせる樣な事をアツと云はせる樣な事を至極手際よくやつてのけると云ふ奇智を愛して居りました。それで先生が夫人に不快な寶石生活を强ゐた時でも、はしたなく騷いだり、口ぎたなく罵つたりする樣な野蠻な事はてんで夫人の趣味に叶つて居なかつたので、おとなしく服從して仕舞ましたが、いつかは此の尊敬す可き大馬鹿者の面前で、而も一言の抗議も出來ぬ樣な狀態のもとに、目のくり玉の飛び出る樣なアツと云ふ目に會してやらうと絕えず其の機會を覘つて居たので御座います。

其の絕好の機會が今宵、即ち燈火祭の美しい一夜、ついにやつて來たのであります。夫人は得たりと其の機會を摑んで仕舞ました。だから今御覽になつてる樣な悲喜劇が突發したので御座います。

今宵はお祭騷ぎに浮かされたのか角先生餘程どうかして居た樣で、アリーを此の部屋へ連れ込んだと云ふのが、既に大々的の間違でありました。一體此の部屋は何人にも不可侵の靈域で、平常どんな人でも此の靈場へ踏み込んだ事はないのに、今宵は先生から好んでアリーを而も一面識もない他國人を引き入れたのであります。然し考へて見ればそれも無理からぬ事かも知れません。と云ふのは、支那でこそ先生の名聲が三歳の兒童にまで知られて居ると云ふ事は不思議でも何んでもありませんが、五千里も離れた他國にまでそれ程自分の名が響いて居るかと思ふと角先生ならずとも、一寸歌位ひ唄つて見度くなるではありませんか、その上商人中の商人である大富豪の息子が、只自分に會はんが爲に長途遙る〴〵やつて來た事實を思へば一トくさり位ひ踊つても見度くなるではありませんか、其の上、金に糸目をつけぬ切れ方の氣持よさ其の上、アリー其の人の滿月の樣な美しさ、これ等が一緒になつて日頃の角先生を揉みくたにして仕舞つたものと思はれます。それでウカ爆彈よりも危險な男を夫人の鼻先へつきつけて置いて、夢中でお喋りするなんて頓馬な眞似をしたので御座います。

だが、夫人がアリーを連れて奧へ行かうとした時何故二人を止めなかつたか？もしそんな事をしたら角先生の致命傷になります。タツタ今。アリーに對して自分の惚れ藥が如何に有効で靈妙であるかを數百言以て說いたではありませんか。即ち二人の行動を妨害する事は自己の否定になります。

……………………………………………………

……………………………………………………

此處まで讀んでくると、私は頭がくら〳〵として、身內は火の樣にほてりながら、何だかゾツとして來たので心を落ち付ける爲に目をつむつて數回の深呼吸を致しましたそれから更に勇氣を出して續きを讀むつもりでパッチリと目を開いて**本を見ました。**

……………………………………………………

……………………………………………………

……………………………………………………

此の次へすぐ「かくてアリー、ハフイツの十數年云々」を持つて來るのはどうも變でなりません。それで私は注意して本を調べて見ました。すると、何んと云ふ事でしよう？　一頁脫丁になつて居るではありませんか、讀者よ一番肝心な所が脫丁なのです。私の失望を御察し下さい。私も讀者の方々の失望をお察し致します。

私は腹がたつて來ました、私は卓子の上に一個の爐を築きました。其の爐の上に去年の夏帽子を鍋の樣にかけました。

私はモヂャ〱の頭髪の中へ長い爪をつき込んで爪をぱち〱云はせました。其の度毎に爪の先から白い火がボツ、ボツと出て參ります。すると天井裏から大きな蝙蝠が降りて來て、其の火を嘴でくわへて、棚に飾つてある梟と木兎の眼へ點火しました、それで部屋は明るくなりました。私は左の小指を一度振りました。一匹のガマがのたり〱と出て來て、蝙蝠から火を貰ひうけ、爐の中へ火を入れて、大きな口をパク〱させながら火を起し初めました。

私は帽子の鍋の中へ、築地小劇場のプロを投げ入れ、資生堂の勘定書を投げ入れ、不良少女の髪毛を三本、モダン、ボイのクリームを少々櫻紙を五枚、セモリ二個、ハッシン一瓦、以上七味を投げ込んでグツ〱煮立てさせました。それから右の拇指の第一關節をカク〱云はせると、其の帽子の鍋の周圍へ三人の女が現はれました。小さい〱、可愛い〱魔女達で、手をつないで鍋の周圍を唄ひながら廻り初めました。

＝煮えろよ〱
＝煮えたら出て來い
＝出て來い〱
＝何んでも出て來い
＝待つてる〱
＝出てこい待つてる

こんな唄を歌ひながらだん〱廻る速度を早めて行きます。私は椅子を離れて手を揉みながら此の目まぐるしい小さな魔女達の舞踏を見詰めて居りました。すると、帽子の鍋の中からチード、フルールの匂がパツと噴水の飛沫の樣に飛び散つたかと思ふと、一人の惡魔が、ズボンのボタンを掛けながら、ころがり出て參りました。それはおツそろしくモダンな惡魔ですが、一寸御紹介かた〲其の輪廓を御覽に入れませう。

キッチリとした流行の服を着て、黑の鼈甲眼鏡銀座で買つた十六圓のネクタイ、スネーク、ウッドのステッキを小脇にかゝへたと云つた風采、まあ五分もすかさぬ近代的の悪魔振りであります。私は中ッ腹で怒鳴り付けました。

「オイ、何してたんだい？　あんなに電話をかけたのに……」

「怒るな〳〵。怒るな働けさ。ハハ、、、、それや冗談だが。實は忙しくつてネ。」

「嘘云ひ給へ。又どこかへ沈沒してたんだらう」

「何、沈沒所かい。實際忙しいんだよ。活動の宣傳を引き受けさせられてネ…………それで今も銀座へ行つてたんだ」

「イヤハヤ何んでもよく引き受ける男だな。それやどんな寫眞だい？」

「そんな事、俺が知るもんか」

「へーこれは面白い。宣傳係が寫眞の內容も知らぬなんて素敵だネ。然し名前位は知つてるだらう？」

「名前か？『それから、どうした？』と云ふんだよ。所で聞き給へ。區華やかな銀座の夜だ。俺はイキナリ、あの進め。止れの棒のてれぺんへ噛り付いたんだぜ。交通の小父さん、そんな事は御存知ないから、ハンドル一轉、日本橋から新橋の方へ(進め)とやつたものさ所がどつこい、やつたのは、つもり丈で實際は相變らず(止れ)が出てるのだ。だから、築地から日比谷へ。日比谷から築地へ行く電車、自動車、自轉車、車と云ふ車、人間と云人間、どいつもこいつも『それから、どうした？』と云ふ廣告を背負つて居るのさ。痛快だつたぜ！　尾張町で電車を五分止めて見給へ。萬歲さ。それで翌朝の新聞はデカ〳〵書くからネ。銀座中、何んだらう〳〵で、今わき返つて居たんだよ、其處で俺もいつにない有頂天になつて、ライオンで曹達水をジヤッズに合せて呑んだんだ。それが悪くてネ、洩れさうになつたから、丁度便所へ這入つた所を、君から呼び出しがかゝつたので周章てゝ出て來たんだよ。」

「さては？………君はどんな紙で尻を拭いたえ」

「折り悪しく持ち合せの紙が無かつたから困つてヒョイと側を見ると、君の前に丁度本が開いてあつたから、一枚失禮して拭いたよ。」

「そうだと思つた！　地獄へ落ちろだ。君はとんでもない事をしだんだぜ。其の君が尻を拭いた一枚がどれ程貴重な頁であつたか知らないだらう？」

「知らないよ。どんな事が書いてあつたんだ？」

「アリーは夫人を……其の次が書いてあつたんだ。」

「よせやい。」

「何、僕一人丈の失望ならかまわんが何んしろ讀者諸君の失望を考へて見ろ…………」

「うまく云つてやあがらあ。尻を拭いた紙が今更どうなるもんか。見ぬ昔とあきらめろよ。」

「見た今日だから。あきらめられぬのだ」

「チヨツ。ぢや此の藥をやるから寢る時頭へ振りかけて寢な。？」

「何んの藥だい？」

「夢で裸の女を見る藥だ。君には持つて來いだらう」

讀者よ！あなた方の中にも、此の藥のほしい方があるかも知れませんから、敎はつた處方を左に書いて置きます。試して御覽なさい。

夢に裸女を見る處方

雄鹿の精液或は牝鹿の生膽　$\frac{1}{2}$オンス

狼の腦の黑燒　3オンス

多島海地方の赤色硅土　1オンス

藥劑用硅土　2ドグラム（ドグラムは30瓦24なり）

肉豆蔻の實　2ドグラム

Tragacanthe　3 ドグラム

硝　石　$\frac{1}{2}$ ドグラム

以上七味粉末にし交ぜ合せ頭の頂上に振りかく可し。

「傳手に明日讀む本も置いて行けよ」

「いやに慾ばるな！　仕方がない。これでもやらう。ヂヤ失敬！」

惡魔が消え失せた後で私は其の本を取り上げました。假綴じの安本でせい〴〵十フラン位のものだらう。ケチな惡魔だと思ひながら表題を見ると『隣りの奥さんを笑はす爲に』頁をめくると第一に（バナナの唄）と題して次の樣な歌がのつて居ました

『胸厚く、腕すこやかなる若き男の子の、

ヒシと抱き締むるは、

ラクビーのフツトボールと女の尻。

男の唇は、女の頰より永劫にさめぬ熱を奪いて、マドロス、パイプに火をつけぬ。

男は女に云ふ。

君は知るや、サー、ジヨン、トーマスが、ミス、プシーに捧げしバナナの詩を、

＝おゝ、バナナ！

＝滑めらかに皮軟かきバナナ！

＝若き乙女の目をみはらしむるバナナ！

＝くさ〴〵の果物の中にて、汝（なれ）こそげに嬉しき姿、

＝おゝ、寡婦及離婚せる女の慰藉者なるバナナ！

女は男に云ふ。

アタシはバナナ、入りのショート、ケーキよ」

私は詩集を閉ぢて、しばらく瞑想しました。心は千疋屋の店頭に飛んで、頭のさきから爪のさきまで美しく色づいた一本のバナナになり切つて仕舞ました。すると女學校三年生の燃える様な目に射すくめられて、動きのとれぬ身内の熱さを感じました。然し變におとりなすつてはいけません。此の三年生ば多分私が喰べたかつた丈で御座いませう。

さて今日の物語はこの位にして置きませう。皆様、ではおやすみ遊せ。

ガマと蝙蝠とは、そこらを片づけてから寝るのだぞ！

巡回串談會の催

どうせ私は年がら年中、暇と云ふ結構なものは、お金と同様持ち合せた事のない男です。其の代り脱線したきたら、尻に火がついたつて、ちつとも騒がずと云つた大膽不敵の曲者です、だから氣が向いたら、譬へ借金取りが雲霞の如く押しよせても、むべ山風を嵐と云ふらんと九字を切つて、飛び出します。で、親愛なる讀者諸君の中に、私と話して見度いと云ふ物好きな方々がありましたら、左の規定を御覧になつてから御招待下さいませ。

規　定

一、當分の間は、日歸り、或は一晩宿り位で歸れる所。遠方は夏季に巡回の計企あり。

一、そちらの人員は十五人位を限度とする。あまり澤山では不愉快だから嫌です。

一、私一人じや氣がさすから、連中二三人引つ張つて行きます。

一、手辨當で出掛けると云つたら威勢がイヽが、それではこつちがたまらぬから、汽車賃位はそつちで出す事。　以　上

昭和二年五月二十日

梅　原　北　明

新聞に出た記事本位の高橋お傳夜叉譚

梅原北明

序論

假名垣魯文の「高橋お傳夜叉譚」と、當時、新聞に報道されたお傳の事實譚とは可成りの相違を來してゐる。勿論、魯文の夜叉譚は事實以上にやまを作つて面白く脚色したものであるから、實際のお傳を知るより遙かに興味深いものがある。が、實際のお傳を知つて芝居を見る時、更に吾等の興味は一段と深く湧いて來るのである。

其筋の手がお傳に下つた最初は、明治九年八月二十八日で、當時お傳は内山仙之助こと後藤吉藏の金品を奪ふため共に彼と止宿した東京淺草藏前片町旅人宿大谷三四郎方の二階で彼を慘殺し、姉の敵を討つたかの如く書置きして逃走したのに足が着いたのであつた。

新聞に、お傳の記事が現れた最初は、明治九年九月一日の郵便報知及び横濱毎日で、その時は僅か五六行に充たぬ單なる巷の刄傷として取扱はれたのが其れである。が、お傳の恐るべき毒婦なることが日増しに判明しかけたのは、其筋の取調が嚴重になり出した一週間後で、諸新聞が稍々詳細なお傳を報道しはじめたのは九月十二日であつた。東京日々、東京曙、讀賣、郵便報知、朝野、横濱毎日、東京繪入、等の諸新聞であるが、今左に、そのうち最も詳細を極めた横濱毎日と東京曙新聞の記事を掲出して見やう。

先づ東京曙新聞は左の如く報道してゐる。

おでん捕縛の顚末

サア〱皆さんお聞きなさい深い意趣意恨のあるでもないに只お金を貸さぬばかりの事で男を殺害したる前代未聞無類飛切りともいふべき女の大罪人が出來ました。そもそも此女は上野國沼田在横木村の生れにておでんと名乘り浪之助といふ者の女房でございましたがどんな見込がありましたものやらして去る明治二年夫婦づれにて國許をさまよひ出で東京に來り一と先づ馬喰町の武藏屋といふ旅人宿へ止宿いたしそれより横濱へ引越し何ぞ商法でも始めましたか日雇ひ稼ぎでもして居りましたか月日を送る其間に亭主浪之助は病死いたし我身も病氣づきまして難澁する折から兼て知り合ひの者でもありましたか上州生れの小澤伊兵衛といふ男の世話にて府下神田仲町秋元幸吉方へ同居せしは明治四年十月中の事のよしかくて此内に厄介になり病氣の治療も屆きまして追々快方には赴きましたが全快といふ所へは至りかねしにや翌明治五年二月中何國の溫泉でございましたか湯治に出かけました途中先年在所に於て親讓りの短刀を盜取りし(會津者のよし)といふ泥棒にはからずも出逢ひしにぞ彼短刀を取返すに此場ならでは又何れの日を期せんこれ偏へに神明佛陀のお引合せならんかと小踊りして勇み悅びおのれ泥棒今日此場でめぐり合ひしこそ天網の遁れぬ所なれ早く先非を悔いて尋常に短刀を返すなら泥棒の罪はゆるしてくれんイザ返さぬかと立掛るに此方もさしもの曲者なればなどかは少しもためらうべき腰なる刀を拔くよと見えしが忽ちおでんが腕へ切付けたり流石の勇婦も手疵に少しひるむを見すまし某は何國ともなく跡をくらましにけ去りたれば是非なく此處より神田なる幸吉が方へ立歸り手疵の療治をするにさしたる深疵にもなかりしにや間もなく平癒いたしますと又ぶら〱と此内を立出野州の方へ赴きしがかゝる女なれば此處ぞと足を留る地もなく麴町にて砂糖渡世をしてゐる尾州生れの小川市太郎といふ者は神田に同居せし折日頃懇意にしたるを便り尋ね來て夫婦同樣に暮す内所々方々を引越しあるき去月上旬より新富町宮倉佐吉が宅へ同居せしに晴れて夫婦といふにもあらねばおでんは同町にて行川某の宅に止宿の譯にして矢張り市太郎と一所に佐吉が宅に居りますに（入用もなし道行きをかう長たらしく書ならべましては皆さん御退屈の程恐入りますがまた此道行きがおでんが年頃の様子も分りますから暫時我慢なさつてお讀み下さい）明治六年麹町に住居せし頃市太郎には押隱し房州館山の船頭田中甚三郎に金十圓內々にて借り受け置きしを此程まで返濟せざれば催促數百度に及びし上去月二十日頃には若し返濟が出來ぬならば市太郎に談判する外ないがどうするのだと嚴しき催促を受け詮方なさの餘り兼て懇意なる檜物町の古着渡世後藤吉藏が宅を尋ね行き外より帶や生絲の類を借出したからそれを抵當にして金二百圓貸して吳れろとよい加減のうそをついて賴み升に當節は不融通でそんな大金は中々出來ぬと斷はられ空しく其日は歸りしに二十二日午後三時頃吳服町船來渡世稻垣九右衛門が宅にてふと吉藏に出逢ひ今度は少しにても借して吳れろと賴みますに又もつれなくことはられた以來おいらに用事があるならこちらの內からさういつて貰ひ自宅へは決して來てくれるなといふことゆゑ翌二十三日午前十一時過ぎ九右衛門が宅より吉藏を呼寄せてもらひ同じ事を賴みますに今と云つてはしやうもないがなんとか都合をして見やうと詞の端に少し跡を殘したれば又翌日の午後八時頃九右衛門が宅に行き拂物がありますから每度御面倒様ながら吉藏さんを一寸こちらへどうぞとて又も吉藏を呼寄せもらひいつもながらの金談に吉藏も根氣がつきて貸す氣になりしか又は當座の氣休めにや明日か明後日までには何とか才覺してやらうと約束に及び立別れしに二十六日午後五時頃吉藏が一寸おでんをおとづれたればおでんはうれしさ云はん方なく直樣跡より飛出して金六町の蕎麥屋で出逢ひますと今夜は一所に何處かへ泊つてはどうだらうかと吉藏が云出せし故こいつ金が出來たに相違なしさらば吉藏が云ふに任せて一所に泊り借りやうと心にうなづきハイどちらへでも參りませうと早速承知して立出でしが若しも今夜貸さぬことなら殺して吳れんとかばかりのことにさも怖しき惡念を生じたるはいかなる天魔の見入りしにやあらんおそろしとも又怖ろしきことならずやそれよりおでんは佐吉が宅に立寄り剃刀を取り出して懷中に隱し人力車の相乘りにて淺草藏前片町迄挽れ行き吉藏は內山仙之助と僞名を名乘りわたし等は夫婦の者でございますが今夜一泊を願ひますと大谷三四郎が宅へ泊り兩人差向ひにて飮んだり喰つたりし

た上にいか樣今夜は貸すだらうと例の金談を持出しますとかく一緒に泊りしにも似合ず矢ッ張りつれなき挨拶ゆゑ恨めしながら其夜は寢て翌朝ひたすら頼みますに一向貸さうと云ひませんで今は是迄なりと覺悟を極め正午十二時頃吉藏が熟睡せしを伺ひ用意の剃刀を取出し咽喉へグサと突立しに聲を立んとする所を蒲團を以て口を塞ぎ力に任せてゐぐりたれば忽ち墓なく落命せしを蒲團にて血を拭ひ死骸を覆ひ吉藏が所持の矢立のあるを幸ひ、

此者に五年以來姉を殺され其上私迄非道のふるまひを受け候てせん方なく候まゝ只今姉のかたきを討ち候也今一度姉の墓參りして其上速に名乘出候也決して逃隱れる卑怯はこれなく候此旨御たむろへ御屆け下ださるべく候…

川越生れにて先づかゝる書置きを殘して吉藏が所持の十一圓と書付類を盜取り少し用事があつて出て參り升が亭主は其儘ねかして置いて下ださいと云ひ捨て此內を立去りしは大膽など云はんも中々にて昔の鬼神おまつといへども素足でにげ出す程なるべしそれより新富町へ立歸り程よく內の都合を繕ひ翌二十八日靈岸島高橋の下に船をかけ置く船頭の甚三郎に十圓の金を返し殘り一圓は同町渥美榮吉が女房おきくが方の借金に返し何喰ぬ顔で居りましたに其筋の御吟味嚴重にて時日を移さず翌二十九日捕縛に相成りました餘り長いお咄しになりましたが世に珍らしい人殺しゆゑ始末を殘さず申上げますヤレ／＼皆さん御退屈でお氣の毒樣

（東京曙新聞第八百七十九號明治九年九月十二日）

○

以上に依つて大體の輪廓だけは知り得られたであらうが尙ほお傳が其筋に陳述した口供書は後章に揭げることにしたい。扨て同日の橫濱每日新聞は、お傳が內山仙之助こと後藤吉藏を殺した節、その場脫れの口實たる姉の敵云々と書置きたる全文を揭げてゐるので、左に今一つ引用することにしたが、其れに依つて東京曙新聞に簡單な所を補つて貰ひたい。

おでんの書置き

先月二十八日東京淺草藏前片町旅人宿大谷三四郎方止宿武州熊ケ谷新宿內山仙之助（三十八年）が表二階で變死した大騷動は同人が女房だか何だか解らぬ生國上州利根郡下板村高橋九右衞門長女にて當時東京一大區十小區新富町三丁目

行川やす止宿まつ事高橋でん（二十八年）と前夜一緒に泊り翌朝でん壹人何れへか立出し跡にて右場所におでんの遺せし書置がある所から召捕になり遂一白狀に及んだ次第は內山仙之助といふは僞名にて實は吳服町十二番地船來渡世稻垣九右衞門方同居吉藏と云ふ者にて此おでんは一體密賣の樣なる風か是迄數人の男を持ちし樣子も見へ此吉藏とは仔細のある仲にて何にか金錢のむしんを仕掛け吉藏方でも出さぬといふ譯ではなけれども當人の意を疑る所から懷中の金子を渡さず然るにおでんは夫を知つて欺むいて連れ出し前の旅籠屋へ泊り込み其夜尙も金子を借りたしと頻りに賴み吉藏は曾て聞入れぬゆへ此上は殺して奪取るべしと兼ての惡心一時に發し能く寢てゐる處を懷中より隱して置いた剃刀を取り出し難なく咽を切破り所持の金子十一圓を着服して僞りの書置を捨おき翌朝やど屋を欺き逃げたるなり尙明細は本社の假名讀に記したり。

右寢所にある書置左の通り

此ものに五年いらいあねをころされ其上わたくしまでひどうのふるまひうけ候へどもせん方なく候まゝ今日までむねんの月日をくらし只今あねのかたきをうち候也いまひとたびあねのはかいまいり其うへすみやかになのり出候なりけしてにげかくれるひきふわこれなく候此旨御たむろへ御とゞけ下され候

かわこいうまれにて　まつ　爪印

（橫濱每日新聞第千七百三十九號明治九年九月十二日）

おでんの消息

其後、新聞にお傳の消息は絕たれたが、明治十二年一月三十一日となるや愈々お傳が斬罪の宣告を受けるに至つて俄かに新聞は以前に還り、各紙共連載ものにしてお傳の毒婦譚を書き立てた。全く其間には、捕縛後に於けるお傳の消息らしい記事は一寸見出せぬ。たゞ十一年八月二十三日の東京日々新聞が僅かに一回、お傳の消息めいたものを書いてゐるのみで、その記事は左の如きものである。

○

去る明治九年のことなりし淺草藏前の旅人宿大谷某かたに於て先夫を殺し金を奪ひ取りたる毒婦高橋おでんは其後

久しく獄中に繋がれ居りしが昨日裁判所に於て口供に拇印したりと　東京日々新聞明治十一年八月廿三日第二千拾七號所載

おでんの口供書

以上の消息記事中にもある通り、お傳は其日、口供に拇印を押したのであつたが、その時の口供とは左の全文を指すので、これは、お傳が斬罪に處せられた翌日、即ち明治十二年二月一日より連載された郵便報知新聞に記載されてゐる。

○

自分儀十年前明治二年十二月同村高橋佐助次男浪之助を聟養子に致候處四年二月中より同人儀不圖癩病相發し自然親子の間も睦しからず依ては治療の爲め出京致し度旨申に同じ兩親へ竊に匿し四年十二月中兩人連立家出致し明治五年一月中出京馬喰町二丁目旅人宿武藏屋治兵衛方に止宿療養自分日々琴平町金刀比羅神社へ參詣致し候折柄何れの婦人に候哉同樣參詣致し候者有之互に懇意に相成彼是咄合候處豈圖らん右は自分異腹の姉かねなる者にして一體自分實母はるは舊沼田藩家老廣瀨半右衛門方へ出入致し候内同人と通し合懷姙後當養父九右衛門弟勘左衛門妻となり自分出生致し正に半右衛門種に有之又半右衛門儀舊忍藩青木新左衛門娘しづなる者に馴染出生し青木かねと稱し即ち右のかねに相當り東京に殘し置候者に付全く金刀比羅神社の引合と歡心仕其節かねより兼て横濱野毛坂下町に住居候處同港には外國人へボンと稱する名醫有之何樣難症の病氣にても全快不致儀は無之候間波之助を連參り療養受け候樣申聞候に付何れ同人へ申聞可罷越旨相答立別れ其段波之助へも咄聞け明治五年四月上旬兩人にて右かね方へ尋越し止宿療養致し罷在候内東京住所の由内山仙之助なる者（則後藤吉藏）同家へ參り姉世話致し（かねの圍ひ主の如し）自分も追々懇意に相成右仙之助より自分へ再三不義申掛候得共强て斷り置候（以下次號）（郵便報知新聞第千八百一號明治十二年二月一日）

（高橋おでん口供のつゞき）

然るに同年八月十日頃と覺ゆ當今行衛不知元會津藩の由加藤武雄なる者仙之助より被賴候由にて塲に入たる水藥持參名藥の由にて波之助に服用致させ候得は暫時全快する旨申聞候間事實と存速に相用候處忽ち同人胸部より顏へ掛け大に腫れ上り紫色に相成苦痛甚敷夫是手當致候得共終に明治

五年八月十八日死去致し候間其節隣家に罷在候須藤藤次郎（其頃年三十三位）の世話を以て横濱太田清水町東福寺に埋葬法名良善信士と稱し候自分も夫より氣疲れにて發病捗々敷快氣にも不至併し長々姉の厄介に相成候も氣の毒に存罷在候折柄曾て國元にて見知居上野國富岡町絹商人小澤伊兵衛に出會候處東京に於て療養致候樣申勸めに從ひ五年十月三十日出京神田仲町二丁目秋元幸吉方へ伊兵衛倶々止宿自分は夫婦と唱へ同人世話を受け療養罷在候內明治六年二月中伊兵衛儀一旦歸國致し自分一人罷在候處前書仙之助尋參り世話致し可遣旨申聞候得共姉かねも世話に相成自分は伊兵衛世話を受け罷在候事故相斷其後病氣も全快に至り近邊へ入湯に罷越途中同町往還にて前書加藤武雄に出會候に付幸ひの事と存じ前顯夫へ服用させし藥の原因相尋候處答も不致駈出し候に付果して仔細可有之と追駈け遂に駿河臺元昌平橋土手際に於て同人の羽織を掴み候處直に帶し居る刀を拔き自分右脇へ切付け(今に痕跡あり)其儘逃走候に付詮方なく幸吉方へ歸宅同人へも申聞候得共疵所は聊の儀に付膏藥相整相用別段醫師へは相掛り不申平癒致し候其頃月日失念横濱表前須藤藤次郎より書狀到來披見候處姉かねを內山なる者刺殺したる旨云々申來候に付驚入直に樣子承り度且小澤伊兵衛も歸國の儘音信無之是又尋度候得共宿主幸吉より他行差止られ心底に不任因て窃かに書面を殘し置き幸吉へは無斷に立出横濱表へ立越候處果して姉宅は取片付有之に付則隣家藤次郎方に至り相尋候處前書々狀の如く白地には不申聞候得共四月頃何れへか相越し家財等は年齡三十七八位の男參り取片付候旨相答候間是仙之助に相當必定同人の所爲と存し前文夫相果候節の景況と申遺憾ながら立歸り夫より伊兵衛國許へ尋參り歸路波之助實父佐助方へ立寄波之助病死の趣を相噺自分養家へは立寄らず直に出京兼て懇意の麴町十二丁目住居小川市太郎方に止宿罷在り候處故郷慕敷存し明治七年六七月頃歸國養家へ立戾り候處自分妻逃亡御屆相成居候由にて自訴致候處前文の如く御處分受候上猶又商法の爲め出京麴町八丁目瀧口專之助方に寄宿前書市太郎と夫婦同樣に相成同人儀上野國大麻生村鈴木濱次郎と商業に從事罷在明治九年八月中旬頃大傳馬町壹丁目岩崎龍之助方に止宿中金策の儀安房國館山出生の由石井甚三郎なる者に相賴置候處同人俄に歸國致すに付ては甚三郎知人槇町後藤吉藏へ相賴み遣し候由にて添書相渡し吳候に付

則明治九年八月二十三日自分一人にて同人方へ尋參り候處圖らずも兼て相尋候處の內山仙之助に付右手紙の趣旨は擱き先づ互に久々にての面會の挨拶及候折柄該店戶棚の內に曾て亡父半右衞門より姉かねへ遣したる短刀の小柄有之を見認め候より旁先年の噺を起し加藤武雄の居所且姉かねの行衞並同人所持の諸道具等如何相成候哉と相尋候處心得不申旨返答に付此の小柄有之上は必らず承知可有之と强て相尋候處先きにかねへ三圓の貸金有之夫れが爲め諸道具不殘請取候得共夫れには仔細も有之短刀は淺草邊の者へ賣渡候趣にて此處にては話兼殊に最早日沒にも相成候間明二十四日吳服町稻田屋事稻垣九右衞門方に於て詳細可相話間同人方へ出向吳候樣申聞候に付然らば短刀は早々買戾し吳れ候樣申聞其儘相分れ岩崎龍之助方へ立歸り候翌明治九年一月二十四日午前十一時頃前書稻垣九右衞門方へ罷越し暫時待居候居共吉藏參り不申候間九右衞門方より呼寄せ貰候處漸く午後一時頃吉藏參り當日は差支有之に付明日に致し吳れとの事ゆゑ其儘立歸り該日は兼て懇意の新富町一丁目行川やす方に止宿し猶翌明治九年八月二十五日午後二時過前約の如く九右衞門方へ罷越候處是又吉藏參り不申候間九右衞門方より迎ひを賴み吉藏を呼寄候へども同日も先方差支候由にて猶明日に致し吳候樣同日は同人方より案內可致趣故然らば行川やす方へ報知致し吳候樣申聞立別候（以下次號）

（郵便報知新聞第千八百二號明治十二年二月三日所載）

（高橋でん口供の續き）

明治九年八月二十六日後四時頃近邊へ用向有之立出候處へ右吉藏尋參り立歸り候上は前書稻垣九右衞門方へ出向吳候樣申置候趣歸宿の上やすより承り候に付直に立出候途中南八丁堀邊名前不存蕎麥渡世の者方に吉藏待居呼込候に付立寄候處兼て尋候品は淺草邊に有之候間同人方まで同道致し候樣且加藤武雄の居所も相成り可申趣に付同車にて淺草藏前迄罷越候名前不存水茶屋にて暫時相待居候樣申し吉藏は立出無間も立戾り先方へ同道可致の處少々差合有之此處に待居も不都合に付先方知人の由にて淺草藏前片町大谷三四郞方に候哉其節は名前不存丸竹と稱する旅人宿へ立入最早黃昏に至り不審に存候得共吉藏は直に二階へ上り候間自分も續て上り候處暫くして同家女より酒肴差出すべくやと問合候得共自分に於ては心得不申旨相答へ便所へ參り立戾候處酒肴差出有之吉藏より度々勸められ候得共氣分惡しく故

一切相用不申然るに梨子を差出し候に付少々喫し吉藏は獨酌にて飲終り夕飯差出すに付是又相斷り候得共吉藏より度々勸め候に付一椀を食し夫より一時間程も相立候得共先方より何の音信も無之に付吉藏へ斷り近傍まで納涼の爲め外出し十二時頃と覺立戾り候處吉藏は其場に寢臥居候に付先方は如何の譯に候哉餘程時間も遲しと相尋候處先方へ同人參りたる處必らず參る筈に付今暫く相待居候樣申に任せ相待居候處不計氣分惡しく吐瀉を催し候間便所へ參りたる所益々激しく二階へ立戾りたるに蚊帳を釣り中に床も二ケ所敷双へ有之吉藏より自分へ如何せし哉と相尋候に付右の趣相答候處同人も氣の毒のよしにて蚊帳の中へ入り候樣屢申聞殊に蚊も多く候間蚊帳の中へ這入暫時氣を休め居る內已に明治九年八月二十七日午前一時にも相成候間詭かしたるやも難計存遲くも自分歸宅不致候ては不相成旨申聞候處是非とも先方の者參り候筈今少々待居呉れ候樣申聞追々深更に至り無餘儀歸宅は相止め右蚊帳內に打臥候處吉藏儀彼是艷言申掛け戲れ候得共大醉の體ゆゑ程能く斷り置く內吉藏は睡眠し彼是致す內朝飯も喫し不申追々時刻も移り午前十一時頃に相成候ても吉藏目覺不申候に付自分而已囊飯を喫し勘考するに是迄氣永に堪忍致すも際限無之如何にも同人に詭されたるは遺憾と存し强て呼起し是迄數度詐言而已申聞居今日は有體に申し明すべくか先方へ同道致し候哉其次第柄明瞭に申聞呉れ候樣相迫り候處同人儀更に取敢不申右樣の儀は斷念し自分存意に從ひ候樣申しながら自分を抱き候得共心中には是迄の始末も不申明而已ならず同人所有品をも申紛し如何にも殘念に不堪彼是苦慮中吉藏は種々戲れ掛られ終に自分を組臥せ口へ手拭を當るや否や九寸計りの短刀を拔放し自分へ打掛る勢ひに付驚愕し其手を打拂ひ候際同人の頸筋へ双先當り自分は其儘次の間へ逃退き候處同人儀最早是迄と言ひながら自ら咽喉を切りたる故大に驚き同人側に立寄り候處其儘相果候に付如何せんと一時苦心及び候得共必らず驚く場合に非ずと精心を靜め此上は前條姉の敵なる證據取揃へ且國許兩親へも一應面會致したる上其段可訴出と存し吉藏の持居る短刀をモギ取り血を拭ひ鞘に入れ並に兼て見覺への小柄も傍らに有之候に付右二タ品を懷中し吉藏死體へは夜具を掛け寢臥せる體にし同人は姉の敵に付打果し候趣一書を認め傍に差置該宿へは用事有之近邊へ立出候趣に申成し尤も連の者は相臥居候に付其儘に致

し置き吳候樣申聞午後三時頃と覺同所立出夫より行川やす方に止宿罷在り候處九年八月二十九日彼召捕自分心得にては前書短刀並に小柄共右やす方二階に差置候儀と相覺候事

（了）（郵便報知新聞第千八百三號明治十二年二月四日）

おでんの判決

が、右に示した口供は、お傳が罪を脱れるためのいゝ加減な拵へ事で、實際に於ては姉の復讐でもなければ、また夫の仇討でもなく、全く色に事よせ吉藏の金を取らうとしたが、見顯はされたので、兼て隱しもちたる剃刀で彼を殺したのに違ひないのである。これは左に示す判決書に依つても明かで、世間の貞女が示す夫の仇討を仕遂げるための殺人なぞとは思ひも寄らぬことで、お傳には、その道の典型的なデリケートさを持つた毒婦の戀より他に何物もなかつたのである。今、貞女の戀を唯心論とするなら、毒婦の戀たるお傳の戀は唯物論である。

芝居では、夫浪之助の癩病を中心に、お傳の毒婦的仄きが刻々に進展して行くサイコロジイを物凄く描き出さうと務めてゐるが、當時のお傳には、寧ろ其の戀は惱ましい愛慾の葛藤に打克つ純眞ないぢらしさがある。お傳が夫浪之助を毒殺したと思ふ人よ。お傳の斬罪に處せられる理由は單なる金の迷ひより內山仙之助こと後藤吉藏を慘殺するに及びたる罪に依るものである。而して判決は左の如きものであつた。

○

群馬縣上野國利根郡下牧村四十四番地
平民九右衛門養女　高　橋　で　ん
三十年九ヶ月

其方儀後藤吉藏の死は自死にして己れの所爲に非ざる旨申立てると雖も第一右吉藏を殺害せし云々の書置及び當初警視分署並びに明治十年八月十日糺問判事に於ての供狀第二醫員の診斷書第三今宮秀太郎の申供第四旅店大谷三四郎等の申供第五宍倉佐七郎の申し述此衆證に依れば自殺に非ざる事明白なりとす而して廣瀨某の落胤或は異母の姉の復讐なりと云ひ又は姉在世の景況及び須藤藤次郎等を證據人といふも果して姉の生所等一も認むべき徵憑なし是畢竟名を復讐に托し自ら賊名を匿さんために出る遁辭なりとす此に由つて之を觀れば徒らに艶情を以て吉藏を欺き賊を圖る

も遂ぐる能はざるより豫め殺意を起し剃刀を以て殺害し財を得るものと認定す因て右科人命律謀殺條第五項に照し斬罪申付る。(讀賣新聞第千二百十五號明治十二年二月六日)

おでんの處刑

以上の宣告に依り、お傳は市ヶ谷檻獄の露と消えたのであつたが、斬罪にされる刹那、太刀取の手を止めて讀んだ辭世の句は

亡き夫の爲めに待得し時なれば
　手向に咲し花とこそしれ

と云ふので、お傳は此句を口ずさみ乍ら首を前面に差垂れたのであつた。そこで命令一下のもとに太刀取の手は今や彼女の頭上に下らんとした其時、お傳は申し上げ度きことありと叫び出し、首を左右に振つたので、初太刀は仕損じて腮に切込まれた、が素早く二度目の太刀は振りあげられた。瞬間、お傳は南無阿彌陀佛と唱へた。其のため、斬罪の刄は又もや仕損じ、今や太刀取の手は鈍りきつたので、仕方なく咽を搔き切つて、お傳の生命を奪ひ取つたとのことである。

斬罪後、お傳の死骸は淺草の警視第五病院で解剖に處せられた。そのため、お傳の文身や局部が、今に尙ほ東京帝國大學の醫學部に殘されてゐるとか、ゐないとかと絕えず噂にのつてゐるが、帝大にある文身は、お傳の皮を保存したものではないのである。又、お傳の夫浪之助の死去した日は明治五年八月十八日で、彼の外骨は今尙ほ横濱太田清水町の東福寺の地下に永遠の眠りを續けてゐる。確か法名は良善信士と云ふのであつたと思ふ。

お傳は幼年の頃より素晴らしい美人で、十五六の頃には旣に沼田町界隈きつての若きヱンゼルとして、戀を知り始めた若人達の胸をときめかせ、惱ましい曇日の夕に妖魔の唄を聞くが如き苛立たしいショックを亂打せしめたものである。

當時の上州沼田は、その界隈に得られる色々な產物の集產地で、利根川の便をかりて地方へ輸出する廻漕問屋の多い町であつた。お傳の養父は是等の產物を積込んで始終利根川を往復する舟商人であつた。

お傳が十五六の頃、當時沼田町に於ける有名な雜穀問屋

であつた吾が生方敏郎の伯母に當る某家（名前は一寸記憶に出ない）へゝその頃出入したお傳の養父九右衛門は行儀見習のために、お傳を小間使として住み込ませた。このためお傳の艶かしい姿が沼田町に現れて、時の若人達の胸を躍らせたのてあるが、其頃のお傳の日常については、他日稿を煩はして貰ふ生方氏の「娘時代の高橋お傳」に就いて知つて貰ひたい。お傳を實際に面倒を見、却つてお傳のために火つけの奇禍を招かんとした其の生方氏の伯母に當るかたも、今に尙ほ健康で居らせられるとのことであれば、さぞかし「娘時代の高橋お傳」は吾等にとつて興味深いものであらう。

おでん斬罪の話

自分はたゞ新聞記事となつたお傳の斬罪譚を受次いだのみで、その間一言の想像も加へねば、又その記事より踏み出た一つの事實も知らない。この稿はお傳の記事を完全に受次げば足りるのである。そこで自分は最後に、前上へ既に述べた事實と重複すべき所多くあり、恐縮に堪へない次第であるが、新聞小說の元祖たる東京繪入新聞の連載記事を見脫す譯には行かない。なぜなら該紙は例に依つて小說的に面白く其事實を傳へ當時の一般大衆に向つてお傳を全國的に有名にした魯文の夜叉譚と共に預つて大いに力ある一つの特筆さるべき記事だからである。が何を申せ、標準原稿紙五十枚を遙かに突破する長い讀物で、紙面を餘りに食ひ過ぎるの觀あり、殊に重複せし箇所多くあれば、諸氏には誠に恐縮すべき次第なれど、今申せし理由のもとに、その全文を左に揭出したれば、乞ふいとまあるかたゞけ是非參考までに讀んで戴きたい。

○

毒婦高橋お傳の斬は昨日も鳥渡記したる通去九年八月召捕られし時槪略載せたれど其後申立つるところも屢々かはりて旣に口供拇印さへ二三度に及びしよしにて飽まで姉の復讐といひましたれども數項の明證によりて終に今度の御處刑の趣に定まりしなりとか、つぎ〳〵記す所は毒婦が申立たる筋なりとて傳へ聞しものなれば虛飾たる詐りも多かれどそは其所に記すべければ其心して見給ふべく扨昨日は午前十一時前頃法廷へお呼込になり斬罪の宣告ありしにお傳はわるびれたる體もなくお請をなし今一度本夫市太郎と親とに面會が致し度と存じましたが其叶はぬが残念といひしのみにて涙もおとさず掛りの人に長いうち御厄介になりましたと一禮述て立出しが縞縮緬の小袖羽織につくらぬ顔もいと清げにて所業と姿の斯くまでに替るものかと法廷の内外爪もたゝぬばかり傍聽にとて集りたる衆人ひそみ語りし由なり。

祈るに必ず驗ある其感應の顯著なりとて參詣多き神社佛閣の府下に多かる其中にわきて信ずる人多き虎の門琴平神社へ日毎に詣づる一人の婦人は年齢十九か二十ばかり優しき方にはあらねども眼もと口もと愛敬ふかく脂粉に粧はねど天然に清き雪の肌にさして形裝の目にはたゝねど如何なる人かと行逢ふたびに見かへる人も多かるが深き祈願のあることにや明治五年の一月の初旬頃より雨風も更に厭はず詣づるに是も人品賤しからぬ二十五六の一人の婦人の時刻も違へず參詣して門の際より宮居まで百度詣の歩みを運ぶに袖すりあへる敷石の霜踏朝の寒けさに互にいつか親しくなりオヤ大層お早いこと貴女は何處からお參詣の毎日の様にお百度をおあげなさるのはよく〳〵な御信心と見えますねと聞れて此方も會釋して貴女こそようお早う如何様に急いで參つても馬喰町から此處までは餘程の路程ゆゑ遲くなりしといふを年嵩の婦人が聞夫はマァ大體な御信心ではないと見えますお互ひさまに毎日〳〵お出合申すも何かの御縁今日お百度を濟せた後に向ふの茶店で少し休息して參りますから貴女も一吸召上つて那處でお休みなさいましなと約束しつゝ參詣を果した後に門前の茶店が床几に腰うちかけ女同士の馴々敷馬喰町から御日參とは何の御願か存じませんが定めて深い御心配とうら問かゝれば打萎れお噺し申せば長いことで近頃上州利根郡下牧村から東京へ出て馬喰町の旅人宿武藏屋治兵衛と申すかたに逗留をしてをりまする私は傳と申者本夫の高橋浪之助は去年の春から長の病氣でとても田舎の療治では屆かないと存じまして連立ては出ましたが迚も醫藥の力では本復も覺束ないと人の噂にさりともと苦しい時の神頼みに琴平さまへお願ひ申し毎日にお百度をあげますが國を出るにも彼是と家にも面倒のありましは親が達つて居るゆゑと思ふにつけてなつかしい仄に聞た實の親は沼田の藩の門閥で廣瀨半右衛門といふ人で實母の春と申すのが出入をしたうち手がついて懷姙したとも心づかず後縁付いて月足らずに出産たのが私で間もなく母も

離縁になりつゞいて私も里方へ引取られて養育しましたが實の親仁の半右衛門どのが其前忍の御家中で青木新左衛門といふ人の娘のお鎭と馴染になり出產した子供をお粂と呼び江戸に居るとか聞いたばかり腹こそ變れ現在の姉ゆゑ如何かと逢ひ度いと知らぬ土地の便なさに殊更尋ねて居りますが年經た事ゆゑ少しも知れず此世に無事で居る事か但しは死んで仕舞ひましたか是もひとつの心懸りとかたるを聞いて彼方の婦人が打驚きたるおもゝちにて思ひがけないお前はマアといひつゝ潸然泣伏たるそも此婦人は何人ぞ明日の紙上に委敷記さむ（東京絵入新聞明治十二年二月一日第千八十九號）

○（毒婦お傳のはなし）お傳が語る長物語を側に聞居たる一人の婦人がうち驚きたる面もちにて夫ならお前は私の妹尋ねてお出のお粂といふは現在私でござんすといはれてお傳も吃驚しお顔も知らぬお人をとらへて思はず知らず身の上をお噺申した其お方がなつかしかつたお姉へさんとは夢の様な嬉しい出會不思議といふか奇妙といふか是も矢張琴平樣のお引合せでございませうが二十年餘の長いことを此處ではなか〳〵盡せませんから夫はお互〳〵跡にして正眞に左樣ですが先づ第一に心に懸るは御家長の病氣といふのは去年の春からでは長いことだが一體如何いふ病症でと聞れてお傳は小膝を進め是から何かと御相談の力と頼むお姉へさんゆゑ包まずお噺し申しますが在所で上手と噂のある月夜野町のお醫者樣秋山健良といふ方に診察をお願申し幾度か病名を伺つても何とも名前はつけられずと藥も多く服せましたが少しも驗が見えないどころか追々髮も脫はじめ面部も手足もくづれ出して見る影もない有樣に癒らぬ筈ぢや癩病だと人も嫌つて寄つかず假令一時は困つても快さへなれば取返が出來ると思つて多くもない田畑を賣たり質入れしたり物の費も厭はずに手當をしても驗はなく漸くに重るに貸かたには如何だ〳〵と責められますし活計が不足して來れば親類始の交際も疎くなるのが世間の人情ことには人の嫌ふ病ひに寄つく人もなきの涙で故鄉をはなれ東京へ出たのも病氣が癒したさ差向居どこも無い事ゆゑ馬喰町の旅人宿の奥を借りて本夫を看護しながら只一心に琴平樣へお願ひ申して居りますと語るを姉のお粂は聞き私は少し用が有て東京へ長く出てゐるが家は横濱野毛坂下ゆゑ都合に依たら那方へお出な濱には上手なお醫者も多

いがへボンといふ夷人のお醫者は如何樣難病でも癒すといふ評判の巧者なお人で先頃田之助の足をきり一時は芝居へ出る樣に癒した位の事だから何かの都合もつくならば當分私の所へきてためしに療治を受けて御覽と親切見ゆるお兼の噺にお傳は厚く悦びて此日は別れて立歸れば武藏屋かたの奥二階には浪之助が待かねて蒲團の上に起かへり窓の日ざしを打眺め何時にない遲い事と案じるうちに歸り來りしお傳は受けて持つて來た琴平樣のお洗米と守符を盆にうちのせて浪之助にすゝめつゝはからず姉にめぐりあひし一伍一什を語り出てともに奇遇を悅びたり(以下次號)(明治十二年二月二日東京繪入新聞第千九十號)

○(毒婦お傳の噺)横濱野毛の坂下町は吉田町に打續きて漸次に人家も稠密て夜は殊更露店の道具肴屋靑物賣何くれとなく商ひの店を開ける繁昌は辨天通りにさつぎて有りし餘波八子の神の社の木立の夫ばかりに變遷れる賑なるが彼癩病人の浪之助とお傳は姉のお兼をたより其年(めいぢ五年)四月下旬のころこゝに移て厄介になり療治に心を盡すといへどもとより旅費の多からずまた何時迄とも限られぬ逗留なれば外國人の療治を受ける力もなく只買藥や何やかやで心配をするばかりなるが姉のお兼も無商賣にて折節東京から通つて來る內山仙之助(後に後藤吉藏)といふ男が古着商賣にて橫濱へ來る度ごとに止宿して行きお兼の世話をする體で何程かづゝの宛行を置いては歸る樣子ゆゑお傳もお兼の緣につれ厄介になつて居る身ゆゑ兄あしらひで大事にすれば仙之助も心よくお傳夫婦をおく事を故障も言はず打過しが暑さにたへぬ六月末お兼は晩餐を濟せて後今夜あたりは內山さんが屹度お出であらふから夫より前に納涼ながら買物をしに行つて來るから留守をお前に賴んだよと團扇を持つて立出るにお傳は表の格子をしめゆるりと納涼で入らつしやいよと內へ入りたる程もなく。お兼やこゝを開けてくれ點燈たばかりだよ大層締りが嚴重だねといふは慥かに仙之助ゆゑお傳が出て戶をあけるを彼方は夫と見てとつて。ォャお傳さんか是は憚りお兼は何處へか行きましたかと聞けばお傳は會釋して團扇で仙之助をあふぎながら貴兄がお出の直前に姉さんもお噂をして今夜あたりはお出だらふから鳥渡買物に行つて來るとツヒそこら迄お出でしたが道でお逢はなさいませんかへ。ナアニ逢つても逢ないでも夫は宜が商賣用で來る度に旅人宿の飯が喰度ないからお兼の世話もして遣つて是迄は止宿に來たが今となつチャ氣の無い噺しサ。オヤマア何でございますへ左樣仰しやると私共が身が縮まる程居憎いはけ獨ならず二人迄御厄介になるさへ有るに汚穢らしい病人が居るのでお氣が無いのも道理と是といふのも前後見ずに如何か療治を屆かせ度いと姉さんを力に思つてたよつて來たのが不了簡最些のうち御忍耐なすつてさへ下さるなら如何か仕樣がございませうといふを仙之助は皆迄いはせず。これお傳さん先走りな何でお前が爰に居るのを邪魔にして苦情をいつたへ。夫でも貴兄タツタ今是迄不斷止宿に來たが今となつチヤア氣が無いと仰しやつたでは有りませんか。イヘサ先走りたア其の事だ盛りは少し過ぎてゐてもまんざら捨てた物でも無いとお兼の世話はして居たがお傳さんを見た日にヤア町會所の時計臺と新樺太の裏店程段の違ふ美しさ浪之助さんが煩ふのも果報負がしたのだらふがお前の爲なら煩ふどころか死でも已等ア構はねへが了簡次第で病人の手當の仕樣も有るといふもの今日始めていふ事でもないし閉つた氷もとける時節と熱くなつて彼是いふに最とけさうな雪の肌どうだ〳〵としなだれかゝる仙之助をお傳は體よく振放し何處で飲んだ御酒機嫌か貴兄は其樣をお言なさると今に姉さんに告げますよと莞爾と笑つて行く（以下次號）（東京繪入新聞明治十二年二月四日第千九十一號）

○（毒婦お傳のはなしの續き）仙之助は來る度にお傳を口說き從はず左りとて强くも辱しめねば親切にして義理づめに靡かせむとの心にや浪之助の病氣をも心づけて勞はりしが同年（めいぢ五年）八月十日頃見馴れぬ男が尋ね來てお傳さんとか仰しやる方が此方にお出なさるなら鳥渡是にてお目に懸りお渡申度品がござるとお兼の家へ這入たのでお傳が立出尋ぬれば僕は以前は會津藩にて加藤武雄と申者で內山氏とは久しい懇意此度出港致すに付て預りたるは此水藥と小壜一ツを取出し承はれば御連合の浪之助と申さるゝが長々の御病氣とやら定めて御心配と存ずるが此一壜の水藥は奇代の効のある品ゆゑお屆申て少しも早く御用ひなさるが宜敷と仙之助どのゝ御傳言實は同人が參られる時持參の積りで有たれど些も早く恢復をと彼のお人の厚意から僕が參るは丁度幸ひ傳へて吳よと賴まれましたと云にお傳も會釋して夫はマア御親切に有難うございます早速用ひてみませうと禮もそこ〳〵歸した後彼の一藥を浪之助へ服せて暫時

容子を見るに只さへ醜き癩病人の顔より胸部一面に膨脹あがりて苦しむは藥の烈しき性分にて眼眩したるものならば却て後には快なるも速ならんと待甲斐なく苦惱は日に増强くなり腫たる所は紫色になりはて、終に八月十八日に果敢なく此世を去たればお傳は深く泣悲しめど故鄕をはなれ旅の空に終るも悉皆約束ごと歎いたとても詮なき事と姉はもとより隣家に住須藤藤次郎(そのころ三十三)に慰められ同港太田清水町の東福寺へ埋葬し良善信士と法名を受て菩提の七々日も果さぬ程に力落とし看護疲れかこゝち勝れず殊に久々姉おかねの厄介になつて日を送るも快からず思ふうち以前在所で見知りごしの上州富岡の絹商人小澤伊兵衛が尋ねて來て始終の噺をつら〱聞夫はマア飛だ事で本夫が死去では濱に居も入らぬ事故長く姉さんの厄介になるのを氣の毒に思なら私と一緒に東京へ行て養生をおしなさい久々保養もしないとなら氣樂に東京でお遊びなさい氣分の惡いも一つは氣の性併私の樣な者と一緒に居たら微恙が却つて惡くなるかも知れぬと心有りげな一言も互に笑ひに紛らして支度もそこ〱伴はれて出しは素より富有なる伊兵衛にお傳が是からの身體を委する心の目論見伊兵衛も旅の徒然に思懸なくお傳に逢ひ噺も屆きて十月の三十日に東京へ歸り神田仲町二丁目の秋元幸吉といふ旅人宿にて妾の樣になつて居て其名もお松と呼かへしは思ふ所の有りてなるべく斯て其年も過ぎ明れば六年二月頃伊兵衛は國に用が有るとてお傳のお松を殘し置出立したる其跡へ尋ねて來た仙之助がお傳さん其後は暫くお目にかゝらなんだがご本夫が無い上は誰に遠慮もいらぬ事今こそ私がいふ事を聞て呉ても宜からふねと又も迫るをお傳は受ず姉がご厄介になつて居るに其樣な事が出來ますものか殊に今では富岡の伊兵衛といふ人の世話になり保養ながらの宿屋住居伊兵衛さんが立歸りの留守とはいへど此家の人に淫褻のことが知れては濟ぬと斷つた後浪之助に服せた藥の事をも聞ふと思ふ間もなく仙之助はそこ〱にして歸たゆゑ折もあらふと打過しが近所の浴室へ行時に途中ではたと行會ひしは彼水藥を持て來た加藤武雄に紛れなければお傳は若し〱と聲をかけ浪之助が死去した事を語少なに告知らせ私が不審に思ふのは服せた壜の水藥一體邪品は如何いふ藥か委敷お聞申さないでは其疑ひが晴ませんといふを彼方は聞あへず逸足出して逃行はいよ〱仔細のあることゝ跡を慕つて追て行駿河臺の土手際で武雄の羽織を引留たるが爰にて實事を言するや否やは次號に分解くべし（東京繪入新聞明治十二年二月五日第千九十二號）

○（毒婦お傳のはなし）迯る武雄の跡おひかけ漸追つく駿河臺土手際通りの爪先あがりにお傳は武雄の羽織の裾を確と摑むで引留たれど氣息づはずんで物も云れず片手に胸を撫おろすを反顧る加藤武雄は身をひねらせて振拂ひ閃りと引拔く一刀に再度羽織を引留むと差出すお傳の右の腕へハツシと斬付け驚く隙に雲を霞と迯失たれば淺傷ながらも流るゝ血汐にまた追留る力もぬけ幸ひ持し手拭に傷所を卷て立歸り旅宿の家長に仔細をはなして又よく傷所を檢むるに縫ふにも及ばぬ淺傷ゆゑ近所で買た絆創膏で日ならず平癒したりしが（傷の痕は後々までも殘りてありしと）其頃横濱の姉お鎌が隣に住で世話をも受し須藤藤次郎より書状が來たを何事にやと開き見れば姉のお鎌が死去の報知に病氣の體は少しも記さず頓に死し趣にて仔細有りげの文通なれば直にも行て聞糺さむと旅宿へも事の次第を噺すに近日出京する迄は家內の事を何分頼むと旦那がかた／＼仰しやつたを麁漏にしてオイ夫と貴女に遠出はさせられませぬと拒むは伊兵衛が歸し後絶て一度の音信もなく日數も長くなるまゝに宿料其外滯れるを若取損ふ事もやとの懸ならんと心づきしか是より他行を差止めて餘儀なき事にて出るをりは人をつけて出す程ゆゑ心ならずも日を送れど濱の樣子の心に懸りて何分にも捨置れねば爰に一通を書遺して斷りも無く旅宿を脫出直に横濱野毛坂下のお鎌の家へ行つて見ると早く片付し跡なれば先隣家なる藤次郎へ報知らしたる禮を述べお鎌が死去の體を聞に迂濶にいはれぬ事ながらお鎌さんは殺されたに相違ないと專らの風聞をり／＼お出の年の頃三十七八の人が來て家財其外取片付店を明渡して行れたは四月頃との噺を閏年頃といひ浪之助に奇しい藥を服せたを思ひ合せて考ればまさしく仙之助の所業と思へど證據もあらぬ跡の祭再度邂逅ことあらば其時にこそ穿鑿せめと藤次郎に別れをつけ横濱をば立出で直に上州富岡の小澤伊兵衛の家を尋ね世話を請たる禮をいひ伊兵衛との手をきりて再度東京へ立歸りて麴町十二丁目なる小川市太郎（三十五年）の家にたより夫婦となりて暮せしが翌年（めいぢ七年）故鄕下牧村へあやしき手紙を送りしを浪之助の親代助が見て養父勘右衛門とかたらふ所に始めて毒婦の生立と其行狀

を記しつくべし

記者いはく是迄の所はお傳の申立たる廉々にて明日より記す代助勘右衞門の物語はまた勘右衞門等が其筋へ申立し趣にて虛實を識るは此一條にあるべし維新以前ならば知らず浪之助の變死といひお兼が殺されしなど程も隔てず一家二度の變事の官に聞えず包藏おほすべきものにあらず又神田仲町の旅人宿がお傳の斷りなく出たるを其儘にして置き行さきさへ橫濱と知れたるを尋ねもせざるは他行を差留たる手續にくらべては寬に過て同人の所置とも思はれぬ程の相違なり看客此ゆたりに心をとゞめ猶次々の話說に照らして毒婦の毒婦たる所を諒知したまへ

(東京繪入新聞明治十二年二月六日第千九十三號)

○(毒婦お傳のはなし)上野國利根郡下牧村の農民高橋勘右衞門(五十五)が麥畑の草とりやら徐々田地のすき返しに日がな一日働いて草臥休息の圍爐裏ばた春まだ寒き三月中旬(これはめいぢ七年三月)柴折くべて居る所へ表の戶口引開て入來る人も年齡は多く違はぬ村の農民高橋代助といふ律義者奧底もなき高聲に私が二男の浪之助が此方のお傳と逃亡をした其後は無沙汰をしましたが棄て置れぬ事が出來て相談ながら勘右衞門どん此方が寢ぬうち噺さうと急いで來たが丁度よいをりと圍爐裏の側へ座をしめれば勘右衞門も會釋して煤びた土瓶の澁茶を汲代助にすゝめつゝイヤモウ二人が逃亡では屆出るの尋ぬるのと四年前から酷い手數其甲斐もなく行方は知れず折角家督を讓らふと浪之助どんを聟養にした私が兄の九右衞門も當惑して離緣の相談如何樣難病は煩つてゐる歸て來ても一人前の迚も役には立まいと此方も承知で離緣をしたが居所でも知れたのかいの私が養女のお傳めも何處に居るかと案じる末には浪之助どんの事迄も朝夕思ひ出しますが相談とは何事か早く聞せて下され と心の急も老の癖代助は膝すり寄せ封じめ切た手紙を出し噺の種とは是でござる懇篤讀で見たさいだが事の次第を荒增いへば此文通は橫濱本町上澤與三郎といふ人の便で此方のお傳と浪之助が東京麴町に寄留中浪之助の大病に旅費も盡て食ふにも困り僅の因を便つて來てお傳が難澁の噺をして何程か助成をして呉れと泣ついての賴みゆゑ與三郎から少しばかり惠の金は遣たれど旅の空で病人を抱へて居ては立切れまいと我等も察しる所から二人を村方へ引取たが宜からふ樣に思はれると書てある此文面讀で見た上相談を

しやうと思ふは爰の事と我子を案じる親心に一通投出し代助が榾の烟にまぎらして顔をそむけるうるみ聲思ひは同じ勘右衞門も讀ればよいがと眼をこすり立て眼鏡を取て來て件の手紙を繰ひろげ讀下して溜息つき代助どん此方に向つて彼是いへば益ない愚痴とも思はれやうがお傳めが事については生れ落ると其日から心配苦勞をかけた事は仇おろそかでなか／＼ござらぬ用も無ゆゑ噺さなんだが古い事も聞て下さい私は此方も知る通高橋九右衞門の實の弟で算て見れば二昔嘉永四年の正月二日人の世話で後閑村の澁谷小左衞門の養女のお春を女房に貰ひ其年七月末になつて出産たのが那お傳月足らずといふもある事だが是はお土産に違ひないアンナ女房は離緣しろと親類一同が彼是いふもお春が常々我儘者で現在私さへ困る程ゆゑ口を揃へていふこそ幸ひ爰が離緣のよいしほ時と肥立を待て九月の初旬後閑村村の郷里方へお春は歸して仕舞たが私の兄の九右衞門が一人の子供もない所からお傳を呉れろといふ故に其頃はまだ若い勢ひ邪魔だと思ふ位ゆゑ二ツ返辭で遣つて仕舞と九右衞門は乳母をおきお傳を大事に養育あげ十四の時が慶應元年たしか二月の初頃同じ村の宮下次郎兵衞の次男要次郎を聟にとりお傳と夫婦にしたいといふから私も承知で貰はせたが母のお春の我儘な其性分を受けついだか箸にも棒にもかからぬ位是といふも聟どのがお傳の氣に入らぬからだと兄もいへば私も思ひとう／＼離緣の噺にしたが此樣な了簡では末々が案じられると兄貴がいふも道理の事ゆゑに懲しめの爲に鹿野村の重野惣七といふ人を賴み下女同樣にやつて置兄貴が此方の次男浪之助どんを聟にする前散々意見を言聞せて引連て歸つた始末と語るを代助がつく／＼聞其我儘なお春さんは後々何となりましたといふのもお傳の實母ゆゑ相談相手にならふかと胸に浮んでうら問ふを此方は何の氣もつかずお春は私が所を出て生品村の勇吉とかいふ男の所へ緣付たが間もなく死だと聞ましたといはれて代助は當が外れヤレ／＼夫も詮方が無いが現在親の此方の樣子がお傳に愛想が盡た體ゆゑ今宵相談に來た筋も整ふまいかと思はれて如何やら力が脫た樣イヤ／＼左樣はいはぬものヂヤサラハ了簡をいひまシヨと茶碗に殘る澁茶を飲み手紙を持て語り出す其一條は何れ明日

記者いはく昨日の紙上に養父勘右衞門としたは實父の誤なりさて一昨日の紙上にかけるお傳が申立て趣きでは浪

之助の死去せしは明治五年八月十八日とせり然るに浪之助が病氣云々の手紙は中一年を隔て七年三月なれば其事齟齬せること酷し是はお傳が浪之助の親代助を驚かして金錢にても欺き取らんの策なりしならんそは次に代助勘右衛門が横濱へ赴くに至りて自然分解ことあるべし

（東京繪入新聞明治十二年二月七日第千九十四號）

○（毒婦お傳のはなし）手紙を取て代助は勘右衛門に示していふ樣先年二人が逃亡したは惡い病と皆人に嫌はるゝが苦しさに東京へ出て癒す氣で有たかとは察しますがもとより旅費の手薄い事ゆゑ四年越の逗留に辛苦の程を思ひやれば親の情では氣が氣で無い此方は何と思はつしやるか如何以前は我儘で手に餘つた者にもせよ現在實の娘のお傳聞捨にもなるまい程に尋ねて行て連て來る私が相談には乘らッしやらぬか手紙の上では麴町と記たばかりで判然せねど夫も横濱で聞て見たら知れぬといふ事もあるまい他人でさへも金を貸たり何かと世話もしたといふに親と親とが見放して棄置のも本意で有るまい如何でござると淸瀨と涙をともにすゝり揚て語り出れば勘右衛門も眼をしばだゝいて吐息つき此方のいふは皆道理別段私に否やない幸ひ田畑の手透の間に連立て行ませうと相談頓に整ひて菅の小笠に竹の杖つき歷て逢はぬ我子供に邂逅のを力にて下牧村を立出しは三月廿四日（めいぢ七年）にて東京へ着と其儘直に麴町へ出かけて行諸所にて聞けどかいくれ知らねば此上は疾横濱行より外に思案はないと彼本町の上澤屋へ行報知の手紙の禮を述べて浪之助の親代助とお傳の親の勘右衛門が迎の爲に出向た事と麴町中を尋ねても見當らぬゆゑ聞合せに來た趣を言入るれど一向合點の行ぬ體にてお前方の言はれる事は何だか更に分りませぬから最些委細にお噺なさいと思ひの外の挨拶に二人は不審晴やらねど事の次第を荒增語れば（旅店）上澤屋與三郎は驚いて夫で仔細は分解ましたがお傳とかいふ此方の娘に金を貸たの何のとは未塵毛頭覺も無ればもとより態々手紙を出してお報知申さう筈もないから夫は大かた私の所の名前を假りこなた衆から金錢でも取らふといふ術の所業と思はれますが宿をもそこと定ずにごろごろして居る人の事なら吉田町の二丁目の魚屋淸次郎といふ方へ聞合せて御覽なさい其處には妙な人足が多分に集て居ますからと言れて二人はあつけに取られ此家を出るさへ氣の毒さうに飛だ御厄介を掛ましたが仰しやる通り魚屋さん

を尋ねた上で遲くなつたら二人共一泊お頼み申ませうと是をしほにて勘右衛門と代助とはこゝを立出魚屋清次郎の家を尋ね這入て見れば上澤屋で噂の通り魚屋といふのは眞の名みにて仙臺鮪のついたやうに彼方此方にごろ〳〵と寢たるも有れば高安座で山八煙草をふかすもあり石炭擔の人足とは斯いふ輩をいふ事かと律義な二人は氣味惡けれど思ひ込だ我子の行方の萬一知れる事もやと思へば再度一伍一什の噺を二人が物語れば清次郎は始終を聞きお前さん方が浪之助の親御達なら知てる丈は噺てお聞せ申やせうが此頃麹町に煩つてるの何のといふナア訝しい譯さ何故といへば癩病だか何だか知れぬ難病の男を連た女が來て道中からの此大病旅費も盡て旅人宿にも止宿かねると頼むから置て遣つたは一昨年の八月頃と覺えて居やすが故鄉の事は言ないが其病人は浪之助また神さんはお辰といふ容儀のいゝ中年增故定めて譯も有たらふと止て置うち其月の十七八日の頃でも有つたか其浪之助は疲勞が出て今にも知れねへ容體だにお辰とかいふ神さんは最不治と見極めたか一ツ二ツの着替迄引掻攫つて烟になり何程尋ねても知ねへので厄介者を置去りにした太へ阿魔とは憤怒て見ても承知でおいたが此方の失錯ことに病人は可愛さうだと集て居る者が世話をしたが其夜とう〳〵コロリと往生と聞て代助は吃驚し夫チヤア疾に浪之助は冥土の人になりましたか勘右衛門どん聞しつたか私は力が落ちましたと廻し合羽にハラ〳〵と霰たばしる悲歎の涙は實道理と清次郎も氣の毒さうに差よつて諺にいふ死んだ子の年何程言ても詮ねへことだ是から跡は廢止やすから緩り休息でお出なせへといふを勘右衛門が押留て委敷噺を聞ふばかりに横濱下り出て來た者根こそげ聞がせめての思ひ出御面倒でも其跡の結局を聞せて下されと請れて此方も斷り兼ね夫チヤア最些やらかしやせうと又說出す趣きを二人は如何と待かけたり(東京繪入新聞明治十二年二月八日第千九十五號)

○(毒婦お傳のはなし)其時魚屋清次郎は代助勘右衛門に强て望まれ御免なせへと火鉢の側に安座をかいて言出すやう可憐さうなは浪之助さ力に思ふ女房にヤア臨終際に見棄られ何程悔しいと思つても身體がきかねば仕樣がなくとう〳〵此處で息を引取疊の上で死だのが不思議位の始末だから葬送にも途方にくれたが放棄ておく譯にもゆかず寄てたかつて朋友が酷算段で桶を買ひ太田のさきの赤門といふ

寺の地内へ埋めたが經を讀だり引導をして貰ふといふ事にも行ずいはゞ犬猫同様なかなしい葬送をしたのが精限搭婆もなけりや今でも場所さへ慥にやヤ知れやすめへが寺へ行て聞合せたら斯いふことが有つた位は知つてる者が有やせうから私の噺の虚言でねへ證據に聞てお見なせへ飛だ愍然な讀切ものも是でお暇頂戴サネと始終おちなく物語るを聞代助は鼻うちかみお前さま方のお世話が無けりャア並木の松の肥しになる身お寺の地面へ埋つたはまだしもの事と諦めますが見棄て逃た女房がお傳といはずにお辰といつたは何分私に呑込めぬが勘右衛門どんは如何でござると言はれて勘右衛門も打案じ如何といふて私がにもお傳が名前を替たのとも又別人とも分らぬが其穿鑿は跡の事お邪魔をしチャア濟ねへから徐々行としませうと二人は傍でひそ〳〵語らひ清次郎には何程かの挨拶をして立出しが行方の知れぬ娘よりまさしく死だ二男の身の果心がらとはいひながら香華の手向を一度も受ず葬られたる所さへ知れないやうな事になるとは何たる因果と心に思へば足もすゝまず物をもいはず鐵の橋より馬車道通りへ來かゝる頃は暮果て瓦斯の光に暗はなけれど子を思ふ闇にくれまどふ折柄野毛の鐘の音に勘右衛門は心づき如何思ふても果しが無い是から先の相談は先刻別れた本町の上澤屋へ宿をとり一夜止宿て極やうと言れて代助も其意に隨ひ力なく〳〵杖を引て其夜はここに一泊し心ゆかしに東京の麹町を最一度尋ねて知れずは夫迄で直に歸村をする事と寢物語に取極めて翌朝早く出立し着京した儘休みもせず足をはかりに聞歩行ど是ぞと思ふ手懸りもなく迫二人もあぐみ果終に歸村をしたりしは同月(めいぢ七年三月)下旬の事なりしと斯て其年六月末麥の秋風吹過て日影も暑き門ばたに勘右衛門は臼をする麥舂くわざも夕日影かくる頃を我時と汗もしとゝに働き居るうしろに女の聲音にて爺さん何時もお壯健でといふは誰かと杵の手をとゞめて見れば中形の花美な單衣の裾端折りに脚袢ははけど麻裏の鼻緒を紐で結むだばかり遠くから來た體とも見えず蝙蝠傘をたゝみ絡りて被りし手拭取りながら爪先はたく物ごしに眼をとゝむればこは如何紛ふ方なきお傳ゆゑ勘右衛門は吃驚して此方は娘のお傳ヂャないか長の年月何處を回つて單身では歸つておヂャツたマア〳〵上れと家の中へ伴ひ入れし其後にいひ度事や聞度事は山の樣に積つてゐれど何かは差置四年跡逃亡をした其時に諸所はう〳〵と

尋ねたが行方の知れぬに詮方なく逃亡屆が出してあつて長の尋を其筋から仰せつけられて居る事ゆゑ歸つて來たかヤレ愛度と默止て濟す譯にはゆかぬが如何したものか心配ナと心もとなさ氣遣ひさと又嫌しさを取交て立たり居たり烏鷺つくをお傳は騷がずお爺さん左樣いふ事なら此方へはまだ立寄らない積にして直に熊谷の裁判所へ逃亡の科を自訴すれば何にも仔細はありませんから是から那方へ行て來ますと立にかゝるを親仁は抑留如何世間を歩行たので事を辨へて居るにもしろ裁判所などへ只一人女の身で出て不都合な事でもしては夫こそ大變殊に逃亡のお屆は夫婦ともぐくと出してあるに浪之助の歸らぬ事を。ヱヽお爺さん何だねへ心配するにヤア及びませむ私が行てツヒ鳥渡濟せて來るから默止てお出ナ。如何でも行なら一緒に行ふと立にかゝるをヂロリと見やり。分らない事をお云だねへ自訴に道連が入る者かねトずつかり言れて勘右衛門はお傳の顏をヂツト見詰め眉毛はそつて落しても我儘はまだ直らぬとみえる（以下次號）

記者いはく是よりお傳が熊谷裁判所に赴き再度家に歸りて後勘右衛門が横濱に聞たる件を推問するに至りお傳が案外なる答をなす等悉皆後日勘右衛門がお調べによりて申立たる事實にてお傳の口供に齟齬せるは巧みに言枉たるものなること前後を照らして知りたまふべし（東京繪入新聞明治十二年二月九日第千九十六號）

○（毒婦お傳のはなし）お傳は危ぶむ勘右衛門を尻目にかけて立出しが熊谷裁判所へ自訴せしは八月十日（めいぢ七年）の事にして浪之助の一件は其時何といひたてしてか逃亡したる其科は自訴せしをもつて免罪となり程なく故郷へ立歸れば勘右衛門はしかすかに待に待たる我娘の再度歸りしよろこびに先裁判所のことゆゑなく濟し次第を聞し後種々噺がたまつてあれど何から先に言ふやらすヽ夫々先第一に言ねばならぬは其方が浪之助と逃亡をし諸方を尋ねた其上で九右衛どん（お傳の養父勘右衛門の兄）や代助どん（浪之助の實父）と集て相談をした處が夫婦の心は分らぬが浪之助もアノ病體では迚も農業も得なるまい左樣して見れば養にしても家督を譲る目途がないゆゑ離緣をしたいと九右衛門が言出したので代助どんも否といはれぬ義理になり夫では二人が歸つた時表向に離緣を受やう先夫迄は親同士が離緣の事は極て置ふと噺をして別れた後今年三月末つか

た横濱からの報知の手紙が代助どんへ屆いたのでおれも倶々出懸て行聞けば聞ほど違つた事で麹町でも尋ねあぐむ手紙を出した上澤屋でも些も知らぬと言放され漸魚屋清次郎で浪之助の身の果は分つたなれど其時から女房は置去にして行方知れず名前はお辰と違つて居れど面貌から何からの樣子を聞ば慥に此方代助どんが心の裡で如何樣に恨んだ事かと察して見ると今でもォレは面目ないゆゑ其時現に魚で噺された其術なさ表向こそよもや／＼お傳が其樣な事はしまいお辰といふのは別人だらうと言遁れはしたもの丶オレが心にもコリヤ必定其方が浪之助を見捨たものと極めをつけ情ない氣になりをつたと朝夕泣て居る程故代助どんの身になつては恨みの程も嘸かしと思遣れて痛ましいと泣て語るをお傳は聞はて丶思ひ掛ない其濡衣私の噺も聞ないで餘慶な苦勞を何故おしだへ人も賴もしないのにト只一言も憎さげに落着はらつて居るを見かね勘右衛門はすり寄つて遠つて居るなら噺て聞せナ如何だ／＼と急込めば吸さす烟草を打はたき烟管を杖に語るやう其樣なお前の氣になるなら一通り噺ふかね浪之助さんのアノ病氣は只では癒らぬ癩病ゆゑ湯治をさせた其上で（上州邑樂郡）藤川村の高正寺へ一年ばかり逗留して稼いで見ても追付ず其內病氣もよくないので是では迚も詮方が無いから夫婦別れをして仕舞其方は見込の事をやり如何でもして稼いで呉んナ併是迄長の年月看護うけた深切は決して仇には思はないと言出したのが始りでいろ／＼相談をした揚句に別れてからは獨稼ぎで諸方を步行て歸つたのだから浪之助さんの行方も知らず況て橫濱で死去たとは聞のが眞に今が最初長く面倒を見た禮は躬御さんから受るつもりを恨まれては立目がないよ置去りにしたの不人情な事をしたのとおいひのはお辰とかいふ他人の事で私が何で知るものかねと語少なに言解を皆眞實とは聞ねども證據なければ勘右衛門も强て咎むる譯にもゆかず半信半疑の樣子を見てお傳は心に快からず長居をするは惡からんと早くも推察せしものか留るをきかず其年九月再度麹町八丁目十六番地の瀧口專之助かたへ寄留して稼いで來ると立出しは後の本夫小川市太郎とひとつになるべき目論見なりしを眞の親にも少しも洩さず其後は便もせざりしとぞ（以下號次（東京繪入新聞明治十二年二月十二日第千九十七號）

○（毒婦お傳のはなし）お傳が故鄕を去りて麹町へと言殘したは本夫同樣になつて居る小川市太郎をさして來たので

もと市太郎は尾張國春日井郡の小川瀧藏の長男で明治二年に東京へ出て大傳馬町一丁目の砂糖屋へ雇ひにはいり後安房の國舘山藩の雇卒になりしが程なく廢藩にて雇ひをとかれ東京へ出て外神田の旅籠町へ飯屋を出した頃仲町の秋元幸吉の所へ懇意に行通ひをしたので何時かお傳とも知己になりしが旅籠町を移轉て麴町二丁目に糠渡世をして居る頃(めいぢ六年四月)お傳が靜岡邊へ行積と市太郎方へ音信たを如何いふ譯でと尋ねると長々仲町には居たるものゝ小澤伊兵衛は歸つて來ず詰らぬから稼ぎの爲靜岡あたりへ行つもり(旅宿秋元幸吉方へ遺書をして迯出たる時なり)といふを市太郎が引留て獨身者の不都合勝否でないなら夫婦になり俱に稼いで見やうと暫はもとより開たロへ牡丹餅の甘い事と是より市太郎が近在かけて周旋やら商法やらに步行にも倶について回つた程にて追々長なるについては一度上州の故鄕へ行寄留籍を取て來ると翌年出て行たりしが歸つて後は麴町の八丁目なる瀧口專之助へ市太郎と倶に借家をして居る中に熊谷在の大麻生村の鈴木濱次郎といふ者が桑苗の取引筋で度々市太郎のかたへ來てお傳を引連三人で商法筋の旅行をする中お傳は濱次郎をも引かけたが市太郎が知らぬ顔で打捨て置くも一ツの商法其內房州へ用があると市太郎が出た跡では新富町の三丁目宍倉佐七方へ濱次郎とお傳は暫時同居をしまた市太郡も歸た後はともに同所に居た所が是より前に濱次郎とお傳がとも〲熊谷へ立歸りに行し時僅ながらも家財をば店請人の黑川龍司へ預けて行たを歸た後引留たとの紛紜より遂に同町の三番地行川やすといふ方へ寄留替をしたりしは則九年の事なりしと(以下次號)

記者いはくお傳市太郡が商法筋とて愛知縣其外へ旅行する事屢なれど煩はしければ省きつ今日記す所は吉藏と馴染になるべき下染にて其手續の興薄ければ大略にして筆をおきぬ(東京繪入新聞明治十二年二月十三日第千九十八號)

○(毒婦お傳のはなし)お傳は市太郡が何くれとなく商法の才取やら周旋やらにて近國近在を駈まはるにも常に其後に從ひ行は若干分の利益のある時透さず是を卷揚で體よく河岸をかへやうと心の裡には目論見たれどさる好機會の無のみならず此方も妻とはいふものゝ深くは心をゆるさねば爰に一ツの方略を考へ製茶の見本を持步行是は私がさる方で九百貫匁を半金差で買つけて置たもの故金子の入用もあり殊に引取の期限が來たゆゑ金を貸とも買取とも相談をし

て呉る人が何處にかゝらば賴み度もの若四五日の日が過ればば三百五十圓の手金流れで飛だ損毛になりますからと頻にいふのを市太郎も何をいふかと思ひながら見本を受取て同居せし宍倉佐七節へ聞合せると早速外に金主が有て品を見た上金を出さふと熟談になつたから其趣を市太郎からお傳に噺すと大きに悦び實は大麻生の濱次郎の家に引取て有のだから一緒に行て見て下さいと慥な噺に夫ならばと佐七郎は榮助とかいふ金主を連てお傳とゝもに熊谷在迄行て見ると見本と現品とは大違ひで品が至て麁物ゆゑ金主は佐七郎は倶に腹を立て歸つたので跡からお傳も歸つたが是で大損をしたとか言てお傳は小遣にも困る體のを佐七郎は氣の毒がり行川おやすの賄から何かと助成をしてやつたが斯で厄介になつてはすまず一金策してお借も返し身の立行もつけますと毎夜の樣に出懸ては深夜に歸るは忍び〲に彼の流行の淫賣を働いたかと思はるゝが八月廿六日(めいぢ九年)の夜ふと出たぎりで翌日も歸らず夕方にふと歸て來て何分金策もつき兼たが先是丈でも取て置てと太政官の一圓札を佐七郎へ返却したのを受取て置たと言がお傳がしば〲他出した時(おなじ月二十一日ごろ)以前島原で兎市の帳場をして居た檜物町の後藤吉藏といふものに逢ふと古着渡世は表向で今は金貸の周旋をして居るとかいふ事で形裝も想應になつて居るので麴町に住居の頃古着を少し賣たを緣に馴々敷聲をかけ房州舘山の懇意な人で田中屋甚三郎といふ者から生糸一箇女帶地三十本抵當にして二百圓程用立て下さる事は出來ませむかと噺かけるを吉藏は虛實は知らず泣ついて賴まれるのを斷り兼たか但はお傳が色香に愛兎に角手なつけて置氣で有つたか檜物町へ連れて行其品物の相談もし金が出來れば淺草邊へ持出しもする約束迄したのは慥に吉藏の女房お浪も聞居たりしが其後お傳が再度來て廿七日の午後から淺草へ行ますからと爰に待合せる場所を定め急いで家へ歸りしが是迄多く者を誑して身の榮耀をばして居たれど近頃相應の相手もなく困窮するより惡心のます〲募りて吉藏が容易二百圓持出さふといふ其口上を眞と思ひ色に事よせ欺き取るか若さもなくば此度は殺してなりとも金を奪ひ一趣向する目論見なりけん竊に同居佐七郎の剃刀をば盗みおき其日は(二十七日)朝より殊更に湯にさへはいりて磨あげ久しく結ぬ丸髷にたしなみ置し珊瑚珠の根がけをかけて形裝もつくろひ午後に新宮町を立出て兼て約束し

置たる南八町堀の或薔麥店の暖簾のうちをうかがふに早くも吉藏が待て居るゆゑお傳は爰へ立入りぬ

記者いはくお傳の申立には後藤吉藏は横濱にて內山仙之助といひし者にて姉お兼を害したりと思はるゝ證據は現に姉が實親廣瀨半右衛門より相傳せし短刀の小柄の其家に有りしを見認是より姉の家財取片付の事を聞に貸金のかたに引取たりといふに付短刀は姉の遺品ゆゑ買戻し度との噺をせしに其品々は淺草邊にあるよしに付吉藏に誘はれ買戻しに行しが先方の都合にてはからず手間取遂に藏前に一泊するといふ手續なれど夫は僞にて誠は上に記す如くにて是は宍倉を始め吉藏の妻のしたしく見聞たるところを申立し所にて佐七郎方で剃刀の紛失せしはお傳が盜みしものと後日たしかに分りたるより短刀の云々などの跡形もなき事なりしを知る手續とはなりしなり

（東京繪入新聞明治十二年二月十五日第千百號）

○（毒婦お傳のはなし）丸竹の奥二階に止宿もとめし吉藏は毒婦お傳にはからるゝとは自己は夢にも知らずして却て貸金取引の手違ひの爲同宿せしは僥倖なりと心に思ひ强つけられし振舞酒に飽迄醉ひて臥床に入りしがお傳はうまくはかり負せて先こゝ迄は來たれども如何なる手管で持來りし二百圓を奪はむかと小暗き旅人宿の行燈のもとにつくづく獨考へ居しが晝の暑さも忘るゝばかり夜風は肌冷かにて稍更ぬるか往來する車の音も稀になりあたりも靜になりし頃體よく欺誑して取らふとしても彼奴も迂濶とは渡すまじ寧その事に兼てより思ひ設けし手料理に息の根とめて心に目論見此家の家長を初寢入し樣子を見ての上でと徐々下の厠へ行家內の寢息を窺ふに晝の疲れに一同が前後も知らぬ有樣なるにお傳は再度二階へあがり行燈の光をかきたてゝ蚊帳のもとへよる折しも此物音に眼をさましてか寢ほれ聲にて吉藏が此方へ早く這入てお寢ナト引入るゝを打も拂はず莞爾笑つて其儘に蚊帳のうちに入りし後は如何なる事をなしゝならん明近き頃臥床を立出厠へ行て歸り來つるお傳は在明の燈火をかきたてながら傍なる矢立の硯を取出し鼻紙のべてさら〳〵と遺書たる一通の其文面を後に見るに

此ものに五年いらい姉をころされ其上私までひどうのふるまひうけ候へどもせん方なく候まゝ今日までむねんの月日をくらし只今姉のかたきをうち候也今ひとたび姉のはかまゐりいたし其うへすみやかになのり出候けしてに

げかくれるひきうはこれなく候此むね御たむろへ御とゞけ下され候

かわごい生れの　ま　つ

と爪印までして密に臥床のもとへ置兎角する間に夜はあけて下婢が雨戸を明に來ると旦那は前宵お酒が過て未にお目が覺ないからお寢し申て置てお呉れ疳癪もちでお出なさるから無理に起したり何かするとお憤怒なさる癖があるから蚊帳も此儘釣て置てお目の覺るを待て下さいと言るゝまゝに旅宿の下婢も心づかずに二階を下りしが間もなくお傳は下へ來て鳥渡近所迄買物に出て來ますから二階の旦那がお起で有たら此事を左樣申して下さいと何氣ない體で帳場へ斷り出行し儘歸て來ぬに晝近く迄起出ぬ二階のお客も餘りの事と蚊帳ごしに透て見るに枕も外さず四布蒲團を打被りつゝ熟睡せし體には見ゆれど何とやら不審な樣子と心づき蚊帳取外して打懸たる蒲團を取ればこは如何に咽喉もと深くさし貫かれて面色さへも變果疾に死したる體なれば家長大谷三四郎は打驚きて其間を調べ遺書たる一通を發見し直に第五方面第一分署へ訴出しと（以下次號）（東京繪入新聞明治十二年二月十八日第千百一號）

○（毒婦お傳のはなし）後藤吉藏が二百圓たしかに持て來たといふに嵩きは半圓ならんと遉のお傳も思ひあやまり新富町の宍倉方にて盜み置たる剃刀にて難なく殺して死骸をば熟睡の體に仕成しておき扨彼紙幣の包を見るに十錢紙幣のみにして見込の金高とは大違ひゆゑ心に痛く驚けど今更何とも所詮なければ姉の復讐と遺書して是迄幾度か僞名にて跡をくらましゝ例にならひ斯して置は氣遣なしと膽太く旅人宿大谷かたを欺きて直に新富町へ立歸り朝夕來ては督責らるゝお菊といふ女を初め買がかりの不義理などへ聊づつ返金せしが彼盜みたる剃刀をも何喰ぬ顏でもと／＼へ返して置むと思ひしが害せし時に損じさせけむ刄のこぼれしかば此儘では戻しがたしと同町三番地の今宮秀太郎といふ小刀硏へ賴み置しは翌廿八日の早朝なりしと斯て藏前の大谷より事の次第を訴へ出れば其筋よりは醫員を引連直に死骸を檢視されしに刀劍庖丁等の疵にあらず恐らくは剃刀ならんと認せられし廉もあり害せし者は同宿の婦人に紛れなき事は遺書にても明了なれば先大谷にて其者の人相等を取糺され探偵最嚴重なりしにいかで遁るゝ事を得むお傳は行川やす方に何氣なき體で居たりしを矢庭に捕縛せられしは

廿九日(めいぢ九年八月)の事にして其筋にてのお糺に姉の復讐といひたてゝ其顚末は前號に追々記せし如くにてまさしく沼田の藩中なる廣瀨半右衛門の落胤なりといひ立れば其虚實を調べられしに沼田金內町第百八十一番地の士族廣瀨人明といふ者の父は半右衛門といひしかどもお兼といふ娘はなく半右衛門の實父にて(當代久明の祖父)次郎左衛門といふ者の長女をお兼とよびしが即半右衛門の姉にして明治九年より六十餘年前文化九年十一日廿二日同藩の士族にてことに米家の續合なる廣瀨流平といふ者が發狂しお兼が幼少にて門前に何心なく遊で居たを無慘にも殺害し自分も是はと驚きけむ其場を去らず自殺せしとは久明も聞知れど其餘にお兼といふ者決して無きは明白にて狂人の爲に即死せし半右衛門の姉お兼は同所材木町天桂寺に貞敎院梅顏清香童女の石碑を殘して早世せし者なる事の判然したればさてはお傳が月足らずにて生れしといふを幸ひに兼て聞たる話說によりてかゝる詐僞を長々敷作りまうけしものならんとて猶嚴重のお調ありしと(以下次號)(東京繪入新聞明治十二年二月十九日第千百二號)

○(毒婦お傳のはなし)お傳は召捕られてより數度其筋にてのお糺しにも後藤吉藏は短刀もて無理に靡けんと迫りしを打拂ひつゝ逃る時自過つて咽喉へ疵つけ遂に絕命したれども姉の讐ゆゑ云々の遺書を殘せしにて我手を下して刺殺せし覺えは毛頭なしと言立前後揃はぬ事ながらも執ねく實を述ざりしが姉の一件其外とも殘るかたなきお調べに詐僞かざりし廉々の追々露顯するまゝに遉に心の易からでや身獄中に有ながらまた大膽にもはかりしは新富町にありし頃同居となりて世話をされし宍倉佐七郎が一昨年中竊盜犯の廉によりて終に其筋へ差送られお傳が居りし隣檻に暫時拘留せられしが如何なる折に顏を見合如何なる隙に言合せしか姉のお兼が吉藏に殺害されし保證人に立て私のあかりをたて若免されてお互ひに出檻したらば其時には必ず妻にならんといふ甘き語を眞として佐七郎は約を違へず放免の後此事を自分と其筋へ言立しが元來跡形も無き事ゆゑ忽地虚言とあらはれて却てお傳に賴れし其事をさへ白狀せしが猶もお傳は遁れむものと又も謀りし一條は彼剃刀の研磨を賴みし今宮秀太郎(二十四五)といふ者なり渠は當社の新聞にも長く掲げし事ありしもと八町堀の仲町邊に牛肉渡世は表にて强盜を働きしにより終身懲役の處刑となれる小林愛之助の養子にて竊盜三犯の科により後に懲役十年の處刑になりし者なるが其お調中此者も同くお傳の隣檻に拘留して置れしが前の佐七郎と同樣なる約束をは結びしと見えお傳が吉藏を殺害せざるは其場にありて仄に見受兼て承知の事なるよし保證の旨を自首せしは去年二月の事なるが是さへ忽地お調に其詐僞の明白なるを今度は殊更お傳をも等く法廷へ呼出され突合せの御吟味に秀太郎が賴みを受しと逐一白狀したりしかば普通の者たらば爰に實事を言立べきにお傳は力を落しゝ體にて覺悟はきめし樣子ながらも前々の趣のみ猶いひ張りて退きし後數日斷食などもして餓死せんとまではかりしが監守の人のゆるさぬばかりか斯る罪業深き者のいかでか然る死の遂らるべき數日の後に口供定まり拇印をなして監獄へ送りもどされし其折に左の一首をば口吟しと

しばらくも望なき世にあらんより
渡しいそげや三途の河守　(以下次號)

(附記二十一日の記事讀賣報知の刑の言渡と同文の爲に略す)(東京繪入新聞明治十二年二月廿日第千百三號)

澤田撫松居士追悼

わが大衆文壇に常に一方に覇を稱へてゐた澤田撫松氏は、過般來流行性感冒がこじれて慶應醫科大學附屬病院に入院してゐたが、主治醫正木不如丘博士等の懇到なる診療も效なく、去る四月十三日正午多幸なる將來を遺して遂に他界された。氏を失つたことは返す〴〵も哀悼の極みである。で、今回生前氏に好意を持つてゐる同志が集つて、こゝに氏の追悼號を出すことにした次第である。

澤田撫松君を悼む

佐藤紅緑

弔詞

澤田君、僕は隨分長い間君の御世話になつた。何の因緣か知らねども初めて君に會つた日から御互の意氣が投合し百年の舊知の如くであつた。僕が君に會つたのは明治三十七年だ其れから君も僕も數奇な運命に弄ばれつゝも互に扶けつ扶けられつして、今日まで淸節を全ふして來た、君の寬大な人格と思慮深い識見とは能々我儘な僕を容れ僕のいろ〳〵な計畫に就いて忌彈なき敎示を垂れてくれた。一昨年君は僕の寓居を叩き久し振で半日の快談をして別れたが其れが永久の御別れにならうとはどうして思ひ得やう君が居新築の報に接して、僕は君が書齋に幸多かれと祝福して居たのだ君と僕とは同年而して影の形に伴ふ如く提携して來たものが、君は逝き僕は殘る僕の腸が千切れる樣だ。もう二度と君に會へない、死んで靈があるものならたつた一度で可いから僕の書齋に來てくれ給へ僕は亦た死んでから君の所に行かう。

君の訃を聞いたのは餘りに晩かつた爲めに僕は君の遺骸に御別れの涙を濺ぐ事は出來ない、遙かに此の辭を綴り一柱の香を捻して君の靈に手向け生前美しかりし君の友情と寛大と親切とを感謝する

　春雨はさひしき
　　ものと知る日くれ

昭和二年四月十四日

辱知　紅綠

世の中には順境の人と逆境の人とあり、小學校から大學を卒業して直ぐ専門の職に就き其儘死ぬまで專門に沒頭して終る人もあるが向ふの岸へ着かうとしても激流に押されて東西に漂流し遂に心にもなき岸に着いて一生を終る人もある。逆境の人は自分の好きな事をやらうと思つてもなかなかやれない。さうして意外な境地で月日を送る。これほど損な事はない。シエーキスピアは鷄を盜んだと言つて村の人氣が惡くなつたので倫敦へ高飛びし劇場の下足番（馬を預る役）になつたが、其れが緣故で世界唯一の文學者となつた。何が幸福か解らないが、自分の目的に向つて進めない人は一番不幸だ。

澤田君は不幸の一人である。僕が澤田君と知り合になつたのは明治三十七年頃で福本日南氏の紹介に依つてゞあつた。其後どういふわけか二十餘年の今日まで、君と僕とは骨肉の如く親しい交はりを續けて來た。初めて會つた時には君も僕も慘憺たる貧乏で、僕は系累が多いだけに更に苦しかつた。君は日本の法律が餘りに不完全だから法律を改正したいといふのが目的であつた。君の意見は法律と社會を密接に近親せしめなければ國家は煩瑣な條文に疲勞してしまふといふのであつた。君は催眠術が上手なので、食ふに米が無くなると飄然として田舍を巡り催眠術で食ふだけのものを貯めて歸り、それからコツ／＼讀書して居た。毎日僕の宅へ來て、歲の暮には四斗樽を玄關に据え、債鬼に酒を飲ましてやつて追拂つた事があつた其の後君は田岡嶺雲氏と共に新聞を起したが間もなく廢刊した。隨分貧苦と戰ひつゝ君の素志は變らなかつた。君は野口男三郎の事件に興味を感じたのは此の前後だつたと思ふ。「男三郎の告白」といふ君の著書は今日に於ても君の他の著述の中でも傑出したもので當時は人心が單純で善を喜び惡を憎む念が

頗る强かつた。が君の意見は其れと違ひ男三郎の罪も徹底的に非難しつゝも、人間としての彼に一掬哀憫の涙があつた。恁ういふ觀察は今日に於ては極めて平凡であるが當時にあつては極めて新しかつたのである、君は此著に依つて法律違反と道德違反とを劃然と區別しやうと試みた。一般讀者にはどういふ反響があつたか知らぬが、法學者仲間には可なりのショックを與へた。

其後君は益々貧乏に追はれながら益々研究を續けた。君の研究は次第に社會の裏通りに向つた。貧民、勞働者、淪落の女、病的犯罪者、此等は君の犀利なる筆に依つて紹介され、解剖された。僕が讀賣新聞社に深い關係を有つた時君に司法方面を擔當して貰つたり又編輯をやつて貰つたりした。さうして讀賣には無くてはならぬ人となつた。平素は沈默寡言であるが一朝大事が起ると衆目が君の方へ向くそこに君の德があり力があつた。

君は何時から文壇の人となつたかは僕は知らない。恐らくは澤田君自身も知らないだらう、澤田君は飽までも法律界の人でありたかつたのだ。だが君の調査した材料の斷片が小說の好材料であつた爲めに其の筆が小說の匂ひを帶びて來た。世間では隨筆家として君を推すが、君に取つては迷惑かも知れない。君の到著點は文藝家でなくして、屹々として調べあげた材料を取捨按排し、そこに君の「法律と社會の關係」に就ての一大議論か構成しやうといふにあるのだ此の結着點に行かない中に病に倒れたのは何といふ痛ましい事であらう。

十五六年前に君は僕の家へ來て素ッ裸になつて腹を見せた。腹は布袋の如く膨れて手を觸れると石の如く堅い。君は靜座法の功能を僕に說いた僕も其れに動かされてやりかけたが僕には元來不治の病がある。其れは北淸事變で從軍した時負傷した腹の病である。呼吸呑吐する度に底が痛いそこで僕は君に靜座法は呼吸に依つて腸を固めてしまふ方法だ。これは非常に有効かも知らんが人に依つては非常に害がある、君も注意しなければ不可んと言つた。君は毎でも僕の言を快く聽いてくれる。僕も君の言は何でも聽くのであつたが、此の時ばかりは僕の說に反對した。其話は其れきりに終つたが、十日ばかり經てから君がやつて來た。さうして腸の工合が頗る惡いから靜座法は中止したと笑つた。何しろ其れまで二年餘りも續けたらしいので僕は君に

故深田撫松氏像

寂光院泰嶽撫松居士靈前の未亡人（告別式の朝）

會ふ度に腸の事を訊いた。

讀賣を出てから君は毎夕新聞に入社した。君の研究は益々白熱を加へて來たで、君は三年の後毎夕を辭して專ら自分の研究に沒頭した。五六年前の事である、僕が君を訪ねると君は病床に臥して居た福島地方の炭鑛を視察して何百尺とかの地下に大冒險の踏査を試みた爲めに奇妙な病に犯されたのである。君は如何なる事に對しても眞劍過る程眞劍である。之が君の偉大な人格で、どん底まで究めた上でなければ筆を取らない。君は一地方に行て何か調査しやうといふ場合に、先づ宿屋へ按摩を呼んで其の町に就ての概念を得るのだと曾て語つた事がある、君の調査は極めて周到で、普通の人なら百頁に書くべき材料でも君は嚴しく選擇して二十頁位に縮めるのである。疑はしき點があると斷じて書かない。書く氣になれないのである。其れは君が職業文學者でなくして、研究家であるからである。

此の奇妙な病氣の時も僕は腸から來たのだと言つたら君は非常に笑ひ出したいつも腸の事ばかり言ふので君も呆れたらしい。僕が外國から歸つた時、横濱の波止場でいかにも寒さうに待つて居た君を見た。其の時君は寒冒に罹つたさうである。僕は腸の事を言はうとしたが君に笑はれるから言はなかつた。昨年君が京阪地方を踏査に來て、久し振で僕の寓居を訪ねてくれた。半日の快談で袂を別つたがこれが最終の御別れとなるとはどうして僕に思へやう。其時にも腸の話が出た。實際君は腸が惡かつたのである。僕が顏を見る度に腸の事を言ふので、僕に心配させまいと故意に平氣を裝て居たが靜座法の研究は實際詰らない事であつたとしみ〴〵と僕に語つた。どうしてもやらうと思へば飽までもやり通す君の性格から言ふと。止むを得ない事である。

今度君が寒冒から腸に故障を來したといふ事を聞いて僕本當に殘念で堪まらない。併し一面から考へると、催眠術なるものが日本に來るや否や。其の研究に沒頭して靈魂と肉體の關係を知らうと努め遂に斯道の蘊奧に達した君が、監獄でも癲癇でも鑛山でも精神病者でも變態性慾者でも、さうして靜座法でも力の限り研究に研究を重ねた眞劍な社會研究者としての君の本分は此に盡されたのだ。斯くして君の最後の大論文は未成のまゝ君は死んだが、君の眞劍な全人格は矢張り後の人の靈の中に何時までも殘つて居るのだ齡五十を過ぎて親しき友を失ふ程の悲しみはない。

撫松君の墓に哭す。

澤田撫松居士を弔ふ

江見水蔭

澤田撫松君と知つたのは、明治三十一年から三十二年に掛けての間で、自分が『神戸新聞』記者時代で有つた。國士として世人から敬慕された故櫻井一久先生。そこへ自分は白河鯉洋に連れられて能く遊びに行つた。その時の玄關番が澤田撫松君で有つたのだ。(他にも一二名ゐた)玄關番と云つても普通の家のと違つて、貧乏に關らず豪遊して、巧まざる奇劇の主役たる櫻井先生の家の事だから各方面から借金取は來る。又多方面の人々が面會を求めに來るので、迚も尋常人では勤まらなかつた。そこを巧く取扱ふといふ點に於て、澤田君は非常に骨が折れたに相違なかつた。

明治三十二年四月三日、關西文學同好者大會といふのを河井醉茗、中村春雨、一色白浪などで、垂水海岸の櫻井一久別邸旬日庵で開催した。自分と鯉洋とは顧問といふので其所へ引張り出されたのだが、その時最も斡旋したのが撫松君で有つた。

その後自分は歸京して、博文館に入り、それから明治三十七年には『二六新報』に入つた。すると同社の三面外交部員の中に撫松君のゐるのを發見した。これは實に奇遇なので有つた。

然るに同新報が例の露探嫌疑を受けて、非常な苦境に陷つた時に、その應急策として、中村弼君が主筆と成り、自分が三面主任(今の社會部長)といふ事に成つた。それと同時に社員の數十名を一時に馘首するといふ事で、それは併し無能だから止めさせるといふのではなく、有能の士でも止めて貰はなければ成らなかつたので。

その首斬役を自分に押付けて、秋山定輔も、小野瀨不二人も、秋田濟も、福田和五郎も、皆逃げて了つたのだ。これは無理もない事で、以上の人々としては、迚も情に於て忍びなかつたのであらう。

自分は入社間もなく馴染の度が薄いので、比較的冷靜に實行出來るだらうといふので、それで一人々々應接間へ呼んで、因果を含めて宣告に及んだので有つたが、其馘首者の中に澤田撫松君も加へられてゐて、自分としては一番こ

(163)

の撫松君に言ひ渡すのが苦痛中の苦痛で有つた。

中には厭な顏をした人もあり、食つて掛りさうな人もあり、又甚だ未練の態度の人も有つたけれど、澤田君に於ては、實に立派な態度で有つた。さすがは櫻井門下だと感動せしめられた。それだけに殊更自分は同君に氣の毒で耐えられなかつた。

明治四十二年の頃。『東亞新報』といふのが出來て、それには田岡嶺雲君が主筆で、樋口岡象、池田愛泥諸氏が在社した。自分は『木枯街道』といふ小説を匿名で送り、挿畫を珍らしく小川芋錢畫伯が畫いた。その原稿の事で、撫松君が一兩度來られたが、この新聞は非運にして間もなく潰れた。

その切、撫松君と相會する機會が無く過ぎた。

同君の文名が、情話家として、隨筆家として、日々隆々の域に達して行くのを、蔭ながら喜んでゐると同時に、實は又同會の愛讀者の一人で、平常寄贈を受けてゐる雜誌外に同君の新作が出てゐるのを、廣告で見て知つた場合には、わざ〳〵購讀した事さへ少くなかつた。

其取材、其運筆、正に一家を成してゐた。名は忘れたが熊本水前寺のローマンスの如きは自分としては同君の傑作の一つだと信じてゐる。

最近、大衆文學の最初の作者顏寄を、萬安樓で開いた時に、久々で同君と邂逅した。自分は可慕しさに、特に同君を自分の右隣の席に招じて、共に膳を並べて往時を語り合つた。

これが同君との永別に成らうとは、夢にだも思はなかつた。若し二人が永別するとすれば、年齡からでも、病軀からでも、自分の方が先きの筈。それが逆――突然過ぎる逆――新聞で訃報を見て、自分は本統に吃驚して、頓には信じる事が出來なかつた。

『騷人』で自分の過去に就て同情深い文を發表して呉れた撫松君。自分は眞底から感謝して禮狀を出したのだが、此人こそは自分が死んだ時に、猶又自分を認識した眞知己の文を發表して。追悼して呉れられるものと、然ういふ風に安心してゐた。

それが逆に成つた。不幸にして逆に成つた。自分が同君の追悼文を書かうとは………。

あの春雨霏々たる下、金龍寺の墓地に立つて、棺を埋める土の音を聽いて、自分は生きながら葬られるのだ。斯うして自分の同情者は皆先きへ急いで行く。然う痛切に感じた事までを茲に附記して、梅原君からの需めに應じ『文藝市場』の紙上を瀆がす次第である。

或日の澤田撫松君

生方敏郎

澤田撫松君は、昨年の夏頃私の內へ高橋お傳の若い時の話を聞きたいと云つて來た事がある、それはもつともな話で、お傳の十五歳の春から十九歳の秋迄、私の母の實家に奉公してゐた事がある、そしてお傳は午丙の生れで、私の母よりは二つ若く、叔母よりは三つ若かつたが、仲々智慧は增せてゐるので奉公人と云ふよりも友達交際であつた、そんた譯だからお傳の前橋に出る迄に殘した逸話は隨分澤山ある、澤田君は、それを聞く爲に來たのだつた。

もつとも、それより前にも子供が死んだ晩に來られて、遲く迄話して歸られ、それから段々懇意になりかけてゐた私は始め澤田君を餘り重く視てゐなかつたが、一度會へば逢ふ度にあの人を尊重する樣になつた、文章等餘り巧くないが、正確な智識と優しい感情とを持つてゐる、又此の世の中と云ふもの、人情と云ふものを根本から知つてゐる、實に立派な人だと思つた。

そして居る內に、計らずも梅原北明の發起で、井東憲、伊藤竹醉、村山知義等面白い顏の取合せで、私を誘ひ出し何處かへ出掛けやうと云つて自動車で東京驛へ向つた。

品川驛で僕には全く思ひ懸けなくも、ノンキナトウさん事、澤田撫松君がノソリ〳〵、車室へ這入つて來た、それで一同揃つた譯だ、それから天狗俳會などしながら行く內忽ち三島驛に着いて日が暮れた、皆は修善寺へ向ふつもりであつたのを、ノンキナトウさんの說に因つて長岡溫泉山田屋に變更した、さてそれから翌日の晝迄、病氣の爲に苦しんだりした事迄の細かい事は、僕自身で發行してゐる、ゆもりすと五月號に執筆したので、それから先の半日ばかり、ノンキナトウさんの性格を見るに最も面白い所を愈々之から私は語らう。

夜明前から、澤田君は持病の喘息を病み始め醫者は容易に來ないし、散々吾々が憤慨してゐる內に、やつと十一時になつて來た、そして注射一本の効果で十二時頃には最早ノンキナトウサンになつてゐた、そしてゐる内に宿の主人が皆を三津ヶ濱の海水浴を御馳走する爲、案内するとて自動車を呼んだ。

それに乘つて暫らくすると、最早三津ヶ濱へ着いた、後は山、前は海、何かにも田舍らしい海水浴のお客相手の茶屋が數軒ある、小さい河童共が三四十人も海の端じつこでバチヤリ〳〵やつてゐる、貸ボートもあり、和船もあり、何かにも賑かだ、誰も皆泳ぎに行つた、只私とノンキナトウサンだけが、愚圖愚圖してゐる間に、澤山西瓜を持つて來られたので、私は喰ひ氣が先に立ち西瓜を大分喰べた、それから澤田君を海へ誘ふと、

『僕は此腹だから駄目だ〳〵』と

云つて、フウトボールのもつと大形の、ベン〳〵たる腹を出して撫でゝゐた、それで私だけ泳ぎに行き、いきなり船を借りて梅原と福山、僕と三人で淡島迄行つた、處が餘り風が強くなつたので漕ぎ戻した。

『之から私自身の一寸した失策談があるが、內處にして置く』

私が宿屋に戻ると、忽ち濱へ發動汽船が來た、それに乘つて一里とは行かない間に、段々波が高くなつた、富士は眞北に雲に浮んで美しく見えたが、餘りに荒い土用波の爲に船は木の葉の如く上下に動き、繁吹は盛に吹き込むので誰も皆醉ひこそしないが氣味惡く思つて居たが、中にも澤田君は最も波を恐れて、それこそ、ノンキナトウサンどころではなかつた、しかし、荒波に浮んで蒸氣の力で、安々と漕ぎ行く事は、吾々にとつてはいかにも、壯快な氣持だつた、船は程なく沼津千本濱へ着いた、千本濱の松原には主婦の友のテント村があつて、其處には私の長男が御厄介になつてゐた、私はそれを一寸來た序に見舞たいと考へて三津ヶ濱の料理屋の二階で話したので、誰も皆行つて吳れる事になつたが、其テント村の在る場所が、一寸知れなかつたので人に聞くと、かへつて反對の方角を敎へられた。そして細い丸木橋を渡る時に、いかにもノンキナトウサンと云ふ格好で、既に危ふかつたが先づ落ちないで渡れた、そして直ぐ又其處へ來た人から、之は全く反對の方角だと敎へられ、更に皆んな沼津公園の方へ引き返さうとしたが誰も時間を急いでゐるので、早くズン〳〵行つてしまつた

澤田君の餘り歩くのゝ遲れるのが氣毒なので、僕と梅原とが態と遲れて後からついて行つた、すると吾々の想像通りノンキナトウサンは石の上から靴を滑らし海の中へ眞逆樣に落込んだ、水はバシヤリとも撥ねずに、龜の子が沈んで行くやうに靜かに沈んだ、そして只赤皮の大きな靴だけがニヨツキリ出て居た、僕は先づ、大變だと思つたが、直ぐに、フウ／＼と吹き出した、其格好や擧動が、いかにも可笑しかつたからだ、其處へ梅原が駈けつけて來て。

『これりやあ、一體どうしだもんだ！』と云ひながら、足を持ち、股を持ち等して、海の中から救ひ上げ、僕も或は少しは手傳つたかも知れない、其記憶は明瞭しない、何しろあんな大きな圖體の人間が落ち込んで自から勉めて浮き上ろうともしない時に、私のやうな力の少ないものが、どうして、之れを引き上げる事が出來るか、とても、どうする事も出來ない、斯う私が弱つて居る所へ、少し遲れて來た梅原が敏捷に働いて引き上げたものかも知れない、何しろ餘り驚いたので其時の事は明瞭憶えてゐない、

澤田君を引きたてて、一二三町行くと主婦の友のテント村へ出た私の子供は早くも父を認めて駈けつけて來た、そして村長さんを私に紹介した、私が始終子供の厄介になる御禮を述べて、又彼のまめ／＼しく働く樣子を見てゐる間に澤田君は露をふるひ、焚火で乾かしてゐた、それから東京へ歸る汽車の中でも澤田君は案外元氣よく、天狗俳會等しながら品川迄來て僕達と別れた、それ以來八ヶ月にもなるのに、私は不幸にして一度も會はない。

私は今年一月中から流感に罹りそれが變じて、肺炎と腎臟炎とが併發した爲、二月三日に小石川帝大分院に入院したが、澤田君は早くもそれを知つて、三度も見舞の手紙を寄せられ、最後には早稻田文學社へ宛て、私への見舞金をも送られた程であつたから、私は四月十三日に梅原北明がやつて來て、今日澤田撫松が死んだと、細かい話をする迄、私は何にも知らないでゐた位いだ、嗚呼！人の命程宛にならないものはない。（四・三〇）

撫松先生

田中貢太郎

撫松先生澤田忠次郎君は、昭和二年四月十三日午前二時

を以て永眠した、澤田君は私の尊敬する友人の一人であつた。

　澤田君は紳士で何處となしにきつとした處があつたので私は常に尊敬して書信などには長上に對する禮を以てしたたゞ深い關係がなかつたから精しい經歴は知らないが、同志舍の出身で、久しい間報界にゐたことは、彼方此方の知人から聞いた噂によつて想像してゐるそして最初に私が澤田君に逢つたのは中央公論社であつた。その後私達の間に石蕗會と云ふ小集が催されるやうになつて、澤田君も其の會員の一人として出席したので、その時はじめて打ち解けて話をするやうになつたもの丶、かけちがつて私は生前未だ一回も澤田君の許を訪ふたことはなかつた。たゞ、澤田君は地震に關する材料の必要から一度私の茗荷谷の僑居を訪ふてくれたことがあつたが、ちやうど急ぐ要件があつて外出しようとしてゐる時であつたから、ゆつくり話をすることのできなかつたのは、今となると非常に殘念である。

　その他私が澤田君に逢つたのは、文壇關係の會合や、滿月會と云ふ毎月十五日中央亭あたりで開く會合などであつたが、それとて僅ですべての會見を合せても二三十回位のものであつた。澤田君の追憶としては、私の記憶してゐるのは、野口男三郎の話をしたこと丶、これは滿月會の席上であつたが、その時は女囚が男囚の褌を喜んで洗濯をすると云つて一席を笑はしたこと丶である。

　要するに澤田君と私とは、淡々として水の如き交りであつたが、それだけ澤田君も私から厭な印象を得たこともないだらうし、私も澤田君から厭な印象を得てゐないので、なほさら澤田君が懷しいと共に、その逝去が惜しくてたまらない。

　それに長い間の澤田君の努力が報ゐられて、大衆文藝全集の中へ其の著作が入つたので、私は澤田君のために大いに喜んでゐたところであつたから、それも惜しくてたまらないが、是れは私ばかりでなしに、澤田君を知つてゐる知人の何人ものが惜しむことであらう。

唯一の法廷文藝家

松崎天民

梅原兄先日は失禮、澤田撫松死後のために、いろ〳〵と御骨折の事友達の一人として深謝して居ます。兄や、木村毅兄や、井東憲兄や、朝香屋の主人や、座間止水など、友人として、隣人として、いろ〳〵葬儀萬端の事に世話されて居るを見て、小生は大に安心しました。その後も引續いて、未亡人の相談相手となられ何かと御友情に添ふこと多きを思つて、感激してゐる次第であります。

小生は新聞記者として、今より二十年前、國民新聞に在社した當時、初めて澤田撫松兄を知りました。記者としての澤田兄の手腕、識量に就ては、多少の申分もありますが彼は一面に於て記者生活を送りながら、他方では文藝述作のことに從ひ、今や一流の風格を築き上げた時、杳然としました。本人の無念をさこそと思ふと共に、彼のために措みても餘りあることに感じました。五十七と云へば、ボツ〳〵年貢の納め時ですが、然しまだ五年、十年、十五年、生きて甲斐ある世の中であつたものを、ほんとに氣の毒なことに思ひます。

白井喬二が言つたやうに、文豪の風格があつたか何うか佐藤紅緑が言つたやうに、志と違つた別方面に進展したのか、そんな事は何うでも宜しい。私は兄が言つたやうに澤田兄の文學に、南京豆の風味を感じ、そのヒタ押しに押して行つた眞面目な勉强と、器用でもなく、派手でも無いが生一本の地味な調子に、引つけられて居た一人でした。有餘る材料を調理するにも浮かれ調子の庖丁でなく、何處までも內輪に、目立たぬやうに、コツ〳〵遣つて居た態度も、今更のやうに懷しまれます。才人と言ふべき肌合でもなく文學でもないし飛つかせる程の面白さもないが、何處かに重厚な、落着いた感じのあつたことが、亡き今となつては一層懷しまれる次第であります。

村松梢風の騷人にも書いたが、澤田撫松兄の業蹟として何時までも殘るものは、彼が司法記者として、法廷に出入した間に於て人生物語の類でありませう。法廷記事の文藝化といふ程では無いにしても、暗い裁判所の空氣の中に、人生の一面を探知しやうとした。努力とその表現とは、澤田兄一人が眞先に拓いた新生面でありました。今井藻水、猪股霙火、高崎雨城などいろ〳〵な人の努力もあるが、澤田兄は最も早くから、法廷に着眼した一人でありました。男三郎の獄中告白や、近く文藝倶樂部に發表してゐた「大正女水滸傳」などは、澤田撫松獨自の提論と言つて宜し、其他にも「男の心女の心」と言ふ著述は「春宵島原綺談」以上の風俗を見ることが出來ます。返す〳〵も今日にして、澤田撫松を失つたことは、舊友の一人として、私の淋しさのみではありません。　私達の交友は、平生、さう繁く往來せずとも、二年三年を經つて居ても、心と心とに相通ずるものがあるそんな事を言つて、御無沙汰勝に打過ぎて居た間に、如何に多くの知人を失ふことか。澤田兄も遂に其の一人になつたことに行く春の日の淋しさを覺えます。その內、澤田撫松を中心として、一夜を飮み明かす會でも企てゝ下さい。匆々右のみ。四月二十八日午前記

隣人澤田撫松氏

木村毅

澤田氏の書かれたものは元から中央公論その他で愛讀した。

それから友人なる宮島新三郡君が牛込から西大久保へ引越した時、彼の家から一軒おいての隣人に澤田撫松氏が住んで居られるとの噂はかねて聞いてゐた。たま〳〵宮島君が洋行するやうになつて私がその後へ移り住んだものだから、今度は私自身が氏の隣人となる事になつた。

隨つて澤田氏と私との關係は、同窓でもなければ同じ筆商賣と言ふ關係でもなく、先づ、隣人として結ばれ、たま〳〵同商賣であつたがために親密になる度が比較的急速度だつたのである。

氏は自分の書く物語りについては研究に熱心な人だつた去年の暮、一部の紡織女工が自分達の境遇について社會に訴へるための宣傳ビラを撒いた時たま〳〵氏は女水滸傳を起稿中だつたので、その材料とすべくその女工の一人と話してみたいから知合にはないかと尋ねに來られた事がある日勞黨の某氏に私はその事を取ついで便宜を計つて貰ふことになつてゐたのだが、それの實現しない中にとう〳〵亡くなつた了はれた。かうした事は只の一例。

氏は又動物に對して、愛憐の情の豐かな人だつた。家には福ちやんと言ふ狆が飼つてあつた。私の子供などはその福ちやんをいい玩具にしてゐた。

いつか生きた鎌倉海老を旅の土産に上げたら『殺すのが

可哀さうだから、死ぬる迄遊ばしておいて、それから食つた』と話された事があつた。で、私は、惡い物を上げたと、思つてその後は生き物を土産にする事は控へた。澤田氏も隨分とよく旅行せられたやうであるが、その土産はなる程羊羹や、柿や栗のやうなものに限られてゐた。

本を集める事は好きな人で、いろんな叢書が揃つてゐたから、ちよく／＼出掛けてはよく見せて貰つた。

氏の書かれたものでは何と言つても『春宵島原巷譚』の中に收められてゐるものを最も愛讀した。

非常に苦吟遲筆の人だつたと聞いてゐるが、道理で實によく練れた文で、書き飛ばしたやうな隙間がない。サンデイ毎日に載つた絕筆の繪島宮の話なども決して凡手でないと思つた。

氏が同志社在學時代には丁度德富蘆花氏も居て、例の有名な新島先生の姪との戀愛事件の噂で校中の湧き立つてゐた時ださうである。蘆花氏の『黑い眼と茶色の眼を評して』

『あれを見ると德富君のみがいい子になつて、女ばかりが惡いやうだが、さうばかりではなかつたのだ』

と、時々語られる事があつた。

澤田撫松氏の印象

石角春之助

私が澤田氏に初めてお會ひしたのは、今から丁度十五年前、大正二年の秋だつたと思ひます。何んでも氏が明大の同窓であると言ふので、當時文書課長をしてゐられた富田氏から紹介して貰つたように記憶しております。

初對面の印象もはつきり記憶がありませんが、非常に恐ろしい人のような氣がしたようです。しかし、それは二度三度とお會ひする度に、却つて親しみ深い慈悲の籠つた人に變つて行きました。本當に氏は非常に優しい人でした。殊に氏が後輩を愛され後輩の爲めに勞を惜まれなかつたことは、私にとつて忘れることの出來ない深い印象を與へられてゐます。全く私自身の爲めに、私が特に紹介した人の爲めに、時と勞を厭はれず殆ど自分のことのように盡されたのを厚く感謝すると倶に、氏の人格の高遠なことを感せずにはゐられません。

氏が文壇に於て貢獻する處があつたのは言ふまでもない

ことですが殊に明治大學文科復興について專心努力されたことも亦嬉しいことの一つでありますが、巧ならず半にして逝かれたのは返へす〳〵も惜いことです。

確か今年の二月の末だと思ひます。博文館の文藝倶樂部に『大正女水滸傳』を每號連載することになつてゐるから變つた女を紹介しろと言ふ前振れがありまして、其の翌日わざ〳〵むさくるしい私の宅へやつて來られましたが、生憎行き違ひになつて御紹介が出來ませんでしたので、それから二人は的もなく淺草の街をぶらつき廻りました。そして、最後に辨天山へあがつて、踏石に腰を下ろし仲見世を見下ろしながら淺草の暗黑面を話しました。處が其の話が時經て「騷人」と言ふ雜誌に發表されてありました。

澤田氏に對し不義理をしたことは一度や二度ではありませんでした。其の多くは雜誌の原稿を紹介と言ふよりは、寧ろお願ひして其の都度稿料を拂つて呉れなかつたことです、しかし、氏は一度でも不平がましいことは言はれませんでした。

かうして生前中不義理をしてゐながら二度とない氏の告別式の日には流行性感冒の爲めに四十度近い熱に冒され不參の已を得ませんでした。本當に私は氏に對して申譯けがない。そう思ふと逝去前三日目に見舞に行つた時の氏の靑蒼た顏が、時折り展開され私の良心を傷けるような氣がしてなりません。多分過激な神經衰弱の性でありませうが、一昔半の交誼を續けてゐた者が葬儀に參列しないと云ふのは、何んとしても快いことではありません。

幸にして梅原氏の厚意に因り本誌の一部を割かれ澤田撫松居士追悼號が發刊されるに際し私の良心の一端を佛前に捧げることの光榮を得ましたのを喜んでをります。

憶ひ出はつきない

井　東　憲

慶應大學病院の藥臭い長廊下をあはてて飛出た私は、澤田撫松氏の急死を本當に意識しながら、電車がもどかしいやうに思ひつつ西大久保のお宅へ向つた。

私は、氏が入院した事も知らなかつたのだ。

私は、一月以來大變ごぶさたしてゐた。それが、堪らなく悔ひられた。

氏のお宅の曲る横丁で、満開の櫻が、靜かに散つてゐた氏のお宅のなつかしい書齋に、春の雨が煙のやうに降つたりやんだりした。

どこからか、氏のあのせき拂ひと、奥様を呼ぶ聲とが聞えさうでならなかつた。然し、氏は、本當に歸らぬ人となつて了つたのだ。

撫松氏の死顏は、微笑でもしてゐるやうにおだやかだつた。私は、人々の後ろから、そのひそやかな顏をみつめて叔父様にでも死んで了はれたやうな淋しさを、ぢつと嚙んだ。

その夜、私は、田中貢太郎、村松梢風、梅原北明、松崎天民、木村毅、朝香屋の伊藤の諸氏及び親戚の方々等と通夜をした。

私は、在りし日の撫松氏の姿を憶ひ浮べながら、人間の生命の賴りなさや、親愛なる先輩（氏は私の明治大學の先輩である）死について考へてゐた。

春にしては、少し寒過る晩だつた。時々風が樹々をふるはせて吹き通つた。その度びに、氏の靈柩の前の蠟そくがすき間をもれる風に、靜かにゆらめいた。

○

澤田撫松氏は、非常に人間の出來た、善良純情な人だつた。

のみならず、氏は、若い者にとつて誰にも親切な叔父さんだつた。

まあ、一口に云へば、世の中の苦勞のよく分つたあたゝかい善人だつたのだ。

○

親切者といへば氏ほど、賴んだ事を責任を持つて熱心にやつて吳れる人は少なかつた。

たとへば、創作上必要な事なぞをうかゞひに行つても、こちらが恐縮して了ふ程、てい寧にめん密に敎示してくれるのだつた。

又、どんな愛藏の本でも、相手が必要だと思ふと自ら、すゝんで借してくれるのである。

又、どんな忙がしい時、氣分の惡い時にたづねて行つても、よろこんで迎へてくれ決して惡い顏をしないのだ。かういふ點がいかにも撫松氏らしいところであり、誰にもしたしまれたところであらう。

氏の親切と誠意とは、友人知人間に、本當に有名なものであつた。

しかし、これも今となつては、悲しい思ひ出となつて了つたか。

○

私は先年の夏撫松氏と共に、伊豆長岡へ遊びに出かけた事があつた。一行は文藝市場社の關係者七人だつた。

私たちは、長岡溫泉の歸りをみとからぬまづまで、船で來た。その時、私たちの船は丁度土用波を喰ひ、可成り危險な程度までゆれた。

その折、澤田氏はあの巨大な體軀と、あのどつしりした落つきを持ちながら一番こわがつたのであつた。

私は、その時の氏の顏を、くつきりと思ひ出すことが出來る。又、沼津の濱へついてから、小さな丸木橋を渡り得なくて、漁師の子等に手を引いてもらつた姿なぞ。又、伊豆で突然おこつた持病のぜんそくが靜まつた時、あの横の金齒を見せて、

「やあ」

と笑つた好々爺の顏なぞ。

○

文筆家としての氏は、この近年、いよいよ圓熟期に入つたのである。

氏を、今死なしたのは、まつたく氏のためにほしい。

氏は、本當に努力の人だつた誠意の人だつた。

あるひは、それが氏の死をはやめたのかも知れないが、努力から努力を追つて生きた氏は、正しく自その生命のままに生きたものと云はなければならない。

私の憶ひ出はいくら書いてもつきない。

それに、私は今、餘りに氏の急死をおどろきすぎてゐるやうだ。

私は、ぢつと氏の幻想を胸にいだいてこの筆を擱く。

（一九二七、四月十五日夜春雨）

澤田氏を悼む

青山倭文二

澤田氏の亡くなられたと云ふことを、梅原君から聞いて本當に吃驚した。こんな不吉なことは、思ひも寄らぬことだつたので、文字通りの呆然自失さだつた。

澤田氏とは、亡くなられる前、暫時く會はなかつたので猶更らその感を深くせざるを得なかつた。そしてそれが、ほんのしばらし病みつかれて、たうとう亡くなつたと云ふのだから、誠にはかない運命のいたずらだつたと悔いても悔い切れない何物かが、絶えず心内を幾往復してゐる。

私と澤田氏との知り合ひは、約六七年前であつたらう。同氏の世話で、松本雲舟氏のやつてゐた「趣味の婦人」と云ふ雜誌に、あやしい飜譯ものを載けてもらつたことも、あつた、その折松本氏をめぐつて、今は郊外東中野に女子高等學院を經營し、敎育家宜敷くと云つた人見東明氏や、前田晁氏に會つたのもその當時であつた。當時此の方面に交友の少くなかつた私には、どのやうに此のことが嬉しいことであつたか。

その後時により、折りにふれて、屢々お會ひしたが、何時も變らざる態度で、親しみそのものであつた。あの何物をも動かさないと云つたきんげんさの中から、それでも慈愛に溢れた、一脉氣安すく、誰人でも容易に近づけうる親しみがあつた。

私は、年齡の加減からか、同氏の前半生のことは餘り知らないし、又聞き度いとも思はないが、同氏が、かつて讀賣新聞社時代、司法記者として、一流の快腕をふるはれ、相當の實蹟を擧げながら、その割合に不運だつたと云ふことであるが、私も玆二三年前同じ讀賣の世話になつて、（私の場合は、ずぼらそのものであつたかも知らないが）何ものをも成し得ず、社を退いて後も、今もつて爲すところなく凡々な生活をし、不運そのものであるので、そこに何等かにかよつたものがあるやう、ヒントされてゐるやうで、興趣の湧いて來ないこともないではない。

これは同氏の性格の一端として、途ろその人となりを語るものとしてちよつと面白いと思ふから次に書きつけて見やう。

私のまだ記者時代に、明治大學の郊外移轉問題のことから、その贊否の大きゆうめい會のやうなものが、上野の精養軒に開らかれたことがあつた。

集まるもの二百餘名、甲論乙駁、その果てるところを知らず、同氏は厳として、反對の立場に立たれ、さてはその會の終りに祝宴を開らいたが、その席上に列席もされず、同志五六と、私達記者を別室に招いて、ビールでサンドウイツチ等を、ほゝばりながら、學長排斥の矢面に立つて、勇敢に自分の信ずるところ、所信に向つて貫徹されたやうに記憶するが、これ等もその人となりを語る思ひ出草ともなるものであらう。

そして、その歸途上野の杜を、いろいろの雑談に耽けり別れたこともあつた。

とにかく同氏の慶大病院にて、急死された事は、私にとつては大なる驚きであつた。

殊にも、最近日活の「足にさはつた女」や、平凡社の「大衆文學全集」に、筆とられ、活躍これからと云ふところで、嵐の前の燈火の如く、はかない壽命であつたといふことは返へすぐゝも遺憾そのものである。あたら人生の暗黒を物語る、センチメントの感の起るのも無理からぬことゝ云へやう。

殊に最近、先輩、友人と引き續き三四の不幸を一度にした私には、或る一種の死の恐怖といふものに襲はれた感じがする。

（完）

寂光院泰嶽撫松居士

梅原北明

撫松氏の急變を電話で聞いた私は、餘りの意外さに全く一時は本氣になれなかつた。が慶應病院へ電話で聞き合せると確かに「只今御臨終で御座います。」との答である。私は周章てねばならなくなつた。私は夢中で病室へ駈けつけたドアを引きあける刹那、異樣な不安とおののきとが、いちどきにこみあげて來た。恐ろしい豫覺である。

果して一歩ドアのうちには、不吉な運命が、人間の死をせせら笑つてゐた。何と云ふ恐ろしい光景であらう。

が、不吉な不可抗力をもつ惡魔よ。汝のせせら笑ひに對して、聖人の安らかな最期は微笑を浮べてゐたではないかそこには何等の苦痛もない。

それは撫松氏が此の世から永久に絶縁し去つた三十分後であつた。

疋木不如丘氏が私達を招いた。そして一通り弔詞を述べられてから、死因が解らぬ故、是非解剖を許して貰ひたい學術研究のためにと附け加へられた。私達は相談の結果、これを快諾した。

肥滿しきつた撫松氏の腹部は腸に達するまでメスの深さ三寸を突破した。軈て腹部は切開かれた。彈力に富める薄黄いなめらかな腸は繰り出された。その時、博士の微細な注意は、腸の上皮に、飛び散らかつた無數の膿球が斑點を描いてゐるのを發見した。十二支腸はあかくたゞれてゐたそこから血液が逆に浸み込んで、膽汁と胃液とに分解された。撫松氏が死の數時間前まで盛んに吐き戻した得體の知れぬ黒ソースの怪汁は、實にそれであつた。腹內に膿をまき散した患部は探索の結果、直腸の奥、鼠蹊部の化膿であつた。玆に至つて今や死因は明るみへ出された。それは持病の喘息と何等の關係もなかつた。流感で扁桃腺が炎症を呈したとき、口腔內の黴菌が血管內に流れ込んだ。その中で彼は猛烈に繁殖した。そして體內を無遠慮にのたうち廻つた。が此れと闘ふべく氏の白血球は今や餘りに衰へきつてゐた。斯うして死は次第に近づきつゝあつた。が不幸にも氏を診斷した醫者の誰れもが此れに氣づかなかつた。勝鬨を擧げた黴菌は、やがて抵抗力の全く消滅した筋肉に食ひ入つて巣をつくつた。それが鼠蹊部の化膿であらうとは神様でない人々に氣付かれる筈はなかつた。死亡診斷書の「流行性感冒に依る心臓衰弱」は、斯くして解剖の結果「化膿性腹膜炎」と斷定づけられた。享年五十七歲。吾等にとつて悲みの極みである。

善良なる愛すべき吾等の君子、撫松氏には絕對に僞りと云ふものがなかつた。凡ゆる人々に親切で義理堅かつた。私の交際は氏を知つて僅に十年であつた。が、その間に只の一度も、不愉快な感じを受けたことはなかつた。「撫松氏は全く善良なんだよ、絕對に憎めない人だ」とは、氏を知る凡ての人の常に口にする所であつた。

吾國唯一の法廷文藝家。二十五箇年の法廷記者時代より大衆文壇に入りて小十年。文筆の三十五年間は全く努力の生涯であつた。撫松氏は逸話の人であつた。私の知る範圍でも數百頁に上るであらう。が玆では後日に讓ることとしやう。

終りに撫松氏の葬禮その他一切に就いて、親身にも及ばざるお世話をやいて下さつた前讀賣新聞社會部長座間止水氏に友人一同を代表して心から感謝を捧ぐるものである。

悼撫松澤田君賦小詩二章以代藻蘋

瀝來心血付遺文知向藝林長樹勳一笛梅花無限恨臨風攬涙掃孤墳

巉洋曲絶我心紛百歳知音獨憶君此夜招寃向天訴一鵑啼血入殘雲

南畝　作田泰國

故澤田撫松氏追悼會

村松梢風、松崎天民、田中貢太郎氏等の世話役で去る五月十三日午後六時より四谷見附三河屋洋食部に於て澤田氏の追悼會が催されました。

當日、集るもの三十名。何れも故人とは關係の深いかたがたで、村松氏の挨拶、澤田氏未亡人悦子女史の應答あり、江見水蔭氏の「故人二六社時代の思出話」、小生の「故人の死日と小生に禍多き因縁話」、藤澤衛彦氏の「故人の明大文科復活に盡力されし話」、讀賣新聞吉岡氏の「讀賣時代の故人及び當時故人が素晴しい大食家であつた話、猪股蠶火氏の「司法記者時代の故人」、島中雄作氏の「中央公論社と故人」、井東憲氏の「水に恐れた故人の話」、松崎天民氏の新聞記者時代の故人、及び故人の催眠術に就いて」その他、珍客としては山田邦子女史のお話等あり、互に故人の追憶談に移り、午後九時半散會いたしましたが、平山蘆江氏、甲賀三郎氏、松本泰氏、高桑義生氏等大衆文壇のかたがたで持ちきり、さぞ故人も地下で喜びゐられることでありませう。この夜、白井喬二氏御病氣のため止むを得ず缺席なされたのはかへすぐも殘念に思つて居ります。（梅原）

川柳變態性慾志（一）

佐藤紅霞

有夫姦

有夫姦なるものは、狂的變態性慾即ち準色情狂に屬すべきものであつて、其動機や、心理や、制裁についての考察は、またの機會にして、此問題が、川柳子に依つて、どう觀察されたか『誹風柳多留』其他二三の古柳書から、有夫姦に關する句を拔錄して紹介して見よう。

間男をやみうちにする座頭のぼう

湯氣のたつ〇〇〇大家をよんで見せ

びり出入大家もちとなまぐさし

間男の不首尾は〇〇〇〱逃げ

〇〇ぬぞと女房を嚇し伊勢へたち

（註）吾邦人の最も信仰し最も尊敬を表する伊勢大廟に參詣する者は、途中に於ける野合は素より夫婦と雖も同衾を禁する風習があつて、古來より遵奉されつゝある、別段斯る禁止の制令があつたのでは無いが、唯各自が敬神上の觀念よりして恐怖心に支配せられて離れ禁ずるとなく守り來られたのである。而して若し之れを犯して性交を爲す者があれば、男女の兩具が密着して分離せず、宛も犬の交尾せる後の如き醜態を暴露するの神罰を蒙るものであると言ひ傳へがある、斯る事實は素より有り得べからざる事であるけれど、往時偶々海綿

體勃張組織と括約筋の興奮に因り兩體の相離れざりしことのあつたを利用し、古人が神佛の靈驗著しきを證し、衆人の信仰を深厚ならしむる爲めに斯の如き說を捏造したものに外ならないであらうが。凡、夫の野合を戒しめ姦淫を制止するには其功は決して尠くなかつたであらう此句は如上の俗說に基いて詠まれたものである

ヌッと〇〇ます〇て見る伊勢の留守

前　註　參　照

門院を〇だと讒奏しちらかし

(註)今から千年も前の天平十二年冬肥後國松浦郡に謀叛を起した藤原の廣嗣といふ男が、誅戮されたことであります。

この廣嗣は右近衛權少將兼大宰少貳といふ重い役目を持つた鎭西(九州)の大將でありました。それに一日千五百里を走る龍馬に乘つて、午前中は大宰府の軍務を視て午後から京都へ來て朝廷の公事を勤めて居りました、今なら飛行機に乘つて往來したやうなものです。

その頃朝廷に玄昉といふ坊さんが大そう幅を利かせて居りましたのを廣嗣が目の上の瘤として、何とかして此坊主を陷入れて呉れようといろ〳〵と苦心して居りました。すると玄昉が宮中に入つて光明皇后に御內話を申上げて居りましたのを見て、畏多くも之は玄昉が皇后の宮を犯して居るのだと邪推して聖武天皇へこの由を讒奏しました。天皇も驚きなされ、窃にお出でになつて簾の間から御覽になりますと、不思議にも皇后樣は十一面觀音に、玄昉は千手觀音と現じ慈顏を並べて御物語りになつてる尊さ、天皇は餘りの有難さに合掌參禮なされたとあります、廣嗣は不敬にも無實の醜怪事を讒奏した罪で九州へ流謫されたが此の爲腹心の家來と語ひ謀反を起した云々といふことが、富士崎放江氏著「隨筆茶後」一四一頁—一四二頁に出て居る、此の句は右の話に基いたものでは無からうか?項證今昔物語集參照

間男を連れて相模へ逃げて行く

爲になる間男だから〇〇といふ

間男の外トへ出て〇〇運のよさ

內濟でいけまじ〳〵と女房居る

日なしかしじやまで間男たてかへる

〇〇所見ましたと亭主云ひ

見つかつて〇〇〇〇〇〇て逃げる

おつかないまくばいをする伊セの留守

間男を切れろと亭主ほれて居る

間男を麥藁笛でくらわせる
旅の留守内へもごまのはいが付き
○○はづす所へ亭主くる
あつかいで村間男は五俵出し
伊勢よりも鹿島の留守は○○はづ
旅もどり思ひなしかは○○なり
入聟と間男迄にあなどられ
生ケて置く奴では無いと五兩取り

（註）間男の謝罪金を詠んだ句で、五兩ではまだ〱安い方である。去る大正十四年一月十三日の東京夕刊新聞に間男料三百萬圓印度王太子の痛事姦夫姦夫同志の珍脅喝」といふ大見出しで次のやうな記事が載つて居た。これなどは間男料として古今東西を通じてのレコード破りであらう。

封建時代の日本には三百諸侯が居並んでゐた、が驚く勿れ二十世紀の今日、未だに印度には七百の諸侯が割據して儼然と城廓を構へてゐる。勿論キツトテカの暦には、印度王族の家名は七十位しか載つてゐないが、アレは主なる王族のみを掲げたもので、日本の一萬石二萬石程度の小さい黑殿様迄を數へ立てると、裕に七百諸侯を算する、而も印度大名と大名との對立關係は、德川治下に肩を並べて、目白押しをやつてゐた藩と藩との間柄に比し、遙に〱獨立國らしい素質を具備してゐて英國政府の印度王に及ぼす權力などは想ひの外、微弱なものである。

七百の印度王の中、ヒテラバツド王は人口一千二百萬人を包擁する廣大な王國の主權者でミソール王は四百五十萬人の領民を有し、日本の加賀様、島津様の格であるが印度第三の大名たるカシミヤ王は三百三十萬人の人口を支配してゐる此のカシミヤ王國の太子ハクシンフと申すは、近頃流行の歐洲見學を思ひ立ち、父君の御手許金八百萬圓（八十萬磅）を旅費として、隨員數多を隨へ、先づ英本國の都ロンドンを足溜りに歐洲觀光に忙しく遊び暮らしてゐた、斷つて置くが太子は鰥である。さきに太子は戀愛以外、政治上の意味も含んで隣國の印度王それがしの公主を娶つたが、不幸にして病歿したので、閨房の淋しさに堪へかねて、卒然として外遊を思ひ立つたと噂する者もある。

兎に角漫遊費八百萬兩てふ莫大の金を懷にして、獨身者の王太子は、湯水のやうに金を費ひ果した、苟しくも黄金に依つて購ひ得べき享樂の、有らん限りは味はうて見やう、そして歐洲文明の精粹の、如何なるものなるかを咀嚼して見たいと想ひ立つまでは無難だつたが、極端に享樂主義の迸る所、遂に有夫の英國婦人と通じ、頻りに媾曳を續けた其の密會の現場に、婦人の夫サー、ジョン、サイモンと名乘る男に踏み込まれ、のつぴきならぬ證據を押へ付けられて短銃で脅迫された。

斯うなつては太子も皇族もあつたものでない、ハクシンフ殿下は丸つ裸になつて切に助命を乞ふた末、結局間男料として百五十萬圓づゝの小切手を二枚書けと脅迫され、命のまに〳〵合計三百萬圓の小切手を作製して、サー、サイモンに手渡たが其の實サイモンは姦通婦人の本夫ではなく、是も同じ婦人の情夫に過ぎなかつた、つまり殿下はマンマと詐欺と脅迫とに三百萬圓を奪られた形である、而もサイモンは僞名サーでもなければ準男爵でもない、單に一介の平民ロビンソンと云ふのが脅迫漢の正體であつたが、笑はせる。

強請した二枚の小切手の中、一枚の一百五十萬圓は首尾よくロンドンのミツドランド銀行で取付けて、ロビンソンの懷を肥したが、殘る一枚の小切手百五十萬圓は、訴へによつて銀行が支拂を拒んだので物にならなかつた、若し此の事實が單にメロドラマ的情話に止まつたなら有りふれた東洋王族の脫線的遊蕩の一表現として、闇から闇に葬られたであらふに姦婦の本物の亭主どのが、姦夫ロビンソン奴が印度太子を脅かして姦通料三百萬圓を强奪したとの噂を聞きつけて、本夫自ら正式に英國高等法院に向つて、僞男爵サイモン事ロビンソンを相手どり間男料の分配請求訴訟を提起したので、全英國は固より歐洲社交界にパツと擴がつたものだ。

倫敦ホワイトホールにある印度省の狼狽は氣の毒な程で、此の姦通事件を蔽はんが爲に英國高等法院は勿論、全國の新聞紙に對し、ハリシンフ殿下の名を記載するを許さずと主張したので、益世の好奇心を惹く大事件となつた、スコツトランドヤードが敏腕な刑事を英國は勿論、歐洲大陸まで渡して間男料三百萬圓脅喝の犯人を探がし廻つた揚句、最近捕縛したのはハリシンフ殿下の隨員兼嚮導係りの副官、陸軍大尉カーサーであつた、大尉は太子の身邊に扈從して內から脅喝犯人等と諜し合せ、首尾よく第一回の百五十萬圓を獲得したとき四十萬圓を分配金として領得したが、惡錢身に付かず、同じ惡漢仲間に採り取られて、無一物となり、殿下の手許を離れて巴里に高飛し、通辯と化けてゐるのを御用となつた云々

鼻の高いが大山の留守へ來る

問男と亭主○○と○○なり

（註）此句の解釋の代りに、かゝる場合に於ける姦夫の立場についての面白い問答が雜誌「不眠不休警察眼」第二卷第四號並に第六號に載つて居た一寸興味があるから其全文を引用して見よう。

問、姦所ニ於テ本夫ニ殺傷セラレントシタル姦夫姦婦ハ本夫ニ對シ正當防衛ヲ有スルカ　　宮崎縣飫肥　南洋居士

答、本問ノ要旨ハ姦所ニ於テ本夫ニ殺傷セラレントシタル姦夫ハ本夫ニ對シテ正當防衛ノ權アルヤト云フニ在リ

○第一論（正當防衛ノ權アルトノ說）

本問姦夫姦婦ハ姦本夫ニ對シ正當防衛權アルモノトス

夫レ姦所ニ於テ姦夫ハ婦ヲ殺傷シタル本夫ノ所爲ニ付テハ當時ノ情狀幾分ノ憫諒スベキモノアルニ依リ其罪ヲ宥恕ス（刑法第三百十一條）ト雖モ未ダ全ク無罪トセザルヲ（刑法第三百十三條）以テ見レバ正當權利ノ實行ニアラザル事明カナリ已ニ正當權利ノ實行ニアラズトセバ其襲擊ヲ受ケタル姦夫姦婦ニ正當防衛ノ權アリト謂ハザル可ラズ是レ何人ト雖モ正當權利ノ實行ニ非ザレハ之ヲ默受スルノ義務アラザルナリ然ルニ難者アリ曰ク姦通ノ所爲タルヤ本夫ヲ凌辱スル所ノ不正ノ所爲ナリ今此不正ノ所爲ニ因リ本夫ソ襲擊ヲ招キタルモノナレハ刑法第三百十四條但書ニ所謂不正ノ所謂ニ因リ自ラ暴行ヲ招キタルモノハ此限リニアラズトノ明文ニヨリ姦夫姦婦ニ正當防衛權ナシト云フト雖モ之レ其不正ノ所爲ナル語ヲ解スル廣キニ過グルノ嫌ヲ免レズ何トナレバ今若シ難者ノ言フガ如ク不正ノ所爲ニ因リ招キタル暴行ハ之ヲ默受セザルベカラザルモノトセバ罵詈若クハ誹毀ニ因リ招キタル暴行モ亦默受セザルベカラズ蓋シ姦通罵詈等ノ所爲ハ皆ナ不正ハ則チ不正ナリト雖モ之レヲ正スニハ別ニ大權ノアルアリテ何人モ自ラ之レヲ刑罰スルノ權ヲ有セザル勿論危害切迫シ腕力ヲ以テ之レヲ防グニアラザレバ回復スベカラザルノ性質ノモノニアラズ然ルニ尙ホ右等ノ所爲ニ因リ招キタル暴行ヲ甘受セザルベカラザルモノトセバ人權ハ爲メニ地ヲ拂フニ至ルベシ豈如此ノ理アランヤ要ルスニ刑法第三百十四條但書ニ所謂不正ノ所爲トハ難者ノ如キ廣義ノ解釋ヲナスベキモノニアラズシテ己レノ所爲ニ依リ他人ヲシテ暴行ヲ爲スノ權利ヲ生ゼシムル所ノ不正ノ所爲ナリ假ヘハ己レ罪ヲ犯シタルニ依リ正當ノ令狀ニ基キ警察官ガ逮捕セラレントスルニ當リ之レニ抗拒スルノ權利ナキガ如キ之レナリ果シテ然ラバ姦通ノ所爲アリト雖モ未

ダ本夫ニ暴行ヲ爲スノ權利ヲ生ゼシメタルモノニアラズ則チ本夫ノ襲撃ハ正當權利ノ實行ニアラザルヲ以テ之レヲ受ケタル姦夫姦婦ニ正當防衛權アリト論斷スルニ毫モ躊躇セザルナリ

和歌山縣岩出　中村　一男

○第二論（正當防衛權ナシトノ說）

本問ニ付テハ先ヅ本夫カ姦夫姦婦ニ暴行ヲ加フルハ如何ナル原因ニ基クヤヲ豫斷セザルベカラズ而シテ其姦通コソ取モ直サズ暴行ノ原因ナリト云ハザルベカラズ何トナレバ本夫ハ姦通ノ現況ヲ見テ玆ニ激怒シ直ニ姦夫姦婦ヲ殺傷セントスルモノニシテ若シ姦夫姦婦ニ於テ如斯非行微ッセハ更ニ暴行ヲ受クルコトナケレバナリ果シテ此ノ決定ニシテ瑕瑾ナシトセハ姦夫姦婦ハ不正ノ所爲即姦通ニ因リ自ラ暴行ヲ招キタルモノニシテ刑法上明ニ例外ト爲シ正當防衛權ヲ與ヘザルナリ又今日條理ヨリ考フルモ自ラ非行ヲ企テ暴行ノ種子ヲ蒔キ替言セハ暴行ヲ挑ミ自業自得ノ暴行ヲ受ケ之ニ對スル正當防衛權之レアルベキ理ナケレバナリ是レ余ガ消極論ヲ把持スル所以ナリ

島根　金城　居士

○第三論（折衷說）

抑モ刑罰ハ國家之ヲ行フ者ナリ然レドモ國家ノ保護ヲ仰クニ遑アラザル危急ニ際シ吾人ハ權利ヲ保護スル爲メニ正當防衛權ヲ有ス夫レ然リ予ハ本問ニ就テ刑法第三百十四條ノアルニ係ラズ四面皆楚歌ヲ聞クヲモ顧ミズ左ノ如ク論斷セントス

姦夫姦婦ハ將ニ姦通ヲ遂ゲントシテ今ヤ一髮ノ危急ニ逼レリ本夫ハ國家ノ保護ヲ仰ガンモ遑アラズ姦夫姦婦ヲ殺傷セザラン乎他ニ之ヲ防グノ術ナシ本夫ハ生命財產モ啻ナラザル自己並ニ一家ノ名譽ヲ保ン爲ニ姦夫姦婦ヲ殺傷セリ是レ實ニ正當防衛權ノ實行ニシテ之ニ對シ姦夫姦婦ハ正當防衛權ヲ有セザルハ理ノ明ナル處ナリ然レドモ姦夫姦婦ハ既ニ其目的ヲ遂ゲタリ節操ヲ破リタリ然ルニ本夫ハ尙ホ姦夫姦婦ヲ殺傷セントスル乎已ニ正當防衛權ノ條件ヲ缺ケリ防衛權ハ消滅シタリ否ナ權利ノ實行ニアラズ宜シク其裁判ハ國家ニ任ズベシ是レ刑法第三百十一條ノ規定アル所以ニシテ從テ姦夫姦婦ハ正當防衛權ヲ有スルハ理論上動ス可ラザル處ナリ若シ夫レ姦夫姦婦ハ不正ノ所爲ニ依リ招キタルノ結果ニシテ防衛權ナシト云フカ權利ノ實行ニアラザル暴行ニ對シ尙ホ防衛權ナシト云フノ奇怪ナル理論ヲ摘出スルモノナリ是レ予ガ刑法第三百十四條ノ規定アルニ係ラズ之ヲ二段トナシ論斷セズ所以ナリ乞フ大方ノ識者幸ニ明敎ヲ垂レ賜ハレ

島根縣津和野　井　底　子

◎批判　法理論トシテハ第一論可ナリ我刑法ノ解釋論トシテ

ハ第二論可ナリ、他人ノ憤怒ヲ挑發スル不正行爲ノ程度ハ素ヨリ分明ナル限界ナキヲ以テ判事ノ認定ニ一任スベキモノナレドモ大體ノ標準ハ通常暴行ヲ招クニ足ルベキ不正行爲ナルヤ如何ニ在リ而シテ姦通ノ如キハ姦夫ノ憤怒ヲ授發スル最モ有力ナル不正行爲ナレハ當然第三百十四條但書中ニ包含サルベキモノナリ、第一論者ハ此但書ヲ頗ル狹ク解釋シ己レノ行爲ニ依リ他人ヲシテ暴行ヲ爲ス權利ヲ生ゼシムル所ノ不正行爲云々トイヘドモ暴行ヲ爲ス權利ナルモノアルコトナシ何トナレバ暴行ハ權利行爲ニ非ザレハナリ

特別社友　法學士　笠井信一

かんのよい瞽女間男を持つて居る
ごつそりとしても間男〇〇〇〇〇
無理に〇〇〇〇たじや女房濟ぬ也
間男をしたのを見たと口説くなり
間男をさせまいとやたらに〇〇〇
さんげ〳〵間男をいたしました
私し等が一度〇〇〇と女房云ひ
一番を間男四五度〇〇〇〇〇
〇〇〇〇〇すると間男仕手はなし
太刀と〇〇〇を並らべさんげ〳〵
廊下ひそ〳〵間男が二三人
傾城に間男のあるけちな晩
能因を眞似間男をとらまへる
色男〇〇〇〇〇で度々かくれ
据えられて七兩二分の膳を喰ひ
〇けないと威されてせぬ伊セの留守
旅の留守奇計をすへてひしかくし
〇〇〇〇〇〇いで七兩二分出し
間男はするなと親父土手で逢ひ
間男の道具一枚五兩づゝ
旅の留守別條たつた一つあり
尤サ亭主のが落ち不義をする
連れて逃なよと二條の〇云ひ
〇〇〇〇斗りならばと馬鹿亭主
石尊で聞けば不實の男なり
只でも〇〇やうに間男は云はれ
賣色の内で亭には五兩なり

ちいさな○○○○間男座頭され
留守だから○○○はひよんナ寢言なり
町内で知らぬは亭主斗りなり
馬鹿○○○○○亭主の留守へ來る
らく書無用間男が書て貼り
間男は○○○○○遠く退き
死なぬ内から女房は人の物
とつさんは留守かゝ様が來なさいと
すばやいが義理しどう疵になり
間男の痔病こゝろ覺えあり
間男は○○○○時分山があれ
間男のしよりを付ける神無用
五兩取る元ト手炭代二百なり
間男の子と知らず伊セ松とつけ
二階へ指をさし間男をかへし
快氣して間男衆へ禮に行き
女房も岩戸をひらく伊勢の留守
いとこにもしろようくると旅の留守

ま男をするなと女房こわ意見
血迷つたなどゝ間男いひわけし
間男に一言もない世話になり
間男がだくと泣きやむ氣のどくさ
間男を知つて旅だちにえきらず
その分に差置きがたき泊り客
どろぼうなやうな男を可愛がり
女房二本道具はふてえやつ
間男もかりそめ乍ら二度目なり
かげ膳のおろそかになる事が出來
間男の不うん夜盗の方へおち
旅の留守いはれついでに皿をなめ
うぬが女房と思つてるたはけ者
黒鯛をからしで旅の留守に食ひ
かさねては間男をせぬはずですみ
心細そうなたちかと伊セの留守
遠くの亭主より近くの他人なり
もや／＼の闕をゆるして五兩とり

取りほした上で間男よばりする
(註)此句は美人局を詠んだものと思はれる
二人とも動くなと石かつちかち
五兩けんものと間男ぬかしたり
押入で聞けば亭主と〇〇〇
金五兩とるべらぼうに出すたわけ
ちく生めうまくするなと御用いひ
一ぶだめしのやつなれど五兩とり
十五兩めになれ合と評がつき
白壁を見ろと去狀ぶつゝける
あばたのおさへた間男は命づく
まぎれふんどしへ去狀そへて出し
旅の留守書けば十くだり半もあり
あんまりな亭主間男をこわがり
去狀をいたゞいてとるにくらしさ
なめくじ二本もてあます間のわるさ
御亭主のすき見生死の境なり
手をくんでゐるが間男氣にかゝり

びり出入大家すこぶる赤面し
間男のさたを天狗はききあきる
さゝがにの振舞膳をすえてまち
酒ゆえの〇〇ぞんうぬもひしかくし
間男と亭主伊勢物語りする
輕蔑つて座頭の女房押へられ
間男をせぬを女房は恩に掛け
田舍不義唐丸籠が二つ出來
口説きぞん御貞女様と手持無さ
言譯をして間男は叱られる
間男に大屋因果と従弟なり
間男は七五三を外づすと寄り附かず
えゝ男だのに間男氣が附かず
親類もないか間男施主に立ち
二人り共帶をしやれと大屋いひ
間男の切られたとこに勾の皮
耳へ口當て間男の意見なり
耐へ情無くて盜人孕むなり

（註）間男の子は泥坊になるといふ俚諺がある
間男の外に留守中別儀無し
間男に言籠められる譯がある
間男は庚申塚でとつかまり
間男と別懇にする氣の毒さ
間男の痳病心覺えあり
天の網間男蚊帳で押へられ
バツとしたもの間男と芝居なり
其憎くさ間男が來て子を叱り
度々の留守女房逆意を思ひ立ち
時は得難し留守のうち〳〵
罪らしく座頭の女房浮氣なり
きつい罪座頭の家へ入りびたり
狆が吠えると女房を先づ探ぐり
天命は座頭に二人り押へられ
留守狙ふ奴はあいつとあいつなり
間男は目かりの利いた男なり
よく聞けば女が膽の太い奴

キヨロ〳〵と男はすれど內儀せず
棚へ上げ他所の內儀の不義談
かゝりける所へ亭主戾つたり
ドツカドカ戸棚へしやがむ一大事
申子も夢ばかりでは出來ぬなり
沈むほど乘つて亡者うらませる
間男と知らずやたらに亭主ほめ
やかぬはづ留守に女房も小鍋立
時がりに一寸五兩は大きすぎ
旅の留守女房そら錠びんとする
（註）貞操帶を詠んだものではなからうか
間男のハダシはきつい不首尾なり
間男の傘は四五間逃げてさし
伊勢の留守女房アコギな事をする
心細さうなたちかと伊勢の留守
伊勢の留守トコヤミにする不届さ
神罰で女房御拂ひ箱を脊負ひ
馬鹿亭主湯で聞きながら大怒り

言譯をしたが間男落度なり
女房の番をして居る大菊石
逃げようと存じましたと馬鹿亭主
運の好さとう／＼二人り長尋ね
御亭主が死んで逃げるが止めになり
畜生にや劣りましたと乳を貰ひ
えゝ人に似たが手癖が惡るいなり
(註)間男の子は手癖が惡いといふ俗諺がある
くすぐつたがらぬ子を持つ馬鹿亭主
(註)間男の子はくすぐつたがらぬといふ俗信がある
憎くしみの強い子供を置いて逃げ
こそ目出度けれど戸棚で留るなり
女仇は打つ方が憎くていな面
間男を御用百にて他言せず
今日も來て居ると向ふの嬶ア燒き
其沙汰がチラ／＼あるに入りびたり
旅の留守何をしやうと儘なこと
向田へ杳を入れに來る留守見舞

陰膳のおろそかになる事が出來
旅歸り女房三味線隱すなり
ハヽア彼奴めだと勘付く旅歸り
留守のこと啞は柄を二ッ出し
おくたびれサテ御內儀はヒョンな事
主人相知らず四五人嬶ア持ち
間男を見出して耻を大きくし
ワッ／＼と怒鳴つて亭主耻を搔き
虫干の前夜間男連れて逃げ
逃げた朝先づ靜にさ／＼
斬るの突くのと威かして五兩取る
女房の損料亭主五兩取り
承知しそうだに向うの嬶アうせ
割り膝になると亭主は立ち歸り
留守中は長々御世話知らぬなり
旅歸り不機嫌な顏氣に掛かり
雪の留守炬燵で女房眞鰒喰ひ
間男を炬燵矢倉でぶちのめし

喰ひやうによつて黑鯛罪になり

間男と云はれず和尙くやしがり

右之外有夫姦を詠んだ古川柳は汗女充棟も啻ならざるほどあるがマア此位ひに止めて置いて次に海外で起つた念の入つた戀愛奇談を書添へて此項を綴り次回には變態性的冒險の一つである「夜這ひ」についての古句を紹介することにする。

「デカメロン」かローマンチシズム最盛期時代の小說にでもありさうな手のこんだ戀愛奇談が最近ブダペストにあつて、交際會のゴシプを賑はしてゐる。

それは製造業者で商人のオーストリー人（名前は特に秘されてゐるが）が自分のハンガリー生れの若い妻君をばブダペスト近傍のクール・ヴアレーにある小意氣な別莊に置き、自分だけは一年餘り妻君と離れて首都ウインに手廣く商賣をしてゐた。勿論彼れはこの若い妻君に虫がついては大變だと思つて御苦勞にも探偵をやとつて妻君の見張をさせ、まづ一安心と顎をなでゝゐたものだ。所が後になつて不思議やこの妻君が母親になりかゝつてゐることがわかつた。別居してる妻君の腹のふくれることの怪しからぬことは勿論で、彼れは早速若い女探偵を別莊にやつて奥向きの小間使にして内偵させた。この女探偵はこれまでずつと妻君づきになつてゐた小間使と親友になつてさぐつて見るとスツカリこの妻君の祕密がわかつた。

この妻君が三年前結婚した當時から雇はれてゐたこの妻君づきの小間使こそは實は女でなくして立派な若い男であつた。三年もマンマと小間使に化け通したこの男はブダペストの利口な美男の若い人氣俳優で、これまでずつと二重生活をし、小間使をしてゐた時は綺麗な長い髮のかづらを被つてゐたのである。そして夜になると劇場へ出なければならぬので自動車の運轉手と共に外出したが、これまで他の召し使どもは散步に出たのだとばかり思つてゐたのださうだ。しかも彼れと一緒に外出した運轉手は實は彼れ自身が雇つて使つてゐた運轉手だつた。

と是れは大正十四年十一月の「變態心理」に載つて居つた珍談の全文であつて事いさゝか舊聞に屬するが何と念の入つた間男ではなからうか。

大正14年11月27日第三種郵便物認可
昭和2年5月22日印刷納本
昭和2年6月1日發　行

編輯人　東京市牛込區赤城元町三四　梅原北明
發行兼印刷人　東京市牛込區赤城元町三四　梅原貞康
印刷所　東京市神田區旭町二三番地　正文舍印刷所　電話神田〇八八三、二六二六

毎號定價五拾錢のこと。
(直接購讀者は三ケ月郵稅共壹圓五拾六錢納入に限る)

東京市牛込區赤城元町三四
(發行所)　文藝市場社
振替東京六四一〇四番
電話牛込三九〇六番

東京市神田區神保町一〇
(發賣所)　溫古書屋坂本書店
振替東京四七五三五
電話神田二六八七

直接購讀は凡て牛込の發行所の方へ申込み下さい

校了の日に

ヤア今日は、と先づ諸兄へ御挨拶をします。一年越の久さ〲で又本誌の本欄へ顔を出しました。光線が強くて何だか斯うまともでは諸兄の尊顔が拜されないやうな羞みが出ます。と云ふやうなしほらしい柄でもありませんが……。

笹川博士、渥美氏等には八百屋お七で色々御好意を寄せて戴きました。厚くお禮のべます。渥美氏のもの仲々面白い。

改造社から出た江見水蔭氏の「硯友社と紅葉」は明治文學を研究し趣味をもつ人にとつて是非なくてはならぬ文献です。いつかラヂオで聞いた「硯友社と文士劇」に興味をもつた私は、今この本に接して忙がしいのも忘れて讀んでます。文豪紅葉の凡てを知る唯一のものでせう。(東京麴町内幸町改造社發行定價壹圓五拾錢振替東京八四〇二)

それから毎月頂戴する雜誌で最近いの一番にむさぶり讀むのは小峯病院長醫學博士小峰茂之氏の發行に係る日本犯罪學會菊池甚一氏の編輯になる「腦」と云ふ半醫學的半探偵小說的半社會學的な文献雜誌で、殊に五月六月號にかけての「殺生關白行狀記」は最近の素晴しいもの。筆者は「切支丹鮮血遺書」の著者明大教授松崎實氏である。

終りに四月中旬吾等の先輩澤田撫松氏を永久に失つたこと。これは返すがへすも殘念の極みであります。深く哀悼の意を表して置きます。

次は廣告ですが、明治文學研究者にとつての唯一無二なる珍書「我樂多文庫」を復製しました。ほんものそつくりです。紅葉や眉山、美妙等の活躍した惡童時代が手にとるやうに解ります。五百しか印刷しませんすぐなくなりますから、欲しい人は今のうちに。詳細は廣告欄を見て下さい。(梅原)

▽フラ〱と遊びに行つたら、丁度イ、所へ來た。編輯後記を半分書け。俺はとても忙しいのだと煙草の煙を彼は私の息へ吹きかけた。

▽扨て半分書く事になつたが、雜誌の出來榮へや、原稿の豊富さや、値段の安い事なぞを例の如く書きたてるのは、具眼の讀者を小馬鹿にした樣にあたるから一言も云はぬ。

▽平凡裡に人生を見極める事は勿論いゝ。然し奇拔の中に人生を躍動させるのは一層私達にふさはしい。そうした意氣で、これからも飛んだり跳ねたりして御覽に入れる。

▽とに角文藝市場の板場は、甘い不味いは別問題として、材料丈は、まだ唯の口にも上つた事のない樣な珍奇で生のいゝものを使ふつもりだから、其の點大に買つて戴き度い。(潔生)

硯友社同人編

複刻五百部限先着者へ實費頒布

我樂多文庫

創刊より終刊まで

（別册）硯友社と我樂多文庫の由來　丸岡九華述

四六倍判、實物通りの清朝活字を用ひ創刊號より終刊號まで揃美麗帙入別册共實費

金五圓也　書留小包料金廿四錢也

我樂多文庫複製の理由

梅原北明

硯友社の文藝運動は明治文藝史上到底見逃すことの出來ない一重要項目であります。而して此の硯友社の消息一切を知るには彼等の機關誌「我樂多文庫」に俟つより方法がないのです。が該誌は當時發行僅か百五十部より印刷されず而かも其れが日本中に飛び散らかつて四十年も經過した今日、何處をどう探し廻つたつて滅多に探し得られないのが理の當然で、よしんば見付かつたところで一揃ひ安くて二十圓お客次第で四十圓からの高價を呼んで居ります。文藝的古書蒐集家内田魯庵氏をはじめ神代種亮氏でさへ持ち合せて居りません。その意味に於ても該誌の複刻は充分な意義を持つのであります。

話にのみ聞いて嘗て實物に接したことのない我樂多文庫が本物そつくりの體裁で而かも市價の四分の一値で複刻されました。その方面の商賣人たる文壇人でさへ若い人達なら恐らく讀んでゐますまい。正に本誌は明治文藝の臺頭を物語る唯一無比の文獻です。

内容執筆者

尾崎紅葉氏　山田美妙氏　川上眉山氏　丸岡九華氏
石橋思案氏　巖谷小波氏　江見水蔭氏　大橋乙羽氏
廣津柳浪氏　岡田虛心氏　中村雲後氏　その他諸氏

複製讃助者

丸岡九華氏　巖谷小波氏　江見水蔭氏　本間久雄氏　木村毅氏　齋藤昌三氏

東京市牛込區赤城元町卅四
振替東京六四一〇四番
電話牛込三九〇六番

文藝市場社

笑ひ乍ら世の中の解る
月刊雜誌「ゆもりすと」

正眞正銘日本一のユーモリスの元祖にして、街のソクラテスとも言ふべき、之も正眞正銘の大雄辯家敏ちやん事生方敏郎君は、此一月半ばから病み付いて二月初めより帝大雜司ヶ谷分院に入院する事滿二ヶ月、甚だへこたれてゐるのは事實に違ひないが、又一面その氣焔たるや、雜誌「ゆもりすと」となつて、萬丈又萬丈、獨りで笑ひ乍ら憤慨してゐる。と言ふのは他でもない。昔、吾が愛する中村武羅夫君をして文壇の大久保彦左衛門と稱讃せしめたあの意氣を以て、のろくしてゐる現代社會を、文壇と言はず劇壇と言はず、或は政府をどやしつけ或はブルジョアを飜弄しモダンガールを笑殺して、何でも大變な面白いところを見せやうと言ふ趣意に同情する諸君が入り替り立ち替り毎號筆を執り面白い事此の上なし。新時代の人間にして「ゆもりすと」を讀まない者ありとせば、それは僕らが廣告料を持たない爲だ。だがその中には段々廣告を大きくしてアフリカ大陸の蠻人まで笑はせてやらうと言つてゐる。六月號の內容重なるものは、敏郎の對話、自顏自贊、猫の自慢、歩く公園が欲しい、警句、病床通信其の他。特別執筆者の分は、「題未定」吉田絃二郎、畑耕一、「春陽會評」「本邦漫畫考」織田一磨、「明治大正よろづ珍聞史」梅原北明等。
「ゆもりすと」定價は一部五十錢。半箇年三圓。一箇年五圓九十錢。郵券不用。

東京市小石川區音羽町三丁目二十一番地　振替東京七五四六五番

ゆもりすと社

無名新人の全國的大參加を望む

名聲的差別撤廢・文壇中心的文藝排擊運動

次の時代の中堅文藝家を選拔する新機關！

創作評論

七月創刊

第一期　發行期間　一ヶ年

一〇部　雜誌代（會員に限り）　金十五錢

舊い勢力の廢墟の上に新しい勢力の花ひらく

ブルジョア文化の崩壞期が來て有名作家も無名作家に歸るべき時、來る七月から一ヶ年計畫で、日本文壇發生以來曾て企て試みられたことのない組織上編輯上の新機軸で發行する本誌は、既成文壇否定の大爆彈、新興藝術の潑剌たる勢力の急先鋒だ。文藝の職業化と都市集中の惡傾向の絶滅を期し、各地に在住して勞務に從事しつゝ新興文壇の選手たり得る途を開拓すべく、全國青年作家が唯一無二の精神的交通機關として、全國同人雜誌の大合同を實現しようとするものだ。社會思想に惱む若人よ。虚名に眩惑し宣傳に乘ぜられて、幽靈的文壇人に追從する勿れ。その愚作愚論滿載の營利雜誌を買ふ勿れ。彼等に陶醉し彼等を追ふ者は、彼等と共に滅ぶ。社會に關心する文藝の使命を知り、自らの力を養ひ自らの力を試みんとする意志と才能ある青年作家は新しき認識と良心とにより團結せよ。數種の文藝雜誌と新刊書の內容を具へ恐怖なき信念の下に痛快極まる批判を凡ゆる文壇的權力の上に加へる本誌を、諸君の自由機關として利用せよ。

詳細內容說明書郵券二錢封入申込者に送呈

（懸賞金三百圓　採用數六十篇　〆切六月廿日）

東京市外長崎町　日本文學同人會

硯友社同人編

●●●●●●●●●●●●●複刻五百部限先着者へ實費頒布

我樂多文庫

創刊より
終刊まで

（別册）硯友社と我樂多文庫の由來　丸岡九華述

四六倍判、實物通りの清朝活字を用ひ創刊號より終刊號まで摘美麗帙入別册共實費
金五圓也　書留小包料金廿四錢也

我樂多文庫複製の理由

梅原北明

硯友社の文藝運動は明治文藝史上到底見逃すことの出來ない一重要項目であります。而して此の硯友社の消息一切を知るには彼等の機關誌「我樂多文庫」に依つより方法がないのです。が該誌は當時發行僅か百五十部より印刷されず而かも共れが日本中に飛び散らかつて四十年も經過した今日、何處をどう探し廻つたつて滅多に探し得られないのが理の當然で、よしんば見付かつたところで一揃ひ安くて二十圓お客次第で四十圓からの高價を呼んで居ります。文藝的古書蒐集家内田魯庵氏をはじめ神代種亮氏でさへ持ち合せて居りません。その意味に於ても該誌の複刻は充分な意義を持つのであります。

話にのみ聞いて嘗て實物に接したことのない我樂多文庫が本物そつくりの體裁で而かも市價の四分の一値で複刻されました。その方面の商賣人たる文壇人でさへ若い人達なら恐らく讀んでゐますまい。正に本誌は明治文藝の臺頭を物語る唯一無比の文獻です。

内容執筆者

尾崎紅葉氏　石橋思案氏　廣津柳浪氏
山田美妙氏　巖谷小波氏　岡田盧心氏
川上眉山氏　江見水蔭氏　中村雲後氏
丸岡九華氏　大橋乙羽氏　その他諸氏

複製讃助者

丸岡九華氏　巖谷小波氏　江見水蔭氏　本間久雄氏　木村毅氏　齋藤昌三氏

文藝市場社

東京市牛込區赤城元町卅四
振替東京六四一〇四番
電話牛込三九〇六番

文藝市場　本號（定價五拾錢也）

大正十四年十一月二十七日第三種郵便物認可
昭和二年五月二十六日印刷納本第三巻第四號
昭和二年六月一日發行（毎月一回一日發行）

正誤表

（一一一ページ十六行以下）　今まで彼の股間で音も立てず眠りこけてゐた鷄冠のない雄鷄が俄に

（同十八行以下）　鷄冠のない雄鷄は勇敢に頭を上げて歌ひ續けて居ります。それが爲にアリーの着物の前の所がツンと突き出して、とても其儘外出する事は、みつともなくて出來ることではありませんでした。

（一一二ページ十三行以下）　この横着物はアリーの心も知らないで益々怒張撞頭して衣類の前を突き破りさうになつて來ました。今が今迄、精神的にも肉體的にも純潔であつたアリーには、この股間の無作法者が何んの爲にかくも横暴であるか到底了解の出來ぬ問題でありました。しかのみならず、只小便をする爲のみに、こんな無用の長物を股間に持つてゐる事は不合理にさへ思はれて、この呪はれた醜い者へ極度の嫌惡と輕蔑とを投げかけるのでありました。

（一一三ページ四行目）　巨大になるのでせう？

（同終りの飲んで見なされの次）　目のない蛇の頭は臍の所へ引つついて、着物の上からは見えなくなる。つまり、わしは、下へさげる事が出來ぬので、上へ引き上げたのぢや。」

（一一四頁最初）　一週間後、醫者の云つた通り、目のない蛇の頭は臍の所にくつ付いて、外聞も惡くなく又歩行にも困難を感じませんでした。ただ小便をする時に不便なのと、

（一一七ページ終りの行）　陰も小なり。

（一一八ページ一二行）　抑々男女の春心を昂奮させて、快感を刺戟する藥は。

（一二三ページ一〇行否定になります以下）　これは先生の名譽地位、今一ツ經濟にかけて絶對にとければならぬ事であります。して見ると如何に苦しくとも如何に殘念であるとも、今晩一度丈は夫人の寢室で眠る事をあきらめればならぬ破目に陷つたのでありました。先生は物も見事に夫人にしてやられたのであります。

さて私達は早く奥の一間へ這入つて見やうではありませんか……アリーにとつては最初の思の叶つた晩、夫人にとつては滿たされぬ情慾が滿され、思ふ様自分の素晴しい奇智を振るつた晩、見て居るこちらが少々氣恥しくなつて參りました。サア皆さんもつとこちらの扉の影へ退いて時々覗く位にしやうではありませんか、……夫人は恥しがるアリーの着物を無理に脱がせて、其の美しい若者の肌の匂、その艶、その彈力に少時見されて居りましたが、やがてだん〳〵胸から腹へと視線を降ろして行つて例の昂然と頭を擧げて居る鷄冠のない雄鷄を見ると、アツと歡喜の叫びをあげて着物を脱ぐ暇も、もどかしさうに、あらゆる衣類をかなぐり捨て、眞白な裸身をヒラリとアリーの腕の中へ投げかけました。

（一二四ページ四行目以下）　……かくてアリー・ハフイツの十數年來の惱みは跡方もなく消えて仕舞ひ、それから女に對して抱いて居た馬鹿らしい食はず嫌ひの感情も綺麗になくなつて、生れて初めて、これこそ本當の幸福であると云ふ程の幸福を、角先生の美しい夫人から惜しげもなく與へられました。夫人の方でも、亦夫に對する復讐は小氣味よく成功したし其の上にアリーと云ふ素晴しいスレイマンの印爾玉も、かつてソロモンがサバの女王を初めて見に行つた時使用した以來の効果があつたであらう事を推察して、自分の製した惚れ藥の効能について悲しい自信を持つのでありました。「これは變だぞ！」と私は呟きました。これでは前からうまく續かないぢやありませんか？　前の切りを見ますと、夫人は恥しがるアリーの着物を無理に脱がせて、其の美しい肌の匂、その艶、その彈力に少時見されて居りましたが、やがてだん〳〵胸から腹へと視線を降ろして行つて例の昂然と頭を擧げて居る鷄冠のない雄鷄を見ると、アツと歡喜の叫びをあげて着物を脱ぐひまももどかしさうに、あらゆる衣類をかなぐり棄て、眞白な裸身をヒラリとアリーの腕の中へ投げかけました。アリーは夫人を………。

正誤表

（一七八ページ上段十一行六字目）へのこ
（同　下段二行八字目）こぼし
（同　三行目）抜け
（一七九ページ上段七行四字目）入れまず抜
（同　九行四字目）した（〇だのだはたの誤植）
（同　下段十二行十字目）した
（同　十三行九字目）拭く
（同　十六行目）仕る
（同　十七行六字目）推の實ほどにし
（一八〇ページ上段三行目）褌な
（同　五行十二字目）抜けぬ
（同　六行十一字目）廣く
（一八二ページ上段一行六字目）抜身さ抜身
（一八四ページ上段十二行十一字目）ひつこ抜ぎ
（同　十三行四字目）されまし
（同　十五行十三字目）させろ
（同　十七行七字目）したら
（同　十八行九字目）ひつこ抜き
（同　十九行目）よがり泣き
（同　下段一行四字目）へのこ
（同　五行三字目）濡れたへのこ
（同　七行目）抜
（同　九行目）入れるか入れな
（同　十四行十一字目）後
（同　十五行目）くじらせた
（同　十七行四字目）する
（一八五ページ上段一行五字目）へのこで
（同　二行六字目）仕なさ
（同　四行三字目）太いへのこ
（同　六行四字目）一もくおすさ
（同　十一行四字目）仕て居る
（一八六ページ上段五行十字目）また始め
（同　下段四行五字目）され

『文藝市場』第3巻第7号

文藝市場
大正十四年十月二十七日第三種郵便物認可
昭和二年六月二十五日印刷納本第三巻第七號
昭和二年七月一日發行毎月一回一日發行

文藝市場

1927. 7

目次

＝潑刺七月號＝

（3）

▼市場特製大自慢ノ物

j 妖術者の群　藤澤衛彦

▼コレダツテ面白イデシヨウト云フ物

k 世界文身考　ハンブレー著　佐藤紅霞譯

▼軟イ物（東都暗黒面巡禮）

l 東京不良少年往來　サトー・ハチロー

m 玉の井魔窟探險　石角春洋

n 東都質屋往來　繁山鮎太郎

o 人間倉庫　熊坂長範

p 木賃宿巡禮　石角春之助

▼市場ガ讀書人ニ對スル良心的贈物

q 世界珍書解題（アナンガ・ランガ）　酒井潔

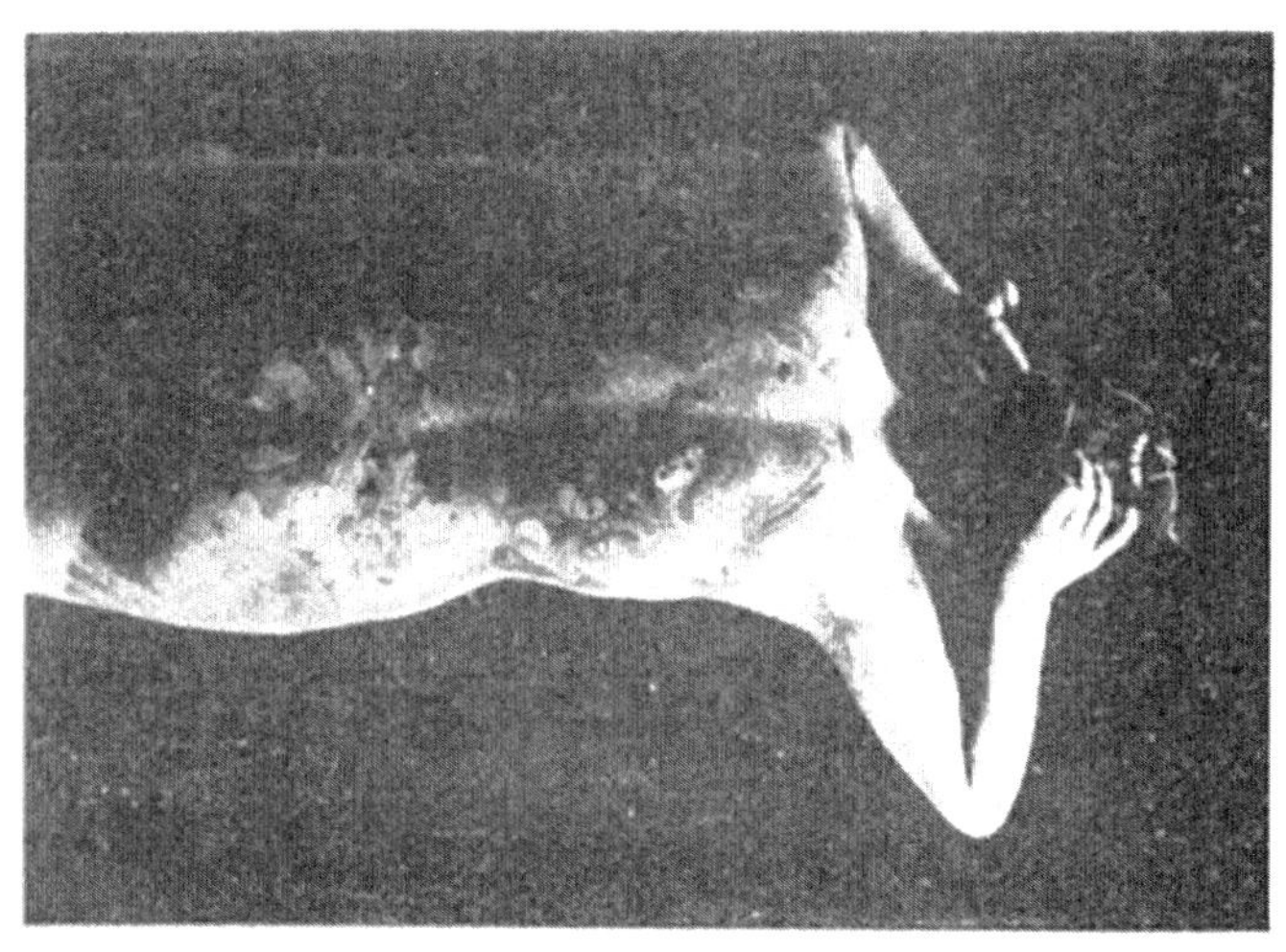

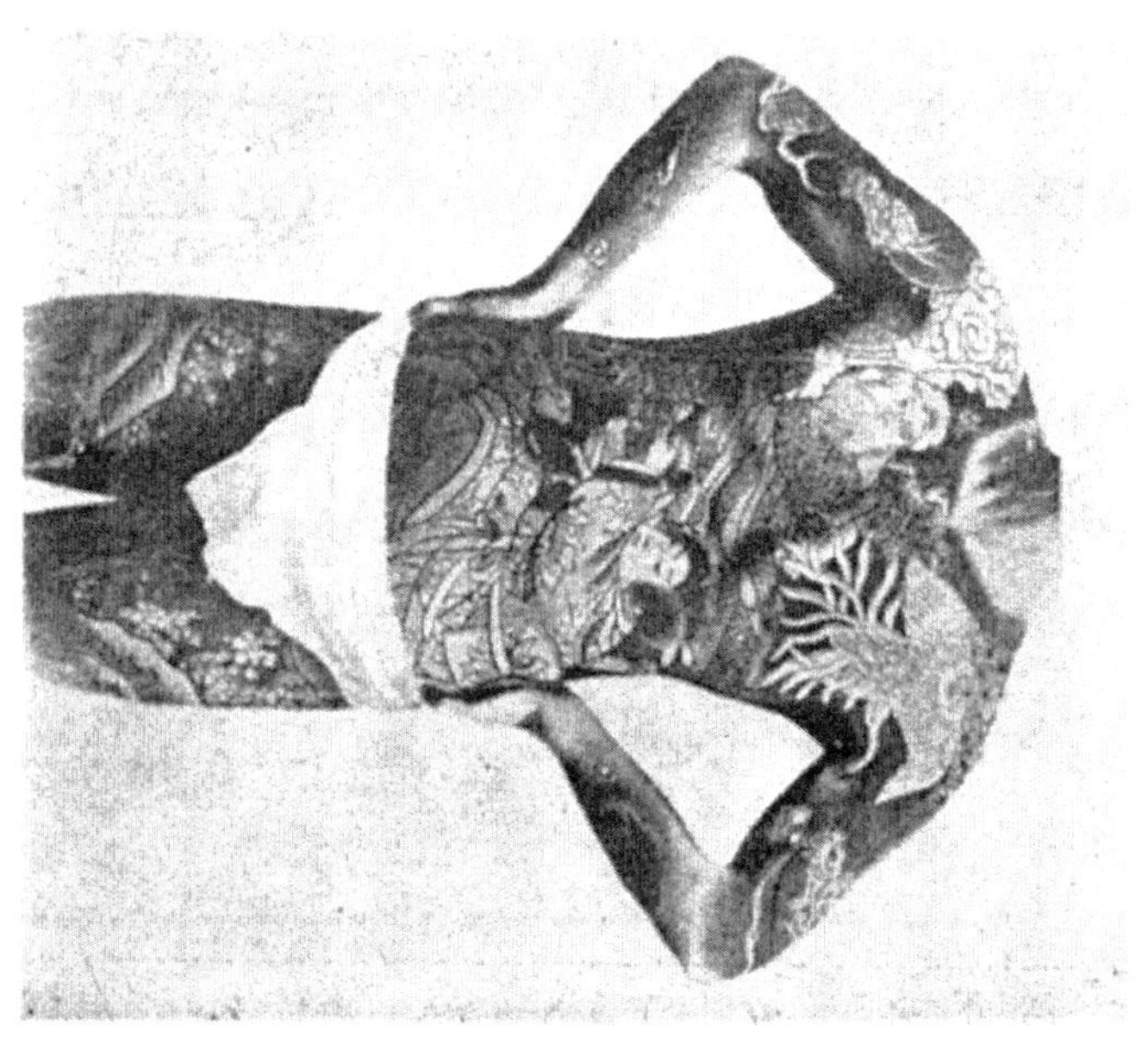

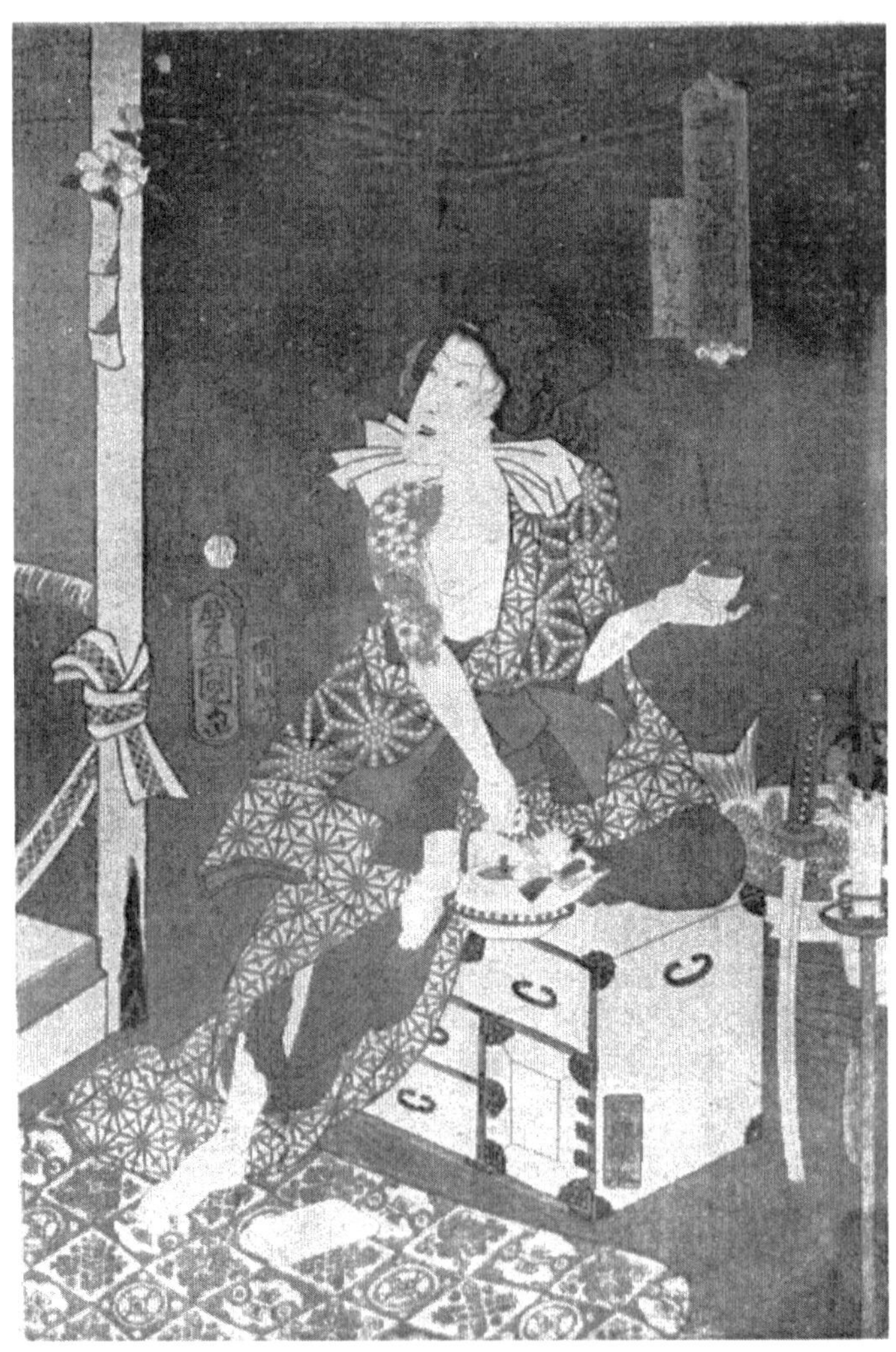

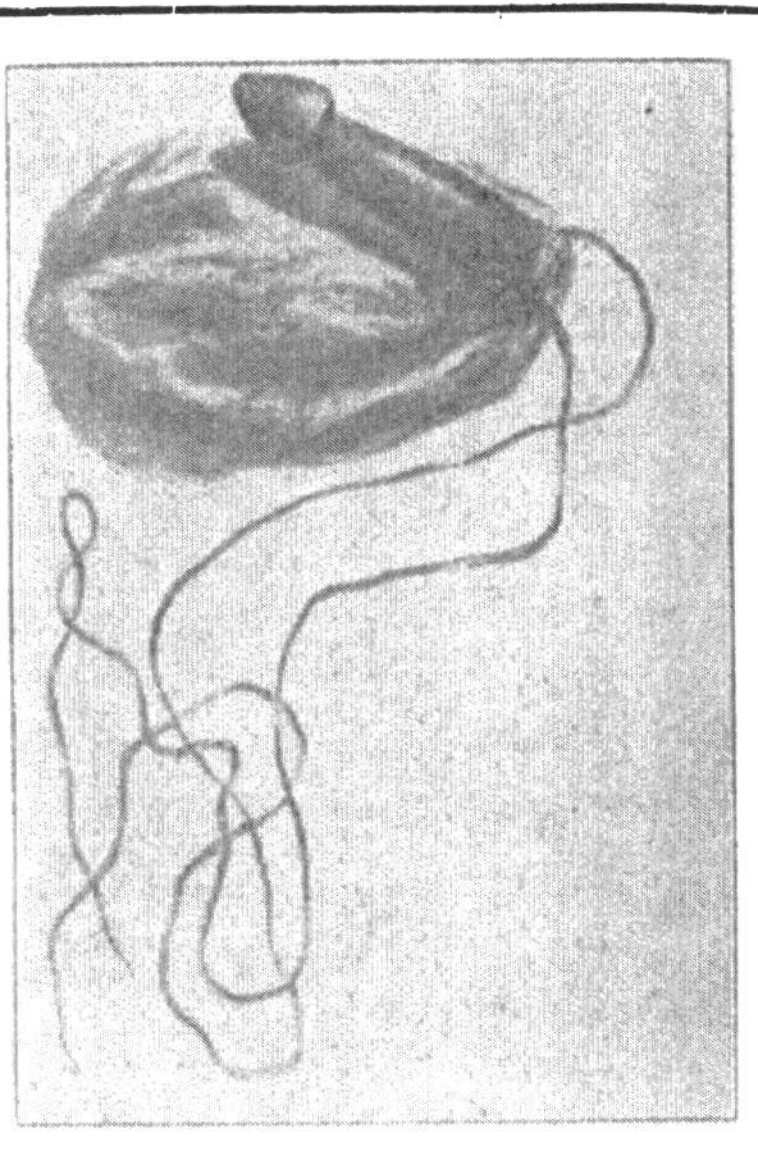

日本性愛奥義篇（一）

酒井潔

前書

この研究は表題通り、日本に於ける秘具、秘薬、秘法等に關するものである。今月は其の第一篇として秘具篇（張形考）を發表した。最初筆者の計企では、日本の事のみにして置かうと思つて居たが、それではあまり狹くなる嫌があるので、不完全ながら、世界の張形界へも一臂の勞を惜まず、總論として其の概況を論述した。もとより誤解、脫漏の點も多いと思ふが、何分筆者の主要研究は日本のそれであるから、總論に於ける筆者の誤謬はあまり手きびしくとがめられたくない其の代り本論日本の張形に關する研究では出來る丈完壁を期するつもりである。然し微力、思ふ程、事は運ばぬかも知れない。切に大方の御敎示を俟つものである。

第一篇　秘具篇（張形考）

總論

普通張形と云ふ物は、其の發明されてより以來今日に至るまで、常に二ツの使用法を持つて居る。

一、生殖器崇拜の神體として祭祀する。

二、機械的自慰用の道具とする。

此の二ツの使用法は不離不測のものであつて、張形なるものを單に自慰の機械として論じた丈では、未だ十分でないと思ふ。

抑々張形（Phallus）即ち生殖器模型が人類によつて製作された起原を確言する事は不可能であるが、恐らく原始人の無器用な手が多少とも造形上の技量を習得した時、まつ先に作り上げたものが幼稚な男女生殖器の模型ではなかつたであらうか？

原始人は男女の生殖器を結合さす事によつて、肉體上の快樂と、子供の生ずる事とを知つた。これは彼等にとつて絶大の不思議であると共に、喜悅であつたに違ひない。彼等の社會にあつて多產は決して不安なものでない。無限の土地の上に自分の分身が增加する事は喜である。且つ强暴な野獸、酷烈な氣候と戰はねばならぬ彼等にとつて自分達の種族を一人でも增す事は、喜と云ふよりむしろ必要であつた。其の上獸的體質を有して居た原人女子の分娩は極めて容易であつたと信じられる。かくの如く生活難の脅威も、分娩の苦痛も、殆んど感じなかつた時代に於て、彼等が多產を希望した事は當然の歸結である。

（７）

即ち多産の祈願が彼等の單純なる頭腦によつて創造した造物主の表章たる生殖器を神化して崇拜する形式となつて出現したと考へるのは見易い道理である。

か樣にして、男女生殖器の模型は、彼等の崇拜する造物主の偶像として發明製作され、且つ熱心に祭祀されたもので、張形なる物の最初に世に出た動機は、敬虔なる宗敎上の目的にあつたと信じられる。

然らば其の宗敎上の目的たる張形が、いつの時代より自慰の機械として用ゐられ初めたかを考察するに、これ又甚だ漠然として居て斷定的年代を決定する事は不可能である。然し私達はも一度原始人の幼稚な張形時代を堀り返して見やう。

譬ば彼等原始人の男子の一隊が遠征又は狩獵に出發した場合、夜營の徒然なるまゝに、木や土で生殖器の模型を作つて女性との關係を空想して慾情を慰める、或は部落に殘つた女子達が、男根形の模型を以て、遠征の男子を想ふ、斯うした場面を空想するのは、多少小說的であり過ぎると云ふ非難はあるかもしれぬが、全然有り得べからざる事とも思へない。して見れば生殖器模型なるものが機械的自慰の道具として用ゐられた濫觴は、これ亦原始人時代に初まつて居るとも想像出來るのである。

元來古代女性間に於て、男根模型が崇拜された主要な目的は、前にも述べた多產の祈願に外ならぬ。彼女達が男根模型と交接するのは單に自慰の快樂を得んが爲のみではない。偶像化された造物主である此の模型と交接する事によつて容易にして饒多なる姙娠を得んと願つたのである。かの印度人間に信じられて居る、處女のまゝで死ぬ時は極樂へ成佛する事を許されない。それが爲に夫と第一回の交接をしない前に寡婦となつた少女は男根神即ちリンガムによつて破瓜を行ふと云ふ思想は、女子の本分たる姙娠を重大視して、此の姙娠に對する必然的附隨行爲としての交接を行はしめて、不幸なる處女に一人前の女子たる資格を與へると云ふのに外ならない。猶結婚前に死亡した少女に對しては父兄達が自ら穢多非人等を雇つて其の少女の死體の破瓜を行はせ、然る後初めて埋葬すると云はれて居る。これを見ても如何に彼等が、子を產む事を以て女子の第一義務として居るかゞよく解る。

(8)

斯うして神聖な宗教的祈願によつて、女達は男根模型を使用した。然しながら、此處に注意す可きは彼女達が姙娠を祈る時に當つて單に男根像を拜む丈ではなく、實際にそれと交接を行つた事實である。男根模型を自分達の局部に挿入すると云ふ動作は、其の目的が神聖なる宗教的祈願であるとは云へ、器具の摩擦より來る肉體的快樂は到底否定し得ない所である。即ち彼女達の宗教的祈願には、優れたる肉體的快感の伴ふ事を發見したのである。此處に於て宗教上の生殖器崇拜は、肉慾本能滿足の自慰的動作と不離の關係を結んだと見なされる。古代印度、埃及人達が、團體としては巨大な陰陽神を祭祀し、個人としては實物大の金石木材石膏牙製の生殖器模型を常に身邊に携帶して居たのは明かに彼女達がそれを以て姙娠祈願と同時に自慰の用に供した事を觀取されるではないか。

ギリシヤ、ローマの性慾神パン神やプリアプス神の立像の男根によつて處女の破瓜を行ふ儀式は誰でも知る所であるがこれを主題とせる繪畫彫刻などは殆んど本來の宗教的意義を沒却して、これ等神像を抱擁する女子はいづれも破瓜の儀式と云はんよりはむしろ自慰的快感によつて恍惚たる樣に製作されて居る。次の樣な畵がある。

森の中に安置したパン神の立像に一人の裸女が抱きついて今しもエクスタシーの恍惚境に遊んで居る。するとも一人の裸女が二人の下半身を幕で隱してやりながら微笑を含み、口に指を當てゝ沈默を示して居る。これが果して單純なる破瓜の儀式を現はした畵であらうか?

猶皮肉な畵は、二人の男女が公園を散歩して居る時、男がフト樹間に立つパン神の像を見付け、周章てゝ自分の帽子をパン神の男根にかぶせて居る圖である。こゝに至つては最早やパン神の男根は宗教的存在ではなくて立派な催情的自慰の道具になり下つて居る。

かくの如く古代に於ける張形使用法は宗教上の崇拜と自慰的使用との二ツが不規則に混合された物と見るが妥當と信ずるが、古代ギリシヤのレスボスの婦人は象牙又は黃金製の張形を用ゐたと傳へられ、又アリストファネスによつてミレジア婦人が「オリスボス」なる革製の張形を使用したと云はれて居る所を見れば隨分昔から專門的張形が存在して居た證據

第一圖（八頁参照）

（10）

とも云へやう。（此の「オリスボス」を使用して居る古ギリシャ花瓶の畫は佐藤氏の性慾語彙に載せてある）猶ヒロンダスの傑作「秘語」の中には「オリスボス」を使用した二人の貴婦人の對話が出て居るが、其の中の一人はこれを「樂みの夢」と云つて居る。

舊約のエゼキエル書（十六章十七節）に「汝はわが汝にあたへし金銀の飾の品を取り、男の像を造りて、これと姦淫をおこなひ云々」とあるのは金屬製の男根を作つて自慰の用に供したと見る可きであらう。

これ等の物は勿論專門的自慰用の張形として認む可き物ではあるが、まだ多少宗敎的臭味が含まぬでもない。然るに一度び目を印度の古文献に轉ずれば例のカーマ・スートラによつて私達は完全に宗敎と分離した張形に接する事が出來る。それを左に列記して見やう。

▲これら（男根模擬品）は金、銀、銅、鐵、象牙若くは角にて製する。

▲バーブラヴィーヤは錫、若くは鉛にて製したるものを主張する。それは緻密で、冷かで、性慾を興奮し易く、女根の全面を摩擦して女の快感を惹起するものである。

▲ヴーツチヤーヤナはこれを男根の形に似せて木で作ることを推奬する。

▲これには指環狀の一片が附いてゐて、その孔は恰も男根を通ずるやうになつてゐる。外面は幾分粗く、多くの粒狀物を作る。（これで女根の內面全部を摩擦するに都合よくなつてゐる。）この指環狀の部分は男根を緊く保持して硬固狀態になすためである。

▲かゝる部分を二個有するものをサングハーテイーと云ふ。

▲三個以上これを附加して男根の全長に及ぶものをチユーダカと云ふ。

▲若し鉛などにて作り全長が蔓草の如く男根を撚り回れるものをエーカチユーダカと云ふ。

▲同じ材料が用ゐられ、而してそれで臺尻狀の物若くは一方を開放した網が作られる。而して男根の大さ長さに相當す

（11）

る入口の兩側に孔がある。それに附着して大なる粗き表面を有する男子の睾丸の形のものがある。男根の全部は睾丸と共に恰うどこの中に入れられる。兩側にある孔に紐などを通じてこの品物は男子の腰部に結び付けられ、かくて男子は動作する。

▼かゝる品物なき場合にはアラーブー（葫蘆の類）若くはヴェーヌ（竹）が用ゐらる。これらには眞の男根の色と接觸を感ぜしめるやうに油若くは其他の液を塗る。これらは前記の品物のやうに男子の腰部に結び付けられる。或はアーマラカのカーシユトハマーラー（多くの木製の珠に石を混ぜたもの）を紐に貫き男根の回りに撚られてある。

以上アバドラヴヤヨーガ、男根模擬品を（男根に通すことなしに）用ふる方法終る。次には男根に孔を開け、其の傷口は藥液で洗滌して孔を固定し、其の孔を通じて左の如き男根模擬品を結びつける。

▼男根模擬品（孔を通じて結びつけるもの）の形に種々あり。

（一）ヴリツタム（圓きもの）

（二）エーカトー、ヴリツタム（一側が圓く、他の側は凹んでゐるもの）

（三）ウドウークハラカム（木製の臼のやうなもの）

（四）クスマカム（花の如きもの）

（五）カンタキタム（尖れるもの）

（六）カンカーストヒ（蒼鷺(カンカ)の骨、或はカンカを檬果(マンゴー)の一種と見てマンゴーの種の形をなせるものと見るべきか）

（七）ガジヤ、プラハーリカム（象の鼻）

（八）アシユタマンダリカム（八日の月の曲りの形をなせるもの）

（九）ブフラマカム（小兒の獨樂の形せるもの）

（一〇）シユリンガータカム（山の頂の形せるもの）

（12）

尙ほ男女の嗜好に隨つて力强き動作に堪ゆるもの、粗なるもの、緻密なるものなどあるであらう。以上の張形を一見するに、どれもこれも實際の男根に嵌め或は着せて動作するものであつて後世の如き女子が自分獨りで慰む樣には出來て居ない。それで張形なるものを自慰の道具であると狹く解釋すれば、これ等ヴーツチヤーヤナの擧げたものは純然たる張形とは云へなくなる。然しそんな事を云ひ出したら日本の鎧形とか甲形、りんの輪、なまこの輪なぞと云ふ代物も張形とは云へぬ理窟になるから、矢張りこれ等のものも秘具を代表した名稱としての張形の中へ入れて置くのが穩當であらう。

尤もカーマ・スートラには後宮の女子同志の間に自慰用の張形を使用して僅に快をやつた敍述はある。第五品他妻親近篇、第六章後宮の婦人とその保護。

▼後宮の婦人は守護嚴重なるからに（他の）男を見る機會がない。唯一人の共通な夫を有するのみで常に性交の滿足をしない。さればこれら女たちは相互動作によつて快樂を感ずる。

▼乳姉妹、友だち侍女などを男裝せしみ、それ等に男根の模擬品に造つた木根果實などを用ゐさせ以て性慾を滿足する偖て、此處に注目す可き事實がある。それはカーマ・スートラ以外の代表的東洋愛の聖典、アナンガ・ランガ、匂へる園、エル・クターブ等の奥義篇に、張形の記載が無い事である。其の癖、女子の快感を永續せしむる爲に、男根を强大にする處方は遺憾なく敎へられてある。して見ると、これ等東洋の諸賢者は男女が正常に交接する場合には、あらゆる方法を敎へて其の快樂を助長せしめ、以て神聖なる生殖作用を祝福したが、不自然なる自慰の方法を公に敎へる事は避けたものと思はれる。勿論私は此の一事實をもつて其の當時自慰用の張形が存在しなかつたなぞと云ふ大膽な結論をするつもりはないが、少くとも彼等の聖典の作者が性愛を說くに當つて如何に正常にして勇敢、且つ眞劍な態度を持して居たかと云ふ事は推定出來ると思ふ。前述の十數種の張形を記載したカーマ・スートラに於てもそれが男女正常なる交接の場合にのみ役立ち女子獨りの自慰の具としては使用不可能である點を見ても、私の說は裏書されるであらう。

然し聖典は聖典として置き、普通自慰用の普遍存在して居た事も爭はれぬ事實で、スルタンの「土耳古醫薬誌」には此の具がコンスタンチノープルで公賣されて居た事、バナナや胡瓜が愛用された事を記して居る。オマール・ハルビーの名著エル・クタープの中で土耳古婦人の同性愛の流行を否定した所に、

「然し親愛なる友達同志、孤獨の女達、若い寡婦の間には例外として同性愛的行爲が行はれ、どちらか一人が腰に張形を結びつけて、戀人或は良人の代理をするのである」

と出て居る。即ちこれ等は完全に宗教的生殖器崇拜の爲に男根像と交接する張形使用法から分離して自慰の爲にのみそれを使用した明瞭な例證である。

西洋に於ても中世紀になると、張形の二ツの使用法は益々其の區別を明かにして來た。勿論宗教的祈願として魔除け、姙娠、安産、破瓜等には相變らずしきりに用ゐられたが、自慰的專門用道具としての發達には素晴しい物があつた。中世紀キリスト教の尼達は斯うした舞臺に踊る絶好の主役であつた。尼が張形を用ゐて居る艶畫は無數に發見される。バイロス。ローランドソン等は好んで此の畫題を取り扱つた。然し此處に注意す可き事は、歐米の繪畫に現はれる張形は殆んど例外なく陰嚢を持つ事で此の點日本の物とは非常な相違がある。日本の張形で陰嚢らしき物を持つのは生殖神として崇拜する粗末な製品に限られ、實際自慰の用に供せられる優良品には絶對に陰嚢様の物はない（この事は又後で詳論する）猶張形に陰毛を付ける事も西洋物の特徴で日本製には見ぬ事である。十九世紀時代盛に使用された革製の張形の中には完全なる陰毛、陰嚢を持つた實物そつくりのものがある。

か様に尼達によづて張形が愛用される事は教會監督者の堪へられぬ所であつて、十二世紀のウォルムスの大僧正ブルシヤードは酷く陽形使用を非難して居る。キリスト教會の婦人達が如何に好んで男根形を所持したかと云ふ事は次の奇妙な話によつて、證明されやう。

かつて、カプシン派の僧侶が、ゼズイット派が其教區内の婦人達に男根形の護符を持つ事を許して居るのは不都合だと

(14)

非難した事がある。するとゼズイット派では、この事は古來よりの習慣だから改正する必要はないと頑張つた。それで到頭法皇の前へ事件が持ち出されると、流石の法皇もこの裁きには閉口して、熟考の揚句ゼズイット派の婦人が持つて居る男根形に小さな十字形を附け加へよと云ふ珍判決を下したのである。

第二圖　コツプ付きの硝子製張形

十五世紀以降になると張形は益々流行して其の文献も精細になつて居る。十六世紀イタリーの小説家フォルティンの「初心者物語」の中に尼僧、寡婦或は姙娠を欲しない女子が愛用した玻璃製の道具の事が書いてある、コツプ附き玻璃製の張形の立派な標本はフックスの風俗史の中に精巧な寫眞版となつて載せられてある。

エリザベス朝の英國に於ても、同様な道具があつたと見えて、マルストンは「諷語」の中でルシアといふ女をして夫の生溫い寢床よりはガラス製の道具の方がよいと云はせて居る。十六世紀のフランスに於てもガラス製のものはあつた。ブラントームの小説の中にも、其の事が書いてあつた様に記憶する。十八世紀のドイツでは其れを（Samthanse）と稱し、フランスでは(Godemiche)と呼んで居た。

一七八六年に發行された有名な好色小説、Le Rideau Ievé ou l'Education de Laure.（ロール孃の教育）――此の小説は通常大政治家オクターブ、ミラボーの戯作と稱せられて居るが、實際はマルキー・ド・サンチリーと云ふ男が書いたのである――の中に左の如く詳細な張形の描寫がある。

「其の道具は總ての點に於て眞に逼つて居るが、只摩擦を増す爲に頭より根元まで横に波線を刻んであるのが實物と異ふ點である。銀製で、其の上に滑かなワニスを塗り、實物の色を模して居る、中空で薄く、且つ輕い。内部にはピストン仕掛のある銀管を通じ。其の尖端は道具の龜頭に開いて居る。内壁と銀管との間には溫湯を滿し、銀管中に淡白色の溶液を入れて置き、精液の役をなさしめる」

當時の英國でもヂルド（Dildo）の使用は普遍的でアーケムホルツによれば、巴里に於ては秘密に賣買されて居たが、ロンドンではフイリツプスと云ふ夫人がライセスター、スケアに店を開き公然と賣つて居たさうである。

一八三五年にジョン・ビーは此の道具の名前は、元はヂルドル（Dildol）であつたので、以前はもつと廣く用ゐられて居たと書いて居る。

十八世紀のフランスでは最も著名な青樓主マダム・グールダンが（Consolateur）――即ち慰むる物――の大販賣をやつて居たが、其の死後調べて見たら、諸方の尼達からの注文が無數に來て居たと云ふ事である。

ガルニエの（Onanisme Seul et à deux）の機械的手淫の條下に、巴里に於て秘密に賣られて居る精巧なゴム製の張形の事が記されてある。それは牛乳或は其の他の液體を内部に貯へ、逸情の刹那僞陰囊を押して射出する仕掛であるとの事である。猶同氏は支那のカントンでも朱色ゴム製の張形が製造され天津で公然販賣され、其の他裸體の女が踵にそれを結びつけて自慰を行つて居るアルバムも同時に賣られて居る事、それから張形使ひの見世物の事なぞも書いて居る。

東印度諸島の地理的中心なるボルネオは張形に於ても亦其の中心地の觀があつて、アムパラン、パラン、カムビオン等種々の名稱を有する張形は長さ約二吋、兩端を丸めたる骨又は金屬製のもので主としてボルネオのキヤン人及ヅヤク人間に用ゐられる。

彼等は男根に孔を穿つて、その傷口に栓をつめて置き、交接の際には、此の孔へ色々な道具を通して摩擦を助長せしめると云ふが、これは二千年前に印度に於て既に行はれて居た遺風が傳播したものであらうか？　尙ほヅヤク人は棕櫚の織維で作つた襞のある環（パラン、アナスと稱す）を日本のなまこの輪の樣に用ゐる。瓜哇では山羊の毛皮を龜頭へ卷くと云ふ。ロシアでは小さき齒を植えた彈力性の環を用ふる事が普遍されて居るさうである。南米アルゼンチンのアラウカニア人は馬の毛で作つた小さきブラツシユを男根に付け、これをゲスケルスと云つて居る。

アフリカ內地ではマデイゴと稱する木製の張形を用ゐ根部に陰囊用のものがあつてダラクと云ふ木の汁を滿たしてあるこの標本はベルリン市立民族博物館に所藏され、其の寫眞はダス・ワイブに所載されて居る。ルネ・マランの有名なる黑人小說「バツアラ」の第五章には現在でもアフリカ內地の女達が張形を一種の財產、護符、裝飾等の爲に所有して居る樣が描寫されて居る。それは酋長バツアラの妻が股間に巨大な男根形をぶら下げて男の役を演じつゝ相手の女と踊る場面であるが、この際の張形は明かに猥褻な意味に用ゐられて居る樣に思はれる。

次に支那の事を考へると、今より二千年前既に印度と共に大性慾學を大成して居る國であるとして見れば、性愛の奧義篇とも云ふべき秘具、秘藥、秘法等は無數に文獻上發見されねばならぬ筈であるのに、秘藥、秘法の事はさて置き、秘具即ち張形に至つては仲々目につかない。性慾敎科書として有名な、素女經、玉房秘訣、洞玄子、玉房指南等の古文獻に張形の記載があるか？ 原本を知らぬ私にとつて、それは是非とも諸賢の御敎示を願ひ度い所である。黃素妙論以下の諸書を見ても秘藥の處方は必ず所載されてあるが、精細なる張形の報告は見當ならぬ樣に思ふ。斯うした眞面目な性慾學の硏究書に記載されてない張形は往々にして普通の淫書の中に發見される。杏花天には角先生なる文字があり、金瓶梅には銀托子（銀製の環、男根の根元に嵌める）其の他の諸淫書からは相思套（日本の鎧形の類か）硫黃圈（硫黃にて作れる環、龜頭の頸部に嵌める）白綾帶子（淫藥を塗れる絹紐、日本の「ひごずいき」の如く用ふ）懸玉環、勉鈴（りんの玉）等を、和譯の如意君傳からは僞陰囊、僞精液を有する精巧なる張形の記載されたのを見出し得るが、殘念な事には、それ等の精確な標本圖、及び形態の說明が缺けて居る爲に、甚だ隔靴搔痒の遺憾に堪へない。然し多種類の優秀な張形が存在したであらうと云ふ點は想像し得る事で、左に引用した覺悟禪の一節も其の間の消息を物語つて居ると見る事が出來やう。原本の第十七回目、未央生と後家さんの花晨とが色情問答をする所である。

花「看二春意一。誦二淫書一。听二騒聲一」

未「春意を看、淫書を誦するのは僕も初婚當時、大にやつたものですが、それは一度丈の樂で、二度三度になれば感興も何もなくなるではありませんか」

花「それはあなたの所には春畫も淫書も少いからですわ。それですぐ見飽いて仕舞ふのでしやう。妾の家の樣に澤山あれば順繰に見て居る内に、先のは忘れて、今度見る時はやはり最初の樣な感興が涌くのですわ。第一看二春意一誦二淫書一にも、それ〳〵方法がありますのよ。先づ春畫を見るには、男女がチヤンと坐して居て、一枚一枚と見て行きながら悠り其の妙所を味ふ可きで、其の内に二人とも情慾が燃え上つてくるものですよ。次に淫書を讀むのは、男女が床へ這入つて、まづ一回交接し、それから替り〳〵に本を讀み合ふのです。そして又いゝ氣持ちになつた所で再び交合すると云ふ譯なのよ」

未「なる程、それで二ツの事は解りましたが第三の騒音を听くと云ふのは何んの意ですか?」

花「妾は自分が性交して居る時、すぐ側で誰かのヨガリ聲を聞く事が大好でしてネ、で妾は腰元に云ひつけて、妾の側でやらせて其の聲を聞きながら良人と寢るのです」

未「だつて、そんな事をしたら、あなたの御主人は肝心のあなたの番の時、參つてしまやあしませんか?」

花「それには妙法があるのよ。勿論腰元と交接するのは妾の夫ではなくて代理ですわ」

未「ワハハヽヽヽ、解りましたよ。奥樣。その男の性は角でしやう!」

以上の話で見ると、色情學の大家花晨後家は明らかに素晴しい無數の秘書の所有を確言してゐる。この事實から推して彼女が秘書と同樣に種々樣々の秘具、秘藥を持つて居た事も類推さたる。此の時代の張形は勿論精巧な工藝品であつたに違ひない。

猶「不求人」には張形の事を角先生と云ひ「更豈有此理」には辭㆓好々先生㆒啓㆓望南飛㆒の賦がある。好々先生とは張形の事で、望南飛とは吾妻形を指すのであらう。「林蘭香」の註に、

京師有朱姓者、豊其軀幹、美其鬚髯、設肆於東安門之衢、而貨春藥焉、其角先生之制尤爲工妙、聞買之者、或老媼、或優尼、以錢之多寡、分物之大小、以盒貯錢、置案頭而去俟主人措辯、畢即自來取、不必更交一言也、

此の一節は江戸に於ける四ツ目屋、倫敦に於けるミセス、フイリツプスの店、巴里に於けるマダム、グールダンの店に對して支那にも立派な秘具秘藥販賣所があつた絶好な證據である。

扨て、これ丈の記事で支那の張形を片づける事の無法千萬なのは私と雖も百も承知してゐる。換言すればまだ私には左の如き根本的研究が殘されてゐるのである。

一、支那に於ける原始的張形（生殖器崇拜をも含む）の發生時代。
二、支那自國に於て、それ等は發明されたものか。
三、或は印度、西藏あたりより輸入されしものか。
四、いつ頃より精巧なる工藝的自慰用の張形が製出される様になつたか。
五、其の形態、種類は如何なるものであるか。

第一の疑問に對しては、確實な文献は不明である。只「畫譚鶏肋」に、

「支那の上古にも、柩の四方に、蛤の殼を瘞み是へ人物を畫き置きしとなり。
古きより漢人の畫きし蛤を堀り出せしこと、略史にも見ゆ、其畫皆春情ありしとぞ」

とある所から考へて、古代支那人も生殖作用に非常な驚異と憧憬とを持つて居た事がうかゞへる。して見れば、其の變形である男根崇拜も當然行はれて居たと思つても間違はあるまいが、確證を持たぬ私は今暫く他日の研究に讓つて置く。

第二、第三、第四、第五とも私はまだ、充分なる文献を發見しない。甚だ汗顔の至りであるが、も少し時間を貸して戴き度い。然し支那に於ける生殖器崇拜の流行が左程古代よりあつたもと思はれぬ。現に唐の名僧三藏法師が入竺した當時印度各地に屹立する大陽物に驚嘆して

「外道天根を拜す、その高さ百尺」

と、あきれて居る位だから、唐時代にはまだ瞠目する程の男根崇拜は行はれて居なかつたかも知れない。

所で吾々が深く注目す可きは喇嘛教が支那人に與へた影響である。支那人が喇嘛教を信仰した一大原因は、喇嘛僧が不思議の秘藥秘法を持つて居ると信じられて居た點にある。かの淫婦「玉妃」の寵を受けた九王が喇嘛僧より「阿肌藏丸」なる靈藥を得た話は有名なもので（此の話は秘藥篇に載す）下亦上にならひ、爭つて喇嘛教に歸依し、かゝる靈藥を得んとしたのである。か樣に蠱術に通じた喇嘛僧達が秘藥と相棒である可き、秘具の術にも達して居たとは誰でも考へ得る所と思ふが、矢張り確たる文献はない樣である。

今一ツ私の不思議とするのは、支那で最も早く現はれた性慾教科書とも云ふ可き道教の中の閨丹術でも張形の使用には觸れて居ない。これはどうしたものであらうか？　私をしても一度勝手な想像を許さして貰へれば、支那に於ける諸性慾研究書に秘藥のみの記載があつて秘具の記載まれなるは、元來秘藥なるものは專門的智識を持つて居らねば製造出來ぬもので、民衆は當然賢人達によつて、その製法の教を受けねばならぬのであるが、秘具に至つては、精巧復雜なるものはいざ知らず、通常簡單なる品なれば十歳の童兒でも製作し得る故に、諸賢者達も張形製作法を其の研究書へ、載せる煩をはぶいたのかも知れない。大した說でもなさゝうだが、また當らずと雖も遠からずではあるまいか？

次には自然物を持つて自慰の器具となした話を神話傳說等から二三引用して見やう。布哇の神話にも女神達が其の衣の下に置いたバナナの爲に孕んだといふ事が傳へられ、臺灣生蕃傳說にも次の樣な面白い話が殘つて居る。

「或る所に恐しい氣の利かぬ女があつた。社人は「ボットツ〳〵」と云ひ囃し嘲笑してゐた位だから誰一人婿にならうと

（ 20 ）

いふものがない痴かな女にも性の惱みはあつた。寂しさを喞つてはいつも畑に行つて人知れず胡瓜を弄んでは樂しみ、時としては玉蜀黍や薯などを使つて獨り慰んでゐたがどうしても十分の滿足は得られなかつた。娘は悶々の中に世を早くした」（タイヤル族キナジー蕃）「或時三人の娘が薯を掘つてゐたが、晝休みの時一人の娘が私に薯を削り適宜な型を作つて之を弄してゐた。初めは何事もなかつたが、やがて中程から折れて取れなくなつたのでしく／＼泣き出した。連れの娘は吃驚して尋ねると、今蟹がやつて來てピツピに入つたので痛いのだといふ。一人は早速手探りにその蟹を取り出したが、蟹どころか削りなした薯だつた。餘り馬鹿にしてゐるので頭目に告げたから娘は謝罪せしめられた（タイヤル族大嵙崁蕃マリコワン蕃カラパイ蕃、ブヌン族干卓萬蕃やはり薯を弄した娘があつた、パイワン族タラカウ社、大體同樣だがこゝでは娘が死んだと傳へてゐる。サイセツト族大隘社、茄子になつてゐる。サセク族内太魯閣蕃、少女が菌を弄んで困つてゐるのを老人が救つてやつた。そして今でも青年が「菌を取つてやらうか」と若い娘をからかふのである。

「昔一人の貧乏な男があつた。妻を娶る資力さへなかつたので、求妻の勸めもすつかり謝つてゐた。そして竊に山に行つて芭蕉の幹に穴を穿ち情慾を洩す事を樂しみとしてゐた。或時社の壯丁が後から來るのも知らずに例の如く獨り佳境に入つてゐた。社人は素知らぬ顏して歸り細く、削り尖げた竹を無數に孔の中に植えて置いた。知らぬが佛の男は翌日も芭蕉に通つたが忽ち竹串に刺され命まで落してしまつた」。（タイヤル族大嵙崁蕃）

サイセツト族ガラワン社、ヤウエロスボンといふ男が女を誑かさうとしたが、その手に乘らずに逃げてしまつたから、忌々しさのあまり孔のある石をなしたが、心適かず芭蕉の幹を刳つて片つぱしから行つた。後で見ると畑中の芭蕉は悉く刳られてゐた。

パイワン族アツダス社、或男が（「ロネ」ー夕顏）に湯を注ぎ軟くしておきそれを愛玩した。

同タラマカウ社、或時娘が外で遊んでゐると、榕樹の根が延びて來て遂に犯してしまつた。

妻のない男は大きな瓢に孔を穿ち湯を注ぎ暖めておいてそれを抱く、殊にいろんな迷信から妻のある男でも自由にならぬ場合はこんな方法を講ずる。

成熟した女が久しく男との語らひをせない時は腟水腹を貫き遂に額を衝くとて、蕃薯を（ウツタシ）の形に作り温めて弄ぶかうした事を（「ピシヨカリジン」――殿懸ひ）といつてゐる。（サセリ族トロツク蕃）。

「解顔新語抄」と云ふ笑話本の中に一人の尼がだいこんで自慰する所が出て居る。

一尼慾心甚熾以二蘿蔔一代レ陽大肆抽送暢レ所レ欲不レ料用レ力太猛折レ其半截一在レ内控レ之不レ出漸至二腫脹一延レ醫看視醫將二兩手陰傍二按捺良久突出剛打二醫人瞼上一醫歎曰我也醫レ千醫レ萬從來レ見二屄會二打彈（いまだつびに此様に弾かれた事がない）

屄（つび）打彈。

以上で不滿足ではあるが大體世界張形の歷史を述べたつもりにして置いて以下エリス氏等の諸書から張形以外の異物によつて自慰を行ふ狀態を引用記載し、それが終つたら、愈々世界で最も美術的工藝品として獨自の地位を占む可き日本の張形について詳論して見たいと思ふ。

英佛の田舍の女子や女工がバナナ、大根、蕪等を擬張形として用ゐるのは誰しも知る所であるが、醫師の側から見て、異物竄入として最も多く手にかける物は、鉛筆、封蠟棒、糸を捲いた管、ヘヤーピン、刺針、編針、針山、コンパス、硝子栓、蠟燭、コルク、コツプ、齒磨楊子、小罎、鷄卵、菓子、豆類である。中には甲虫、魚類、蚯蚓なども用ゐられる。露國の女は下着に大きな節を拵へて自慰の用に供し、又自分の踵で局部を摩擦して目的を達するとも云ふ。其の他木馬、ブランコ、裁縫器械、汽車、自轉車、乘馬、舞踏なぞも或る意味に於て一種の自慰の方法と云ふ事が出來る。

ヘヤーピンが張形の代用をするとは一寸變に聞へるが、これは尿道が腟に似てやはり其の刺戟によつて快を得ると云ふ事實を知れば直に了解される。一八六二年に獨逸の或る外科醫が婦人の膀胱からヘヤーピンを取り出す爲に特殊な器械を發明したと云ふ位だから、如何に其の使用が盛んであるかは想像されるであらう。然し日本に於てはヘヤーピンの使用がそれ程盛んであるとは思へない。

ブランコが自慰の道具になると云ふ事も一寸意外である様だが。この遊戯が女子達に性的興奮を與へるのは爭へぬ事實であつて、小說の中では、「杏花天」に男女雲雨の快を形容して「如立鞦韆架上」とあり西洋の戲畫を見ても如何に宮廷の貴婦人達が鞦韆遊びを愛好したかよく解る。小學生達の間で男の子より、女の子がブランコ遊を餘計に好むのは單に私一人の觀察ではあるまいと思ふ。中央印度の或る地方では寺に多くの鞦韆があつて、男が出稼の間、空閨の寂しさを慰めると云はれて居る。古希臘でも雅典に鞦韆祭といふ物があつて盛にブランコ愛用が廣まつて居た。以上擧げた物の外で奇拔なのは、蛸の足を用ゐる事である、ゆで蛸でも其の吸盤は使用者に特異の快感を與へるさうである。電球が女學校の寄宿舍で使用されその破裂によつて女學生がひどく痛けられる實例も度々聞く。電球が危險な事位、誰にでも解つて居さうに思はれるのに、猶盛に使用されるのは、硝子球が一種特別な快味を與へるのではあるまいか?

偖て、筆を擱くに當つて、張形の變態的使用法を一二擧げて見やう。これは生殖器崇拜でもなければ、自慰的道具でもないと云ふ一寸考へつかぬ妙な使用法である。

「津輕の家士畑十兵衛語りけるは奥州海道に金精大神宮とて小社ありて神體は黑銅の陽物を安置崇敬しける其仔細を尋ねければ古老答へて言ふ古此處に一人の長者ありしが獨の娘成長に隨ひ容貌美麗にして風俗絕成る事類なし父母寵愛斜ならず近隣の少年爭ひ妻に乞ひける外に男子なければ他へ出す事ならず聟を撰で入れけるに如何なる事にや婚禮整ひ侍る夜聟は即死亦は逃歸りて父母驚く事大方ならず娘に其譯を問へども交りに臨みて即死または怖恐れて逃歸りぬこと私も何故といふ事知らずと答へ父母も心ならず逃げ歸りし聟に能く咄し合せしが女陰中に鬼の牙ともいふべきもの有りて或は喰切または疵を蒙りしといふ娘もいぶせき事に思ひけるが或男此事を聞きて我れ聟にならんと望みければ其家柄もよく聟にすべき人も仁たい氣質も能く相談熟し仲人をして彼の陰中の事ども申諭しければ黑銅にて陽物を拵へ婚姻の事聞に入りて交りの折柄銅打のもの陰中に入れしに例の通り雲雨に乘じ彼の陽物に喰付きしに何とやら繁く彼の陽物にひゞき小音せしが暫時ほど置き拔き取りて見れば牙は悉く陽物に嚙付きたりと見えて所々に小疵十五六ヶ所あり陽物補理ひ

し時銅をきたひ打ちたるにあらず磨きは能く細工あれどもなまがねにして柔かなれば其小疵何れも深し扨て拔取りたる跡屆くまで探しみれば小さき齒のとがりたるもの數二十本碎き散りて不殘取れりまた翌日も前夜の如く試みるに何事もなく尋常の女と成りし故右黑銅の男根を神に祭り今に崇敬せしとかや」

これと同様の説話は臺灣生蕃傳説、アイヌ傳説からも發見される。

これよりも猶面白い變態使用法は長谷川滿洲醫大教授の「鎖陰の事」の中に出て居る話である。

「水府の城石川村、某の娘年齡十六。或日腹部の急痛。とりあへず鍼と灸とで應急の手當、十餘日經て四月の上旬。食後腹へ錐するやうな激しい痛み、やがて棗軒先生のお駕籠が、娘の家の門口に下りる。脈浮緊、頭痛、熱發、自汗流るゝが如く、面色赤くして燕脂を抹するに似たり。少腹の急張は、前陰及び肛門にまで及ぶ。皷張は疼痛を伴ひ恰も臨産の狀經水の有無、答へて未だ知らずと言つた。望、問、聞切、の四診もすべて鎖陰の症に偶合する。いよ〳〵期する處あり、人を拂つて陰所を診れば、果せるかな無孔にして膨脹する事手鞠の如し、だつた。指の腹で按じ撫でて見るに、虛軟にして堅實ならず、處女膜が腟を閉塞してゐるものであるが判つた。即ち五不女の內第三の「皷」に相當するものだ。娘十六思春の期、天癸すでに流れても出でるに途なく瀦停充滿の膨腹と知れた。蘭設篤（ランセツタ）と稱する披針を以て、上膜縱に割開すれば敗血迸り出る二升あまり。腹痛其他の諸症立所に消へる。跡へは、紙を卷て長さ三寸餘、棒の如きを造り、其の上へ綿を纏はせて太さ人勢（陰莖）の程となし、中黃（一種の膏藥）を塗て靜かに創口へひねり込み上から丁子帶を施した。數日を經る間膏を塗換へる事數回創口頓に癒へて、剩餘の膜は自ら收縮し陰門の周圍に歸した全癒後七日目の朝、突如月水來潮。量、色、質、及び六日間の日數等、常の婦人と毫も變る所がなかつた。」

「それから序だから書くが、此際治療に使用する張形だが、之を妙齡の婦人に用ゆる場合が多いので、張形と云ふ名稱はどうも面白くないとあり、當時の醫は脹質とか、又春林軒では鎖陰膏具と唱へたが、其品は從來女子自瀆用の張形を直に用ひた竅宮のため用ゆるものは、それの龜頭に當る部を切斷したもので、本間棗軒はそれを改良して前出圖の如きを案出し竅宮管と稱した」

自慰用の張形が立派に醫療上に使用された實例恐らく日本獨特の新發見ではあるまいか。

獸姦雜考（一）

——反響があつたら續けませう——
——反響がなかつたら止めませう——

梅原北明

獸姦（Sodomie）と云ふ存在は、成程奇怪至極な醜行には相違ないが、これは必ずしも精神病的基礎の上にのみ成り立つものではなく、精神の健全なものでも信仰（主として動物崇拜）より此れを行ふ場合も尠くはない。或は環境が然らしめる場合、又は迷信よりも伴ひ、いちがひに野卑な性交だと片づけて了ふ譯には行かぬ。

先づ私は、この稿を、信仰、迷信、環境、種類、場所、刑罰、傳說——と云ふやうな順序で書きあげて見やう。

一、信仰、迷信、動物崇拜

原始民族の信仰や習慣は、その神話傳說と同樣に、今日の文明社會に見聞する所とは全く異なり、人間と他の動物とが相合同し結合して現れてゐる。人間が動物ともなれば又動物が人間ともなり得るので、つまり人獸二者が互に語り合ひ對等の地位に立つて生活してゐた。現に野蠻人の神聖とする禮拜の對象は常に動物であり、古代の人々の崇拜の對象も常に此れであつた。故に人間と動物との性的關係を認めるに何等の恥辱もなければ、又墮落とも云ひ得られない。なぜなら原始思想に依れば動物は人間との間に嚴重な區別を存する低劣なものであるとは絕對に考へてゐなかつたからである。

動物が人間の服裝をすれば人間と類似し、或る點に於ては人間に優る能力をさへ具へるものがある。此の事實は、一般に原始民族間に行はれた動物の假裝服を着る遊戲や祭禮や宗敎的舞踏に於ても是認され得る。

全く人間が動物の性質を嘆稱し、それを摸倣するに至り自己が動物の後裔である事を誇とする事が事實である以上、動物との關係に就いて何等の不名譽をも認めない。

古代アッシリアでは、牡牛は男性の眞實の創造者又は人類の先祖であつて、その豫言的性質を表示するために、此の牛は翼を持つてゐた。又エヂプト以東、印度や日本に至るまで、此の牡牛を崇拜したもので、エヂプトに於てはアピスブルとして崇拜された。此のアピスブルはオシリスの化身、即ち自然界に於ける男性の原子であると考へられ、此のブルは只オシリスの表章でなくブル自身がオシリスであつたのだ。又そのブルなるものは月光若くは電の閃光によつて、孕まされた牝子牛の處女から生れるものであつた。で若しアピスブルが、死亡した時は僧は出產章に依つて、他のブルを探し出すが、この出產章と考へられてゐた物は、前額に白の三角形、即ち「男性ピラミッド」を有し、兩腹には新月狀の班を有しその舌の下には甲蟲のやうな瘤を有するものであつた。斯うして新規の神であるブルが發見されると、その牡牛めをニロポリスに連れてつて、特別に建てた牛小屋で、草でなく牛乳で四ヶ月間も育て上げ、充分成長させた後ち、新月の夜船に乘せて、メンフィスの寺院へ送り、その夜のエヂプトは一大祭典を催すことになつてゐる。メンフィスの寺院ではブル神の着寺後の四十日間を婦人のみを以つて侍べらせ、且つ拜むことを許し、その上此等の女達に裸體となつてブル神の周圍に近づかせ、神の男根を愛撫したり、或は他の方法を用ひて牡牛を發情せしめ、愈々そのブル神たる牡牛めが春情を催しはぢめると、婦人達が吾れ先きにと競つて其の身を任せ、彼の大きな逸物と交合を遂げるのである。吾々から考へさせれば滑稽の至りだが、彼等にとつて、此の交合こそ實にメンフィスの牡神への禮拜法式として神聖な行事の一つであつた。又、メンデスでは羊若くは山羊とも、斯うした交合禮拜を行ひ、いゝ氣なもので續けつゝあつた爲めか、遂にモーゼは其の利未記の十八章二十三節に於て、「汝等姦するために凡ての獸と共に横る勿れ、又婦女は姦せられんがために如何なる獸の前にも立つ勿れ」と諭すに至つたのだ。

が、それは兎に角　、此のアピス神の母牝は、別の寺へ飼はれ、諸僧中より特に選ばれた數名の男僧が侍べり、こゝでも同樣に牝と交合のユートピアを現出する。又このアピス神の母なる存在は女神アソールで、彫刻では牝牛の頭をした女として表象され、エヂプトに於けるヴィナス神である。

ミケランヂエロの彫刻（レダと白鳥）

アピス牡が死亡すると、暫くしてもとの形象たるオシリスに歸ると信じられてゐたので、王樣を木乃伊としたやうに、此の死せる牡をも木乃伊として國葬にし、その墓をセラピオンと呼んだ。ハラオーや其王妃が死亡した時も、又アピスの牡が死んだ時も、その生殖器は飾り立てられ、時としては女妃及び其のアピスたる牡牛に特別の敬意を表示する方法としてサラピスの陰莖を女王の陰門に差し入れて埋葬したとのことである。

その他、ギリシヤの神話に依れば死後神となつて亡者どもの審判者となつたミノスは日の神と同一の神となり、その妻のパルシフエは月の女神であるとされ、その夫妻神は牡牛牝牛を以て表章され、パルシフェはミノスの牡と戀に落ちて遂に半身半牛の傳說的ミノトア神を產んだのだ。またジユピター神も、姦通しやうと思ふときには、いつも牡牛に化身したとのことである。彼の歐羅巴大陸を姦した有名な神ジユピターは牡牛に化身して歐羅巴と云ふ偉大なる一女性を犯したのであつた。即ち歐羅巴が、彼のために獸姦された譯である。印度でも、牡牛は古代より現在に至るまで非常に崇拜され、殊にヘリピープの牡に至つては大したものだ。下手な人間となつてゴロ〳〵してゐるより、牡牛に生れて印度で暮した方が、どれ程愉快だか知れやしない。ネパルでは、最近まで牡牛を殺すことは大の禁物で、若し牡牛を殺す現場を發見されでもしやうものなら直に死罪に處せられる。故に若し此れが、シカゴの屠殺會社なぞに適用されたとしたら一體どうなることだらう。日に六千頭の牛を殺し、鑵詰にして全世界に供給する此の會社の社長以下何萬と云ふ社員職工は悉く死罪に處せられていゝ譯だ。全く世に恐るべきは迷信かなである。

ヒンヅー種族間にあつては、空の神たるインドラ神が地上へ降る時には常に牡牛に化身して地に住むと信じきつて居り又、ペルシヤではカソリツク教會が聖かな水を用ひる節には、常に此の牡牛の尿を用ひるとのことである。

古代アツシリアの人達は、山羊を性慾的精力のシンボルとなし、これを男根神として崇拜し、又、エヂプトのメンデスに於ても此れを崇拜して男子は雌山羊と、そして女子は雄山羊と交合することが彼等の氏神たるラム神へ對する最も敬虔の意を表することになるのだと信じてゐた。併し此の崇拜は前述のアピス神のやうに交接式禮拜の特權を或る少數の女にのみ限つた譯ではなく、廣く一般に開放して、その寺へ詣でた婦人には、悉く其の局部の愛撫を許し、交合を自由にしたので、彼女等は競つて好色なる雄山羊に身を任せ、男子なら雌山羊と交尾を重ね得るに自由であつた。これが即ち今日、ポンペイやローマあたりの浴場に揭げられゐる壁繪のモチーブとなつたものである。又、動物と人間との交接が結構姙娠と云ふ終局の目的に達すると云ふ思想が、今でも一部の人々に信じられてゐるのは、斯うした奇拔な交接に由來したものであらう。

ギリシヤのサターは頗るつきの淫樂的な神であり、絶えずニンフを追ひ駈けて强姦したので、色慾亢進と云ふ語原即ちサターリヤシスと云ふ言葉を生んだ。

今にをき東洋の未開諸國は勿論、歐米の未開種族間に於ては、彼等牛、山羊、犬、猫、猿其他の動物は生殖神として崇拜され、又雷獸とか雷鳥なぞと云ふ得體の知れない不思議な動物が、天に住んでゐるものと信じられ、彼が日月を獵つて呑まうとするから日蝕や月蝕が起るのだとの理窟をつけて、日蝕や月蝕が始まると楯を持つて突喊して太鼓を打つて火矢を放つなど大騷ぎを演じて、その日や月を一呑みにしやうとする怪獸に向つて、恐れ戰きつゝも尙且つ此れを追放しやうと焦せる。

獨逸の有名なぺックリンの繪です

次に、これは此稿には左程必要ではないが、序でなので一寸云つて置くが、鷄即ちとさかのない鷄冠は男根の異名であるが、此の鷄と云ふ動物は、殆んど無制限に近い凄い性慾の所有者たる男子の異名として表章されてゐる。古代オリンピアの競技に於ける優賞として與へられた瓶飾に描かれた繪は其れである。アテナの女神がもつた楯に描かれた鷄は精力の偉大さを示したもので、現在でも各種の競技には鷄を傳統的に多く用ひてゐる。アメリカあたりのユーモアな小説中に盛んに出て來るコツク（鷄）は男根の異名であり、殊に彼等男子仲間では牝鷄のことを俗にチキンと云つて冷やかし半分に巫山戲てゐるのは、淫賣婦をあざけつた意味で、その由來は性慾が强いと云ふ意味ではなく、誰れ彼れの差別なく金もつて戀の交合で、而かも其の交接たるや、實に疾風迅雷的で、長くかゝるものには一向に興味は感じられないが、その迅速主義でやつてのけた後は、その一分間前に、そんな事實があつたかとケロリとして全く知らないよと云つた樣子をするので、チキンと云ふのである。全く迅速なる鷄の交尾そのものに譬へたあざけりから來たものである。

扨て、動物崇拜から來た獸姦讃美は此れ位に止めて置くが、迷信に就いて今少し述べるなら、先づペルシア人を指さねばなるまい。

彼等は淋病が治癒すると云ふ迷信から盛んに獸姦を行ふ。丁度日本人が淋病になると患部を女に吸はせれば治癒すると俗に云ふが彼等の迷信は其麼冗談半分なものではないとのことである。恰も歐洲に於て少女との性交が花柳病を全治せしめるに最も効果があると云ふ迷信と同程度に多く行はれてゐる。

最後に自分はエリスの云ふ如く、この獸姦の依つてもつて起る原因動機に就いては、左の三つに區別することが出來る即ち、一は原始人の人生觀が、人間と他の動物との間に何等大きな障壁をも建てなかつたと云ふこと。二は其の環境に於いて農民と其の家畜との關係が極めて自然であること殊に彼が女子との往來より隔離されたために必然的に生ずる極端な親密性の發露。そして三は今も云つた如く花柳病治療方法としての動物との關係が効力を生ずると云つた如き民族的な傳統的迷信とである。

二、種類實例

牛や山羊が神樣扱ひにされて、人間の獸姦快樂の具に供せられた事實に就いては、既に述べ來つた。が玆に又、彼等を只の牛、只の山羊として、奇怪な自分の變態快樂を滿足させるために、神樣の域より引き下して慰さむ人間がゐる。所謂醫學的に云へば反自然的猥褻行爲で多くは病的である。

目下アメリカにゐる私の友人は大の獸姦黨の一勇士で、嘗て彼は、私に獸姦の興味より快樂に、そして快樂よりクライマックスに達するに至つたプロセスについて語つた。彼の告白に依れば、「彼は探險的旅行に興味を感じ、遂に其れが嵩じて或時カナダの未開大森林を橫斷すべく其の實行の途に着いたことがある。毒虫や大蛇や猿などと鬪つて、道程にして五六十里も深林の奧へ切り込んだ十日目の午後、鎖の儘、時計と磁石を共に落した彼は全く方角を見失つて了つた。その上兼て用意の食料もソロソロ缺乏し出し、今は歸路に着くか、さもなくば新たに食料を發見するか、二つに一を選ばぬと生命が覺束かなくなると云ふ現實が迫つて來たので、流石、無茶で豪膽な彼も急に怯氣がついて來た。いくら旅行に慣れてゐたところで、方角がつかなくては歸らうにも歸りやうがない。氣の弱い人間なら、大概は此邊で悶絶して了ふ所だが、扨て彼は脊中に擔いだリークサツクよりウイスキーの大瓶を引出して徐ろにチビリ〳〵やり出した呑み出すとズボラな奴で心配もなにもケロリ忘れて、「俺は今、世界に有高い此の大深林の奥に只つた一人で酒を呑んでゐる。全く愉快だ。この事實は唯一人知らないのだ。想像にしろ浮ぶまい俺一人だ。其通りだ此のじめ〳〵した苔深い密林の中には太陽も手出しが出來ない。薄暗い空腹の工合では確かに午後の二時位だ。深林の妖魔よ結構だよ森の怪獸よ結構だよ聽て俺は此の地球の癌を斬り開いて其の神秘をつまみ出してやる――と云つた調子で、この愛すべき命知らずめがその日の夕方と覺しき頃、或る溪谷にフラリと出たさうであるが驚いたことには、その溪の小瀧の下に、一箇の古びた鳥打帽子が小岩にうち上げられてゐた。彼は嘗て此處へ既に誰れかゞ來たことに失望した。今は深林の神秘も糞もなくなつた。斯うして彼の探險慾のプラウドが忽ち粉碎されて了つた。と同時に彼は急に町へ歸りたくなつたが、向ふ見ずの深入りは、今更ら急にどうしやうもなかつたが、其夜大きな眠りに落ちてゐる此の森林の彼方に眞赤な火が見え出したではないか。それは餘りに突然であつた。

支那人の虎と獸姦

彼は夢中で道を開いて其處へ向つた。近づいて見れば五名の樵夫達が焚火をしてゐるのであつた。彼は道に迷つたことを彼等に告げた。そして金は望み次第取らせるから彼等の一人に町へまでの道案内を乞ふた。が、彼等の云ふには、一人ぢや危險で案内が出來ない俺達が引きあげる迄、遊んで居れとのことであつた。この樵夫の一行には二匹の山羊が伴はれてゐた。これが實に問題の山羊なのである。

彼には全く不思議なことだらけであつた。第一、こんな道もない深山の奥深くに、態々やつて來て木を截らねばならぬと云ふ理由。彼等の眼光の悉くが、云ひ合したやうに物凄く、恰も暗夜に閃く猫の目のやうに爛々としてゐたこと。そして最後に彼を驚異せしめた事實は、彼等樵夫が盛んに暗號で話し合つたことである。この人里離れた大森林の中で、何のために殊更ら暗號なぞを用ひねばならないのか？

正しく彼等はハイウエメン（追剝）で、この森林の奥深くに隱れ家を建てるための截木であらう。

木樵の一人が彼に云つた。「十日なり二十日なりの豫定で、俺達が森へ木を截りに這入る時には、いつも山羊を四五匹つれて行くんだ。四日に一匹づゝ殺して食つて了ふから歸りは手ぶらで來られるわけさ」引きつれてゐた山羊に關しては只つた此れだけしか語らなかつた。

毎日、お晝頃になると樵夫は彼に、今夜の焚火に使ふ枯れた木屑を集めて來いと命ずるのである。初めの程は、さまで不思議にも感じなかつたが、三日目の正午と覺しき頃ぐず〱してゐた彼は矢鱈に追ひ立てられたので、澁々木屑を漁りに出かけることにしたが、あの狂的に近い擧動と云ひ、血疾つた眼光と云ひ、只だならぬ暗示に心を引き索けられた彼は附近の大木のかげに隱れて、暫し彼等の擧動を見屆けやうと決心した。所が驚いた。突然、異樣な聲を發して山羊が一うなり此の森林の靜寂に木響して、彼の耳をそばだてしめた。「めーい」と一聲。そのうなきこそは全く遺瀨ない。此の世の最後に殘す呪ひの聲にも聞かれた。恐る〱彼は、その聲の發聲地點をのぞく。！――その刹那――おゝ何たる奇怪なシーンであらう！

(32)

五人の樵夫達が一際に仕事を中止して、一人が山羊の背後より不自然極る交接を行つてゐるではないか。そして今一人は山羊の顔先きへ局部をつきつけて、彼女にフエラチオを要求してゐるではないか。彼は異狀の興奮裡に、耳朶までほてらせ乍ら、他の三人の上に視線を投げた。と見れば、それは又何んたる滑稽な世界であらう。一匹の山羊に前後から獸姦してゐる彼等の傍へ未だ手をつけぬ一匹の山羊を侍らせ、そのぐるりを三名の樵夫達が局部を波うたせてのたうち廻り、いやが上にも其の山羊を挑發させるので、當て馬ぢやなく當て山羊を食はされた彼女は、云ひ知れぬ遣る瀬なさに斯くは地底にしみ入るやうな悲鳴を發するのである。

　こうして極度に挑發させ頃合ひを見計つて、一人がズブリと陰部へ差し込むと、他の二人が交々彼女の前面に出沒してえてものの臭氣を嗅がせ、前面に現れた彼が後部へ廻ると、後部の先生が前部に現はれ、一二時間は何物をも打ち忘れて奇怪極る快樂な世界を現出するのであつた。が、またたきもせず此れに見惚れゐた私の友人Hの苦悶は押して知るべしであり、又、獰猛な五名の無頼漢に責め立てられてへたばつた二匹の山羊は、極度に激勞を覺えて深い眠の世界に落ちて了つた。

　これ以來彼は、嘗て動物なぞに感じたことのない不思議な興味に引きづられ、或る夜、彼等の熟睡を覗つて山羊をつれ出し兼て用意の場所へと來り、徐ろに懷中電燈を照して彼女の陰部を確かめ、旅行用に携帶する腹痛に用ひるコロダインのねり藥を指につけて差し込み、陰部の刺戟を待つてズブリと差し込んだが、相手は毛むぢやらの山羊である最初は流石に不快を覺えたとのことであるが、火のやうに熱い陰部のほてりが、彼のとさかなき鷄冠の凡てに強く感じ出すと理性も現實も全く打ち忘れて、その鷄冠は冠を振つていなかずにはをれなくなつた。

　大陸を横斷する大森林の眞夜中にコロダインで山羊を挑發させて交尾した男は俺ぐらゐなものだらう。全くあきれた奴さ。』と彼は私に告白したことがある。

　彼は、その森林で、一匹の山羊が殺され、最後の一匹が食はれて了つた十日間程に、やりもやつたり二十幾回と云ふ異狀な交接を遂げたとのことである。殊に彼には其れ以來、いままで全く無關心であつた牝山羊の容貌に美醜の見別けがつき、町へ歸つて色んな盛り場の女等に挑まれたけれど、それ以來、全く人間と云ふものの女性に興味が持てなくなつたとのことである。

ボルテールの有名な詩ピユーセルの挿繪　（天馬と獸の姦）

山羊を妻に持つ男は彼であり、今、彼は南部キヤリホルニア州に些かな牧場を經營してゐる。二年前久しぶりで彼の通信に接した。曰く、「君は愛と云ふものに對して常に冷笑し輕蔑し、そして吐き出すやうに（馬鹿らしい）と口をつぐむのが癖ではあつたが、現在の俺は幸福で溢れてゐる。俺の家と俺の牧場は果てしもない愛の世界だ。俺には決つた妻はゐない。が、喜んで呉れ。俺には五百頭の戀人がゐる。俺は世界中で一番幸福な男だ」と。

自分は今、獸姦の實例を述べてゐるのだ。その實例を記すのに、親愛なる友の實驗談を物語つたのは、如何にも彼を賣ることであり、彼には全く申譯けなく感じる。併し、全く關係のない人々に知らせたのではなく、矢張り知らせた相手は、皆私の友である諸君等なのだ。だから此れは許して貰へることと思ふ。

彼は獸姦に依つて、始めて愛の世界を見出したのであつたが、私は寧ろ誰れかが獸姦する場面を目擊させて呉れるならその方に遙かに興味がもてさうだ。その興味は、嘗て、フレデリツク大王が、一人の騎兵が牝馬に獸姦を行つたのを發見して、「彼は豚の如き男だ。彼を步兵にせよ」と云つたと同じ程度の興味である。

これが反對に女子が獸姦を行ふ場合は、その對象の五分の四までが犬である。巴里では見世物にさへ供せられてゐる。犬をよく馴らした女達が、ブルドックと交尾して遊野郎のがまぐちから拾フランづゝの見料をせしめるのは有名な話だ。見世物で思ひ出したが、女が其の陰部へ蛇を入れ、それを見せて金を取ると云ふ例の蛇使の見世物は大分人々に想像力を逞しうされ誤解されすぎてゐる。實際の見世物でやる蛇使は、陰部に蛇の鎌首を一寸挿入して、下へぶらさげて見せるだけの話だ。蛇を全部入れて了つたら大變なことだ。高橋おでんだつて古くはかはらけおでんだつて、氣絶して了ふに決つてゐる。

獸姦の話は、まだ〳〵盡きさうにもない。いくら書き綴つた所で、これでいゝと云ふまでにはまだ〳〵距離がある。だから此の稿は當分續けるつもりでゐる。

次は傳說獸姦（內地。アイヌ、生蕃について）、及び獸姦の場所、刑罰等について。（未完）

八月號豫告

『残虐と茶目』

鬼が出るやら、蛇が出るやら、怖いもの見たしか、見料は五十錢ぢや、サア、入らつしやい〳〵

筆者は連中大揃ひ、夏向きの意氣に凄いつて所を御らんに入れやうてんで、粉骨碎身の大勉强振りです。マア諸君！メニユーを見ずに、委して置いて下さい。まづ當店獨特のフアンシークリームから差し上げませう。で、お味は？バナナ？　レモン？　それともストローベリー？

市場叢書の第一册

として石角春洋氏の「淺草裏譚」が出ます。春洋氏は淺草に二十年も巣くつて、淺草が俺の女房だと豪語してゐる人。其の二十年の年貢の一部を四六版三百頁ばかりの中へ納めたのが本書です。

値段は書留送料附きで二圓であげる考へなり。勿論これは本誌の直接讀者のみに頒つものです。變態資料、十二史等の會員でも、本誌の直接讀者でない方はお斷りします。

此叢書こそは本誌直接讀者諸君の獨占物です。委細の知り度い方は、先づ申込んで下さい。印刷物を御送りします。くれ〴〵も御注意して置きますが、この叢書はあんまり吹聽して頂かなくともよろしい。千部賣れると理想ですが、五百部でも結構です。

明治文藝雜談㈠

硯友社とその一派の雜誌

齋藤昌三

文學の盛衰はその時代の雜誌を見ると一番よく判る如く、雜誌は文藝の母として中々等閑には出來ない。それほど必要な雜誌も文藝專門誌の短命に終り勝ちなのは何故であらうか。それは母體として精力素を消耗し盡して仕舞ふ故かも知れない。「文藝雜誌とその生命」に就いては、目下調べてゐることがあるので、別な機會に讓るとするが、雜誌その物の發達は明治中期以降の事實であらう。その內で社會及び思想方面を主としてゐる雜誌は、流石に三十年乃至五十年の續刊を見てゐるものもあるが、純粹の文藝雜誌には十年の長命も保てない。その中で文藝誌の最初として許さるゝものは、明治二十年の「都の花」(金港堂)であらう。だが、文壇の先覺者山田美妙の編輯とは云へ、これは營利的雜誌であつたので、道樂から初つた所謂同人雜誌は矢張り硯友社一派から初つてゐやうと思ふ。その初めはたとへ一般的のものにならぬとは云へ明治十八年二月の創刊であり、印刷にして、公賣品としたのは同二十一年四月からであつたのだから、大體に於て明治の新文學は二十年前後から出發したことにならう。

この硯友社から出たといふのは、有名な我樂多文庫で、多少でも明治文學を語る者は一讀の必要もあり、從つてその內容に就ては近來大分紹介されてゐるから、自分は玆にくど〳〵しく說明しやうとは思はぬが、この「我樂多文庫」の後に、出ては倒れ、倒れては出た、硯友派の後繼雜誌に就ては、世人は餘り注意も拂はず、又餘り紹介もされてゐないやうであるから、自分はそれに就て少しく紹介して見やうと思ふ。

我樂多文庫と文庫

「我樂多文庫」の公刊誌は明治二十一年四月からで十七號に及んで單に「文庫」と改め、二十二年十月號の二十七號目で中止になり、筆耕廻覽時代より四十二冊目で終つたことは、旣に當時の同人丸岡氏の「早稻田文學」に於ける說明の通りである。

　以上の足かけ五ケ年、正味二年間の努力で硯友社の存在も判かり、同人の文壇的位置も決定的になつたので、同志の間には自然安心と倦怠を來たしたものと思ふが、去りとて何かしら、自分等の機關はなくつては寂しい、そこで又創められたのが「小文學」であつた。

小文學

「小文學」は二十二年十一月末の創刊で、同二十三年四月の第九號で終つて居り、週刊といふことであつたが、その通りも出てゐなかつたやうである。一冊は表紙とも十六頁の菊判で賣價金二錢五厘であつた。

　紅葉は『鬪東五郎』を、柳浪は『賽相如』を、錦襲逸人は『磯馴松』を一號以下各號に亘つて連載してゐるし、露伴は先月亡くなつた淡島寒月翁の別名愛鶴軒西跡と合作で『井原西鶴を弔ふ文』や、內田不知庵主人の『日本小說の三大家』、石橋忍月の『獨逸戲曲の種別』、湖處子の新體詩などものせてゐた。挿繪は同人桂舟の作を、今では見られないやうな細毛描きの石版で一頁又は二頁に入れてゐたのも悠長な時代を思はせる。

『日本小說の三大家』は西鶴、京傳、三馬を評したもので淡島翁と共に當時西鶴研究の先驅をなしたものである。

　第三、四號に『由來記』なる戲文がある作者は不明であるが、一寸面白いから揭げて見やう。

由　來　記

われ一日上野の淸水の觀音堂の下を過るに見上る舞臺の手欄に凭れ給ひたる黑綾洋服出立の紳士四方を眺めておはせしが折ふし吹來る風に高帽を飛ばし給ふを拾ひ取りて持てまゐれば豎子敎ゆべしオホンと反身になりてポケツトより柄になき卷物取り出して投け給ふをあり難しと三拜九拜して何だか知れねど貰ふは德と懷中におさめて歸り自分張良の氣になり濟まして繰りひろげて讀むに

小說家內秘密　文法猫之卷

夫れ文法の奧義は人の實をぬすみて己れの名を賣るにあり是を敵に糧を借るの名策とす假令ば田舍者が東京に來り大道の一錢の蒲燒を食ひ國に歸りて東京の第一等の鰻を食て來たと誇るが如き所のコツでやるべし二葉亭の文を得んとせばたの字を一日に百粒宛煎じて飲み其小便を硯に入れて筆を染めて書くべし但しコケが自分の洒落の講釋をする調子にて時にうるさく金聾に話しする風にやるべし心理的の批評的の精緻の綿密の文を云はるゝこと受合なり結構趣向の下らぬを書くを極秘とす。

篁村の文を得んとせば圓遊の門内にカステラを持て行き三七日參籠の後炭酸と酢を飮みて骨をやわらかになし其積を糧にして御茶漬を一杯食べる心意氣あるべし

美妙齋の文を得んとせば束髮と書生を相手に狂言をすべしですです發矢の眞言を朝夕唱へ小川町の夜見世に西洋新聞の古いのを買ふべし

嵯峨の屋の文を得んとせば門跡樣へ行きて御文章樣を聞き歸りに雲を見て溝へ落るべし道念高くなること受合なり

紅葉山人の文を得んとせば風呂敷に天狗の面を包み懷中なし涎をたらしながら口をきく心持あるべし山葵と辛子を一時になめて口直しに澁柿を食ひ絶句してだまるべし此處が成田屋——引と掛聲されるなり

思軒居士の文を得んとせば第二リードルの直譯を讀むべし四書五經佛經國文などを敬して遠ざけべし立案はいらず西洋で小供のよむ小說を譯すべし文學理學のアイーコベル子に惚れるがよろし

東海散史の文を得んとせば圓機活法を枕にして遊仙屈の傍割付きを暗誦すべし

露伴子の文は學ぶに及ばず句丈け引ッこ抜いて其儘取るべし趣向をまねるには寢ぼけて戸迷ひした時書くべし

をらでがま位讀で悟り顔すべし

當世盲目千人西鶴々々と葱を食つて牛肉を賞る奴等の詮議やかましけれど西鶴の書は高價から文庫に出たる愛鶴軒を身代りにすべしそれを三拝しててのの字さへ使ひこなせば直ぐと西鶴派の名人と云はるべし

南翠先生の文を得んとせば中々むづかしターキー鳥の兄弟分となる事極々の秘傳なり

其外猶多けれど近日又々猿の卷を出す仙人あるよしに付き之を省き畢んぬ

盗跡公㊞

長七郎殿

右は汝に授けんとて豫て作り置し文法秘密の卷なりゆめ〳〵疑ふべからず

江戸紫

この「江戸紫」も殆ど前の「小文學」と内容外觀共通なもので、只、發行人が表面には廣津直人（柳浪）になり發行所が硯友社となつてゐる位のことで、明治二十三年六月から、十二號まで刊行、その年末で終つてゐるこの雜誌では創作的方面には餘り傑れたものもなかつたが、北尾次郎の『裸體美人論』の連載してあるのは、その頃美妙の裸體が問題を起してゐた際とて、當時としては好讀物となつたものであらう。

然しゴシップ式のもの、たとへば「當世文壇十傑」や「作者類聚名彙」や「文壇名所案内」等は一種の樂屋式のものではあるが、今から見れば面白くもあり參考にもなるものである。後の二種に就ては先年一度紹介したことがあるから、茲には先の十傑を掲げて見る

文壇十傑

香　雪……十　點　　美　妙……八十點
南　翠……七十點　　得　知……十　點
鷗　外……四十點　　三　昧……三十點
露　伴……八十點　　篁　村……七十點

逍遙……六十點　紅葉……八十點
學海……三十點　思軒……三十點
漣……三十點　柳浪……五十點
忍月……二十點　嵯峨舍……四十點
眉山……二十點　思案……十點
二葉亭……三十點　愛鶴軒……十點

得三十點五名ありて一傑未定なり

右の點數は大體、當時の人氣を見る資料ともなるが、時移り星變つての今日にして省れば、當時の高點必ずしもアテにならず、十傑に及ばざりしもの却つて文豪たる永遠的聲譽を持つなどは皮肉ではあるが、幾時の世でもそれは當然過る事實であらう。

この外、龍溪の名作『浮城物語』を評した句に「奥さまの田樂やくやさくら茶屋」なども面白く小說の種類に「金箔小說」「反吐小說」「五月雨小說」「三日月小說」などの分類法や文壇物はづくし等に文藝以外の收穫が多いやうであるが、餘り長くなるから他日に改めて紹介しやう。

千紫萬紅

「江戸紫」廢刊の翌二十四年六月から出たのがこの「千紫萬紅」で二十五年四月末號の第九號で終つたものかと思ふ。

本誌になつてからは、表紙も色紙の別刷りになり、本文の組みも初めて一段組みになつてすつきりして來てゐる。主筆は思案で、漣、水蔭、眉山が編輯、紅葉は補助の位置に居り、發行所を成春社と稱し、投書を歡迎したり古文の研究欄を作つたり、俳諧論から淨瑠璃研究まで出て賑やかなものだ。田山花袋、前田曙山、小栗風葉の作品なども、本誌に發表されたものが或は處女作だつたかも知れない。その頃風葉は拈華童子といひ、花袋は古桐軒主人と云つてゐた。

第六號に『大地震』といふ短文があるが、堺袖月といふ作者は多分その頃からかき出してゐた後の堺利彦のペンネームであらう。この六號から社は紅葉方に移されたのであつた。例によつてゴシップには中々面白いものが澤山あるその一つを紹介しやう。

●六家撰

竹のやの主人は詞かすかにして始終たしかならず、いはゞ秋の月を見るに曉の雲にあへらむがごとし。宇治山の僧喜撰にや似たらむ。

鷗外漁史は其心餘りて詞たらず、凋める花の色なくてにほひ殘れるがごとけむ。在原の業平にや。

南翠外史は詞工にて其さま身におはず、いはゞ商人のよき衣きたらむがごとし。文屋康秀とやいふべき。

露伴子は心高くて其さまいやし。薪負へる山人の花の蔭にやすめるとや云ふべき。大友の黑主なるべし。

紅葉山人はあはれなるやうにて强からず、いはゞよき女の惱める所あるに似たり、小野の小町にやあらむ。

美妙齋のあるじは其さまは得たれど實少し、たとへば繪に畫ける女を見て徒に心を動かさむがごとし。僧正遍照にこそ。

因に、本誌會費は一ケ月金十錢也。

詞　海

「千紫萬紅」の休刊間際に起つたのがこの「詞海」である本誌の體裁は大體「江戸紫」以前に戻つて共表紙の二段組みとなり、武田櫻桃方を同人成珠會の事務所とし、今度は若手漣櫻桃荷葉等七名に、水蔭、漣、信綱、眉山、紅葉は補助として、前誌と同じく投稿を歡迎してゐた。定價金三錢、送料二錢。

　この第五號（七月號）の裏表紙の廣告に、江見水蔭の黑枠廣告があつて、一寸夏向きに冷やりさせる。

> 江見水蔭　儀久々病氣の所養生相叶全快の上暫時遠方へ旅立候間當分留守に御座候右同人辱知諸君に告ぐ
> 廿五年七月十五日
> 友人　山岸荷葉

それ許りでなく他の廣告と廣告の間へ、一行に二號活字で「あたいもあさつてからゐなかへ遊びに行くの山岸荷葉」とか「編輯山村水郭去る五日飄然頭陀嚢を首にして京阪地方行脚に罷越し候」などゝ茶化してゐる。第十號の附錄に懸賞文の入賞として「捨子」の題に拈華坊の風葉が、紅葉の選に拔かれてゐた。この雜誌には餘りゴシツプはなかつたが、佐々木信綱や兒玉花外の顏が見え出したのが珍しいと思はれた位で、終りはどの位まで行つたものか不明である。今自分の手元には第十號までしか殘つてゐない。

　兎に角、この十號邊りから、別動隊として江見水蔭一派によつて、四六判の美しい「小櫻縅」が創刊されたのであつた。

　以上で硯友社の流れを汲む文藝雜誌の大要は盡きてゐることゝ思ふ。（二、四、一四）

死刑執行所覗き

小座間　茂

斷頭臺に上るものだからとて必ずしも惡人ばかりではない。可憐な戀の爲に火あぶりの極刑に處せられた八百屋お七があるやうに、根から死刑にされなければならないやうな人間はないのである。だから死刑に處せられる者に對しては常に同情と憐みとを世間人から持たれてゐる。そこで死刑罪になつたものゝ多くが、その背影に女が八分金が三分の割で付纏つてゐる。それが物語りとなつて殘され、或は小說となり、唄となつて永く世人の腦裡に治められる道理なのである。そうした死罪者はどんな具合な死にかたをするか、それは皆一樣ではない、此處に實際に死刑臺に上つた時の有樣をそのまゝ書いて見ることにする。その前提として、なぜ死罪なる世にも殘酷な處罰がお互の社會にあるのか、少し議論めいてはゐるが話の發端として、それから書いて行くことにしやう。國家は社會秩序を維持する爲めに人々の或る所爲を罪と定め若しその罪を犯す者があつた場合、國家がその者に對して所定の刑を科するのである。その犯した罪の程度に依つて、或は生命までも奪はれなければならぬ、これが死刑である。死刑は生命を絕つと言ふ極端なる刑罰であるから古くから、その存廢に關しては喧しく論議されて來たのである。宗教家の如き人情を主とする者、又は徒らに文明的外觀を誇稱せんとする一派の論者は、近ごろになつて益々廢止を唱ふるやうになつて來たのであるが、社會の利害より打算して論ずる者は維持論を高唱してゐるのである。存廢の可否は別として、犯人中には社會に重大なる害惡を與へ、國家制度を以つては到底懲改する事の出來ない者もある。斯ういふ者に對しては、人々の社會生活の舞臺から分離排除するといふ事も、必要となるのである。

昔は何れの國でも、死刑に數個の階級を設けてゐたのであるが、今日の文明國では、死刑には階級を設けず唯確實且つ迅速に、成るべく慘酷なる苦痛を與へない方法を選ぶと言ふ様な主義を採る様に、各國共大體一致して來たやうである。死刑の方法には、或はギロチン（斬首機）を用ひ、或は鐵鎖を用ひ、或は電氣を用ゐる等各國未だ一致してはゐないのである。日本でも磔、鋸、斬首、獄問等頗る峻嚴酷烈なる方法に依つて死刑を行つた事もあるが、維新以來歐米との交通開始されるに隨つて、こんな慘酷な死刑方法は漸次廢止されるやうになり、明治十四年七月に舊刑法が發布されてからと言ふものは、現在の絞首方法のみに依る事となつたのであるが、軍人に對しては即ち軍法會議で死刑を宣告されたもので、銃殺にされたのは明治三十七八年戰役後數年間續けられてゐたのは事實である、

尤も世間にはあまりその事實は知られては居ない様である。その一例として明治四十年七月、仙臺の第二師團軍法會議で、死刑を言渡された一兵卒があつた。宮城縣石狩郡の平民（農）山川藤五郎（二七）がそれで、理由は入營前から或お茶屋の若い女と深い仲となつてゐたが、入營後は日曜毎でなければ逢瀨がないのを苦しんでゐたが、その中、女はあまりに足遠くなつた藤五郎にあきたらずに、外に男を作つて一緒にならうといふ話をフト聞いた藤五郎が、戀と意地から無理にもその女と一緒にならうと決心したが、さて軍隊は拔けられないので、脫營を計つたが、直ちに發見されて、重營倉に投込まれた、それでもあきらめられず深夜に營倉を逃れて自分の聯隊に放火した、八百屋お七と良く似て居る氣持である、それも不幸に發覺して遂に死刑を言渡されるに至つた、そこで藤五郎の戰友中最も親しかつた三名の兵卒が選ばれて三名の一齊射擊の銃殺に逢つたと言ふのである。これが銃殺の終りとされてゐる。その後は一般刑囚と同樣手段で執行されるやうになつたのである。絞首である。この方法に依る死刑は、人體を著しく損傷しないと言ふ點と、人情論からして最も文明に適してゐると言はれてゐる。又磔、鋸、斬首等に依り死刑を行つたその以前には、刑罪を以つて、一般世人を恐喝警戒する方法なりと認めた時代があつた。此の時代に於ては、可及的多數人の目に觸るゝ場所に於いて死刑を執行し

たものである。鈴ヶ森等で死刑を行つた場合などがそれである。例へば罪を記載したる紙幟立札等を附して市中を引廻し火刑磔刑を竹矢來の中に於いて執行し、從つて公衆に觀覽を許し又は、首級を市中に梟晒したものである。活動や芝居で見る八百屋お七のやうな場合もあつたのである。然れ共今日に於いては、死刑を公開するのは一般人情に反するのみではなく、暗に人々をして、殺伐慘酷の氣風を養成するものだと言ふ論が各文明國に認められ、如何なる場合でも、死刑の執行は、獄中に於いて極く秘密裡に行はれることゝなつたのである。

犯人が裁判所なる國家の機關に依つて、死刑を宣告された場合、一定の日時が經過し死刑が確定したら、五日なり、七日なり、監獄に入れて置き死刑を執行されるのである。死刑執行となると、其朝は何時もと變つて赤の御飯をたべさせる。御飯が濟むと、敎悔師に種々の說敎を聞かされる。其の場合敎悔師は『例へ此の世で極惡な罪を犯し死刑になつても、死と云ふ一事に依つて、貴下の身體は潔められるのであるから、彼世へ行つたら佛になるのである。死は世の終りでも、人の終りではない。貴下は淸らかな佛となつて、今彼世へ行かんとしてゐるのである。』と云ふやうな事を云つて聞かせるのである。これが俗に云ふ末後の水である。水を飮んでから、佛の前に手を合せて、佛語を唱へ、それが終ると、又引それから、看守に依つて獄窓から引出されて、絞首臺の前にある佛堂の前に、連れて行かれる。此の佛堂で水を飮まされ立てられて、絞首臺へ上るのであるが、此の絞首臺は地上から約九尺位い高い所になつてゐるので、六七段階段を上らなければならぬ。氣の弱い死刑囚になると、此の階段が上れないそうである。絞首臺の上へ行くと、約一坪位ひに極限された所がある。其の中央へ立たされ白紙で兩眼を覆ひ白布を以つてその白紙の上から鉢卷をする。鉢卷が終ると、双方から二本の絹製の紐が首の所へ來る仕掛けになつてゐる。これで死刑の準備は全く出來た譯である。すると、刑務所長、檢事敎悔師、典獄、看守等立會ひの上執行するのであるが、執行は所長の合圖に依つて行ふ。所長が時計を見て執行と命令すると看守に依つてリバー樣のものが動かされる、すると、死刑囚の立つてゐた一坪位ひの板が中央から眞二つに割れて下ると同時に首の所まで來てゐた紐が囚人の首を締めると共に、身體は宙にぶら下るのである。斯くして約四五分經過すると獄醫が全く息が絶へたかどうかと云ふ事を檢視する。その場合息が絶へてゐたら、親族なり、又は獄丁に引下げるのである。

我國の現在で、毎年死刑になる者の數は、三十人内外である。試みに過去四五年の統計を見ると、大正十年に、三十一人、同十一年に、三十人、同十二年に、二十八人、同十三年に、十三人、同十四年に、十一人、死刑執行されてゐる。右のやうに年々三十人内外の死刑囚があるのであるが、直接執行の任に當る刑務所長などの話に依れば、裁判所で罪を裁かれる時は、男より女の方が女々しいが、いざ死刑を宣告されて、獄中に在る間又は執行の場合等になると、男より女の方が覺悟が良い。爲めに女の方が柔順である。男は死刑執行となると、狂人のやうになつて騷いだり、泣いたりするが、女は泪一滴落さないと云ふ事である。可成古い話であるが、有名な高橋お傳と云ふ女が死刑になつた。獄中で敎悔師の說敎が終つて、『何にか云ひ度ひ事はないか』と尋ねられると、お傳は、『別に何にも云ひ度ひ事はないが、腹が空いたから何にか食べさせて貰ひ度ひ』と、落付拂つて食物を注文した。其處で看守が、今で云ふ親子丼のやうなものを持つて來るとペロリ平げて、絞首臺に上り、死に付いたと云ふ事である。又女囚で最近死刑になつた者は、茨城縣に一人ある。山川うたと云ふ六十を二ツ三ツ越した婆さんで、保險金が慾しい爲めに、自分の實子花子と云ふ十八になる娘を毒殺し、保險金三千圓を詐取したのに味を占めて、今度は夫に五千圓の保險を附し、又復毒殺し保險金を詐取せんとして發覺し大正十一年に死刑を宣告され、同年の秋死刑を執行され、絞首臺の露と消へたのであるが、死刑を宣告された其の刹那、多少驚ろいたやうであつたが、直ぐ冷靜になつて、裁判長が『最後に何にか云ふ事はないか』と云ふと『別に云ふ事はありませんから、一時も早く死刑の執行を願ひます』と述べて引下つた。それから、辯護士や知人などが上告するやうにすゝめたが、何んと云つても聞かず、死刑の際なども、刑務所長に時間を聞いた程の大膽さであつた。處が女囚に引かへて、男囚になると實に氣弱い者がある。何んでも千葉縣人で强盜殺人放火で死刑を宣告された、三十四になる水沼利吉と云ふ大工があつた。獄窓を引出されて、佛堂の前までは來たが、其處で失神してしまつた。絞首臺に至る階段を上る所で、動けなくなつたので、執行を四五日延ばしたと云ふ話もある。併し男囚全部が、斯うした氣の弱い者ばかりと云ふ事は出來ない、中には大膽と云ふか、不敵と云ふか豪傑もゐる、例の難波大助とか、幸徳秋水などがそれである。可成世間に知られた死刑囚では、千葉縣下で保險金詐取の目的で、妻を二人殺害し、保險魔と謳はれた、川本匡、京都の相場成金鈴木辨藏を、バツトで殺害し、死體を鋸で引切り、トランクに詰めて信濃川へ投げ込んだ、農商務省の主任技師、山田憲、『嗚呼世は夢かまぼろしか』の唄で有名な野口男三郎、最近では、福田大將暗殺事件の一味、ギロチン團の、富岡哲、古田大次郎、一昨年の暮、師走の京都を、物凄い血の恐慌で彩つた、ピストル健次事、大西性次郎、遊蕩の末金策に窮し、會社の重役夫婦を殺害して逃走した甲府の長谷川與吉等で、北海道でも明治十四年十一月八日、チラ〳〵と雪の降る夜、戀の恨みから、七人を殺害し、七人殺しとして芝居や活動にまで出された、君塚二郎等がある。其他前述の如く每年三十名內外死刑執行される者があるが、その內女は一人か二人で、明治三十九年に、四人の女が死刑になつたのが一番多かつた位ひである。

右の如く、年々三十名內外の死刑執行者がゐるのであるが、大體被執行者は、柔順である。即ち覺悟が良い。もう死刑の宣告を受けて、罪が確定すると生命を限定された事になるのであるから、世の中に執着と云ふものが更らになくなる。爲めに死人同樣で、罪の確定前、獄中で相當あばれた者でも、一旦死刑を宣告され、その罪が確定して、何時々々自分は殺されるのだと思ふと、殆んど死人の樣に、靜かになる。私の友人で一昨年大阪で死刑を執行された者がある。死刑の宣告を受けて、罪が確定すると、私の處へ電報で是非逢ひ度ひと云つて來た。で、私は直ちに下阪し、刑務所に友人を訪れた、面會の手續を濟ませて、面會場で待つてゐると、死刑囚である友人が二人の看守に引かれて入つて來た。私はフト友人の顏を見た其の瞬間、何時になく落付いた態度に驚ろいた。私の顏を見ると笑ひさへ浮べて

『忙がしい所を何んとも申譯はないね、でも忙がしいとは知りながら、何んだか馬鹿に逢ひたかつたものだから、遂ひ電報を打つた樣な譯さ、まあ惡く思はないで吳れ給へ』

と云つた。其の言葉は、死刑の宣告を受けて數日の後、絞首臺の露と消えて行く者の云ふ言葉とは思はれない程、落付いた、而も何處かに重みのある聲であつた。

『君は新聞で見ると飛んだ事をしたね。一體動機は何處にあるのだ。』

私が斯う尋ねると

『別に飛んでもない事をしたとも僕自身は思つてはゐない、併し法律上悪い事をした事丈けは俺も認めるよ。動機なんか聞かないで呉れ、唯だ一言、人間の爲すべき事をしたと云ふ事丈け云つて置く』

『で、君は死刑の宣告を受けたのだらう』『そうさ、死刑さ………殺される譯さ』友人は顔色一つ變へず斯う云つた

『で、執行は何時なんだ』

『執行か、俺の殺される日か、それはまだ判らぬが、四五日中だ、だから、俺が此の世の中で生きてゐるのは、後四五日と云ふ譯になるのさ。四五日生きれば、結構だ』

『君はもうすつかり覺悟してゐるのだね』

『覺悟なんて、そんな馬鹿な事はない。當然の事だ、人間自殺する事も、病ひで死ぬ事も、又殺されると云ふ事も、死と云ふ結果には何んの變りもないのだからね』

死に臨んで何にか泣事でも云ふのだらうと思つて來た私は少々意外の感があつた。

『君などは死と云ふ事をどんなにか、恐ろしいものとでも思つてゐるだらう、否俺だつて、死の宣告を受ける迄ではそう思はぬではなかつた。然し一度び死の宣告を受けると、それに依つて人間の生命は限極された事になるのだから、その限極された範圍に於てのみ生きやうとするもので、それ以上生きやうとは思はぬ』

『そうかね』

私は斯う答へたのみであつた。友人は尙ほも言葉を繼いで

(48)

『君に逢ひたかつたのは外の事ではない。僕の友人に逢つたら、Tは罪の前に喜こんで死んで行つたと云つて呉れ。又僕の兩親には君から、體を大切にと云つて呉れ給へ、それ丈けだ別に云ふ事はない』

友人は斯う云つて立ち上つた。そうして再び看守に引かれて獄屋へ去つた。

此の例に見るも、死の宣告を受け、その生命を限極されたものゝ心裡は、吾々の想像出來ないものがあるに違ひない。で、死の宣告を受けた者がよく、一日も早く執行されん事を願ひ出づるのも、斯うした處から來るのだらうと思ふ。だから、どんな暴れた犯人でも、一旦死刑の宣告を受けると別人のやうに靜かになる。而し中には最後の絞首臺で、執行される迄暴れる者もあるが、それはほんの例外である。殊に相當年を取つた女なんかになると、平常と一寸も變りがない。何んでも、大正三年頃秋田縣で、財産爭ひから妹とその子供二人を殺した、花岡トキと云ふ六十四になる婆さんが死刑を執行された。係官が眼覆をして、執行官が合圖をすると、その刹那ニツコリ笑つて死についたと云ふ話がある。いざ執行と云ふ刹那笑つたのは後にも先にも此の婆さん一人だと云はれてゐる。

現代遊女賣買

女衒考

梅原北明

世の中の營業は千狀萬態であるけれども、人間を賣買する處に立つて、自ら不當の利益を貪る奴は最も殘忍な商賣であると云はねばならない。德川時代の女衒なるものは、即ちこの種の一つで、人身賣買の間に立つて周旋し、不當の利益を貪つた。甚しいのになつては、少女を誘拐して之を妓樓に投じたと云ふ例もなか／＼に少くない。故に幕府に於ても、是等の弊害に驚いて、遂に寛正四年の五月、女衒禁止の令を發したのであつた。その文に依れば、

町中奉公人世話渡世致候程のうち、女衒中繼と稱へ候者共、取計ひ方總て奉公先も無之處、手前方に何ヶ年給金何程と仕切取證文面にも、遊女又は道中旅籠屋飯盛下女、其外如何樣の見苦しき奉公にても差構無之旨を認引取置候故、久敷濟口無之女は又候、同渡世の者の內へ仕切遣、終に其行衞不相知、又者年季等相增候故、親許へ可引取時節を失ひて、女取戻出入度々有之其度々、右女衒中繼と唱候者共の內には、內々申合候も有之やにて、金子等を差出させ、內濟致候段相聞候、人賣買にも紛敷不埒の至に候を以て、以來女衒中繼と唱候者、右體の渡世全停止候間、一同堅く可相守候。

とあるが、寛正七年の吉原規定證文には左の條項がある。

一、遊女屋共、遊女召抱の節口入の者申參候はゞ、勾引筋の儀無之哉、相談不取極以前、其遊女屋共より、內々外手筋を以て、當人出所並に賓子養子の譯其外身分の實否、請人々主、住所身分等相糺召抱の上、名主方帳面に記置可申候、勿論年季の儀は前に申合の通り、貳拾ヶ年以下を限可申候事。

(50)

一、附女衒中繼の儀、丑年四月中御停止被仰付候に付、同五月伺の上其節より請判有之候分、追々遊女身寄の者元引渡遣し、身賣の者は主人方にて世話致遣候筈に有之、且又新吉原に有之候女衒の儀中繼者無之遊女奉公人口入賴來寄候得者遊女屋へ連參り尤奉公濟致候得者請狀に右口入の者加印致させ候へども、以來加印不爲致、口入而已爲致候筈に相聞濟有之候事

一、右新吉原町に罷在候口入の者の儀、人數限り候ては株のやうにも相聞候に付、人數は不相限、株賣買など丶申儀致さず、並に不正の者、猥の儀無之、右渡世筋の者より自法證文名主方へ取置、每月一度宛右證文の趣申渡し、請印取置候儀に有之候、然る處、當時近邊外町に罷在候者も有之、不取締に付、吉原町爲引移左も無之とも口入の儀相斷、自今以後尙以口人の者吉原町住居に相限り云々

以上に依つて考へるに、當時女衒の業は全く禁止せられたのではなく、唯是等の營業者を同じ廓の中に集めてその取締りを嚴重にし、多少弊害を改めたと云ふだけのことである。が此さへいつの間にか紊れて、天保年間になつて淺草田町、及び山谷邊に十數軒の女衒が起り、就中山谷の近江屋の三八と云ふ者は、十餘人の子分を持つて地方の女衒を自分の部下として、盛んに少女の誘拐に努めたと云ふことである。

さて彼等が如何なる殘忍なる手段を用ひたかと云へば先づ誘拐した女を、當分自分の家に養ひ、自分の女房をしてその女を江戶風につくらせ、成べく山出しの風を脫しさせ、その逃亡を慮つて、夜はその女を裸體にしてその着物は、自分の寢道具の下へ敷てその上に眠り、さうしていよ〳〵之を遊廓へ賣込まうと云ふ段取りになると、損料の衣服を着せて賣物の花を飾り、豫て遊女の買入を賴まれてゐた妓樓へ連行き、いろんな口實を設けてその價を糶上げ初め百兩に買はうと云ふ妓樓があれば、次の樓にては尙ほ二十兩買增してくれるであらうなど丶、山をかけ、數軒の妓樓を一巡する間に、百兩の玉を百五十兩にも糶上げることがあり漸く價の決つた上でミズキンを出すことを拒むのが普通である。ミズキンと云ふのは想ふに不見金であり、親許へは見せずして直ちに樓主の方へ引去ると云ふ意味であるとも言ひ、又一說には本人の衣

類を整へる經費に當てるものであれば、身の金と云ふのをいつしかミズキンと轉訛したものであらうとも言はれてゐる。

さて賣買の相談が纏つた上は、年季證文と云つて、親許、請人家主の連判した證書を入れ、親許は現金引換に、本人を樓主人へ引渡し女衒は手數料として一割以上を取つた上、別に骨折金とか、衣類の損料とか、賄料とかいろんな名目を付けて、例へば百五十圓にて相談の纏つた場合には、その證文面の金額より五十圓を引去り、殘金百圓が親許へ渡されるに過ぎないので、こんな事は彼等にとつては家常茶飯のことであつた。

序に一言して置くのは、誘拐せられた女を、是等女衒社會の符牒でイナリと呼ばれて居た。又田舍の女衒を山女衒と云ひ、今でも遊女のことをキツネと云ふのは、このイナリと唱へた符牒が、キツネを思ひ出させるものであらうとのことである。

女衒が如何にして彼等を殘虐に取扱つたかと云ふ實例を今擧げてみるに、天保の頃彼の近江屋三八の手代で、本所三笠町に住むで居た幸藏と云ふ者あり、彼は同仲間の由兵衛と云ふ者が、永病ひで難澁し、娘おいねは駿河臺の齋藤左源太（お使番）方へ下女奉公をさして置いたが、重る疾病に、由兵衛が貧窮のどん底へ落ち、今はどうしても七兩の金がなくては身が持てないと云ふ事件に遭遇したので、彼の幸藏は奇貨居くべしと心密に打喜び、さらぬ態に裝ひて由兵衛方に赴き、七兩の金を工夫して進ぜませうと安心させ、その代りに齋藤家に奉公中のおいねを、彌左衛門方へ奉公替させてくれることを承諾せしめそれ〴〵の手續きを經て齋藤方を暇取らせ、七兩の金は一時三八より引出して來て由兵衛に手渡したので由兵衛夫妻は涙を流して幸藏にお禮を述べて、生神樣の如くに彼を拜んだのであつた。處が幸藏は、そのおいねを彌左衛門方に住込ませるとは眞赤な僞りで、三八と語り合せて、足利の山女衒たる市五郎と云ふ者をして、同所の大黑樓へ轉賣せしめ、身代金若干金の中より三十五兩を三八方へ受取つたとは夢にも知らない由兵衛夫妻は、我娘は彌左衛門方へ奉公して居るものとのみ思ひつめ、七兩の金を得て安心した間もなく、遂に由兵衛は藥石効無なくして死去したが、とりたてゝ賴むに足るべき親戚も無く、唯淺草溜りの横目（溜りの役員なり）平藏と云ふのは、由兵衛のいとこであつたので、之を呼寄せて型の如く葬式をしやうと圖つた處、平藏は先づおいねの許に知らせねばならないと、新町の彌左衞門の方へ使をやつた處、彌左衞門方へは元よりそのやうな女の居る筈がなければ、茲にはじめて、不審が起り、それで平藏は、由兵衞の取片付を隣家の人に頼み置いて、幸藏に聞合せをはぢめ、その足利に賣られたと云ふ事實を知つたので、さらに幸藏を同道して三八方へいたり、おいねの行衞を詰問したのであつた。處が彼の三八は、勿論こんな惡事には慣れつこになつて居たので、左まで驚く色も見せなかつたが平藏は溜りの横目で自分の仲間が入牢の時などには非常に關係のある役を持つてゐたので、多少これに辟易したとみえ遂にその實を吐いて、平藏に謝罪し、共々足利へやつて來ておいねを請戻し平藏に引渡した。併し平藏も亦それだけでは滿足せず、人の娘を疵ものにしたかたを付けよと云つて大いに三八に迫つた。さすがの三八も已むを得ず十兩の金を分捕られて詫びたと云ふことであるが、平藏は尙ほ是にも承諾せず當に大悶着を起さうとしたのを三八は俄に自分の罪を悔ゐる風態に見せかけ、勝手場に行きて菜切庖丁を持來り、アワヤと見る間に切腹したので、平藏は却つて大いに驚き、折角三八より出した十兩の金すら取らずして、匆々に立歸つたと云ふことである。斯うしてこの誘拐事件は泣寢入りに濟んだのであるが、後で聞けば三八の切腹は全くの芝居で、一時の恐喝手段であつたと云ふことである。之を思へば三八の處置の詐僞に始まつて詐僞に終つた憎みてもなほ慊らない事實と云はなければならない。

女衒の行爲は大體以上のやうであるが、當時の女衒であつて入牢しないものは無いと云つても不可なく、又入牢を恐れる者で女衒になることは出來なかつたと云へば之を以てみても、彼等一般の人と成りを知ることが出來るであらう。

さて以上にも述べた如く寛政の禁令は大して効を奏しなかつたが、維新後となつて即ち明治五年十二月二日の太政官布告を以て次の如く人身賣買に類する營業が嚴禁された。

公開

一、人身を賣買致し、終身又は年季の限り、その主人の存意に委せ、虐使致候は人倫に背き有まじき事に付き、古來禁制の處、從來年季奉公など種々名目を以て奉公住致させ、其實賣買同樣の處行に至り、其外の事に付き爾今なすまじく嚴禁の事。

一、農工商の諸業習熟の爲、弟子奉公致儀は勝手に候共、年限滿七ヶ年に過ぐべからざる事

一、平生の奉公人は一ヶ年宛るべし、尤奉公取續き候者は證文相改むべき事

一、娼妓、藝妓等年季奉公一切解決致し、右に付ての貸借訴訟總て取上ず候事

右の通り被定候條、きつと相守るべき事

明治五年申十二月二日　　太政官

右の理由に依つて、藝娼妓の年季奉公も一先づ解放さるゝに至つた。所が無恥なる彼女等のなかには、長年の放縱な生活に慣れ、俄に解放された所で今更堅氣にはなれず、又素人に甦つた處で、差當り食ふ道も見込たゝないと云ふ無自覺さより再び元の商賣に還る者がかなりに見出された、或は又免許もない場所へ住替へて、資本不要のお尻を賣らうなどゝ考へる心得違ひの女も出來た。そこで東京府は、今後の公娼は總て鑑札を要する旨を府令を以て出し、鑑札の無い者の肉の切賣を一切嚴禁するに至つた。

何にしても娼妓解放令が出たので、この時の樓主側の損害は非常なものであつた。東京開化繁昌誌に依れば、（既に壬申の冬に至つて、諸國各地の妓院、驛舍に抱受けたる年季の遊女、並に藝妓等を皆解放の御沙汰あり、籠の鳥から怨めしやと啣てる者十萬、數一時に自由の飛翔を得たれば、中略迎ひに出る親あれば、歸り來りける娘あり、（中略）而も亦借錢の淵に沈み、厄介の山をなす者は、彼方の家に赴き尚ほ淫を鬻ぐことを默許さるゝと聞えたり——）云々とある。一時女街は飯の食ひ上りを來したのであつたが併しその後女街は今の公周旋と變り、稍々昔の殘虐性も改まり、現今では專ら藝娼妓及び酌婦の紹介を業とする、所謂桂庵或は口入業となつておさまつて居り、目下東京府下及び東京市内には約六百軒ほど存して居る。この六百軒の中に女街が、昨年三月末の內務省社會局の調査に依れば二百四十二軒あつたとの事である

がそれは兎に角自分は最後に現在の女衒の紹介、手數料に付て一言して置きたい。普通桂庵で女衒のことを大物師と呼び又女衒の方では桂庵のことを小物師と云つて居る。是は手數料の差額に依つて名付けられたもので、小物師の方では女中一人を照會しても、規定に從へば二圓六十錢より取れないのであるが、大物師の方では、前借金の一割五分までを取つても差支ない規定になつて居るのである。例へば前借金四千圓の藝娼妓を照介すると、その料金六百圓を取ることが出來る即ち四千圓の人間を動かして六百圓の利益を取ることになるので、即ち大物師と呼ばれるのである。がそれは兎に角、今少し溯つて明治五年の遊女解放令以後、明治三十八年の女衒取締規則が獨立されたまでの頃に於ける女衒は、大抵娼妓だけを取扱ひ、藝妓の方は主に花柳界に出入する小間屋とか、女髪結とか云ふ者がやつてゐた。その頃の照會料は、法律で規定されたとは云へ、昔に異らぬボロイ儲けをし、その手數料のことを（オサカナ）と云ひ、女一人に付て幾らのオサカナと云ふ風に唱へて居た。併し最近では一割五分まで認めてゐたが、昨昭和元年十二月二十八日より省令に依つて引下げ今年の一月一日、前借金五百圓未滿は一割、千圓未滿は八分、二千圓未滿は六分と云ふことに規定せられ、先づ平均八分となり、以前より低下された譯で、この規定以上に損料とか、食料とか云ふいろんなオサカナを請求することが出來ないやうになつた。が併し彼等のことであるから、その外のいろんな名目を付けて、それ以外に利益を貪るのは云ふまでもないことであらう。

　そこでこの身賣りをする女の前借金の多い少いに付て一言して置かねばならないことになつて來たが、一體如何なる標準の下に、この前借金が規定せられたかと云へば、勿論藝妓なれば容貌が第一の條件で、年齢、技藝と云ふ順序に前借金が定められ、この三つの條件が遺憾なく備はつた女が一番高く賣れると云ふ譯である。併し幾ら容貌が綺麗でも、病身ではものにならないから體格と云ふことも亦一つの條件であり、是は總て容貌の條件の中に入れられてある。一方娼妓となると、容貌と年齢が第一の條件で、技藝は殆ど問題にしない。その代り體格の方では一層嚴重に注意し、酌婦になると、容貌と、技藝に經驗が加はらねば駄目で、從つて年齢はそれ程重要視せられない。何故酌婦には經驗が必要であらねばならぬかと云へば、是は云ふまでもなくいはゆるダルマで、東京や、新潟や、そのほか酌婦の無い府縣も多少はあるが、酌婦を許して置く府縣の茶屋、料理屋には、昔から酌婦と云ふ者があり、單に村の百姓や、町の職人等のみを客とする處もあれど、中には良家の旦那とか、或は隱居などをお客とする處では、以前の經歷の惡い女では宜くないと云ふので寧ろ年齡よりも經歷に重きを置くのである。女衒仲間では、この女の容貌の良い惡いを（荷が重い、荷が輕い）と云つて居る、女の事を玉と呼び、彼等の手から他の手に渡すことを（玉出し）と云ひ、藝者や、娼妓や、酌婦になりたいと云つて申込んで來る女を（歌込む）と云つて居る。玉が手に入ると（洗ひ）と云つて、先づ女の身の上を調査し始める。何故かと云ふに、藝娼妓は共に許可制のものであるから折角荷の重い玉が歌込むでも、それが家出をして來た者や、或は誘拐されて來た者では不合格になるから、この調査、即ち洗ひは十分に行ひ、原籍から、職業から親の承諾の有無、又は住替の場合ならばその理由、次に內緣の夫の有無など事細かに調べる。が一番彼等が深ぐ注意をするのは、情夫の有無を調べることで、俗にこの情夫のことを（紐）と云つて居る。だから決してこの紐があると、遊女などは稼ぎに影響を來すし、それに第一逃亡される虞れがあるからである。それに引かへ酌婦の方では、この紐のある者を却つて喜ぶので、それは紐が着くと、それに貢ぐ關係上、客取りに一生懸命になるし、遊女のやうに自由を束縛されてゐないだけに、却つて紐がつくと長く居付くからである。

次に女衒の照會で、抱主との契約が成立すると、娼妓なら警察の健康診斷が必要であり、榮養や、發育や、淋巴腺や、結核や、花柳病等の如き有無を調べられ、その中合格者のみ、契約がはじめて成立するのであるが、この不合格者中には絕對不合格と一時不合格との區別をされ、一時的不合格者は療養の上、再び健康診斷をして貰ふことが、出來るが絕對不合格者は娼妓となることを諦めねばならない。それで田舍廻りのダルマには、この不合格者が彼等女衒の手に依つて配置されることになつて居る。

女衒が藝妓なり、娼妓なり、又は酌婦なりに周旋することを俗に（ハメコミ）と云つて居るが、一體一年間にどれ位ハメコミをするかと云へば、勿論是は區々別々で一致はしまいが、東京市の社會局で調べた處に依れば一年に五人しかなかつたと云ふ者が八名、八人が六名、十人が二十三名と云ふ工合で、中には百二十人以上も周旋した者もあるさうであるが是は至つて少數で、平均求人側が四十四人三分で、應求側は三十一人五分の割合で、さうして本當に纒る者が二十六人四分と云ふことである。斯うして一年間の收入は、多いのになると七千圓から、少いので二千圓未滿である。併し一年にたつた五人か六人位周旋したゞけで立派に飯になつてゐる所を見れば、是は確にお肴の外に、何か巧い汁があるに相違ない。

女衒のことに付ては。まだ〳〵いろんな文献もあれどあまり長くなつたので、今回は是位に止めて置かう。

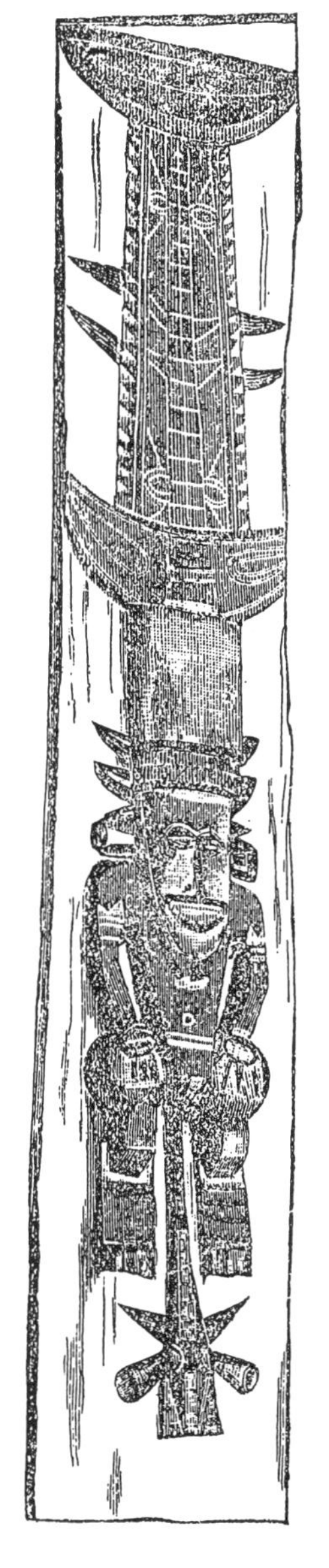

妖術者の群

藤澤衛彦

研究人物

奇蹟を行ふ人
猛獸馴らし
幼術者
仙術者
忍術者
煉金術者

魔法使ひ
陰陽師
修驗道者
方術者
神變術者
觀星術者
妖術者
變化

序説

登場人物

十三人の妖術者

變化奇蹟を嘲笑ふ人

行末は、空も一つの武藏野の果である。荊榛幾方里、狐兎群を爲す重疊した丘陵地の一廓に、人間の冒瀆を呪ふ横見黒巖窟の大奇蹟は、黄昏の魔の妖氣に被はれ、閉されて、見渡す者の眼を遮る。それは、人の、この神秘境に入るを、自然の憎むのであらうと、侵入堅く禁じられながら、なほ、狹霧の絶間に幾度か企てられた探險説話があり、その又、失敗の記錄には、不思議な運命の連續があつた。此世に勇武の質を惠まれた諸國遍歴の武術者の、ふと此黑巖窟の怪異を聞き傳へて、蔑に訪れた者も、多く此環境の夕暮の凄涼に怯えて、われから滑稽な逃亡を企てたりした。適々その丘陵地の凶氣を侵して、怪物退治の名に憧れて行つた無名の快男兒もあつたが、いつも其功績は、永遠に其後の消息と共に不明である約束に置かれるのが常であつた。それで、其邊境に纒はる傳統的奇譚によると、何人でも、一歩この黑巖窟に踏込んだが最後、黑岩不知、靈域を戕ふ罰たちどころに其身に返つて、冒瀆者は、忽ち其處にありと言ひ傳へられる無極限洞穴の底深くへ吸取られ、扨再び吐出さるる姿は、あの複雜から單純を溺す魔法使ひの手品のやうに、どのやうな硬頭も、鐵腕も靭皮も、一時にして肉と盪け、血と流れ、一朝にして靈しき一條の煙と化り了る。あはれ溶解されたる勇者が鮮血色の煙は、夜の間をゆらゆらと、黑巖窟の洞口から絲のごと細く地を這ひ、九十九折を躓きがちに線を曳いて、樹の間樹の間を縫ひ歩き、全丘陵の裾より腰へと巻き昇る。月なき宵、それは、流れ星の魅惑のやうに閃々と霧を拂ふて輝き、入日のたそかれに、それは、灼熱した金線の山を縛るがやうに赤々と映つた。それは正しく郷士の人達をして黑巖窟の神秘が蒼寥たる丘陵地を支配する權威の象徵だと恐れられた。そして其處は、傳說と畏怖と冒險と無限の富とを思はしめる誘惑物であつた。其處には昔驅逐された古代民族が生棲して、廢坑の如き地下市に底無しの寶庫を擁し、十三人の妖術者がそれを指揮してゐる、黑巖窟は彼等が現代への唯一の通ひ路であるやうにさへ空想さるゝのであつた。ひたすら迷信の夢を懷しむ其頃の民衆は、野に山に若し一、解決し得られない事件でも起るとそれを、人間の想像を許さぬ十三人の妖術ゆゑだと考へさへした。時に方向を取違へた乞食の一群の、丘陵地方面からさまよひ出でゝもすると、部落の人達は、それを妖術者の化身だと直感し誤つて、恐れ崇め、出來るだけの衣食を與へて欵待するのであつた。その愚を見透された彼等のために美しい三人の處女が、高位の侍女にと望まれて、年をきつて連行かれた事もあつたが、迷信の人達は誘拐された處女の身の果が鎌倉あたり、長者の宿に悲しい遊君である事さへ知らずに、きつた年を歸らぬ處女のために、仙女としての幸福を祈つた身寄共であつた。それほど、黑巖窟の秘密は、稀代の謎として、洞穴共同の主であるといふ十三人の妖術者と共に、永く郷士の人々の心を懷疑と恐怖と好奇と迷信とに捕へて已まなかつたものである。

時代の推移に、其後、黑巖窟の奇蹟も、窟口は廢頽する、あたり荊棘の蔓延に任して、何時の頃ともなく、其處に大なる秘密を懷いて住ふ妖術者の群への注意も怠られがちに、黑巖窟の傳説は、地方郷土史の上から、一旦葬り去られた説話の態に於て戰國時代を經過した。

現代に到つて、埼玉縣比企郡西吉村北吉見郷から黑岩郷に、跨る岩山のところどころに、段々に横穴の露出する怪異から、疑問の鶴嘴は投げられて、遂に興味ある明治二十年の大發掘となつた。かくて俚俗吉見の百穴といふ二百三十有餘の横穴が、蜂の巢の妖怪の蠢くやうに見出された時、此土の人達は、ユフラト河畔にバビロンの古都を發見された驚きを以て其古跡を迎へたやうであつたが、豈はからんや壁一重の黑巖窟の妖術者共は、堅く閉した秘密の鍵を振つて、忘れ盡された郷土秘史の謎の中から、現代に續く彼等の妖術を祝福して、文明を呪ふ叫び聲と共に踊り狂つたか知れぬ。

奇蹟を嘲笑ふ人は、永い以前から、此地方の傳説と地理とを何くれとなく知つてゐた。百穴のほかにも、鬼（それは太古の一民族を指すものと考へられる）が住んでゐたといふ地獄谷から鬼澤、室戸といふ少女（それは岩窟觀世音菩薩の假名だと口碑に信ぜられる）の化した靈の枕石、太古の民族の寄合つたところらしいと言はれる楡の木陵、高生家季の姫の寶に殃ひされた御墓谷、鏡に呪はれて死んだ處女の長谷の美子塚、城山から市ノ川の崖へ下る峽間に挾められた巖窟その儘の岩室觀音、蒲冠者源範頼が三河守に任官して武藏吉見の庄を領した時所領の半を寄附して諸堂を建立したといふ阪東十一番の札所である御所村の觀音堂、「延喜式神名帳」に載るところの田甲村の高負比古根神社など、時代と事件とを暗示する傳説の多くがある。とりわけ、ほのかに懷古の情を寫して、廢頽の氣分を意味ありげに漾しむるものは『遠く望めば孤山の如し、麓に市ノ川を帶び、南に深山あり、巖石直立す、本丸跡より市ノ川の崖へ下る狹道あり、地勢巖窟の如し。』と、「新編武藏風土記稿」に記された松山古城址への思ひ出である。

その時代の城の歷史は、明けても暮れても血腥い物語の披瀝であつた。然も其處の血潮は、戰國時代の常である武人鬪爭の結果に流されたばかりか、忌しい寶への呪ひに絡られてゐた。古城最初の主人公は扇谷上杉家の家老上田左衞門尉で、彼が此地の要害を取立てゝ秩父郡御堂村から城を移したのは、足利初期、後小松天皇の應永初年（紀元二千五十四年）頃であつたらしく、それまでは、流石の武藏七黨も、此地の要害を等閑視してゐた傾向がある。寶の歴史も其頃からの口碑を持つ。「鎌倉大草紙」六本松合戰の條に、『上杉彈正氏定の臣松山城主上田上野介戰死』と見えるは、應永二十三年十月六日の事で、此日何事か家寶の事で上野介は持城に急使を立てゝゐる。降つて天文永祿の頃、上田氏は小田原北條氏に屬した。元龜二年（紀元二千二百三十一年）二月、當時の松山城主上田能登守朝賓入道案獨齋は、菩提寺觀音寺の境內に經塚を建て、一千部の經文を埋めたが、此時、別の何物かをも此處に埋め、一家の冥福安穩を祈らんために、玉鉾氷川明神（今の高負比古根神社）にも詣でた。次で天正十八年（紀元二千二百五十年）、城は北條氏の屬城として、上杉景勝、前田利家の兵と戰ひを交へた。折から城主上田上野介朝廣は小田原籠城の留守中で、統一亂れ、死守開城の兩派軋轢し、かつは少勢の敵し難く、その四月十二日、城下の僧の扱ひで降を上杉勢に乞ふた。時、城主の一の姫は、何人にも秘密にせよと父朝廣に誓はせられた家重代の寶を抱いて、暗夜を南方に逃れ屹立した巖石の難所を馬で駈け下つて、深田から市ノ川の川上沼澤地に出で、其處で潔く自盡投身した。今に其邊に殘つてゐる巖石に刻まれた馬蹄の跡は、姫の馬の足跡であるといふことで、寶に傳はる慘血の歴史を綴つてゐる。

その因緣で、沼澤地方には、白馬白裝束姿の姫の亡靈が現はれ出るといふ傳說がある。それは、懶いやうな狹霧の日であつた。雨は降りみ降らずみの八つ下り、荒寥たる丘陵地に卷き起つた一叢の雲が、徐々沼澤地方に散らばつて下ると沼の表が妖はしくも光つて、あたり一帶の荒蕪地に蓬々たる諸草が銀のやうに一齊に葉裏をかへした。田吾作が、擔桶に小便しかけながら、ふと此光景に見入つてゐた時、突如かれの眼界に入つたものは白馬白裝束の姫の亡靈で、その姿は一筋の白羽の箭の如き速さに、風箏をなして翔け去り消えたといふ。又、杢兵衛が山歸りの途に、新井崎の沼畔から仰いだ天女のやうな姫の影は、坊主山の頂上から、凝乎と悲しげな表情に荒蕪な沼澤地方を瞻めてゐた聖い拜まれる形であつたといふ。然し奇蹟を嘲笑ふ人は、決して、さうした美しい亡靈や、天女の實在を信じなかつた。物理學者ではないけれど、彼は今の世の奇蹟や神秘に對する懷疑派の代表であつた。從つて、彼は、故あつて例の黑巖窟の秘密に就ても多くの口碑傳說を蒐集してはをつたが、むろん、その神秘を支配する十三人の妖術者の話などは問題にしなかつたのであつた。實をいふとさうした有史以前の遺物、說話の中には、往々にして眞理を裏切る案外の喰せ物があつて、例へばあの八幡知らずの藪のやうに、神意と僞つて、人爲の荒廢を防ぎ、墳域の神聖を保持するために、先祖の神怪を言ひふらす手段と心得てゐた彼であつた。

で、彼は、此意氣を以て、此地方の神秘境の隨所を探險し、彼相當の効果を收めた經驗を有してゐる。果して彼の言ふ如く此世には、人間の豫想の及ばぬ神秘といはるべき何物もなく、神の能ある業であるといはれる驚くべき奇蹟も無いかどうかは後の問題とするも少くも、原始人の無智や物語の揑造から生れ出た靈跡にして、彼の探險によつて其內容を暴露されなかつた、秘密は一つも無い。手近い例が、比企古寺村の岩だれの洞穴、秩父石龍山橋立寺の奥の院である日本一の岩窟、甲斐の赤岩山に續き、三國山と龍頭山とに挾まる兩神山の麓、荒川第三の源流である出原の穴にしてもさうである「塵塚物語」や「松屋叢書」によつて傳へられた秩父いづはらの穴幽界談などは、其記錄前、夙くに、かれ奇蹟を嘲笑ふ人によつて、手もなく其根柢を覆された。嘘か眞實か、それは和銅年間の廢坑だと言ふのだが、恐ろしい誤傳は、百年後の江戶に、其處に太古の失はれた鑛山があり、亡びた民族の存續があると喧傳せられた事だ。岩だれの洞穴、日本一の岩窟に到つては、彼に言はすれば何の變哲もない自然の鐘乳洞に過ぎないのであるが、「橋立緣起」は之に弘法大師の宗敎的奇蹟を結び付け、古寺村の口碑は、それに怪奇傳說の多くを纒綿せしめてゐる。なるほど、石龍山の巖窟には、驚くばかりの鐘乳怪石があつて、それが、五大尊、五百羅漢、天の逆鉾、弘誓の船、五色の瀧、渡る橋立、雲の浪、牛馬の岩窟三世諸佛から、上り龍下り龍と、わけもなく痛快な福神まで具備されてあるが、その精巧さが、立派に自然石應用の製作である恨みがある。古寺村の鐘乳洞に至つては、無限の孤獨への怖れと探險への滿足を感ぜしめるほかは、次の神秘洞への探險的好奇心を唆る誘惑物である位が關の山である。

さみだれの五月の末、私も、この秩父の笠山の麓に近い、古寺村の鐘乳洞に探險に出かけた事があつた。今より十七・八年も前の話、私はこの穴の案内者の住つてゐる家を訪れて、岩だれの案内を頼んだ。折あしく主人公は留守であつたが、十七八の娘がゐて代つて案内してくれた。頸を縮め、腰を曲め、匍ふやうにして小い入口から洞穴に這入ると、中は急に廣がつて、だらだらの坂路となり、頭の左の方には大鐵管位の穴が一つ、空に向つて開いてをり、其處から射込む薄い光で、中の有様が朦朧と見えた事を記憶してゐる。段々行つて、影のやうに飛びまはる氣味のわるい蝙蝠に顔を掠められてびつくりした事、『ひよつとしてこんな奴に頬にでも飛びつかれたら大變ですねえ。』と、ひよいと思ひついた嫌な心づかひを口にすると、『そんなことはありませんわ。』といつて、娘のほゝと笑つた事も覺えてゐる。　その又笑ひ聲のさびしさつたら。私は、何となしの氣味惡さに、せめて光明(あかり)でも餘計だつたらと、マツチを擦つて蠟燭を一本つけ足さうとした時私は一層恐ろしさの念ひに行き當つた。私達は、何時の間にか、屆かぬ洞と呼ばれるところにやつて來てゐたのだ。『どんな長い竿を振りまはしても、決して天井には屆かないさうです。』と、娘が説明する、『すると、窟が伸縮みでもするのですか。』と私が言ふと、『まさか。』と、高く叫ぶやうに言つて女は又笑ふ。『まさか。』と、物寂しげな聲が何處かに起る。私がまた恐怖に襲はれたやうになると、『山彥(こだま)です。』と、娘が説明を與へてくれる。それから、馬の背渡り、地獄に續く底無し穴に沿ふて猶も奧へ奧へと進むと、穴は漸く狹くなり、天井の鐘乳石に危く頭を打突けはしないかと思はれる迄になつた。滑り滑り進み、左右の岩につかまりながら進んで行く。岩の側には、ちようど身體の這入れる位の竪穴が二つ三つ續いてゐる。『此穴に陷ると、ずるずると底無し沼の底深く、何處まで滑り込むかわからないので、登り出る事は出來ないと言ひます。』娘は這ひながら私にかう言ふ。『どうしてそんな事がわかつたんだらう、え、誰か落ちでもしたのですか、『さあどうしてですかたゞ此村でさう言ひ傳へてゐるのです。』　私は、灯を翳して恐ろしさうに其底無しの穴といふのを覗いて見た。『あぶないのですよ。』と娘が再び注意する。私は、その聲に却つてぞつとする恐ろしさを感じた。あゝ恐ろしい底無し沼、私は何時か物の本でかうした底無し沼の恐ろしさを讀んだ事がある。何でも佛蘭西ノルマンデーの海邊などには、此底無し沼が澤山にあるさうだ。そして、どうかすると旅人などがこれに陥る。荷物を積んだ儘、馬や車の落ちることもある。落ちたが最後もう助かる望みは無い。右の足を抜かうとすれば左の足が沈み、左を抜かうとすれば右が沈む、一分一寸一尺と沈んで行つて終には全體が泥の底に呑込まれてしまふ。イングランドの所謂グリンペンの大泥濘に野の獸が呑み込まれる話も同じやうに聞いてゐる。此處に迷ひ込んだら生命は無いもの、夏の干からびた時でも此處ばかりは危險で、つい驅け込んで行く獸の足も地に吸ひつかれたら下は地獄、頸を長々と死苦にうねらせて哀れを呼ぶも、やがては地にとらるべき運命であるといふ。日本にも、かうした底無し沼のあるとは知らなんだ、然も、洞穴の闇黑に此恐怖の沼、今、私達はその沼の間近くを通つてゐるのだ。何といふ恐ろしさ、二度と再びこんな處へ來るものではない、それにしても、こんな恐ろしい穴の案内に日を暮して、あたら若い一生を眞暗闇に過すあはれ此穴の案内娘よ。『ねえさんはこんなところでも恐ろしいとは思はないの。』『やつぱり恐ろしいわ、一人ではとても這入れませんわ。』案内だから這入れるとは何といふあはれさだらう。かう思ひながら二人が斜の岩を滑り降りて行くと、遙か向の高きところに徑二尺もあらうかと思はれる小い穴が黑く開いてゐる。娘は此穴を指して、『あの穴に這入つて見ませんか。』と誘ふ。『何かあるんですか。』と私が聞くと『いゑ、別に何もあるんではないんですけれど、あの穴は何處かへ拔けてゐるといふんです。けれどわからないんです。』『おほかた富士の人穴へでも拔けてゐるんでせう、馬鹿な穴ですねえ。』と出かゝつた諧謔も娘が燭を翳したので其儘。中を覗き見ると、何處までも暗くつて、向の壁を見ることの出來ないほど廣さの程も量り知る事はむづかしい。其處から別の道へ這入ると、又一つの大穴があつて、此處にも深い堀がある。この邊から娘の足も自然と急ぎ加減になり、幾町かして漸く洞穴の辨財天祠に達した。洞穴の中の池、池のほとりのさゝやかな祠、空には澤山の岩だれの美しさ、まあ何といふ奇觀だらう。『綺麗でせう、みんな鐘乳石です。土地の者は岩だれと言つて耳の藥に致します。』かう言つて娘も上の方を見上げる。『それが又不思議によく利くといふのでせう。かういふ處には靈藥がよくあるものです。』と自分がいふと、『どうですかねえ。』氣のなささうな返事をしてから、『ですが、此頃は、標本にするとか言つて、此穴に這入る人が、あなたの持つてゐるやうな鐡槌で打ちこはしするものですからねえ、耳のお藥もだんだんに無くなつてしまひます。』と淋しさう。この娘の物語に思ひ合せて、それから二十年足らず經つた鐘乳洞に、果して私の觀た美しい印象の岩だれが、缺き取られ盡されずに殘つてゐるかどうかを危む。

とにかく岩だれの見物を終つて私の思ふに、鐘乳洞内にあること實は僅々一時間足らずの時間が、自分にしては、一日にも增した永い時間の經過を意識したのであつた上、漸く洞穴を出て、ほつと光明下に自由な大氣を呼吸し得た時、私は再び此天下であり地上である人間世界に生れ更つたやうな愉快にふたがれた。思へばそのはじめ、一人の案內者もなく、當代人のあらゆる迷信を打破つて、事もなげに此洞穴その他を探究し遂げた、あの奇蹟を嘲笑つた人は、まあ、どのやうな深慮の豪膽者であつたのだらう。

その順序はとにかく、奇蹟を嘲笑ふ人は、あらゆる深山巖窟探險の後、あの魔の丘陵地の眞の凄味を支配してゐる黑巖窟に、勃々たる探究心を傾倒し盡した。かくて彼は、或日、村人の最後の嘲笑と悲しみとを後に、彼自身にしては貴い體驗からの神秘に對する嘲笑と、軈て衆愚に酬ゆべき必然のほゝゑみとを以て、村人には無謀の、彼には熟慮の、燃ゆる熱心を以て、深刻な奥行のある黑巖窟の怪奇と神秘の渦卷く中に、飛込んで行つた。彼の探險は果して成功か、失敗か、探索も此邊まで來ると記錄口碑の何物もないが、十三人の妖術者對奇蹟を嘲笑ふ人の葛藤は、いづれ何等かの形に開始されねばならぬ。

『紳士淑女諸君！　今を距ること三百十四年前、卽ち日本紀元二千二百七十五年八月二日の事でありました。』と、年號月日だけでも、せめて正確に申し述べたいのであるが、まことに遺憾ながら、それは、文祿とも元和ともはつきりしない秋の或日の夕ぐれ時分、昔の城下町の方から、松山城址の崖下に廻つて來た輕裝の旅人があつた。それは、强き意志と叡智とを假の姿に包んだ、わが奇蹟を嘲笑ふ其人であつたのだ。

その頃にも、岩室觀音の前には、市ノ川で劃つた沼澤地を背景とした一軒の藁葺の宿屋があつた。遙かに其家の見えそ

（ 66 ）

めた時分、奇蹟を嘲笑ふ人は、疲れたらしくもない足を引摺りながら、わざとのろのろと長途の旅人の姿に歩いて來るやうであつた。

彼の近づく足音に、そつと藁葺の宿からは、誰か戶を細目に開けて彼の樣子を窺つた者があつたが、何故か彼の姿を認めると驚いたらしいけはひであつた。それに氣が付いたともなく、彼は夙くも其家の戶口に立つてゐたところが、ふと其邊に注意した彼は、其處の隅に立てかけられた不思議な繪盾に目を引かれた。獰猛な面の野獸のやうな、其形は宛ら人に異らぬ怪物が、異形な馬、それは全身すべて枯木の如く、處々に苔を生じ、四足は樹核、尾は芒の怪馬に跨つた態のもので、上に

三國一の妖怪

と書かれてあつた。異樣な感に打たれた彼が、つかつかと近づいて其繪盾を手にすると、其後から次なる盾が面を見せたそれには醜怪な眼が畫かれてあつて、

丑滿の闇を爛々と飛び來る兩點の炬火あり、瞳を凝らして熟く視れば、こはこれ妖怪の眼の耀ける也

と說明されてあつた。その盾を取ると、下は一個の巖窟に筍石の植つたやうな繪で、それに、

洞穴の如き口、其左右は耳まで裂けて、其處に迸る鮮血は瀧と流れ、劍を植ゑたるが如き齒牙を染む。

と註が入れてある。次を捲ると、古木の化柳の岸を嬲る態で、

幾千根の長き髪は、銀の雪に閉ぢたる柳の絲の、春風秋雨幾千年、惱み亂れて戰ぐに似たり。

とあつて、最後の盾に、

此妖怪を手懷け得たる、三國一の虎馴らし。

と書かれてあつた。

『なアんだ。』と彼は思つた盾と思つたのは虎馴らしの看板で、その三國一の虎馴らしは其繪盾を杭に圓陣を作り、其中で猛獸を馴らして見せる、此頃有名な動物興行師であつた。聞くが如くば、彼は、太閤存生のみぎり、大阪落城中に飼はれてをつた朝鮮傳來の大虎づきの虎馴らしであつたが、虎の生餌として獻上になつた攝津國丹生の山田產の日本犬と噬合つて、虎が共死してから間もなく、熊、狼などの猛獸を馴らして、諸國を興行して歩く身の上になつたと信じられてゐた。彼は彼を知つてゐる、非常な瘦形の、長い四肢を持つた、丈夫さうな身體つきの異國人で、突起した頰骨にちよこなんと座つた長い朝鮮髯は、殊に人種特有の感を懷かしめた。彼は、此虎馴らしの入間河畔にかゝつた時、見物にも行つて、其地方に蕃殖した高麗民族の後裔達に大もてで大得意であつた事をよく覺えてゐる。今思つてもぞつとするのは其眼で、虎馴らしの眼は、黃色く緣取られた煌々と光る瞳を持つた大きな兩眼であつた。その異常な眼光が、一度そゝがれると、どんな猛獸も、一種の怖るべき威壓と魅惑とに打ち震へないではゐられないやうであつた。その虎馴らしが、何でこんな邊鄙な一軒家に交渉があるのか、彼には、それが不思議に思はれてならなかつたが、突然、ある推理が彼の頭腦に浮み上る

(68)

と、彼は愕然として驚いた。さういへば、あの幻術者のちよちよんがちよつ平も、此邊に來てゐる。仙術者の果心居士も岩殿山に籠つてゐるといふ。當代天下の三異人が、北武藏の荒寥たる丘陵地方を目がけて集つて來てゐる。何を意味するのであらうか。何れにせよ、恐らく偶然の一致ではあるまいと、彼には考へられた。

ちよちよんがちよつ平の名を、知らるゝ者は知つてであらう。有名な武田信玄に、その幻術を觀破られて、甲州を追はれたお尋ね者である。我身を射る者に錢を賭けて己れは物陰に潛み射者には己れの幻術を射させて錢を貪る術に巧みで、何人も彼の幻術を見破り得なかつたが、流石に信玄には觀破られたといふのである。其頃信玄は勝千代と言つた少年だつたので、世間も驚いたが、ちよちよんがちよつ平も驚いた。這ふ這ふの體で甲州を遁れるには逃れたが、幻術興行ちよつ平の足跡は既に諸國に普かつたので、忽ち彼は職を失つた。據ろなく、其後、幻の盾といふものを工夫したが、もう、しやあしやあと御城下まはりなども出來なかつたので、餘儀ない田舍まはりの幻術者で世間を渡つて來た。諸記錄傳ふるところ信玄に觀破された幻術者には名がなく、盾の話には名があり、一說には某家の隱密だとも言はれてゐるが、兩者の關係を同一人とするとあまりに長壽の彼である故、ちよつ平は或は無名の幻術者の二代目三代目であつたか知れぬ。

果心居士に到つては一層有名で、彼の仙術は都の眞中に公々然と行はれた。「黃昏艸」や「名たし草」によると、葛巾、道服、銀のやうな白髮、銀のやうな頰鬚、銀のやうな美髯に、手先ばかりを鐵のやうに現はして、如意を右手に左手は堅く握り締めたまゝ、祇園祠前に立ち、樹下に眞晝間、地獄變相の圖を揭げて、頻りに因果應報の理を說いた彼であつたといふところが、其畫中の閻魔といひ、鬼と言ひ、地獄に墮ちた人間の責苦といひ、全く生けるやうな恐ろしさ、生々と舂かれ、磨かれ、割かれ、烹られた人間の鮮血が迸り、叫ぶ者の聲が聞えるといふので、彼の傳道には大層の人だかりだといふ評判に、織田信長は其圖の一覽を乞ひ、かつそれを强て獻上さしたところ、何時の間にか其圖が白紙と變つたといふので右府は大變な立腹道士を咎めさしたところ、『名畫には靈がある故、其主のもとにあらざれば留らない。軸は一旦信長公の手に入つたが、畫は自然と脱去つて、老爺が所持の白紙に歸つて來たまでだ。』とぬかした。信長公その言を奇とし、更めて百金で購つたところ、畫に昔のやうな筆勢が無い、これを止せば、『前の畫は無價の寶、後の畫は百金に價するもの』とほざいた。右府色をなして、道士を窘めしめたが、久しく知れなかつた。或時、門側に醉人があつて、臥したまゝ醒めないといふので、調べると道士であつたので、捕へて獄に下したが、十日經つてもまだ醒めないといふので、流石の信長も呆れた。彼が捕へられたのは天正十年五月某の日で、長い睡眠から醒めたのは六月の初旬であつた。其間に卷き起つたが本能寺の變で、道士が眼を覺した時、天下は明智光秀のものであつた。其奇を聞いて獄を開かしめ、光秀は召して其館に酒を勸めた。『先生は酒が好きなさうぢやが、一體飮む事はどの位であるか。』と尋ねたら、『さやう、まづまづ量のない方でござらう。』といふので、近侍に命じて巨盃を取らせ、酒を盛らせるに、十盃、二十盃、三十盃を傾けても、醉ふ樣子が見えない。そのうちに缻の酒は既に盡きたと注進せられたので、一座は驚いた。『先生、未だ足らざるか。』と光秀がいふと、『はゝ、少しは廻つたやうでござる、さらばお禮の印に、一抜をお目にかけ申さう。』と言つて、ふと四邊を見廻した道士は、其處に近江八景を畫いた屛風のあるのを見出した。と、道士が、何事かを呪文すると、不思議、不思議、勢田の夕照が急に光つて、比良山の暮雪がきらめく。堅田の落雁が飛んで、三井寺の鐘が幽かに夕の刻を撞き出した。そのうちに粟津の方が曇り出して、一陣の風が渡ると唐崎の松がざわざわと動き出し、小雨さらさらと降りそゝぐ。道士が手を揚げて招くと、矢橋の歸帆の一艘が、搖蕩として屛風を出で、わずか寸餘の小舟が、十數尺に及んだ。そのうちに、湖の水が溢れ出したので、光秀はじめ、衆みな惶駭として袴の股立を取るうちに、道士は夙くも舟に乘る、篙工棹し、悠然として到頭その行くところが知れずなつて了つたといふ。その道士が、今此地方に現はれたといふのである。

たゞごとでは無いと、奇蹟を嘲笑ふ彼ではあつたが、神經を多少昂らさずにはゐられなかつた。と其時、宿屋の表戸が開いて、中から一人の青年が出て來た。それを又、此家の誰かゞ、出てはいけないと止めてゐるらしいのだ。それだのに青年は振り切つて表へ飛出した。其拍子に、その青年と彼とは面を合してしまつたのである。思はぬ對面に青年も驚いたらうが、彼に於ては『あつ』と思はず叫びを上げた程の眞の愕きであつた。

奇蹟を嘲笑ふ人である彼さへも驚いた程、人間はそも何であつたのか暫く生立を闡明にしないと、奇蹟を嘲笑ふ人である彼の此驚きの深さがわからない、恐れがある。一體、彼は、少年の頃を牧舍に育つて、馬飼仲間に半生を過した關係上彼は耳に胼胝(たこ)が出來るほど、よく變兵童子の物語を聞かされたものだ。その聞かされた物語の主人公である變兵童子の概念が、今突然の對面を餘儀なくされた青年の容貌そのまゝであつたのだ。本來から言つて、物語の主人公と實在の人物との一致に、寸毫の相違もないといふ場合はさうあるものでない。それが、青年と變兵童子との上にぴつたりした容姿風丰の認められた事は容易の事でないと彼は思つた。それに、咄嗟の間ではあつたが、彼は、青年の眉間に凹んだ大きな、黶子(ほくろ)をありありと見た。この凹んだ黶子などといふものが、又さうざらに世間にありふれる筈がない、彼は確に變兵童子だと心竊かに定めてしまつた。勿論、二人の對面はほんの瞬間で、青年の姿は直とたそがれの岩室坂の方向へ消えてしまつたが彼は思はず跡見送つて、『確に變兵童子だ。』と呟くのであつた。

その變兵童子といふのは、戰國時代に、諸國に出沒した、音に名高い馬盜人(うまどろぼう)であつた。或時、尾張國の東の城主と西の城主とが仲違へをして、お互ひに明日は戰爭をするつもりでをつた宵の間に、どつちの城でも、用意の馬が一匹殘らず見えなくなつたといふ不思議にでくはした。これは大變と大騷ぎで、諸所方々を尋ねたが、神隱しにでも逢つたか、天狗にでもつかまされて行つたか、何百何十匹かの馬の、影も姿も見えないといふので、どつちの城でも、明日の合戰が心もとなくなり、お互ひの軍使を立てゝ『明日の合戰暫く中止』を敵方にうまく申し込ませる事になつた。東の城の軍使と西の城の軍使とが、お互ひに、どう談判をきめたものかと思案しいしいやつて來た麓道、お互ひはぱつたり出會(でつくは)し、出あひがしらに、思はず『明日の合戰は止めにせう。』と挨拶した。はつと氣がついて提燈の印を見ると、お互ひは敵同士であつたので『あはゝはゝはゝ』とお互ひわざとらしい笑ひをした後、『それではきまりましたな。』とお互ひに歸らうとすると、上の方で『あはゝはゝはゝ、それではきまりましたな』と眞似る奴がある。びくつとしてお互ひが見上げると、變兵童子が澤山の馬を連れて、山の頂上に立つてをつたといふやうな痛快な話。變兵童子の爲に、こんな具合で酷い目に合はされそれで戰爭の出來なくなつたといふ話。弱きを助け、强きを挫く童子の義俠談。神出鬼沒、變幻自在な童子の泥棒譚は、數限りもなく傳へられてゐるが、未だ曾て變兵童子の捕へられたといふ說話を誰も聞く事は出來なかつた。

その變兵童子に就ては、次のやうな滑稽譚まで津々浦々に傳はつてゐる。

これもやはり其頃有名な二人の盜賊が、どうして、あゝうまく澤山の馬を盜みながら知れずにゐるのだらうと、變兵童子のやりかたを怪んで、相談の上、變兵童子の配下に使はれて窺つてをつたところ、變兵童子は、何處で盜んだ馬でもきつと一遍は、愛知の島田村に連れて來て、其處の、古厩山の地藏堂の前を通らせる。そして、順々に通るとき、『白いの』とか、『黑いの』とか聲をかける、すると、不思議や、赤馬が白馬と化り、石がけ馬が黑馬と化る。それで、なるほど、これでは變兵童子の惡事のあらはれる筈が無いと、すつかり其やり口を知つてしまつた例の二人の盜賊は、其日から獨立してお互ひに馬盜人を稼ぐ事になつた。『それではお互ひ、幸福に暮さうよ。』と、二人は、一かどの名人になつたつもりで西と東に別れて行つたが、西へ行つた盜人は甲の村で、東へ行つた盜人は乙の村で、同じやうに馬を七匹づつ盜んで、島田村に落ちのびた。其時、西の奴の盜んだのは皆白い馬、東の奴の盜んだのは皆黑い馬であつたが、お互ひは、古厩山地藏寺の御堂の前を通る時、地藏樣に聲を掛けて、西の奴は、『黑いの』と言ひ、東の奴は、『白いの』と言つて通り過ぎた。それで、東の奴のは皆白馬と化り、西の奴のは皆黑馬に化つてしまつた。二人の盜賊は、これで先づ大安心と、平氣で、その七匹の馬を連れて、西の奴は乙の村、東の奴は甲の村へと入り込んだ。ちようど其時は、甲村でも、乙の村でも馬を盜まれたので大騷ぎをしてゐたところだつたので、二人の馬盜人の馬を見ると、どつちの村でも、自分達の盜まれた馬だと思つて、『この馬盜人ッ』と言つて、直と二人を捕へてしまつたといふ。

それほど、變兵童子と、童子の配下とは、その技倆の點に於て、雲泥の相違があつたと認められてゐたもので、要するに、變兵童子とは、機敏な、こせこせしない、何時でも大局を摑んで、奇拔な手腕を示すといふ質の頗るの快男兒だと想像して彼に、今その實證、少くも彼自身に於てはさうだと信ずるに足る根據のある變兵童子の實物に邂逅したのである。然も、今や、童子は靑年の怪紳士と出世して、此丘陵地に出現して來てゐる。前には、三國一の虎馴らし、それから、ちよちよんがちよつ平、果心居士、そして、この變兵童子である。十三人の妖術者あらずとも、何事かなくて納り得るだらうか。

彼が大に疑問してゐるところへ、家の內から『あなた、おはいりなさい、さうしてゐては心配ですに。』と、優しく聲を掛ける者があつた。彼が、ちよつと逡巡してゐると、『さあ、早くおはいりなさいましよ。』と、又しても彼を誘ふ。默つて彼が這入ると、そこには高句驪（コウケリ）人の型のやうな面長な、眼に特長のある娘が一人、彼を見詰めて立つてゐた。彼が幾度も見た事のある高麗神社の矢大臣の顏を、優しい娘にしなほしたら彼女の顏であらうと彼は考へた。娘は、人懷しげな微笑を以て彼に言つた。『まあ、おはいりなさいまし。』『は、ありがと。』と彼の答へるあとから、『そして、一晩はおとなしく此處に泊るんですね、それでなければ、後を見ずに、あなたの來た方へ逃げ戻るんです。』と、其時まで、彼の方に、なかば背を向けて、何かしてゐた老人が、聲を掛けるのであつた。それが、此家の主人の老爺である事は、首を傾けて、ぢつと彼を瞶めた其黑い瞳と顏だちで知れた。『どうしてですか、私は今來たばかりなんですのに。』彼が言ふと、『それは、お前さんも知つてゐなさらうに、一體、今日は何の日でしたかね。』と老爺がいふ。『何の日?』と、彼はいぶかり考へてみたが、ちよいとわからなかつた。すると、娘がほゝゑんで、『今日は、山姫さんの舞はれる日でしたつけに。』と言ふ。『そのことですか。』と、つまらなさうに彼が言ふと、『さうでしたに、さつきの若い方は、どうしても出かけて行きなさるしあなたは又、…………』『うろうろしてゐて困るといふのですか。』と、娘の言葉に續けて彼が笑つた。『さうですわ、山の忌日（いみび）ですに。』と、娘は眞面目に答へるのであつた。

それに就ては、今でも、此地方に傳說がある。

年にたつた一遍、それは即ち今日、今日もし雨が降れば、次の、殊にうらゝかな日を限つて、山姫は、雷電山に舞を舞はれる。

春なれば薄霞、秋なれば淺霧かなんどに妨げられて、常には決して見る事の出來ない雷電山が、此日には、何處からでも美しう花に飾られたやうに眺められる。と、何物とも知れない不思議な樂手の奏づる音樂は、ピーヒヤラ、ヒヤラ、ドンドコ、ドンドコと、谷を渡り、森を傳うて、十里四方へ、同じくらゐの響を與へる。山に眞近い里の少年達は、殊に耳を聳て、眼を輝かして、それを訝しみ、是非山へ行つて見ようと、せがむだけれど、何故か、家の人達は、かう言つて止める『行つてはならねえぞ、今日は山姫様の御休息なさる日だに。眞直に學校さ行つたら、道草食はねえで、歸つて來るだ』『だけど、山には何かお祭りでもあるんでせう。行きたいなあ。』少年達がかう言ふと、家の人達は、怖い顔をして、『なら………森といふ森へ行つて見ろ、今日は鳥も雀も騒いではゐねえ。川といふ川へ行つて見ろ、今日は雜魚一匹泳いでゐねえ。獸といふ獸、蟲といふ蟲、みんな山姫様を憚つて、塒にぢつとしてゐるだ。汝達も遊びなんどに出てはなんねえ。』と脅して戒しめる。

奇蹟を嘲笑ふ人である彼も、今朝、雷電山に浮き出してゐるのを見た。石蒜科の多年草、曼珠沙華の美しい眞紅の花の繁みに包まれて、銀色の水の姿を隱して流るゝ、一筋の清い谷川に取卷かれた其山が、秋のうらゝかな朝の日に、きらきらと華美やかに染め抜かれた繪模樣のやうに浮き上つてゐるのを見た。其時、遙かにこれを眺めた里の誰彼が『それそれ雷電山がはつきりと見える、直に山姫様の音樂がはじまるぞ。』と言つて珍らしがる言葉を聞いた。すると、暫くして、うら淋しい秋の山風が、低く高く微妙な樂の音を傳へて來るのが耳についた。ピーヒヤラ、ヒヤラ、ドンドコ、ドンドコ。然し、そんな神秘がどこにある筈がある。馬鹿なと、其事を思ふて、奇蹟を嘲笑ふ人である彼は考へた。山の珍らしく見えるのは大氣の加減で、そんな變態は越中の山奥などによくある話だと聞いた事がある。山の音樂に到つては、よくある七不思議の狸囃子といふのに何の差があらう。種を洗つたらそれこそ馬鹿馬鹿しい村の若衆の惡戯ぐらゐが落かも知れぬ。狸囃子は突込んで囃す調子、忌日の音樂はゆつたりと淋しい調子といふも、詮ずるに、あるがまゝの風に乗つて、人爲の調に漾ひながら、物に觸れては其音波の亂るゝのであらう。さうした忌日のめいしんが、かうまでふかく、眞面目に眞劍にあつかはれて、人間の行動に干渉して來る事は、まこと娘の親切心にしても、意志の人である彼には、いさゝかの不快であつたに相違ない。それで彼は言つた、『村の人達は、あんまり傳統を守るに嚴重すぎますよ、………私は新しい思想を持つてゐるんです。』と。二の句は娘を安心させるためにつけ加へた。『いや、さういふ事は嚴重すぎる方がよい。けれども、わしらにしても、まるきり理由のない事で止めるではないでね。さあ、現の證據はあれを見さつし、それ。』と言つて、そこの窓を開けてサクラ山の方を指示した。

彼には、暫くの間は、石室山の樹立のほかに、何物の不思議をも見る事が出來なかつたが、老爺の指先の方向を凝乍と瞻めてゐるうちに、樹立の間に明滅するたつた一點の光のあるのが認められた。それはまことに小さな黄色の光で、その岩山の隱り穴にとぼとぼと燃やさるゝ灯影が、巖窟の罅隙を洩れて、甜めるやうな姿にうかゞはれるのだと感ぜられた『火だ、誰かゐるんだ。』と叫ぶやうに彼が言ふのを制して、『今度は、此方を永いこと見詰めてゐるんです。』といふ。指差す方は石室山の出鼻で、突亢した一巨岩が其處から突き出てゐねば、出鼻の輪廓は平凡なる大入道の幽靈のやうなものだが、その突き出た懸崖の險しさが、言ひ知れぬ凶々しさを漂はしめる。暫く注視してゐたが何事もない。『もう暫く』と、老爺が力をつけるやうに言ふ。老爺のかうまでいふ位なら何事か起るに違ひあるまいと、なほ我慢してゐる。と、ふと其懸崖の上に、白馬白裝束が現はれた。後に到つて彼の語つた事だが、彼は、最初幻覺ではないかと考へた。然し、それは、彼が自分自身を意識する事が正確であつたやうに確かな事であつた。彼は、曾て、鄕土の人達の噂さに、この白馬白裝束の傳說と、實見譚とを、幾度か聞いた事がある。然し、それは單なる騎馬の形を、亡靈のやうに、見誤つたものであらうと、その通り魔の物語を排斥したものであつた。騎馬の人達なら、何かの理由で、此丘陵地方や、荒薇な沼澤地方を絕對に跋涉せぬと斷ずる事は出來ないと信じてゐたのであつたに、此處に現はれたのは眞の白馬白裝束であつたのだから驚いた。それほど彼は明瞭に見たのであつた、そして、それが、決して男の影ではなく、傳說通りの、古城の姬の姿で凝乎と、彼の方面からは見えなかつたが）、その白裝束の眼前に展開された大きな沼や、泥沼や、茫々乎とした草原の無限を對照に、何ものか神秘な企てを思ひめぐらしてゞもゐるやうな表情であつた。この亡靈白馬白裝束の女こそは、この荒蕪な沼澤地方の眞の凄味を支配してゐる魔の源かも知れないと彼は思つた。彼は猶魅入られたかの如く懸命に見詰めてゐる。白馬白裝束は動かない。かくて、丘陵地にも沼澤地にも、其儘の夜の幕が下りやうとする。時、急に秋風が一渡りして。ピーヒヤラ、ヒヤラ、……の音が、妙に人々の怖れへの好奇心を唆り立てた。と、その一刹那、白馬白裝束の姿は消えてしまつた。

『確に、幻ではない。』と彼が言つた。さういふ彼の眼には、何事か決心の色の漂ふのであつた。それを心配さうに娘は見て、『さう、それだけ恐ろしい神秘ですわ。』と言ひながら窓を閉ぢた。『だが、山姫の舞と、あの白裝束と何の關係があるんでせう。』と彼がいふと、『それは同じい方ではないの？』と娘もいぶかしさう。『では、十三人の妖術者はどうなつたのです。まだ丘陵地にそんな傳説が殘つてゐるやうですが。』と、次で彼が質ねると『さうね、さういふ話もあるさうですねですが、みんな解かれない謎ですわ。』と娘。『ほんとに、掘り出したら數限りもない神秘の種が、此地に埋つてゐると』、老爺も和した。

『それは、大昔の古物語ぢやが、此頃泊つてゐるあの獸使ひ、あれほど怪體な奴もない。この二晩ばかりといふもの、里に行くといつて、晩方出て行つては翌曉方に戻つて來る。それがさ、里に行くなんて眞赤な嘘なんぢや、それは、……』と、老爺は聲を低めて、『石室山の方へ行つてるんだ。』と、囁くやう。『それは稀代ですね、うん、確に十三人の妖術者より、お姫様よりおもしろいそして生々しい問題ですね、一體、奴さん、何をしに行くんです。』『それもやつぱり謎でせう』と娘。『ですが、先刻の變兵……青年は、その話を聞いて行つたんですか。』と、彼がふと思ひついて尋ねると、『あの方、……いゝえ、そんな間なんかありませんの、來ると間もなく出かけやうとするので、山の忌日だつて止めたのですに、よくも聞かずに出かけましたの。』『いや、ありがたう、それが緊急な問題です。老爺さん、私も山に行つて見るつもりですついては、後から誰が來ても、私のことは歸つて來るまで内密にして置いて下さい。これはほんの宿賃です』と言つて若干を置くと、二人はそれを辭退し、かつ又頻りに彼の外出を止めるのであつたが、勿論彼はきかないで、別れを告げ、新しい冒險心を奮ひ起し起し、丘陵地を指して進んで行つたのであつた。

彼は、藪蔭を市ノ川べりに沿ふて、岩室山の麓に廻つた。その急勾配の岩山は、その頃、かなりの雜木で欝蒼してゐたし、殊には夜の事でもあつたので、彼は、思ふまゝ、その繁みに身を忍ばして、考へ通りの地點に進んで行く事が出來た彼の目がけたのは、罅隙の洩れた例の黄色の光であつたが、近寄つて見ると、その邊が何處ともわからなくて、彼は、最初の目的地に頗る迷つた。そのうちに、一つの巖窟に辿り着くには着いたが、其處には、なんら光物の痕跡が無いやうに思はれた。巖窟は一種の横穴で、穴の中は眞の闇黑であるから、其處に光るものがあれば、彼の眼にうつる何物か無ければならぬ筈であつた。彼は、暫くぢつとして傳説の黑巖窟に連想を走らしなどするのであつた。此丘陵地の神秘の入口である黑巖窟口は、此頃既に大地深くに埋れてしまつたと言はれてゐた黑巖窟には他にもう一つ秘密の入口があるとの言ひ傳へもあるが、表口さへ不明になつてしまつた今日、秘密の入口などの判明されやうもなく、たゞ、其黑巖窟の續きが俚俗田甲のぽんぽん山といふ、高負比古根神社の玉鉾神靈がゐますといはれる。その神社の後背に聳え立つ巨巖玉鉾岩の直下に來てゐると信ぜられてゐた時代があつた。それかあらぬか、玉鉾岩に上つて足踏み鳴らすと、皷の音やうな異樣なぽんぽんといふ中空を想像させる音が聞えるといふので、彼も度々試みた事があつたが、その疑ひから、神域を汚して探險の具とすることは元より許されない。それで、昔、十三人の妖術者が、古代民族を率ゐて生存するといふ黑巖窟の秘密は、唯一の緒口と思はるゝ點から、永久の謎として葬られてしまつたものである。巖窟の傳説が、穴居に關係があらうが、財寶に關係があらうが、はた又墳墓に關係があらうが、彼に取つては何の興味もないが、彼は、たゞ其古代の謎や迷信の如何におろかしいものかを證據立てゝ、天下に奇蹟たり得るものが無いことを絶叫出來ればよいのであつた。それで内容は兎に角、喧しい黑巖窟に、入口も出口も見つからないとなると、いさゝか承知出來ない彼でもあつた。不明といふところには、えてして秘密の結び付くものであり、又、これまでの經驗として、まるきり空な巖窟の口碑傳說などのあつた例を持たなかつた彼であつたので、表なり、裏なりの、黑巖窟への通ひ路を發見することが、彼としての愉快なる義務であるとも信じてゐたのであつた。

で、さうした闡明への彼の叡智は、特別に惠まれたるものゝやうに、闇黑裡に於ても閃いたもので、暗中に於ても、手と足との尺度に穴の檢分は相當精密に行はれたのであつた。先づ彼は、其橫穴の入口が二重に成つてゐて、其敷の形狀が凸字形をしてゐる事を知つた。幅は、前部の廣い方が四尺ばかり、後部の狹い方が二尺ばかりで、石積は、廣い方が二尺ばかりで、石積は、廣い方にも狹い方にも、二尺ほどかゝり、都合の厚さ四尺ばかりになつてゐる事を知つた。室は敷が直方形で、壁は上に行くに隨つて、段々互ひに近寄り、終に連續して、孤圓に盛り上つてゐる、晝間見たら、それが、ちようど素敵に大きな鷄の卵を、縱眞半分に截割り、其折口へ、四角な箍を嵌めて伏せたものを、內側から見るやうな格好であらうと想像した。幅は八尺あまり、奧行九尺あまり、高さは優に六尺五寸はあらうと思はれた。こんな構造であるから、何處までが壁、何處からが天井と、正確に境界を立てる事は出來ないが、とにかく、上部に唯一箇所、長方形の凹みが設けられてあるばかりで、他には何の細工も施されて無いことが發見された。其凹みは凡そ幅が一尺五寸、長さが四尺深さが一寸ばかりで、天井の眞中に、前後に長く穿つてあるが、それが何の爲のものであるかは彼にはわからなかつた。壁を調べると、それにも細工があつた。正面には凡そ幅三尺高さ一尺ばかりの床があり、左側の壁に着いても、高さ一尺ほどの長方形の床が、左右に長く作られてあることが知られた。總て人爲の構造であるが、それが、隨分古い時代の構造であらうと思はるゝ事は、その巖窟の刻み口で彼にも知らるゝのであつたが、その他には何等怪しい點が考へられなかつた。で、一旦そこを出やうとした時、領元が冷つとしたので、彼は『おやつ』と思つて頸を縮めた。考へると、それは、岩間を漏るゝ水滴が、廻り廻つて入口の岩の戶に通つてでもゐるのであらうと、何氣なしに、そこと思はるゝ邊に手をやつて見ると、指の先に、僅ばかりの凸形の岩が觸れたので、彼は、それを試しに引張つて見たが動かなかつたので、今度は、それを下から押してみた。すると、心持ち揺ぐやうに思はれたので、再び、力一杯押し上げたところ、忽ち手答へがあつてぼこんと其岩は上に撥上り、同時に、どつと瀧が落ちて來た。と思つたのもつかの間、溜水でゝもあつたと見えて落ちるだけ落ちると水は枯れてしまひ、跡に、觸つて見ると、漸く赤ン坊の手の這入る位の穴が開いた。何にせよ、彼に取つては、それが非常な大發見であり、又、神秘への緒口であらうかとも思はれたので、出來たら、其穴を一層大きくしたいと心掛けたが、穴の入口は圓筒形で、厚みがかなりあるやうなので、速座の細工などは、全く不可能のやうに思はれた。それで、種々工夫した上句、とりあへず、その穴の深さと、その穴の上の具合を探つて見やうと、手頃の木の枝を折つて來て、今、それを穴に通さうとした時、彼は、何處かに、ことことといふ異様な音のするのを聞きつけた。それで、彼が暫く勝手な行動を見あはせてゐると、間もなく、何者かの足音が聞えて、ちようど彼のゐる横穴の正面の壁の方角が頗る賑やかになつて來た。一人、二人、三人と數へて彼は十四人の集りを意識したのであつた。十三人の妖術者、それには一人の多分があるがとの疑ひは、間もなく彼等の一人の告白によつて氷解されたが、然も、奇蹟を嘲笑ふ人である彼の前に、天意か、惡戲か、不思議なる會合の一幕は、頗る辛辣な皮肉のやうに見らるるが、決してさうでない。

先づ彼の耳に、彼等が會合（？）の先觸とでもいふ風に、全く豫期しなかつた音樂が、此巖窟に奏でられだした事は意表であり、それが、また、彼が、今のさき、村の兄貴のいたづらだらうと信じきつてゐた、例のピーヒヤラ、ヒヤラ、ドンドコ、ドンドコであつたには恐れ入つた。微妙なる律呂の自然は、如何なる樂器によつて行はるゝのであらうか、暫くは内の者も外の彼も、思はずうつとりと聞きほるゝ三度目を、『もうよい、アムフアイオン、やめだ、やめだ。』と叫んだ者があつた。彼或は『南無哀音』と茶化したのかも知れないのだと彼は思つたが、實際は彼、アムフアイオン（音樂の大天才で、此人の樂の音につれて、齋武の都が湧き出でたといふ傳説がある。）と、異人の譬諭を、自由に引張り出し得る程の諧謔家らしかつたのだ。ところでそのアムフアイオンは、彼の立派な藝術を止められて、頗る斜ならず、むつとしたやうであつたのだが、それにもかゝはらず、諧謔家は話しだした。

『なるほど、サースの魔術や、タルナスの幻術が、今日行きづまりになつてゐるのは確だらう。然し幻術や魔法だとて方法によつては占卜のやうに、祈禱のやうに、千里眼のやうに、交靈術のやうに、まだまだ立派な前途がある。自分は、今に其大改革が出來ることを信じてゐる。或は卜筮が數理となり、祈禱が信仰となり、降神術が環魂歸神となり、色魔術が相對性原理となり、卍が宇宙を支配する原理として榮ゆる時代が來るかも知れない。その間には、勿論變遷もあらうし盛衰もあらうが、それは各自の努力に俟つところで、今日詭詐を交ゆるところのものが、明日眞理となる時代も來やうでないか。要は應用研究によるので、例の幻の盾の幻術なども、今一息で分身の奥秘に入る事が出來やうし、忍術と催眠讀心術と意志活用、私は共同の研究物のやうに思はれてならない。然し、この方面に對する自分の意見は全くの素人で、頗る無鐵砲な、勝手論のやうだで、他の研究者に讓るが、自分の專門である鍛金煉銀術に就ては、いさゝか一家の主張があるで敢て一言したい。』

この演說を聞いて、彼の錬金術者である事を察し、その集會者の光景を催した奇蹟を嘲笑ふ人は、眞闇黑の中に於て、まことに意外の感に打たれたのであつた。

『そこで、今までの錬金術だが、正直な話が詐欺の連續さ。自分は、日本の錬金術が、われわれ錬金術の祖であるハーミス系統のものか、アルケミスト直傳のものか、將又東洋に別の元祖があるものか否かを知らないが、自分の家の記錄によるところでは、昔日本には、錬金師出現以前、錬丹師があつたといふ事は確かな事で、それは仙の老子の師であつた元君の創めるところの神丹の製法を眞似た、全くの詐欺物であつたものだ。座には仙術者であるところの大家もゐらるゝ事だで、自分は、今更、神丹に種あり、丹華、服すること三年にして仙を得、神符、服すること二年にして仙を得、神丹、服すること一年にして仙を得、餌丹、服すること半歲にして仙を得などいふ事や、仙藥に、なほ、錬丹、柔丹、伏丹、寒丹などの別があつて、おのおの其特長のあつたといふ說明は略くとせう。眞の仙術者に聞くと、此錬丹。柔丹、伏丹、寒丹などの仙藥の不思議が、まのあたり奇蹟を示したといふ說話も隨分にあつて、自分なども、一々の奇話怪說の材料に富んではをるが、それも軈て仙術家その人の領域を侵すことであらうので割愛するが、さて、その神仙錬丹の風が、支那に生ずるや、古仙に假托した神秘幽玄の書籍が續々として僞作せられた。其以後に於て、既に錬丹は、われわれ、詐欺師の手に移つたも同様であつたといつても過當でない。例の支那の寡聞瑣談物、變幻、奇怪、不思議、誇大、荒唐などを肉として、神仙、妖魔、道士、佛者、方術等を骨として作られた神怪物、そんなものと互して、民間信仰と融和抱合するの結果終に、房中運氣の術、その怪藥などまで生じて、全く醜汚厭ふべきものと墜落したのも、擧つて僞錬丹術者の力に俟つたものだ。日本中世の陰陽道に、われわれの祖先が如何に活躍したかは、前回の會合に於て既に述べたところで、要するに世間の衆愚の、色慾の隙を見廻はれて、其本來を暴露した事は、夙にわれわれの祖先に愛想をつかされたものだ。これからも此點から出發して、學理應用など銘打つた快丹や若がへり法の恐らく花を開かす時代も來て、贋學者に金を絞ちるゝ好色漢も相變らず盡きないだらうが、われわれはもう、面皰や雀斑相手の小細工には飽々した。そこで、色慾を利用した練丹術者は、貪慾を利用する練金術師と早變りしたわけだ。詐欺は詐欺でも此方が餘程罪が輕いと理屈をこねるの甚だ穩當でないかも知れぬが、も一つの便宜は、大きいところで巧みに仕事が出來たからでも、この商賣がへは大した德用であつた。そこで、諸君も知らるゝ通り、最初、我術は、道士丹客先生の傳法で、無上九還丹の修法といはれた唐土傳來の騙賊術で、仙傳丹鼎の奇法と信ぜられ、世の多くの貪婪多慾なる豪蒙富商を、詐術の丹爐に迷はしめたもので、騙賊の法は至極簡單、先づ、十兩の金を煉取らうとするには、一兩の眞金を母金とし、これに九兩分の黄銅（これは銅と亞鉛との合金）と汞（みづがね）とを相加へ、別に又藥種を加へて、やゝ久しく煉ると、黄銅と汞とが化して十兩の眞金となると、まことしやかに說くもので、銀を煉る秘方も之と同じい寸方で行く。疑はしくば、わが法術を、さらば眼前に見せるであらう、いでいでと、用意の鑄鍋を取出し、これに粟粒ばかりの黄金を入れ、更に又、黄銅と汞と藥種とを加へて法を行ひ火にかけて、煉ること凡そ半時ばかり、火を退けて蓋を取れば、果して黄銅も汞も化して黄金となるといふ實證に、愚俗多くは瞞まされるが、まことはこれ縮金の秘方といふ奴で、暫くは世間も大分に之に引つかゝつたが、その秘方の結晶である本來が縮金の毵毲物であるから、やがてそれを鍛冶屋へでもやられて、黄金か僞金かを試驗さるゝと、忽ち尻尾を出すといふ危險があるので、錬金術も足利時代後の研究で、熟練した詐法を加へる事から生存の位置を繋いで來てゐた。かうなつて來ると、われわれは元より、詐欺師や手品師一味の手間に過ぎないもので、先づ、表面、立派な風體でもして、金銀財寶には決して困らない若隱居然と濟し込んでよい掠鳥の掛つて來るのを待つてゐる。鳥の多い事は實によくしたもので、其うちでも掠鳥は、彼の金銀づくの贅澤な生活振に慕ひ寄つて來る。貪慾なる者は、己れに增す富者に一層鄭重なもので、何時もよい掠鳥は、黄金の網にひつかゝるふとした世間話の末から、そも尊師は何處の長者でかくまで富貴を極めたまふかと來る。そこで出鱈目の姓氏系圖譚の果に、實は家に鍛金煉銀の秘方を傳ふる故、子々孫々、金銀に富むといふ事を噺く。それから曲げて御教諭をと傳授をせがんで來る事はお定りである。頻りの懇望默しがたく、嚴秘を誓はせて其家に乘込む。密に坩堝と水銀と白堊とを用意させて、坩に火を焚かせ、坩堝の中には水銀少々を入れさせ、家傳の秘藥一包といふ怪しい石堊の粉末か何かを、相手を欺くために坩堝に投げ込んでから、炭次ぎの法を傳授するといふ名目で、二人で炭を次いでる間に、豫め用意した細工炭（これは炭の中央を刳抜いて、なかに銀の鑛粉を詰めたものの、孔の上を臘で封じたもの。）を坩堝のちようど中央どころへ据ゑて、炭が眞赤に見えるまでぶうぶうと吹く。細工炭が燃え出すと、兼て孔に入れてあつた銀粉が、いゝ工合に坩堝の中に落ちる仕掛だが、この奸計が他人には少しも知れない。尤も、そこを手際よくやりのけるのが錬金師の手なのではあるが。そのうち時機を見計つて、銀を流し込む型が入用だと、欺かるゝ奴を連れ出し、自分も、わざと何の仕掛も手品もないといふ處を見せるため一所に出て、二人で型を造る。この型であるが錬金師には分量上の經驗があるといふところから、相應の小皿を作つて、坩堝のところへ來て、例の銀の熔けたのを此型の中へうまく流し込み、更にそれを水甕か水盥の中に投込んで、さあ、水の中へお手を入れて手先にさはるものがあるか試して御覽なさい。銀が出て來ますぞと呼ばはる。銀粉が銀皿になるのは當り前なのを、理由を知らぬ喘され坊は、あつと驚き喜びの叫びを上げる。もう一回、錬金の方を試驗すると言つて、水銀にかゆるに銅の用意をさせ、今度は、細工炭の手段は略いて、水甕の中で、銅皿と兼て袖の下に忍ばせた所持の金皿と掏りかへる。練金師は誰も彼も掏摸としての技倆が磨かれてあるので、決して不手際な仕損じなどをしない。それから、この金皿銀皿が、眞に値打のあるものかどうか鑑定して貰はうぢやありませんかと誘つて、皿を携へ、鍛冶屋へ行つて火にかけさしても見たり、鎚で打たせてもみたり、充分の試驗の結果、正直正銘の眞物である證言をさせる。もう、さうなると彼貪慾者は、その秘方が欲しくてしやうがない。懇願して、隨分高い法外の傳授料を支拂はされて、やくざな秘藥の幾包かをも添へて貰ひ受けるが、其後いくら實行して、みたつて、何の役にもたゝないのは當り前の話といふ譯なのだ。それで、練金師アーノルドの、『ロザク』といふ練金術について論じた自分の書物の中でいふ事には、(水銀を變ずるには、水銀の兄弟の智を藉りなくては駄目だ。此事を最初いふた人は練金術者の祖ハーミスである。ハーミスの言葉に曰く、龍とはいふまでもなく水銀の事で、その兄弟とは硫黄の事だ、龍も兄弟も即ち水銀も硫黄も太陽即ち黄金と、月即ち銀との二つから出たものであると。それ故私のいふ事を聞いて、練金學者の考や言葉がわからなければ、決して此術に一生懸命になつてはならぬ。若し之を聞かずして手を出す者があれば、馬鹿者でなければわれわれだ實に此術は秘中の秘であるからうつかり手を出してはならぬ)さう言つたのは此問題が、詐欺を超絕した眞理に達着するには、多くの犧牲者を出さなければならないからである、十三世紀の英國にも此馬鹿者があつて、眞面目に、丸七年間を練金師の手先に使はれて、神經衰弱になつた末に漸く練金の夢から覺めたといふ事で、チョーサーといふ男が共書物の中に懺悔さしてゐるが、彼が、瓦石を蒸餾鑵に入れて熱して金とするといふアルケミストの空想に共鳴して、其研究に如何に極端に精力を斜倒さしたかは、彼の心から告白するところで、(私共はあの惡魔のするやうな仕事にとりかゝると、不思議な程賢い人間になりかはり、萬事學者風に、日頃の自分とは全く別人になるのが奇妙であつた。ほんに私も、今まで馬鹿に乘り氣になつたものだ。私は、人が何と言つても、自分だけは全く眞面目に其事を考へてゐたので、どんな苦みも、苦痛も、不運も、私の熱心を變へる事は出來なかつた。)と、其當時の思ひ出に、就ての心意を述べてゐる。此熱心、此正直な研究、これが實はアルケミストの眞意なので、われわれ練金師は、いはゞ其研究を利用した悪漢に過ぎなかつたのである。然し、後世に到つては、全く此けじめを誤つて、練金術者といへば、總て詐欺漢のやうに言ひはやすが、まことアーメルドの言つたやうに、それと、馬鹿熱心の研究者との二種あるわけなのだ。

そこでアルケミニストだが。信ずべき、學者の說によると、此語は、アル（アラビヤ語の冠詞）とケミイ（黑の意）若くはケミシア（變遷の意）といふ希臘語との合さつたもので（アラビヤ人が埃及を征服した時代（わが皇極天皇時代）に生れた語で、アルケミイ即ち練金術は、實に埃及から傳授された物質を變遷し得る術であつた。即ち、やくざ金屬を貴金屬に變へしめ得る事を確信した術であつた。そして、その方便として、學者石（Elixir）の探求に餘念が無かつたものであつた。これは、やくざ金屬や物品を殘らず黃金に化する不思議な靈石であつて、これが、僅か一匁あれば、百萬匁のやくざ金屬を純金に變ずる事が出來るといふ驚くべき効能ある物と信ぜられてをつたもので、かゝる怪石が實在し得ることは、一聞不思議なやうであるが、當時は全く多くの學者の悉くが承認したところで、化學者ファン・ヘルモントなども、學者石の四分の一グレーンを得て、水銀の八オンスを黃金に變じたと記錄されてゐるのであつた。極端なる或練金術の反對論者であつた或知名な學者なども、アルケミストの研究的攻擊に逢つて盡く立腹し、大にその反證を擧げてやるつもりで、密に練金術的研究實驗に沒頭した。ところ意外にも學者石の小片を得たので、頗る驚駭した。然し、彼はそれ見たかの嘲笑を慮つて其發表を見合せる事にしたところ、其秘密を知つてゐた彼の助手であつたところのアルケミストは、翌朝忽ち先生の功績を吹聽してしまつたので、彼は案外にも其日からアルケミストの大家になりすました。時の學者石といふのは銀であつたといふが、後代若し誰れかが發見でもしたら、それを萬物還銀などと附會ける術者があるかもわからぬ。（これは十六世の有名なヘルヴェチウスの上にも言ひ傳へらるゝ話で、彼は、西曆千六百六十六年迄反練金術論者であつたが、此年學者石の小片を得て鉛を黃色の金屬に變ぜしむる法術を發見した。後に造幣局で檢したところ、それは純金であるといふ鑑定を得たといふ）學者にして、かゝる馬鹿馬鹿しい話を殘す位であるから、その餘の凡俗者流がそれの發見に骨を折つた事は想像のほかで、全く狂せんばかりの努力であつたものらしいのだ。此石を造りたい爲に例へ多くの財寶を失つても、後には必ず此石を造り出す事が出來て、それで財産を殘らず取戻すばかりか、非常な幸福を齎すものと信じて、誰でも、研究の苦しみの中に自からの樂しみを感じて其疲れを感じなかつたらしい。何れの記錄によるも、練金術に手を出す者は、夜は身に纒ふ可き一枚の敷布しかなく、晝は歩くに一枚の襤褸しかなくつても、それでも何とも思はず、何物でも研究のために賣り拂ふと言ふ氣になり、終には一物もなくなるまで止める事が出來ぬものである。此練金術師達の行く處必ず硫黃の惡臭がするので、半里も先から練金師ではないかと疑られ、遙かに見える其襤褸着物で、いよいよ其一味だといふ事が判るといふ彼等の特長が記されてあるが、若し、誰でも、此輩に向つて、何故そのやうな汚い着物でゐるかと聞けば、そりや若し私共が美しい衣服でも着てゐやうものなら直ぐと練金術者だといふ事が露見して其爲に殺さるるからだと相手の耳に口をつけて私かに速答するといふ事だ。さうした一途に熱心な研究者をあてこんで、生活練金師の手間は跳梁したので、彼等は、勿體らしい四精七體（四精とは、第一に水銀、第二に石黃、第三にアムモニア鹽、第四に硫黃を言ひ、七體とは、第一に黃金を日輪と呼び、第二に銀を月と言ひ、第三に鐵を火星、第四に水銀を水星、第五に鉛を金星、第六に錫を木星、第七に銅を金星と言ふのであつた。）の尊重を稱へて、一かど經驗を積んだ練金術者の如くに見せかけ密に門戸を張り、權式をかまへて、後進に對して先達の態度を持したものであつた。實驗に供する道具の一式を設備して、其處に熱心なる後進を指導すると假面して、實は彼等の膏血を絞り上げる。無智なるお弟子達は既に多年繰返した試驗、例へば、烈しい火を出す事、原料蒸發をせしめる事、粗製水銀を固まらせる事こんなに度々失敗を重ねなければならぬ。それから鎔爐を据付けて、そのうちで鑛物を燒いたり、液體を白くなる迄熱くしたり、自然石灰や、白堊や、卵の白身や、貝殼や、種々の粉や、大便やアーメニアン粘土や、硼砂や、綠靑や、蠟塗の袋や、硫酸や、硝石や、硫黃や、化赤水や、牡牛の膽汁や、鳥や、蟲や、纈草羊齒藥草、その他の草々や、薪や木炭でおこした各種類の火種、炭酸、鹽アルカリ、普通の鹽、酸化したり凝結したりした物質、馬の毛や人間の頭髮と混じた粘土、酒、石油、明礬、酒母、粗酒石赤石黃、他の物質を吸收する性質の物、銀を純化する物、結合させたり醱酵させたりする物質、型、試金瓶、燒皿、蒸發皿、鉢、鐵秤、堝、坩堝、葫蘆、蒸露罐、油をしぼる道具其他種々の用意が調へられて、例の堝に火をかけるといふ段取になる。師の仕事は、種々の金屬を堝に入れて、その他の物と調合する役、弟子達は唯一生懸命に働いて金を熔し出す事にのみ苦心し、何時も火の中にばかり顔を突込んで、汗を流し、死人色になり、視力を弱め、神經を痛めた上句、いよいよ最後になつては必ず失敗といふ萬事水の泡の憂目に逢着する。それこそ大變、堝は寸斷に裂け、中の金屬はすばらしい勢で破裂して、壁を破り、屋根を拔いて大損害に終る。すると、やれ、火の加減が惡かつたのだ、いや吹き方が惡かつたからだ、さうではない掬の薪を焼かなかつたからだと、仲間同士に喧嘩が起る、其時、師は之を制して、（いや大失敗、火氣が强かつたんだ、今後は大に注意して成功するさ、さあ、例の通り直ぐ床を掃除して、皆元氣を出せよ。）と慰めたり、力をつけたりする。火氣が强過ぎやうと、弱過ぎやうと何時も失敗するのに定つてゐるんだが、不思議に弟子達は其失敗の度每に狂氣じみて、財産を注ぎ込み、たうとう殘らずを棒に振つて、一文無しの身となると、師の爲に多くの善良の人達を欺いて金を借り出し、貸主へは十兩の金が二十兩にもなるやうに信じさせて、結局は自分の身を詰まらす。かうまで深入りすることも、時に不精密な觀察實驗の、往々にして一金屬が眞に他の金屬に變るやうに見える事などが多いからであつたので、例へば、銅片を硫酸水銀の溶液に浸すと、銅の表面に水銀が附着して、恰も銅が銀に變化したやうに見えるので、錬金術者が成功に近づいたと信じたのも無理からぬ次第であつたのだ。今では、化學の研究も、錬金術から獨立して、複雜な發達を示し、アルテミスム達の主張してゐる元素進化說が根柢から打碎かれたやうな狀態にあつて、元素不變說が確定され、それが萬代不易の說のやうに信ぜられてゐるが、何時又、その理論轉覆の反逆時代がやつて來るかもわからぬ。（餘言ではあるが、事實、最近ラヂウムの發見から、元素不變說は動搖し元素は變遷するものといふ、錬金術者の主張に眞理は逆戻りしつゝある。）これは決して一の空想ではなく、事々物々其兆候の認められてをるものがありはしないか。幸にしてわれわれ錬金術者の實驗沒頭から、新元素の一大發見に遭遇し、當然の歸結から學理の變遷が行はれたら、われわれ錬金術者の名譽は如何ばかりか、我祖ハーミスの如きは早速銅像物、いや錬金像物であらうと思はれる。』

練金術者の大氣焔、過去を批評し、將來をトして、妖術と化學の連衡を説き示す、この分で行つたら、彼等會合のうちから、どのやうな名論卓説の出でようも知れぬが、それにしても彼等會合の目的は何であつたのかに眞闇黒の巖窟の中に彼の興味と、好奇の鋒先が、大分方向を變へかかつた時、奇蹟を嘲笑ふ人であつたところの彼は、再び壁の彼方に、別の陰聲の起るのを聞いた。

『皆さん、私が今日、奇蹟を行ふ人に代つてお招きに應じました事は、奇蹟の人が、皆さんの如く決して妖術者ではなかつたからでありますが、又一つには、民間傳説の迷信につけ入つて、善良の人達を、急ごしらへの白馬白裝束に畏怖せしめなどまでして、その人まどはしの妖術研究に十三人となつて會合せなければならないといふ智巧を憎まれたからでもあります。それで、彼が私を代表者として出席せしめたでは勿論ありませぬが、私は皆さん、皆さんと會合しても決して恥かしくない妖術者であつたからであります。私の如何なる者であるかは後ほど申しますとして、さて、唯今のお説でございますが、練金術のやがてどのやうな眞理の母でありませうとても、こゝの練金術者は未來永劫詐欺師のそしりをまぬかるゝ事が出來ますまい。殊に此頃、美婦を媒鳥に、美人局の練金術者の横行しますことは、これ人間の弱點である色慾本能と貪慾心とを合せ利用したもので、言語同斷の騙賊といはねばなりません。現に私も其囮に出逢つて驚いた經驗のあるものであります。よしや術者に呪はれた者の、貪婪多慾の富者に限るとあつても、彼等は財寶を騙取されたばかりか、官に聞ゆれば天下の財物を造らうと計つた罪はまぬかれず、憂苦を共親族縁者にまで及ぼして、徒に無辜の民の多くを泣かせるといふ事は甚だよくありますまい。殊には又、先刻うかゞつたお話ですが、神變術者君は、入間來迎寺の阿彌陀に化けて、信者の家へ供物を貰ひに出たとは、何事ですか。ゑてして、そんな事から、行脚彌陀などの傳説が生れて、偶像に魂が籠つてをるの、足止のお呪ひをせねばならぬの、足出し大黒天のと、埒もない俗説を流布せしめるのです。それから七月二十四日の晩、上留の地藏野の町に遊びに出かけて、群集の中から婦女を連れ出し、それも四人にまで惡行の限りを盡して、あまつさへ其衣裳を剝ぎ、その罪を木宮の地藏様に擦りつけたのは誰ですかね。今後このやうな惡戯をするものがあつたら、私はたとへそれがどなただとて容赦はしませんぞ。かあいさうに村では大騒ぎ、化地藏を罰しやうといふので、御堂の森を伐り拂ふわ、石像を縛り上げるわ、たうとう寃罪の地藏様が土中に埋められてしまつたではありませんか（其後の『武藏野話』にこんな話がある。むかしよりの言ひ傳へに、大塚村龜窪の原であつた地藏野に、石地藏尊の造立されたのは大同二年丁亥の事で、其頃、此地藏尊は、龜窪村眞言宗木宮地藏院と大塚村木宮山西福寺の兩寺で守護してゐたといふ。毎年七月二十四日を地藏野の區（まち）といつて、殊の外に賑ひ、群集の人夥しく、相撲などがある。今では堂のみで像がない。土人の言ひ傳へに、中古、此堂下に地藏尊を埋めたといふことは、そのいはれは、地藏尊鎭座の森が殊のほかに生茂してをるうちから、何者ともなく出て來て、惡行を盡したからで、これ地藏の化物の所爲であらうと、近村の者共集會し、森の樹を伐り拂ひ、地藏を罰して土中に埋めたところ、それからは暴行とみにやまり、村中靜謐に歸したといふのである。）要するに、そんな妖術が皆さんの誇りであるなら、皆さんの妖術は、皆さんから卑めらるゝ畜生共の妖術と何の撰ぶところがありませう。（千歳の龜は能く人と語る。千歳の狐は化けて美女となる。）と「禮記」の說いた變相が不可能でない事は、夙に巧智なる皆さん方御承知の筈です。それも、皆さん方のは不自然なる詐欺の妖術でありますが、彼等のは千年といふ永い時代の然らしめた自然の變相であつたのです。百歳の雀は江に入つて蛤と化り、千歳の雉は海に入つて蜃と化る、そこに物と時との相異が見られます。百歳の鼠は能く相を爲し、半百歳の鼠は化して鶉となる。（蝙蝠よ蝙蝠よ、姿を秘すな、田甫の鼠の化けたのぢや。）と信ぜらるゝ事實もあります。その鼠には蟹から化け、蟹には蝦（かはづ）が化り、蝦には蛬（きりぎりす）が化る、その又蛬は「千寶記」に、（腐草は變じて螢となり、朽葦は蛬となる。）と見えて、これ天下變相の自然であるのです、春分の日、鷹變じて鳩となり秋分の日には、鳩變じて鷹となるといふのは時の變であり、稻の蛩となり麥の蛺蝶となるは氣の變、蛇の斷れてまた續き、黴蟲の分れて群族となるのは現の變、狐、狸、猫、蜘蛛、龍蛇、河獺等の人間と化るは幻の變、樹木事物精靈の變は異變、人間の動植變これまことの妖變であります。唐土夏の鯀（こん）は黄熊と化り、趙の如意は蒼狗と化り晋時代の復陽縣には虎となつた二十四人の男女があつた事を「廣州記錄」が記してをります。龜と化した人の夥しい事は、「捜神記」載するところにも幾人かあるのでもわかりません。蜀の萇弘は碧漢となり、舌埵山の帝女は怪草となつて、これを食ふもの人に媚ぶるの性を受けたといふ事。日本でも、頼光の鼠と化り、守屋の啄木鳥と化り、菅公の雷と化り、酒呑童子の蚊軍と化り、平家の族の蟹と化つた（元弘の亂に、秦武文も兵庫の海に入つて蟹となる、これ兵庫明石邊の武文蟹であるといふし、細川の臣島村氏も享祿四年攝津の戰爭に、敵二人を挾んで尼が島の水中に沒じて蟹となる、これ島村蟹の由來といふ。）事などは隱れもない事實で、その他民間說話の材料に例を取りましたなら恐らく數ふるに遑あらざるものでありませう。みなこれ人間の妖變したるものであります。然しながら、狐狸の變相はこれとは全く違ふのでありました。敢て懸念とか、因念とかが結びつかない自然の神通なのでありました。他の獸の上は姑く措きまして、少くも狐狸の妖術と言はれますものに、何等恩怨なき者を死苦に陷れた例は無いのであります。三國傳來九尾の狐などいふ白狐傳の附會から、迷惑にも非人間の妖術が狐たちの上に誇大されて、野狐のちよつとした惡戲の上にまで段々の惡名を痕づけられてをります事は、彼等に取つてどのやうな遺憾事でありませう。天下古來、狐を善意に見るの明なきもの、徒に狐を妖魔視し、狐を動物中最も狡猾なるものとして惡むは何事でせう。狐の智巧は神が附與された本能性であるのでありまして、それが彼に於ては生存の保護をなしてをるのです。然るに、今日に於ては狐を動物中隨一の狡猾者となす思想が、天下と其廣さを同じうしてをります。希臘の哲人イソップは、驢馬と獅子との敎訓話を廣めて、狐の本來を恥かしめ、東洋に於ては「我國策」の著者が彼と虎との譬喩を記して、虎の威を借る狐の狡猾を裏づけましたが私どもは、彼等が、狐の一面のみを見て、他の半面を解する事が出來なかつたのを哀んでをります。たゞ私どもの猶まことに遺憾に思ひます事は、聖者であつた基督にまで狐を知るの明が無かつた事で、彼は、暴逆の君主ペテロに狐を譬へてをるのであります。私どもは、ライネケやレイナードが狐を嘲笑してゐることを怪しみませんが、何でエゼキエルに、（イスラエルよ、汝の預言者は荒墟にをる狐の如くなり。）と、狐を僞の預言者に諷したかがわかりません。彼等は、神恩を蒙りながら、わが物ならぬ物を盜み、然も殊勝げに振舞ふてゐるらしく狐の上を誤解したのであります。あゝ、狐孤が神から惠まれた性の何であつたかを知らないで罵るキリストとイソップの上に謝豹蟲の悔あらんことを。』（昔虢郡に、謝豹といふ蟲があつた。蝦蟆に似た小蟲で、形まどかにして毬の如く、人を見れば前の脚を交へて其頭を隱すこと羞づるが如くである。「酉陽雜俎」の言ひ傳へに、謝豹が前生は人間であつたが、恥を懷いて死んだ。その宿因盡きずして、死後化して蟲となつた後まで人に見らる事を恥ぢて其面を覆ふといふのである。）

『なるほど、狐は他の動物に比して惠まれたる多くの智巧があります。皆さんもお聞きの事と思ひますが、あの駿府のうば狐、（今も「駿臺雜話」に傳へらるゝ話で、駿府に、人の固く握つた手巾を、拔取るうば狐といふがあつた。うば狐よ取つて見よと聲をかけて、何かけはひがあつたら斬り捨てるつもりのところ、誰でもうまくしてやられた。獨り大久保彦左衞門のは取れないといふ。何故かと問ふと、此士は自分の腕ぐるみ斬り落すつもりだから、恐ろしくて近よれないと言つたといふ話。）あれは、人の心を推して其人の手中から手巾を奪つたといふこと、これなどは立派な人間の掏摸、手品師にも出來ない藝當でせう。それから、その身を隱す術の上でも、あらゆる忍術つかひの隱身法よりは巧妙だと思ひますよ。尤も、（忍術極意には忍術の忍は忍び込む忍に非ず、耐忍の忍なり。）とあつて、忍び歩きの術とか、忍び六法とか、忍び泳ぎの術、飛下り飛上りの術、五隱の術などいふのがあつて、身體練磨の法も大層必要ですが、心の練磨は一層必要とされてをります。自雷也のやうな頗る其術に巧妙な達人の話は、多くは口碑の作り話に過ぎません。（殊に、其頃一文の價値も認められなかつた忍術家で、霧隱才藏とか猿飛佐助などいふ名人の傳記の、尤もらしく喧傳されてゐるものは、けしからぬ揑造です。）かういふわけで、彼等の職業上、忍びを必要としたものを、物理應用以外には恐らく奇蹟を示すことは出來なかつたでせう。鼠や蛇や蝦蟇を利用することも、決して彼等の呪文が突然に出現せしめたのではなくつて、豫めそれを飼養し置いたものか、若くは其時持參したものを利用したに過ぎなかつたのです。火遁といひ、霧隱れなどいふに到つては、或は焰硝を燃して敵の目を眩ましたり、天氣をはかつて其機を利用したもの、人を謀り、人心を觀破り、事件を豫知して、變轉自在の活動をよくし得たものが斯道の達人とされたものなのです。「傳統虎の卷」について見ても伊賀、芥川、甲賀三流、みな口傳が多くて、一々はわかり兼ねますが、隨分藥品なども應用されたやうであります。例へば此處で其一つでも述べ立てましたら、恐らく直ぐと皆さんに利用される危險を感じますので申し述べませんが、私に於ては、失禮ですがそこらあたりの忍術つかひより、其邊の事情に通じてをるつもりなのです。結印呪文なども、皆さんは、一種の脅かしか精神統一の具ぐらゐにしか思ひなさりますまいが、それが印度の呪法瑜伽師の手法などから來てをると思はれる點を充分に認めます。要するに、以上の諸點にしましても、整息の術、無聲の術にしましても、人間の忍術者よりは、少くも動物の忍術者の方が、數等の達人であるべき素質だけは備へてをる筈でございます。あの忍術秘傳の氣象學なので(一)日の入りが赤いか青い時には風が吹く。(二)夜霧が降れば翌日は大風である。(三)夕雲の赤い時は必ず晴れ、雲が亂れ飛ぶ時は大風、鱗雲のある時は雨である。(四)月の出に色が白ければ雨、月の入に光が強ければ雨、白ければ風が出る(五)朝、虹が西にあれば三日の中に雨降り、夕、虹が東にあれば日和である。)などの判斷は、動物の方が經驗上その利用をあやまりません。殊に、山國の忍術家が、海邊へ來て氣象の判斷を誤つて、とりかへしのつかぬ失敗をやつた話は隨分に聞くところ、((六)夕燒なれば明日は晴天、(七)月が暈すると雨が降る。)などは、どの地方も大概大差なしの氣象豫知の傳説を持つてゐますが、同じ夕虹でも、房總方面では雨が降るとされてゐるやうに、地勢によつての知識は別にされます。此點のぬかりは、動物に於ては敏感ですので、人間の忍術者も、動物の異物に注意する事を忘れてはゐませんでした。((八)雉子が鳴くと地震が搖れる。(九)蛇が樹に上ると雨が降る。(十)猫が顏を洗ふと天氣が荒れる。(十一)鯉が跳ねるは大雨のしらせ。(十二)鼠の移轉は火災の前兆。)などの俗信は、みな動物から得て知るところ、動物は其以前に、本能的の敏覺に、天象、災害を豫知して忽活動を開始するのであります。天變地變の起ろや、必ず其以前何等かの大變動過渡期を經過すべきであり、微細なる變動も其原因を有すべきであります。動物には、多くの場合、その微妙なる感知本能が豫知の幸福を擔ふものであるのです。幸か不幸か、人間には、例へば臭覺にしても頗る鈍感です(尤も犬の鼻のやうな強いものを人間に所持させたら、人間の潔癖なる、到底、人臭の强烈なるに半日も能く堪へ得られないところでありませう。それはとにかく、このやうに、人間の知覺本能は惠まれてをらないが、若くは潜在的なので、宇宙間の現象を過渡的に感知することは、一般不可能なのでございませう。以上縷々述べましたやうに、人間は忍術的にも、狐狸に及ばなければ、妖術の點に於ても狐狸に及ばなければ忍術の點に於ても狐狸の足元にも及びません。大體に、日本人は、動物すべてを心理的に見る事が下手で、徒に他人の研究を眞似る事ばかり考へてをりますので、狐の化け方に就ても學者の大方は作り話であると退けて、其處に多少の眞理の含まれてをる事をかへりみやうとしませんし、衆愚は、あまりに又像傳に片寄り過ぎて、例の「事文類聚「に、(野狐一名紫。擊レ尾出レ火、將レ爲レ怪必載二髑髏一拜二北斗一、髑髏不レ墜則能化爲レ人。)などの附會說に據りまして狐は沼の水藻を頭に掛けて化けて來るの、靈天蓋（されこうべ）を頭にして北斗を拜し化けて出るの、或は又、重に婦人の形にあらはれて男子を魅するのは彼の淫獸であるからだの、千歳の老狐は千年の老木を燃し照せば其眞形を見はすのと、勝手な說を言ひふらしてをりますが、支那などでは、いさゝかその研究が進んでゐて、種々の說が齎らせられてをります。私は、今此處で、その一々を取り立てゝ、「玄中記」の說である、『狐五十歳能變化、百歳爲二美女一、爲二神巫一、爲二丈夫一、與二女子一交接、千歳能知二千里外事一、即與レ天通爲二天狐一。』「五雜俎」の說である。『狐千歳始與レ天通、不レ爲レ魅矣、其魅レ人者、多取二人精氣一、以成二內丹一、然則其不レ魅二婦人一何也、曰狐陰類也、得レ陽乃成レ故雖二牡狐一、必托二之女一以惑二男子一也、然不レ爲二大害一、云云』、抱朴子說く處、「珠船」記すところなどの多くのそこにどのやうな謬點が潜んでゐるかなどの差出がましい僭越を避けますが、どうか皆さん、これだけは信じて下さい。畜生であるところの狐にも、智巧に惠まれた性の半面に、報恩の美しい觀念のあつたといふことを、お聞き及びでありませう。播磨のおよし狐、彼は「うつゝ物語」の附會に誤られてをりましたが、あれなどは、實に可愛い奴です。(とある處の獵師が、獲物を取りに出た歸り途、一匹の狐が、大蛇に捕へられて締め殺されさうになつてゐるものを見かけた。臘師は、その狐が、世にも名高い姫路姫山のおよし狐だと思つたので、一生懸命になつて大蛇を退治し、狐を助けてやつた。するとおよし狐は、直ぐ人間の女に化けて彼の淸貧を助けた上、世話好の者のため、いよいよ獵師の戀女房とならうとする時、これは其頃極道な、庄屋さんに魅込まれて、其家に貰はれねばならなくなつた村の心まで美しい娘と身代り、娘のかはりに狐は庄屋に縁づき、娘は狐の代りに獵師の妻となつたといふ事である。〕又、蒲生氏郷の母となりました日加多狐でも、若くは安部晴明の母となりました信田の森の葛の葉狐でも、報恩のために人間に仕へて、良妻賢母であり得たものもあつたのです。狐のかうして優しい心柄から、その腹を借りまして、此世に呱々の聲を擧げた英雄美人の段々にあつた事は、あなた方もお聞き及びの筈です。それを、誰でしたかは、（魔法は女狐を閨房に畜ひ、之と通じて生みたる子みな狐なり。然りと雖も心は人なり。）など、當てずつぽうを言つてをります。練の智巧は、人間と婚しても、このやうに子までなした後まで、その尻尾をあらはさずに濟みますものさへありますのに、人間の妖術は、決して此非人間を詐すことが出來ないのです。こゝに一人の練金術者がございました。あるともなしの病氣を共名に、とある溫泉に湯治の折から、こゝに又氣樂者の氣散じに諸國の溫泉をめぐるといふ旅人が、ふと同じ宿に落合ふて逗留するのでありました。その氣散じ者、如何にも田舍の大福長者らしく練金術者の眼に映りましたので、彼は、兼て伴ふてをりました一人の窈窕たる美人と共々頻りに長者の浴湯を永びかして、彼の機嫌をとるやうでございました。長者は又、彼が絶世の美人を從へての湯治めぐりに然も富貴を極めるらしい果報を羨むものゝ如く裝ふてゐるのでございました。はしなくも或日の語ひの事のついでに、練金術者の秘方ゆゑから貢白に富める話を聞きまして、長者はふと此錬金術者を腐しめてやらうと考へました。むろん彼は鍛金煉銀と稱へて世間を謀る錬金術者を知つてをつたのでございます。で、彼は、盡く彼等の術中に落ちた貪慾長者であると同時に、また彼の囮の窈窕の美人に魚水の心ある如くもちかけましたのでしたが、それがあまりに巧みに滑らかに事が運び過ぎまして、宿のうちからして長者は妖艷なる淫婦の情を受くる身の上となつたのでありました。これは勿論、錬金術者の思ひ設けぬ早さではありましたが、密かに忍んで荒（あら）だてず、長者の懇望に任せて、彼の屋敷に誘はれたのでありました。ところが其長者の屋敷といふのが、頗る豪勢なもので、家の造り、調度器具、召使の人々の樣子、まことに唯人ならず思はれまして、煉金術者もまことは薄氣味惡い位でございましたが、いづれは大膽なる奴でもありましたので、うまうま順序を運びまして、丹爐を汚穢せし惡事の故にわが法術は破れたなぞと、唔きに喋く騙賊の魂膽、煆金母金の一千金、密夫の誠價五百兩、滯りなくせしめまして、悠々と、かねて用意の轎夫に駕籠を吊せて、巧みに後を晦ましたつもりなのでした。ところが大笑ひではありませんか、彼等の舁がれて行つた先は、志す里の旅籠と思ひの外、夜明けて見れば草蓬々の原つぱ、夢ではないかと驚いて、財布を探れば小判と思つたは石の碎片、彼等は、騙らんとして騙られたのでありました。殊に見る目もあはれであつたのはかの淫婦、騙姦の密通財が、算盤違ひのこそばゆさ、淫虐の虐に乘ぜられてうまうま畜生の寵愛に誑かされたかと口惜し涙を流すよりも精氣を損ねて、ふらふらとそれからの幾十日を送つた事でせうが、僥倖と其慘めさを私は存じません。諺に、（惡事を爲す者に畢竟の善事は來らず、人を欺かんとする者は已れまた欺かる。）と、彼者は、人間の智巧を以て、うまうま狸に誑かされたのでありました。』

その時、奇蹟を嘲笑ふ人は、忽ち十三人の妖術者の中から、誰人か怒聲を擧げて、かう咎めるのを聞いた。

『さあ、その話を知つてゐるお前は何物だ。どうしてあの不思議な魔物が狸だつていふ事が斷言出來るんだ。』

漸くにして、彼は、その怒りに打震ふてゐる叫び聲が、かの錬金の詐術と化學の眞理とを結びつけた錬金師その人の聲であつた事を知つた。

『何故私が此處で彼の長者が狸であると指しますことは、皆さんの夙くにお氣づきになつたところだと思ひましたに、これは又案外のお尋ねですね。あなた程の偉い學者が、狐は女に化けて男に通じる事は出來るが男にはよし化け了すとしても交婚することが出來ない獸だ位を御承知でないのですか、そこで他の非人間妖術者達のうちで、完全に人間に化け了せてこんな手際のよい膺懲を下す事の出來るものは一體何物でせうか。その特長から押して、それは龍蛇でない。猫でもない蜘蛛、河獺、泥龜、河童、そんなものでは勿論ない。殘るところは狸のみではありませんか。それも普通の狸では、あの滑稽地味た大入道だとか一つ目どころのお化が落だ、それで其狸がたゞ者ではない、あの海市蜃樓をも手段とし得る、狸も狸、日本國中に隱れもない、佐渡の彈三郎狸殿ではないかといふ事にお氣づきではありませんでしたかね。さういふ私がその彈三郎なんですよ。』

言の終らないかに、巖窟のうちは怪しい震動で、彼の巖壁の向が大騷動大混亂に陷つたのを知つた。彼も、洞穴の中が危いので、あはてて外に飛出した。と殆んど同時に、非常な音響を以て、そこの巖窟は崩潰した。彼が杉の樹に身を支へて漸く轉動を防いでゐた時、奇蹟を嘲笑ふ人であるところの彼の眼前を、一匹の四足が、何處を指すともなく、妖術者二人分の足音のみを立てながら影の如く過ぎて行つた事を、闇の中に彼は意識した。

星移り、物變り、古人の嘆じた陵谷の變の、眼のあたり諸國の山川に段々の自然の數を示した時、このあたり丘陵地の妖しき狹霧も霽れて、十三人の妖術者も、黑巖窟の神の神秘も、遠き傳說の夢の如くに、沼澤地を耕して田唄歌ふ人々の間にのみ、今、稀なる語り草となるに過ぎない。

北武藏の百穴を訪ふ度、一種神秘な靈氣に閉ぢらるゝ私は、其日も、漸く第百六番の横穴から出て、まざまざした日光に浴し、始めて呪はれたるが如き傳說の思ひ出からたちまちかへるのであつた。然し、猶私は、古代の一民族が、鐵器を振つて此處女地を掘り上げたといふ其古穴巖層の中腹に立つてゐる。そこらあたり秩父石の片々は、青い斑點のやうに輝き、春に惠まれた荊刺の若葉は、心なしの凨に搖れて、むかし巖窟を閉ぢた下里石の板石を撫でてゐる。古代民族が蹈んだ此地、十三人の妖術者が支配した丘陵地、白馬白裝束の亡靈が出沒した沼澤地方の不思議な傳說は、私の行く先々點々として怪しき謎語を投げてゐるのであつた。

然し、私は、徒にそのスフィンクスの謎語のやうな古來の神祕を研めて、奇蹟を嘲ふ者の顰(ひそみ)にならひ、黑岩不知窟(くろいはのいはしらず)の靈城を冐瀆しやうとするものでは無い。

ただ、卷頭に披瀝した硏究人物である妖術者の群に對しては、彼が何物であるかを縱横に裁斷して、充分に其傳統の不可思議を闡明にする義務が、かう表題を掲げた以上、一も二もなく生じたようではあるが、然し、諸君、妖術者の群は例へば、「妖術者」と十三人の一人とした中にも、犬神使ひぢや、蛇神使ひぢや、飯綱使ひぢやと、際限のない彼等の群であるのに、私の見聞には限りがあり、又、私の毎月の執筆にも限りがあるので、決して、鬼神來り啣するも敢て恐れぬ批評を彼等の群に加へる事は、當然の不可能事であることを豫め御承知置きの程をお願ひし置きます。（序說完）

世界文身考（一）

ハムブレイ著
佐藤紅霞 交代
梅原北明 飜譯

第一章

カヤン人種の娘の文身――御供物の儀式――お守りとしての文身――メラネシア人とロロ種族の女――體紋行爲と儀式的宴會――ナガ種族と首狩り――文身の起原と生産力――サモア人の奇習――ムチイオピの箱入娘――支那婦人結婚と文身――包莖の切斷と流血の諸形式――人間犧牲と土地の豊饒其他

カヤン族の娘の文身は大した手術であつて、四歳より十八歳迄の間に、彼處此處と文身が施こされる。而して習慣と相關連して、文身と人類以外の力を尊重すること丶の間の關係を示すのに役立つ處のある大切な積極的又は消極的儀式が其所に行はれる。

種蒔さ時には決して文身をしない、或は家に死人が置いてある場合とか、又は一方手術者が大洪水の夢を見た時には、その仕事は中斷されるのである。かうした夢は、過度の患者（被手術者）の瀉血を表示するものとして見られるが文身した女は、モニトル蜥蜴の肉を食してはならぬ。

そして夫も亦同様の束縛を受くるものであつて、初兒の生れるまでは彼の妻と共に禁忌(タブー)を共に分つのである。最も大切なことは、代々親讓りの店にゐる職業入墨師に從ふことである。そしてこの入墨師の天職は、彼女に多くの制限を負はせるのである。

その制限はいろ〳〵の定まらぬ種々な危險なものをもつてカヤン人の聯想的文身術を説明する。職業入墨師のスミスのやうなのは、守護靈神の守護の許にあるやうなものである。

そして技術者の子供達が若い限りに於ては、彼女は自分の職業を安全さを以て從事することはしない。これは、アマゾンインド人のナガス族の間のクウヴアドの興味ある習慣と同じ考へであるらしい。

他の多くの人々は、子供のやさしい魂は、父が委すいろ〳〵な無分別な行爲でもつて、害はれると信じてゐるのであるから、男親は、子供が生れる時には、自分の部屋の寢床に引込む。そして嬰兒の性質が印象し易からぬやうになるまで其處へ止まるのである。もしも職業入墨師が禁忌の食物を食ふたならば、彼の不從順は、不健康又は彼女が完成する模様（デザイン）は消え退せるといふことに見舞はれてしまふのである。

友人の血を出すことは、不幸が襲ふので、手術施行者は患者に珠玉（ビーヅ）を少々贈ることゝする。さもなければ、患者の兩親は或る不幸によつて苦しみ、技術者彼女自身は盲人となると考へられて居る。

施術は娘又は兩親が望んでも、何時でもされるといふことはないのである。それは先づ「ブチト、ハラブ」と名づけられた日、即ち新月後九日（こゝのか）に始められねばならぬのであつて、數回に分けられた施術の一部分は、この特別な日に行はれるのである。

その過程はいかなる機會にも再び續行されるのである。

バタン・カヤン人の文身は團體の家では行はれない。たゞその目的のために特別に建てられた小屋で施されるのであるその間文身をして貰ふ娘達の男子の家族達は、文身施術が完了せられるまで木の皮の衣を着なければならないのである。若しその家族の男の一人でも不在であつたならば、そのものが歸つて來るまでは、施術は始められないのである。御供物の儀式は、ロング・グラット人種間に於て、文身を施されつゝある女の緣者が技術者のために毎日黑色の鷄を殺すといふ習慣が取り入れられてゐる。

カヤン人種中の儀式に就いての證據は、人種研究で親友となつたホウス氏と、マグトゴール氏とによつてよく確かめられてゐる。カヤン人の間には、有り得べき災難と人類以上の働きをもつたものとの間に文身術の聯想があるのだと引照を引いてゐる。それ故施術中、禁忌狀態、又は危險な神聖狀態にある患者のみでなく、職業的施術者は、この場合不幸に對して、取りわけて責任があるのである。人類以上の力についての觀念は、患者の關係する全てのものに影響して表はれるそしてその觀念は又同樣に、技術者の子供に對しても恐らく危險であるが、これは或る食物に對する束縛を實行することによつて子供を保護することが出來ると考へられて居る。

前述の鷄の供物は、只單に禮拜實行のための報酬である。然し『每日一羽の鷄で施術される』といふ條件は、慰安としての捧物を指すらしいのである。

フレーザ博士は妙齡の女の文身する習慣は、單に裝飾のためではなく、未開人はこの年頃にあると思ふ神秘的危險に對する守りとするためであると述べて居る。これはタブー（禁忌）は文身に直接聯想せられないが、文身はこの年頃時代に起るところの施術に對するいろ〳〵の危險を與へる、妙齡と、瀉血とに聯想させられてゐることを暗示するものである。

この禁忌の段說は間接に、文身に關係させてゐる。なぜならば、その手術は、妙齡に爲され「ボルネオの異敎徒種族」から今引照したやうに、警戒的手段（豫備的方法）については理由を明白にしてゐないからである。

文身の美術がなに故に妙齡の魂であると考へられただらうか？　なぜ文身が、種蒔時又は大洪水の夢を見た時には警戒とならないのだらうか？　最後に言つた「警戒、又は死體が家にある時、施術が中斷されることを說き及ぼしたことは、この文身がそのうちに漠然たる危險と、惡性格とを賴まれたことを表示するらしいのである。

女は妙齡を過ぎた、然し、彼女の文身のためにモニトル蜥蜴を食はないであらう、もつと詳細な證明は、新月の後九日に文身を始めるといふ句をお忘れにならないであらうが、文身の行爲と、もしも贖はれなければ罰を與へる或超人間の力との間に直接關係があることを示すらしいのである。

セリングマン博士の調査によれば、ニューギニアのメラネシア人の間に、迷信と危懼と文身の技術との觀念聯想が明白であることを發表してゐる。ロロスピーキング種族の女は、頭から足の先まで皆文身をしてゐる、そして施術は五歳から十歳までの時に始められる。作業は熟練した老婆によつて爲されるのである。普通は近親者であつて、彼女の仕事に對しては、例によつて食事だけは與へられても報酬はせられないのである。

コイタの女の體は益々摸様を描かれ覆はれる。その圖案は、モーツによつて使用される其等と同様である。これは彼等によつて習慣となり、又學んでをつたのであり、そこに儀式的順序があつて、その中に體の各部分が取扱はれるといふことは、本當に尊い註解である。

十歳まで顎、鼻、下腹部の下までと、内股のところまで裝飾せられるのである。胸、脊、臀、には妙齢の印として圖を描かれて文身されるのである。と同時に、胸及び首の脊のV字形は、下脛に印せられると共に婚約が出來た時に、これが連續せられるのである）最後に臍と胸の間に印がつけられる。この時、結婚の承諾は遂に許可されることになるのである

ロロ種族の間に於ては、娘が結婚期に達したと認められると、臀部、兩脛及び最後に顔中に文身せられるのである。脊に或る部分が文身し始められた時に一寸した宴會が開かれる。この時、儀式的に頭髮を剃るのである。そして娘の關係者によつて宴會が五日間つゞくのである。その最後の宴會に於て最後の描寫が仕上げられるのである、この儀式の終りにその娘は「ネビ」と認められ、そして「ツホ」と名づけられる。若い婦人達は、貝や骨の裝飾品で飾られる。その美しい姿で儀式的に、その村を彼方此方と見せびらかすのである。それと同時に、五日間の宴會をする時、その五日間飾つたまゝ娘の父の家のヴエランダに座ることが望まれ、この時期中に「ロヴエ」として語られるのである。彼女はたゞ村の路の眞中をのみ歩く。それから、庭の手入れや、水汲みなど下賤な仕事をしないやうにするのである。それと同時に食事の時に、食物へ自分の手を直接觸れないやうに注意しなければならぬ。そしてバナナ葉の柄につゝまれたフオークを使用するのである。四五ケ月後に、彼女の頭髮は伸びて來る。かうして、彼女は結婚の式を擧げてもよいと認められるのである。

もう一度、カヤン種族の間の文身に關係して質問しなければならぬ。即ち、どの位ひ妙齢に對しての儀式が關係せられ

て居るか？　又儀式が娘なること、又一人前の女であるから、その前進に伴ふ危險に對しての警戒であるか？　の問題である。そしてどれ位が文身の行爲に直接附屬であるか？　といふことである。

彼女が圓熟期に達した時の體のいろ〳〵な部分の文身に對する儀式の順序は、一つの信仰を示すらしいのである。であるから、文身の行爲は或る神秘的な方法に依つて身體發育と、完全への到達とを奬勵するためになされるのである。體紋行爲（ボディ・マーキング）に最も直接關連してゐると思はれる二つの儀式的宴會がある。即ち、小宴は脊部が裝飾し始められる時の前に開かれる。大宴は文身の仕事が終つたことを表示するのである。庭づくりや、水汲みの宜ろしからぬことは土の豊沃に關係があるので、それを恐れるらしいのである。食物に手を觸れることを禁忌することに關してはマオリの勇士が食物に手を觸れないのと、又一方、施術が成し遂げられてゐる間、手に觸れないのについて珍らしい相似がある。

勇士は文身を裝ふに充分成熟した人物である。但し年頃になつたのでしたのではなく、戰ひに於ける勇敢な行爲の標示であり新進の社交的地位を示すのである。禁忌（タブー）は體紋の行爲に非常な密接關係がある。確かにメラネシアの娘が文身が完了せらるゝや、たゞちに兩手を食物に觸れることを拒する處の禁忌は、年頃即ち妙齢に關係してゐるよりも、むしろ、體紋施術に、密接な關係をなしてゐる。もし妙齢の狀態に於て食物に觸るゝことの危險が起つたとしたら、なぜ禁忌は、たゞ技術者の最後に仕上げが與へられた時のみ守られるであらうか？　而して又、だん〳〵と妙齢に進んでゆく時を通してせられないのか？

これ等の儀式を形づくつた人々や、又かうした警戒的禁忌に觀察する確固たる證據を缺くが故に、いづれが神聖であり又危險が主として

一、文身施術に附屬するか、又は

二、妙齢の狀態にか、又は

三、妙齢に大きくなされるから、文身のみかどふか

については數理的にあることは無益なことである。たゞ信賴すべき方法は、

一、禁忌を儀式的義務との關係に於ける體紋の例

二、死後に於ける信仰に關係せる身體の信ずべき價値ある證據

三、體紋と心配なき靈的力のための魔術の習慣等を相竝べさせるにある。

それから、全體として、證據を見、我々が尋ねるところ、即ち多くの例に於て體紋は單に裝飾であつてデコレーションであることを證認することに於て止當を得てゐるか？　相手方　——それは、積極的に、消極的に（即ち儀式的に、又は禁止的に）人間の信念をもつて、人類以外の力と取引きすべき試みとを以て最も決定的に聯合させられるであらうか？

アボル種族の間の調査をする爲めにベンガル知事に雇はれた陸軍少佐ヴーツン氏は、ナガス種族の間の文身問題について、言ふべきものを持つて居る。而して彼の報告は、ハドソン氏によつて確かめられた。ハドソン氏はナガス種族間には文身は寒い氣候中に於て或る部分だけ施術される。施術者は、老婆であつて、その老婆は繪具として竹ベラをつき刺して得た野生藍の汁を用ふるのである。娘の食物は、制限せられる。その制限は如何なる性質のものであるかといふことは、我々は譯らないにしても、然し、施術中の他の困苦の形に於て、我々はより以上の詳細な知識をもつものである。取扱はれてゐる娘は文身が完了されるまで、自分の村から外へ出ない。であるから、或る例に於て、それ以上の警戒は、患者が、自分の村より他の村で文身せられることは出來ないことを意味することが出來る。この警戒は、普通に母の生地でなされるらしいと言つて居る。

ナガ種の文身は種々の敎養の方面に對して相互に連關し、秀た例證を供給する。ナガ種族の間の調査によつて、最近歸られた、ヘンリー・ボルフオア氏は、土地肥沃と結婚し得べきために首狩りをやつてゐるのであると言はれた。後者の點は、人類產出に關連してゐるので、男女兩性のために、文身は成功せる出產のために必要なものであるとせられて居る。パーク氏は、修飾せられた人間犧牲としての首狩りは、普通に土地を豐饒にするためなされると言はれ。文身の起原と歷

史に關してエヂプトに於ては紀元前四千年より同二千年の間に文身、體紋は完全に生産力ある完全な發育せる女の姿に關係があつたのである。普通に多産を表徴すると固執してゐる。ナガの習慣中に、予は明に、體紋、人間犧牲、及びナガの土地、及び人種の豐饒に相互連關を明白に見るのである。恐らく、カヤン人、ナガ人、メラネシア人、其他、體紋する時に、禁忌を見らるゝところの他の種族の間に、警戒が强いられたであらうか？　と言ふ理由の明白な觀念がないのであるたつた一度、豐饒式と、その神聖化とが明白に定規せられたことがあつた、然し食物に於ける禁忌、そして、地面に足の觸れることに就いての制限は、或は又他の種類の混血に於て、我々は單に漠然たる迷信と、危懼とに關して處分してゐる。

原始的豐饒儀式に關しての文身の一致結合ならざる觀念は、警戒的方法の保存に對して貢献する。恐らく、施術中の血液を汚す場合は、病の惡魔の入ることに歸してゐたのである。

北アメリカン、インデイアンは、惡いものが出るやうにか、又は善いものが入るやうにか、沐浴する時に、自分の體に傷つける、アマゾン、インディアンの間及び廣く分布してゐるアフリカネグロの間には、いろ／＼の苦痛を和らげるために、自分の體を切る習慣がある。而して、かうした行爲は、サモアン人の醫師が頭痛をよくするために、頭の一部分に傷をつけることをターナ氏の著書によつて說明せられてあるから理解が出來る。

さて若しも善と惡との力が體に入り、又は皮膚に於ける切り口のために、體から出口を發したとしたら、文身は危險分子だと見做されることは、全く可能なことである。なぜなれば多くの刺傷が作られるからだ。これを通して、病氣の惡魔や、不幸、或は死さへもこの入口を見出すであらう。或は又、未開人は、魂は刺傷から、逃げるだらうと信ずるだらうか？　ヨハネスブルグの墨人炭鑛夫の醫務官としてのＧ・Ａターナ博士は、鑛夫の種族的マークを多く見る機會をもたれた。そこで、ついでに、施術方法を調べられたのであつた。プテイオ人の間に於ては、娘の年頃に相當するパターンに就いて規則がある。これに關して、戰鬪に於て他を殺した男によつて描かれるものとは異つておらねばならぬ。或は又女によつて彼の多産は、流産として決せられる。胎兒は男である。ムチエオビ人の娘は年頃刺傷による文身をしつゝあるのを決して男に見せない。であるから、見せでもしたなら、患者の父は、嚴罰は免かれないのである。ターナ博士はさうした罪の歸せられることに就いては語つて居ないのである。恐らくは、それは團體に對して、親は一員である。だからかうした明白なものゝための理由は、娘が男子に、その施術するのを見せさせることを許した行爲が團體に對する危險に、その結果を來すからであらう。然して危險が起る畏敬の狀態にあらざれば、全く明白でないからである。

古代人は、自然に妙齡になれば急激な體質上、又精神上に變化が來てそれが現はれる。

初代人は捧ぐべき生理學上の又、心理學上の說明をなし得ない。であるからたゞ恐怖の情愫のみを有してゐる。ムチイオビの娘は、刺傷に皮が生ずる間は苦しさのために、藪の中に引込んでおらなければならない。それは、顏には「チンドラ」の無數の小瘤が出來る。そして同時に臀部や、大腿は、肉が鰐魚の脊のやうになつて來るまで痕を止めさせられるのである、これ等のマークの上に、線狀痕は外耳道のそばから、眼のところまで作られる。

施行が秘密になし遂げられる時でも必要によつて施術が中絶せられてゐる間は、親のキャンプに歸つて來るのである。たゞ施術中實際遂げられてある間は、團體に危險である。

傳道の感化が太平洋に於て、强く感化せられなかつた以前は、娘が妙齡の時になされる文身施術は、その時期のために數ヶ月から二三年間、檻の中に閉ぢ込められることが一諸になされる。その期間新入者は自分の足を地面に觸れてはならぬ。ブラウン氏は、二人の宣敎師即ちR・H・リカルド（千八百九十二年）と、I・ルニー牧師に輔けられて、調査せられた。この二人はニューアイルランドに檻施行を見た人である。後者は曰く『我々はこれ等の始めの一人の檻を證據だてるよい時期を得た。その哀れな娘は、ネツクレースや、赤の帶、白、靑の珠、と一緒に荷がれ、恐ろしがつてゐた。なぜなれば明朝、彼女は、ニュー・アイルランド式、即ちいろ〳〵の模樣が彼女の體に文身せられるからである。こゝに患者の隔離は、文身施術のために準備としてなされる。そして、それは大いなる儀式的主題物と見られてゐた。地面に足を觸れてならぬといふことは、神聖又は禁忌の狀態の間に娘が觸れるのを避けるためになされるらしい。そして、地に對して、土人は食物を待ち望むのである。

フキージーに長らく住居した後に、よく觀察したところの人が、純フキージーに於ける最も純なメラネシアの酋長マラカイから聞いた、年頃の娘の文身に關する或る話しをした。それに依ると初心者は大人の女の習慣から自由である。十二時間の單時間は、終夜、クルマエビを探すべく、又文身用具のために、レモンの刺を三本得るやうに要求せられる。二人の女は施術に關係させられる。即ち『繪具を祝福し、痛みが輕減するやうに、死の靈に祈禱する『知者の女』と、施術者の二人とである。フキージーに於ける文身は、何處に於けると同樣に强く性的感覺に聯想されるのである。然し、この最も重要なる方面は儀式的禁忌、神聖の富裕を表はすといふ理由を明かにする資格はない。

支那の歷史家、マ、ソワン・リン氏は、彼の時代即ち十二世紀、ハイナンの島に結婚の時期に娘に文身させる習慣があつたことを發表してゐる。これは貴族間のみの習慣であつた。子供が年頃に達した時、兩親は家族全體に馳走をする。若い娘自身、針をもつて來て摸樣を描く、顏に花、蝶、昆蟲の形を文身する。そして一般に老婆がそれを綺麗に仕上げるのである。マ、トワン・ソン氏はE・H・パーカー氏の言を借りていへば「全く信用出來る」千八百九十三年ロイの女これはハイナの奧の未開種族であるが、自分自身で文身をしたのである。

實に體紋に關してタブーの例は、モコ模樣を受けてゐる。マオクの酋長によつて說明せられた、心身上の無能は彼の社會的交際や、食事をすることに對しての關係を酋長に負はせたのである。前者を一致すべく「自分と同じ狀態にあらざるもの」とは交際を斷つたのである。然し、この「狀態」は社交的地位を指すもので即ち、文身にある狀態を意味するかどうかは不明である。とは言ふけれども、酋長がもつ正確な交際に對する制限はある。而してこの禁忌は酋長たることの神聖な性質に關する元始的觀念に對しての體紋の關係を示すに重要な事柄である。

モコの施術をうけることによつて苦しむ第二の心的無能力は、手に取ることによつて食物を汚すことを避けることである。なぜなれば、被術者は自分の手で食物を取らない。けれども羊歯の杖で自分の口に運ばねばならぬ。『而して文身が終らない前に自分の口に指を上げることをやる男は、長生きするものでも耗らされて「アッタ」即ち惡魔によつて自分の胃を侵されることを知るであらう』といはれて居る。時々勇士は、奴隷によつて流動物を漏斗にそゝいで食はせて貰ふのである。或は又、被術者は、自分の胃の上に乘せた大淺盤から、食事を取ることがある。魚肉は禁忌される。されども文身したのを見てもよい時になつたその第一日には食つてもよいのである。水を飮む時は口へ直接に注がれる。被術者によつて觸れられたものは此瓶を、後使用に適せずとして捨てられるのである。

昔酋長の權限の下にゐた人々は、モコ施術の間は血が流れるので、僧侶達や、一般のその種族では「禁忌」の狀態にあつた。その施術は、一インチの八分の一の深さで線に切られるのである。器具は、小さな手斧に木槌である。酋長の文身に關する其の習慣は三つの石爐を立てることであつた。一つは神々のため、一つは僧侶のため、一つは文身するものゝためであつた。神々の爐から一つの石が僧侶によつて把られた。そして、禁忌又は神聖物は、木につらされてある神々の食物のところへ運ばれる。この式の後に、吊られてある食物は、皆で食ひつくされる。かくして「ノア」即ち自由となるのである。この後に、文身せられたところの人によつて食物を容れられたバスケットから食物を受け取つて食ふことが許されるのである。

マオク酋長の文身の場合は即ちマオク人が體紋施術と、超自然力との間に存在すると思ふところのものと關係を示すらしい一つ二つの興味ある點を提供しやう。第一に施術が團體の神聖なる酋長を普通の人としてしまふので神聖(タープ)と「ノア」普通との間にあるから、直接間接にも觸れてはならない。なぜならば生産、妙齢等に關係づけられ、或は又人工法によつて例へば包莖を切斷する。オーストラリア人のトーテム式の時の血管を切開するやうに、血はこの世に四散される。これは普通の自然的方法でないと見られる。流血の諸形式尊重は、生命か血にあると原始人が考へたことから、影響してゐるのである。故に人間犧牲によつて土地は豐饒にされるとする。この畏敬に加へて、血をふりまく行爲が關係づけられたのであつた。又野蠻人が地位狀態を變へる時畏敬を感ずるといふことについては何ごとか言はれてゐる。即ちこのモコの模樣が描かれ、取扱はれる最初の目的は、人物の威信を誇張させるのである。移轉の式は即ちそれである。帝王、神聖、等は、マオクの酋長のモコの神聖なるが故に偉大なりと大いに感ずるのである。

文身が著手せられた子供、又は、正に始められてゐるものは團體から引き離しておく。そして藪の中、又は森の空地に立てられた小屋の中に隔離してしまふやうに宣告される。パプア人又は、「ボルネオの異敎徒人」の間には、青年男女は年頃になれば、特別の小屋へ引込む、前者の場合は自分の小屋、後者の場合は森の空地の草地である。

著手とは、成熟時代に到達したことを意味するのである。妙齢とは生殖力を暗示するのである。故に、その時代の少年少女の體紋は恐らくその式を禁忌とか豐年祭の原始的觀念に負ふところがあるものなのである。

千九百〇六年、氏がトダス種族に居つた時、リヴー博士は、女の文身について可なり研究せられたが、女の文身は公に接近すべきものでないとして結論し、それから研究を止められたので尋ね得べきことをも忘れてしまはれた。施術は、トダスの女によつてなされる。この女は八アンナ又は十二アンナの錢と自分の食べる食物とにて報ひられる。そして完全に熟練する人々は、一般に誰れでもやつてよろしいのである。但し、それは子供が生れてすぐにするべきものでなければならぬ。この場合文身は、全く妙齢からは聯想されないのである。そしてたゞ出産にのみ關係せられるのである。最も、立派な豐饒の例である。

ドブリゾファは、パラグエイに於ける文身のことに就いて、明白な話をして居る『妙齢の娘は、あちらこちらと文身する。その間は、彼等は、數日間自分の父の小屋に閉ぢ込められる。適度の肉、魚肉は制限せられる。然し果實は、許されるのである。顎は直線によつて文身せられる。アビホイン人は、自分達の娘等はめい〳〵に切ることによつて裝飾するのであると同時に、彼等は訓練せられ將來の出產の苦しみを忍ぶ準備をせられると思ふ。

アビボニン人の女は自分の顏に異なるパターンをもつてゐる。最も多く色どられ又刺されてゐる女たちは、高等民であつて、貴族の生れであることを知られるであらう。自分の顔に三四本の黒線を引いた女に出會ふたら、彼等は捕はれ又は下等の生れであることが讀まれる。アビボイン人植民地にキリスト教の教へが強く根ざした時、この賤しい習慣は我々の努力によつてなくなされ、今ではありのまゝの顔をしてゐる」

アビボニンの女は平民の男も女も、この文身に安んじてゐない。だから顔や腕にいろ〳〵の模様の黒いものを覆ふてゐるので、一見トルコ人のやうに思はれる姿である。高階級のものになれば、その模様は益々美しいのである。然しこの野蠻的な裝飾は、多くの血や呻吟によつて、購はれたものである。若い女が、結婚期になるや否や習慣によつて、文身せられるやうに命ぜられる。彼女の頭は老婆の膝の上に置かれる、刺はペンの代りに用ひられ繪具は、血と灰のまぜたものである。もし哀れな娘が呻吟し又は顏を引くやうなことがあつたら、その娘は責められ、嘲罵され、辱められ、壓迫せられるのである『こんな愚かなものは又とない！』と老婆は憤怒の餘り叫ぶ。『お前はお前の國のために不名譽なことだ。』『ぢつとしておれ！　お前は死ぬぞ一人で』『そんな馬鹿では英雄のお嫁にやなれると思ふかッ！』とである。

このドブリゾーアの證據は、西アメリカの中央に於いて文身は娘のための妙齢の式として重要なものであることを示してゐる。こういふ關係でステートメントは、この範圍に極端といふ程必要である。結婚可能の印しとしてかくべからざるものである。世界のある部分に於て、社會的、又心理學的の一致を來すことに於ての、ステートメントは實に重要なものである。

他の研究者、ヘンリー・ジューノット牧師、この人はポルトガル領東アフリカのバトンガ人に關する詳細な話しをして學界に貢献せられた人であるが、この人が若い娘の文身についてのことを斷言して居る。前者に深い意味を示す神聖物及び警戒豫防は、少くとも大部分消失してゐる。脊に三角を文身する習慣と、腹部に文身の描畫を以て裝飾することは、バトンガが、人間には最も普通なことである。それと同時に、それに附隨する手始めの儀式、裝飾三角形の特別種族を示すためとして、かうした方法が排合されるのである。娘達は施術の間臀部は皮膚を柔かにするため、特別の食物を取らねばならぬ。施術後完全になつた後に、新しい文身の乙女は七日間自分の姿を隠さねばならぬ。警戒は犧牲の時、ムツコビ人に於て觀察したのと同樣なことを思出させる。七日の間の隔離はいつとなく過ぎてゆく。若い娘は、自分の少年の前に姿を現はす。盛裝したまゝ鷄を供物として『文身が貴女を美しくしました。殊にお腹は魚の腹のやうです。又白色人のやうでもあります！』と其他のことを云つて喜びの言葉とする鷄の犧牲の後制限せられてゐたものはまだ終らない。娘は平癒するまで、まだ「禁忌」の狀態にある。或は病が起つて苦しむかも知れないからであり、又制限の結果他人のものを食ふにしても鹽をつけては決して食さないのである。最後に文身をうけつゝあるアツサムのナガ娘のやうに、バトンガの乙女は他の村を訪れない。ナガ種の制限と、バトンガとの間の差異の點は前者の場合に於ては禁忌（タブー）は文身がなされてある間がタブーである。然るに、後者の場合に於ては、傷が平癒しつゝある間即ち、施術がなされて一週間後近所の村へ訪問することは、一切禁ぜられてあるのである。今日に於て、野蠻人の間に體紋を見るにしても、それはたゞ裝飾的に過ぎぬ文酋、ペインチング、治癒等は、これ以上の意味あることがないといふ辯明に對して辯駁が出來るであらうか。要點はそれに對して我々の注意は導かれなければならぬ。即ち、積極的、又は消極的儀式の如何なる遺物を發見し得るかである。

現今の傳說が或る普通以上の力の守護のもとに體紋の聯想を示すであらうか？

歐洲の惡魔から彼等の術の表徵（しるし）をうけることを要求する、魔法使の間に、小さな青色又は赤色の前針又は、兎の足、ヒキガエルの體等が惡魔崇拜者に對して特に表はされてゐる。

現今の宗敎、魔術、社交等の目的のために體紋を用ふる證據は何處にあるか？　我々が關係してゐる團體の古いメンバーから蒐集されるいかなる證據と消息とがあるか、かうした條目、世界的事項に踏査された時、而して又比較すべく例證が、互に並べられた時、有史以來の或る遠い昔の同一の體紋が性的魅力を誇張すべく採用されたか？　又は凡ての體紋手術法が信念、習慣の遺物であり、女の産出力、下界に於ける生命の保在、酋長たることの神聖、其他敎養の合成的要素に關係してゐるといふ廣義を取らねばたらぬことについて考ふべき時であらう。

（以下次號）

東都暗黑面觀察記

東京不良少年往來

サトウ・ハチロー

序の一

僕は他のものは拙いが、不良少年ものと少女の詩と子供の歌を書いてゐれば當代隨一なのである。ずゐぶん妙なとりあはせだがこの三つのものなら間違ひないのである。

梅原北明は僕の不良少年ものを眞先にみとめて、彼一流のおだて上手で僕にやんややんやと拍手をあびせたのであるで僕もつりこまれて文藝市場へ不良少年もの丶斷片をよろこび勇んで書いたのである。五度か六度書いてゐるうちに僕は少女の方の人氣が氣になりだした。

「サトウハチローさんて、ずいぶんやさしい方だと思つてゐたのに、あ丶こわい」とか

「テニスの太田さんのやうな方だと思つてゐたのに」とか

「今度どこかの會であの方に話しかけられても用心しよう」などと思はれては大變だと思つて、不良少年ものをやめやうと心がけたのである。が僕を愛してくれる梅原に「少女の人氣の方が大切だから」とも言へないじやありませんか。「今月は急がしかつた」「どうもこの月は氣が進まんで」「來月はきつと書くよ」「いますばらしいのを書きかけてゐる、〆切までには間に合ふだらう」とのばしのばしにして來たこと驚くなかれ二年四ケ月。けれど僕はこの頃になつて少女達に人氣の落ちるのは不良少年ものを書いたつて書かなくたつて落ちる時は落ちると思ひなほした。

繪のトンロンは

今宵また

黄色い嘆きの輪を落とす

こんなすばらしい詩を書いてゐる、少女達にほめられないわけはない。顏よりは腕、人氣はい丶詩を書くことによつて。………とわかつた次第である。そこへ梅原より手紙が來た。あけてみると貴兄の得意ものを一つ願ふとある。ま

さか僕の得意なものといつたつて、ビールの曲のみや、佛壇がないからチョックラモチを頼むといふのでもあるまいこれはやはりあれだな。引受けようともう一枚の紙をよむと案の定そうだ。（讀者諸氏よ、僕は梅原の二枚の手紙の一枚の時候のあいさつと、さて貴兄のといふ所で終つてゐる一枚をよんだ時、早覺悟はきめてあつたのである）だから後の一枚でもちつとも驚かなかつた次第である。むしろ到來物が新聞紙に包んである時から、カステラらしいなと思つてあけてみてカステラだつたあの喜びである。

序の二

近頃、どういふものか盛んに昔の仲間に逢ふ。銀座で淺草で牛込で池袋でどこかの停車場で活動のなかでといふ具合に、ひんぱんに逢ふ逢ふ。奴どれもこれもが皆僕をにこにこ顔で迎へる僕も嬉しいからいつしよに飯を食ひ話しをする。そこで僕は皆の氣嫌のいゝところで圖にのつて、本名をどしどし書いてこの稿を盛んにする考へがわいたのである。二度と再び私はこんなはつきりしたものを書かないであらう。つゞつて行くいくつかの物語りに出て來る諸氏よ諒とせられよ、しかして昔しをしのびたまへ。

柳堀幸太郎

僕にはなんの關係もないがモラトリアムなるものは世間を騷がせた。貯金の貯の字もない僕は安心して町をぶらついた。人がたかつてゐる所へ行きたくなるのは人間の通有性である、夜店のコママハシ、計算器賣り、バナナ屋、誰でも一寸のぞく癖はもつてゐる。僕などは大體野次馬的分子を多量に持つてゐるので、人がたくさんよる所へ行くのは大好きである。すきがあつたら上手いことを言つて笑はしてやらうなど〻少し恥かしい心まで持つてゐる。

わけはわからないがモラトリアムといふのは面白さうだ。町でも何かあるに違ひない。銀行の取付けを一つみませうと、杖をひきひき大塚へ出た。ことわつて置くが杖をひいたと言つても惡い病氣ではれてゐるのではない。大塚では安田の前がえらい人だかりだつた。渡邊は大扉を下して、しづかにすましてゐた。金がない時はすますに限るわい。これは銀行ばかりでなく人にも應用できる。

安田の前でしばらく、ぼんやり立つてゐたが人だかりばかりで花火もあがらなければ、お退窟しのぎに一つと浪花節をうなる奴もゐないので仲町の方へ歩きだした。仲町まで行つたら上野へ行きたくなつた、三橋亭でビールでも呑まうわいゝと考へてゐると肩をぽん。ふりかへるとボリちゃんこと柳堀幸太郎である。「どちらへ」ボリちゃん言葉はなか〳〵氣取つてる。さては岸田國士の本をよんだかな「上野へ行かうと思つてね、それにモラトリアムの町を散索に」

「いゝのがいるよ、おこりきれないよ」

「ボリちゃんお前さん銀行の方は」とないのは解つてゐるが、これも水商賣の僕だ、おせじの一つも言はなくちゃ。

その答へにボリちゃんの上手いのを一つ

「手前どもでは、取引のあるものセブンバンクですから大丈夫」

「これは大丈夫に違ひない」

「それに現金はたいがい毛の生へた巾着に入れちまいましたよ」

これもちつともな話しだ。

「この間のおもちやは賣れたつてね、あの酒呑みのおもちや」

「ラリかい」

「あいさ　そのラリルレロ。ろれつの廻らないところが身上(しんしょう)さ。お客も醉つぱらつて買つて行きやしねえかい」

「よさねえか　お前じや　あるめえし」

ボリちゃんよた者に似合はず酒が一滴も呑めない。しばらくの立話しの後、彼は目白の森の方へ護國寺の坂を降りて行つた。僕は見送つて來た電車へ飛びのつたのである。僕は電車のなかで考へた。

彼、ボリちゃんこと柳堀幸太郎は實に妙な男である。ボリちゃんといふ名からして妙である。彼が巡査をしてゐたわけではない、柳さんといふには餘りでぶて可笑しいし!幸ちゃんといふ程いきでなし、さりとて柳堀君と呼ぶにはあたりがやはらかなので、そんな固い呼び方は變だ。で誰が考へだすともなく柳堀の堀を取つてボリちゃんである。

彼は一滴の酒も呑まない。呑めないのである。ソーダ水のなかにウヰスキイを一滴たらされたのを呑んで吐いた事のある。

男である。

それに彼の顔である。太つてゐるが立派ではない。にこにしてはゐるが福々しくはない。押出しはいゝが、相手がおそれない嬉しい顔である。

彼は三十四である。五かも知れない。

不良少年史始まつて以來、三十四までその生活をつゞけて來た人は彼一人である。

有名なる宮坂普九がずつと不良少年生活をやつてゐれば、彼と共に最古參者だが、普九は小鳥屋を始め幾人かの氣持ちのよい食客育て業になつてしまつた。

たがボリちやんは別にゆすりかたりをするわけじやない。暴れるわけじやない。仲間が暴れゝば否まないので三割も四割も損である。なのに必らず最後までつきあつてゐる。お花をひけば下手なのに喜こんでやつてゐる。小石川での最古參者、東京での最古參者である。それに彼は子分を集めて親分にならうといふ氣もない。なれば幾らでもチヤンスはあつたのだ。僕はそこを好きなのである。僕が小學校でニハトリハ　マイアサ　早クと讀んでゐた頃、彼は東都賣出しの柳堀幸太郎だつたのである。それがいまは僕の親友である、何かといふと飛んで來る、ありがたい次第である。

「おこりきれないよ」、「それを言つて俺をなかすな」「ほんとうかいおい」「いゝのがいるよ」などは彼の造型語である。

ボリちやんは又ときどき自分の家の表通りの鹽せんべい屋でくるり／＼と金火箸を動かして燒くのを手傳つてゐる。そば屋のねぎ切り、太皷燒の油さし、お手のものである。

不思議なことにそれでゐて彼は野球をする、これがすばらしく上手い。外野手としては代々木で有數である。すばらしい腰と打擊を持つてゐる。仕合がすむと何處を風吹くかの顔をしてゐる。涼しい男だ。

柳堀幸太郎　年三十四　體量二十貫、財産なし、嫁が來れば彼も働くかも知れない。何か大根の漬物か何か考へてもうけさうな氣がするのである。嫁になり手があつたら賴みます、

ボリちやんは明日にも來るかも知れない。それともこの陽氣では、表通りの蜜豆屋で愛嬌よくトコロテンでもついてゐるかも知れない。

益戸かつみ

この人の名の字を忘れるなんて、恐ろしくうかつな事であ

る。勝といふ字は覺へてゐるがその下が實なのか美なのか巳なのか忘れてしまつた。ただん巳ぶろうと思ふ。でもう一度巳として書き直す。

××××

益戸勝巳。

不良少年全盛期に於て、一番羽ぶりのいゝ親分だつた、出は千住だが淺草へ現はれ下谷 本郷神田まで出て來たのは偉とするに足る。この十年位の間の人は皆いくらかづゝ此の人の呼吸のかゝつた人だ。僕も勝つちやんに世話になつた。いま淺草でパリパリの小進藤もこの人が始めは連れて來たと覺へてゐる。浪花節が上手くて、すばらしい話上手で、温顏で、靜かに人の顏をみながら酒を呑んで、何處がいゝのか解らないが引きつけられたものである。もう出て來る、岩倉鐵道のを二人殺して赤衣を着てゐる青木の平坊なんかは益戸に心服してゐた。

僕は五六年逢はないでゐた。先日淺草で二三人連れてゐる勝ちやんに逢つた。よう　よう太つたね、いゝ景氣かい、と二言三言かわして僕は玩具連中がいつしよだつたので、是非一度來てくれと少し聞きたい話もあるので、再會を約した。益戸は「おれもつもる話しもあらあ、行かねえで置くものか」と、例の溫顏と引きつける口調(くてう)で、ベーブメントの上でさよならした。彼は昔とちつとも變らない足音を立てゝ別れて行つた。僕は昔とまるで違つた太つた身體を玩具仲間の方へひるがへした。

ブル正の話！

これはまた不思議な男である。

何んとなく居たよた者でブル正の本名を知つてゐるのは一人もないのである。あげられた時何と言つてゐたか聞いて置けばよかつたが手落ちだつた、兵隊にも行つたのだから名のない譯はない。それなのに誰も知らないのである。これだから、こんな面白い事もあるので淺草はやめられないブル正の正の字も僕當推量で書いたのである。ブル正(まさ)とよんで下さるな。これはブルショウでござる。

ブル正は非常な力と正直な顏を持つてゐた。洋食屋はカツとカレーと生ビールでやつてゐると思つてゐた。いつ淺草へやつて來たのか解らない。本所から出て來たといふ話しである。顏がブルドックで正といふ名だからブルショウかと思つたら間違ひだ。もとはブリキ屋にゐたのだ。ブリキ屋の正公、ブリキ屋の正公がだん／＼つまつてのブル正だ始めはたよりない、尻切(シリキリ)ばんてんだつたのがいつの間にかよた者らしく飛白(かすり)と黒無地の袴をはいてゐた。出處は僕のしらべる所ではない。

一本氣なところから皆に愛され、外國へ行く前僕の親父などはブル正のよきパトロンであつた。ブル正が生きてゐたら或ひはいま甲子園の親父の家の玄關にがんばつて、にせ社會主義者のゆすりを追拂つてゐるかも知れない。ブル正は死んだのである。

二年の兵隊をつとめ終へて、上等兵になつて敬禮が上手になつて、俺の方の中隊長師團長の名まで何々閣下でありますと、皆に話すやうになつて兵隊から歸つて來たのであるたいていの奴は兵隊に行つてよくなる奴は無い。ものを書くのが行けば二年は本がよめない。畫家は筆が持てない、野球選手は肩が痛む。それなのにブル正のみは、すばらしく利巧になつて歸つて來た。とブル正自身が信じたのである。

丁度、その時、澁谷のある家になぐり込みする事件があつた。ブル正はこの時とばかり引受けた、手柄を現はして兵隊歸りの頭と勇氣のある所を見せやうとブル正は皆を出し拔いて、單身のりこんだ。

大刀かざして陸軍上等兵は玄關から踊りこんだが、相手の親分は上だつた。びくともしなかつた。ブル正は敵の子分にやられた。きりさいなまれた。ブル正はバラ正になつた牛肉ならすごい所だ。でもブル正は幸福だつたらう。刀をさげた上等兵を、天國は門をあけてやつたに違ひない。ブル正を入れるか入れないかで僕は天國の價値を知る。

かくしてブル正は天に登つた。

友情はどこにもある。死んだものは常に勇者であり、尊敬されるは日本の常道である。生前佛に面識あるものも無きものも一堂にあつまつた。

勇敢(ゆうかん)に戰かへる
我等が勇士倒る
祭壇のブル正は
うらみをのんで眠る

會衆一同は歌つたのである。涸して涸して歌つたのである誰がそんなどゝ言つてはいけない。ほんとうの話しである何と日本のなんとか團體と似てゐるではないか。

僕はこの歌をほめてゐる。うたの出來がいゝとか節が悲壯だなどゝいふのではない。こんないはゞ故人の靈を祭る時にも、ブル正はと歌つてゐるところが何とも言へなく嬉しいのである。だから僕もときをり

祭壇のブル正

はロずさんでみるのである。だがよく考へるとこれは當りまへの話しかも知れない。何故つて?……誰もブル正といふ名より他に彼の名を知らなかつたのだから。

石川　亮

亮さんは僕よりずつと前の一方の旗頭であつた。亮さんはいますつかり眞面目になつて中央大學を來年優秀なる成績で出るのである、とこゝまで前置き。

一昨年、亮さんは始めて僕に逢つた、池袋にゐる眞水俊一が石川亮が逢ひたいと言つてるからといふから、いつでもどうぞと答へた。名は聞いてゐたから逢つても始めてのやうな氣がしなかつた。その時の話しに亮さんは詩を書いてゐるから見てくれといふのである。とても見る程、僕だつて出來ないが御相談しませうと別れた。それ以來お互に東京に居れば一ト月に一度は逢ふ仲である。

昔をすつかりすてゝ、好青年である石川亮の詩は、すばらしく優しく雅なるものである。私は一人の仲間の出來た事をよろこんでゐる次第である。

だが彼は詩ばかり書いてゐるのではない。去年は樺太へ漁に行つた。密漁ではない、父上の仕事で行つたのだ。髭をすつかりのばして頬頤をかくし威風堂々と歸つて來て僕に樺太の話しをした。醉へば虎丸をうなる又よきかな――

*終りに

書いて行けば百枚ものだ。書かせてくれるなら筆を改めていつでも書く。

築地の坂本のさつちやんは何か立派に土木をやつてゐるとの話し。

大塚の永井は上野のみやこ座の用心棒とかいふ話し。

僕の親友である、頭のいゝことは隨一だつた中田高平はすつかりおとなしくなつて勉强してゐるのである。だがあまり誰かがぐづぐづいふとパチンコを打たないとも限らない

シトトン　シトトトンと歌つてゐたボビーは國外追放。根津

の小島の兄弟は弟は海軍へ行つてゐるが、兄貴はどうしたらう、

清水修平と眞水俊一は共に習志野で馬のけいこ。

坪井のごんちやん、小石川の高山、神田の秋山。遠山。

フランスへ行つてゐる畫家小柳正氏の弟。淺草の小進藤。

髭をはやして立派になつた岡村の建坊、下谷の泉はおもしろい男だからお會ひなさいと石川亮はすゝめてくれた。

明石潮の座にゐる鐘鬼の息子の山田一郎。帝大の三井の話しだつて普九さんの話しだつて、信乃さんの話しだつて僕の話しは永久と言つていゝ位つきない。僕はこゝに紙數のないのを惜しむ。

讀者諸氏が面白いとほめ、それならばと梅原北明が僕にもう一度書かせることを望んでやまない。

玉の井魔窟探險

石角春之助

▽

此の稿は豫告通り吾が井東憲君の受持ちであつたが。或る事情の下に私に託されたものである。私が井東君の優れた詩的な筆に劣ることは、言ふまでもないが、魔窟の研究に付ては多少自信を持つことが出來るのである。何故なれば、私は淺草に住み嘗つてありし淺草の魔窟に醉ひ其の魔窟を論じたことも少なくないからである。

私は今玉の井魔窟の實感を振出しに、其の內幕、其の生活、そして、そこから起る戀の葛藤、生活に絡まる暗闘等順次筆をそめて行かうと思ふのである。

▽

戀を彩る魔窟の女。それは闇の夜の微かな星である。そ

して、それは時々雲間に隠れる哀れな星である。思ふ儘に光りを見せることの出來ない不具な星である。

虐げられた彼女等、私は彼等の生活を愛する。餘りにも殘酷な生活なるが爲めに、私はそれを愛するのだ。

血みどろな彼女等。それは餘りにも手傷が深か過ぎる。心臓に通る古傷、時々痛み出す古傷、何時になつても癒へない古傷。彼等は餘りにも弱過ぎる。

地獄の門からはひ出ることの出來ない彼女等。一歩、二歩、三歩、軈て扉の絶頂に手をかけるが、そこで大低の者は、緩るみを見せて眞つ逆さまに元の地獄に落ちて行く。

生活に脆い彼女等、彼等は餘りにも生活に弱過ぎる。境遇に負けてゐる。其の證據は生活に共鳴し境遇に同情する男の前には、力も勢ひもなく即座に屈伏する。全く彼等は生活と境遇の奴隷である。

戀を安賣りする彼女等。人生の寶であり、輝きである純眞であらねばならない戀を餘りに安く見過ぎてゐる。彼等は境遇と我が儘を許し、而かも、金切れよく眞實を見せる男の前には、恰も猫のそれのような從順さで、忽ち足下に服する。安値な戀の持ち主よ。

男の前に欺まされ易い彼女等。男を欺すことの手練、手管を十二分に練磨してゐる筈の彼女が、却つて男の前に欺かれる。親鸞聖人曰く「劍を持つて人を斬る者は、自らも亦劍によつて斬らるゝものなり」と。

以上は魔の女に共通する概念であつて、序にお負けしたお土産の一つである。

▽

晝間はしんかんと、眠れる牛のような靜けさである玉の井の魔窟が、昏黄近くから甦つた勢ひで、元氣を回復して行く氣分が私は好きである。全く夜の玉の井は活動其のものである。快い輕快さで動いてゐる。

跳ねてゐる。飛んでゐる。其の癖あだつぽく三十女の脂切つた艶めかしさが、どこかに秘められ孕んでゐる。

中折、鳥打、角帽、洋服、インバネス、袴、はげ頭、ザンギリ、角がり、オールバック等、どこかしら特徴のある人間が、不格好に眼尻を下げガラス腰を睨んで通る。それを叉えたいの知れぬ口笛で、チユー〳〵と呼ぶ。其の音の出處はと狼狽る眼玉は、黒眼から白眼へ、白眼から赤眼へ赤眼から黄色眼の使ひわけをする。そうしたことを蒸し返へし繰り返へし小便臭い狹苦しい露路をは入つたり出たり縫つて見たり忍んで見たりして、一晩中歩き通す愁傷な連中も案外少くない。

それも無理からぬ話だ。硝子腰の處を見ると、そこにはすんなりとした眞つ白な襟足が、くつきりと美くしく浮いてゐる。時たま人の熱い息が硝子戸にかゝつて、はつきり見えない場合もあるが、大低は不自然な白さをこれ見よがしに、露骨に、平氣で見せびらかしてゐる。其のこつてりとした全く不自然な白さに、ふら〱と眩惑され、チユー〱と吹く奇妙な口笛の爲めに、魂を置きざりにして、近寄つて行く男の群れ。。

罵倒、侮蔑、皮肉、怒聲をあびせる醉つ拂ひ。

それに挑戰する口汚たない女の怒氣を含んだしやがれ聲軒毎にお世辭を言つて廻る振れ男。

馴染を氣どる瀟洒の若ぞう。

それ等を相手にしながらカレイ、ライス、カツ飯、そばうどん、ワンタン、シウマイ、ナンキン豆等、思ひ〱に食ひ、しやぶり、嚙むいやしい奸の姿。

恰で戰爭と、平和と、地獄と極樂が、一緒にやつて來たような大きな騷動である。私はそうした雜然、混然とした騷擾其のものゝやうな、混亂と、喧がうとの中を縫つて通るのが好きである。そうだ。神經家らしくとぎ〱した、それでゐて何かしら軟かいぢつとりとした氣持ちを起こさせる玉の井が好きである。

▽

色と戀とがハチ合せずるやうな魔窟の內幕、それは彼女等の生活であり、賣春婦としての內幕である。(玉の井と柳島の私娼を合せた數が無慮千二百幾人の多數にのぼつてゐる。)此の多數の賣春婦が、各自どう言ふ經路で、どうして斯くも悲慘な境遇にまで、淪落して來たかと言ふ詳細な硏究は、統計學者の領域に屬することであつて、今それ等を一々列擧することは、固より許されないことであるが、大低に於て多く似かよつてゐる點がある。それは言ふまでもなく彼等が人間と言ふことに共通し、而かも、各自の理性なり感情なりが、人間と言ふ點に於て、似かよつてゐるからである。

兎に角、彼女等が第一步を過つたことの一番多いのは、戀の安賣りと、性の亂用である。例へば道ならぬ戀に落ち而かも、其の相手の男に捨てられたと言つたやうに、浮氣が禍ひの種となつた女。第二は都會の華かさにあこがれ何んの考へもなくひよこんと上京した田舍娘が、誘惑の魔の手に捉へられ、散々耻かしめられた上、とう〳〵賣り飛ばされたと言ふ憐れな女、第三は無理な結婚を因襲的に强られ、其の侮辱と其の苦痛とに堪えがたく家を飛び出したと言ふ女。第四は戀人と信じてゐる男に賣られたと言ふ女。第五は親の爲め兄妹の爲めと言ふ愁傷な女、第六は失戀の結果自暴自棄を起した女。第七は夫と共謀の上の美人局であるが、何れにしても一般に通ずるものは、無智が産む悲劇で、現に玉の井邊りの私娼などは、女學校を完全に卒業した者が殆どゐない。甚だしい者になると、學校へ通つたのは、僅かに半年か一年だと言ふ者も案外少なくない。

最もロムブロゾーと言ふ世界的な精神科學者の說によると、公娼なり私娼なりは、天賦的に備つたもので、所謂娼婦型又は娼母型として、天性を有するものであると主張し其の例を擧げ學理を詳細に說いてゐる。だから此の說によると、生れながらにして、旣に運命が定まつてゐるので、娼婦型の女は必ず公娼なり、私娼になると言ふのである。

今こゝで此の偉大な世界的學說の眞否を云々する必要を認めないが、兎に角、周圍の事情を全然とうかんに附すことは、決して正當な解釋ではない。少くとも日本婦人のやうに、熱し易くして、冷め易い感傷的な婦人にあつては、天性よりも環境の影響が重大な傷となる。

私娼の生活は餘りに、貴重な自由を切り離されてゐる。性の自由は無論のこと、家庭的の自由。解放の自由、其の他あらゆる自由の束縛を受けてゐる。餘りにも惱ましい苦み多い生活である。雇主に對する氣がね氣苦勞。朋輩に對する折合。客に對する一切平等の歡待。何んと言ふ涙多い生活であらう。彼女等が食ひしんぼのそれのやうに、始終何かをしやぶつてゐるのは、さうした煩はしい氣持ちを忘れやうとする慾求が、遂に習慣となつたものであらう。

彼女等は比較的金錢には惠まれてゐる。大低の家が稼ぎ高の四分を與へてゐるから、一日二十圓の收入としても八圓の純益である。が、不況の今日では一日平均十圓乃至は十五圓が普通の稼ぎ高である。最も腕の凄い女になると、二十圓乃至三十圓平均に稼ぐと言ふことである。假に二十圓を稼ぐとすれば、一ヶ月二百四十圓の月收がある譯である。處が家によつて三分半の處もあり、四分として別に食料を徴收する處もあるらしい。

玉の井は柳島のそれに比して、一般に年が若く十五六歳から、三十前後に至るまでの間である。最も淺草の魔窟から倉替へした者とか柳島から流れ込んだものとかは、比較的年をとつてゐるが、概して若いモダン式の娘が多い。偶には夫があり子供がある人妻が、所謂美人局として、何知らぬ顔でせつせと稼いでゐる。そして、そう言ふ女に限り凄い腕の所有者である。

玉の井の魔窟の起原は、極く最近のことで、何んでも大正七八年頃から、ぽつ〳〵と増へて行つたもの丶ように記憶してゐる、處が今日では其の數に於て、客足の頻繁なことに於て、遙かに柳島を凌駕する恐ろしい繁昌を見せてゐる。

▽

魔窟の女がぢだらくであり、我が儘であり、更らに其の戀が放漫になつてゐることは、爭へない事實である。殊に感覺と感情とを犯され可なり變態的な女も少なくない。

嘗つて千束町の魔窟に、振袖お絹と言ふ女が居たが、彼女などは立派な變態性慾者である。それは言ふまでもなく彼等が、餘りに戀の亂用を爲し、性の自由の拘束を受けてゐる結果に外ならないのである。現に玉の井邊りにも此の種の女が案外少くない。

だから彼等の戀の葛藤や暗鬪は言ひ合したやうに、變態的な感情に絡まる我が儘な個性の發露であつて、而かも、それが意外にも眞劍味を帶びてゐる。私は最近玉の井の魔窟でそれを見た。忌はしい感情のもつれだ。爭鬪である。

私は又彼女等の人生觀を見た。無智な女の眩惑のような人生觀である。そこには無論、完全な意思も系統だつた感情もない。太く短かく現在の歡樂に昏醉してゐる囚はれた者のような思想と感情である。

だがしかし彼女等は、華かな現世の歡樂を夢見てゐる。賴より少ない夢ではあるが、昏醉してゐる時は樂しそうである。又彼女等は平氣で嘘を言ふ嘘を言ふことが彼女等の生命である。嘘を言ふことによつて。快よい夢が見られるのである。彼女等が快い夢を見ることが多いように。又惡夢に冒されることも多い。嘗つて私の友人某が、玉の井の私娼に、現を拔かし三日三夜いつゞけをした結果が、驕で恐るべき死を決意し相手の女を連れて、千葉の或海岸へ走つたことがあつた。しかし、幸か不幸か二人は其の愈々になると、恐ろしい死などけろりと忘れ二人が手を携へて、私の家へやつて來たのであつた。

これは單に一例に過ぎないが、彼女等の意思が如何に、浮薄であり單純であり、變化多きものであるかは、此の一例によつても窺ふことが出來るであらう。最も境遇其のものゝ影響も大いに考慮の要があるであらうが。彼女等は餘りにもはしたない心である。それは恰度風に吹かれる糖殼のように、輕く、ふわ〳〵と當てどもなく飛び廻つてゐる無智と、そして、家庭の罪である。

私は何時もそう考へてゐる。彼等が譯けもなく生の執着から離れ恐るべき死を決意することの餘りに簡單なのに、寧ろ愕かされてゐる。もつともそこには恐るべき境遇がある。賣春婦と言ふ忌はしい身分がつきまとつてゐる。此の惱ましい、そして、此の悲しい身の上を打ち明けるには餘りにも輕薄な世の中である。本當に彼女等は、遣る瀨ないいた〳〵しい苦しい心を抱えて煩えてゐる。

かう考へる時、彼等がフラ〳〵と、死の自由へ向つて行くこともあながち無理とも思へない。憫憐の彼女よ。私はそう呼びかけたくなる。彼等の境遇と、彼等の苦痛と更らに彼等の惱まし氣な氣持ちとを知つてゐる私には、傷々しい捨兒に對するような同情が湧いて來る。

▽

私は久し振りで玉の井に出かけて見た。細かな露路を幾つも縫つてゐる中に、何時かしら私の頭に、淺草の魔宿のことが思ひ出されてゐた。こんなに小便臭い横町を一廻りしなければどうしても眠られなかつた當時のことが、懷かしく、軈て佗びしい氣持ちに變つた。私の戀人。今はそれさへも忘れてゐる。が、ひよつとすると、こゝへ倉替へしてゐるのではあるまいか。そう思ふと堪らなく戀しくなつた。私は軈て或家の二階の人になつてゐた。相手の女はまだ肩上げがとれたかとれない許りで、ふくよかと氣持ちよく太つた可愛らしい。そして、私と同じ名の春子と言つた春子は快活だつた。無邪氣だつた。お饒舌だつた。何もかも遠慮なしに言つた。私は彼女から色々なことを訊して見た。しかし、それは昔の儘のことだつた。時々事實無根のことを眞面目に言つた。例へば「女子大出の人がゐるとか、女學校出なんか澤山居る」とか言つたやうに、「我が佛貴し」を遺憾なく發揮した。そして、最後に「あたし親の爲めにこんなとこへ來たのよ」と、本當に眞面目になつて言ふので、私は吹き出したい氣持を抑へそこを出たのであつた。

それから私は又他の家へ這入つた。そこの女は、三十の坂を二つ三つ越したかと思はれる程の年格好であるが、厭にブク〳〵太つた女であつた。でもどこかしら生活に疲れた姿が、やつれた顔に浮いてゐた。

私は又色々なことを訊いて見た。が、矢つ張り私の痲痺し切つた歡興を惹くやうな話は一つもなかつた。只だ滑稽なことには私が餘りに誠意を見せ同情のとん辭を並べた爲めにすつかり信用して大ぼらを吹く變りに命から第二番目の大切な貯金帳を出して見せた。それは慥かに千圓近いものであつた。「もう五百圓も出來れば、自分で銘酒屋を始める積りだから、本當に獨身者なら是非來て呉れ、男がゐないと困るからと言ふ全く有りがたい思召しであつた。兎角女に緣の薄い私は、そうした眞面目な話に、ひどく感激し「そんな大切なものを無暗に振り廻してゐると、遂には巧妙な男の爲めに捲きあげられるから、大事に納つて置くやうに」と註文して、其の家を出たのだつた。が、現に貯金帳を見せなければ、人に信用されない彼女等のことを思ふと、私は何故か涙ぐましい氣持ちになつてゐた。

最後にあがつた家の女は、誰れが見ても速ぐヒステリツクだと思はせる程、とぎ〳〵した感傷的な女だつた。殊に其の日は、雇主と言ひ合つたものであらう。階段をあがりながら怒氣を含んだ聲で、口ぎたなく罵つてゐた。私に對してもつんけんどんと言つた。しかしそれでも時々無理な微笑しながら次のようなことを、恰で私の罪のように、私に訴へるかのやうに話したのだつた。

「本當に人を馬鹿にしてやがら」

かう最初に一つきめ附けて、それから家の女將の惡口、のろまの亭主がガラにもなく彼女に懸想し、時々いやらしいことを言つたり、引つぱつたりすること、それを意地惡いヒステリーの女將が嫉妬で辛く當ること、それやこれやの意趣晴しに、約束の分金を寄越さないこと、まづい食事であること等さも憎々し氣に話した後で、

「本當に癪に觸るわよ、あんな死にぞこないに馬鹿にされちや」と、止め木を打つた。

私は時々微笑みながら默つてそれを聞いてゐたが、儘ならぬ彼女等の生活の惱みの如何に深刻であるかを一層强く感じさせられたのであつた。

東都質屋往來

繁山鮎太郎

1

ところは、新宿である。

餘り大きな質屋ではなかつたが、土地では二流どころであつた。

何しろ、質屋としては場所がいゝのだ。附近は、中小の商人、さては月給取がとりまき五町とはなれないところに遊廓があり、又二町とはなれない所に貧民窟さへあらうといふのだ。

假に、伊勢屋と云つて置くが、其處は當主で四代目なのだ。主人は、遺傳的に質屋氣質をもつてゐる變に融通のきかない人物で、落語家がよくたとへる、ケチでリンショクでといふタイプそのまゝなのだ。

番頭は二人ゐた。

小僧が一人。ことによると、この小僧といふのが、僕なのかも知れないのだ。

番頭は、鼠と狸にたとへたらいゝかも知れない。しかしそれは實に顔付のたとへなので、腹は二人とも善い方だつた。鼠の方は、少し橫着で、狸の方はずるかつた。二人とも小飼だつた。二人共、主人の氣質をのみ込みそれを上手に利用してゐた。

小僧、こいつは悧口者にちがひないが、第一に質屋といふ、貧乏をカンジョリの繩でしばり上げて利子を生み出すといふしらみ色の商賣が大嫌だつたし、又人生といふ奴に夢を持ち過ぎてゐたのだ。

お客たちは、主人を苦虫と呼び、二人の番頭を直覺通り「鼠」と「狸」と呼んだが、小僧の事は　虫や動物にはしなく八百三と人間の名前で呼んでくれた。しかし、八百三は、小僧の本名でも何でもないのだ。

　其處の店は、變に冷たくうす暗く、妙にぎごちなかつた店には、大人でも胸のところへとゞく程の臺があり、それに荒い金網が張りまわしてあつた。そして、その金網には三つの四角な穴が明いてゐた。つまり、そこから取引きをしようといふわけだ。この金網は、質置人の掻拂ひをふせぐためなのだが、この雞小屋式の金網といふ奴が、中に働く人間を莫迦にしたしみ難く見せてゐた。

　尤も、この金網も、時々引破られる事があるのだ。醉拂氏が來た時――こいつは割合少ないのだ。一番多いのは番頭とお客と金高のことや月數の事で爭ひをする時、暴力に訴へられるのだがある時に、全部めちや／＼に破られた事もあつた。

　兎に角、この金網といふ奴は、餘りよろしくない。貧民窟の善良なお婆さんが、時代のついた金だらひやお櫃や釜や鍋なぞを持ち込んで、もう五錢餘計に貸してくれなぞといつて金網につかまつて、いつまでも泣いてゐられる時なぞは、餘りにその情景がいたましくつて見てゐられないのだ。

　尤も、この悲痛事に堪える冷たい度胸がなくては、質屋の番頭になれないといふのだから、人間の名を以て呼ばれる小僧なぞ、とてもつとまる筈のものではない。

2

　質屋には一體に石部式の堅人が多く、法律にふれるやうな事をする主人は、さう澤山はないが、何しろ世の中が世事辛くしかも慾には、限りがないので、それに一寸質屋獨特のぼろい儲方があるので、つひ惡らつな事をやる人物が現れるのである。

　第一は、消極的なので、金高や利子の月數をごまかしたりたもとにあつた札を失敬したり、儲るものと見ると少し位は無理でも流して了つたり等々をやるので、この手は主人よりは白鼠が應用するのである。

　こゝで一寸、番頭が主人の金をごまかす方を紹介しようそれは、一寸科學的に考へれば何でもない事で、つまり、出質のあつた時、質物についてゐる記號の札を燒捨てるなり何なりして消滅させ、元利を一錢も間ちがひなく着服し時日がたつてからそつと帳簿を消して置くのである。

第二は、こいつは積極的な方法で、スリとか、泥棒氏とか、おん坊君と結たくするのである。

スリや泥棒氏やおん坊君は、折角金目の物品を失敬して來ても、そのスジの目玉が光つてゐるので、うまくはかす事が出來ない。

この場合彼らのとる手段は、まあ古着屋とうまく結びつく事だが、それはどうも知れ易い。ところが、質屋と結びつけば、質屋から古着屋へ行くから、そのスジの目もくらましやすい。彼らとして最も安全なのは、質屋及刑事と惡緣をつくる事だ。これに古着屋と質置の商賣人が入れば鬼に金棒だ、この質置の商賣人の必要なのは、たちの惡い質屋のスジの惡い品物を、他の善良な質屋へ又置きして了ふ時である。この時には刑事も仲間に入つてゐないとまづい。)

この三重結たくをした例は、かの仕立屋銀次とその一黨の東海道荒しの時である。

かういふ時、質屋が思ひのまゝ儲かるのは言ふまでもない。

昔、質屋で一番儲つたのは、所謂鐵火質である。これは博賭場の質のことで、大きな場の開く時は多くは質屋が出張して取つたさうである。

今でも、土地によると、この種の質が一番利得が多いとされてゐる。けれ共、この鐵火質は、頗る掛け引がむづかしいので且又危險がともなふので、第三流の質屋でないとやらない。何しろ相手が相手なので、金の切れはいゝが、亂暴や言ひがゝりを云つて困るといふ話である。

現今は、物價の變動が日々にはげしいので、質屋もなかなかむづかしい。何しろ取つた時と、流れた時とは、物品のねうちが變つて了ふのだから、といつてやけに安ければ置いて行かないし、そこの頭の活かせぶりが一通りでないのである。けれ共、全體的に觀て、中産階級ことに倒れかゝつてゐるブルヂョワが、中産階級にぶら下つてゐる程の人々の質が一番取りよくもあるし、儲りもするのである。

遊蕩兒の質なぞは、いゝ場合と惡い場合が――つい信用を利かせるので――半々くらゐでまあ普通の方である。

質は、何といつても、見得を張つてる人々のがいゝさうだ、又東京とか大阪では、學生のが比較的いゝと云はれてゐる。それは何といつてもお坊ちやんだからだ。

何の商賣でもさうであらうが、不景氣は禁物だ。不景氣の時なんか入質ばかり多くつて出質がなく、しかも流質が安いと來てゐるからやり切れない。大正八年だつたかの不景氣の折には、東京の質屋で入質御免の札を下げた家があつたさうだ。

　かういふ時、公設質屋が役立つのであらう。

3

　かの伊勢屋では、取り方が老巧だつたせいか、流質に餘り損はなかつた。尤も、ずつと前のはなしだから、この點はあてにならない。

　しかし、一般的に見て、流質にさう損の行くものはないと思ふ。それは物によつては虫につかれたり鼠になめられたりして損をする事があるだらうが、最初から流れを豫想して取つてゐるので、餘りひどい目ちがひは少ないものである。矢張り一番おそろしいのは物價の變であらう。

　流質と云へば、かの伊勢屋では、おちぶれ華族や、士族の末流の秘藏の品とを、目の利かないまゝに安くとつて、可成り儲けた事がある。三十錢にとつた鯉の軸が數千圓になつた話なぞある。尤も、寶玉や名石なぞではずゐ分痛手を喰つた事もある。(かういふのは、質屋を引かける專門のいかもの師がやるのだ)

　又、ある質屋の白鼠君は、勸業債劵の流れたのを買ひとつて、千圓あてたといふ事だ。こんな話は、きつと澤山ころがつてるに相違ない。

　刀……こいつは、伊勢屋では禁物だつた。それは第一によく目が利かないからでもあるが、たゝりが怖ろしいといふ迷信にとらはれてゐるからだ。二代目かの主人は、村正を質にとつたのが氣がついて、いさゝか氣が變になつたさうだ。春畫は第一記帳に出來ないし、比較的儲るので第三流どころではよろこばれる。

4

　質屋では、大抵の物をあづかる。

　西鶴か誰かの書いたものゝなかに、遊女の起誓文や生花の奥ゆるし(これを質に置けばその置主は該品を受出す迄生花の師匠をしないといふのだから義理堅くつて面白い)等を質に置いた話が書いてあつた。

　貧乏すると、あるひは諸氏もおぼえがあるだらうが、何でも金になりさうなものは置きたくなる。それこそ、褌までもだ。

伊勢屋の小僧は、かういふのを見た。

日記帳一册……………三錢。

古提灯……………(?)

古足袋一足…………二錢。

米と麥三合くらゐづゝ……………二十錢。

禿のかつら。義足、入齒、義眼、眼鏡、古下駄、つるべ

かうなつてくると、取る方が餘りに淋しい。

この外、目白とか、鶏猫とか、犬とかいふ生物までもち込んで來る人がある。

若し、ゆるすなら自分の子供でも何でも入れたいのだらう。

かうした質物の内容の低下は、勿論プロレタリアの生活の苦惱を語るものである。そして、この低下はます／＼深刻になつて行くやうだ。

未だ、都會のプロレタリアはいゝ方だが、地方の百姓なぞになると、ボロよりほか普段でも置く物がないといふ有様ださうである。

かうなつて來ると、質屋の不必要な社會をつくり出すよりほか道はないのだ。(完)

人間倉庫

熊坂長範

正面閻魔臺の後ろにピカ／＼した手錠が幾百となく掛けられてある。指紋を採る處、身の丈を計る器械、寫眞を撮る室、それ／＼配置宜敷あつて亡者共の度膽を拔く

此處で新入の先生身體檢査を受けて帶から犢鼻褌、足袋まで召上げられて前を押へてゐないと大切なものが飛び出しさうだ。

……………………

「熊坂長範！」

「ヘイー」

「これからお前の名を番號に改めるから忘れちやいかん

ぞ、六百六號だ、サア此の札を持つて」

「ヘイ」

青鬼の一人が呼鈴を鳴らすと、監房の中からガチャ〳〵鍵の音をさせてサーベルの赤鬼が扉を開ける。

「サア早く這入れ！」

オド〳〵して居る新入を突き飛ばすやうに第六房へ放り込んだ。

讀者に斷つて置くが此處は警視廳鑑識課の留置場である

…………………………

この熊坂長範、大百に熊の皮のドテラでなくて金縁眼鏡に小袖づくめの風采。同監のドロ的の眼がこの闖入者に一齊に向けられた。

「ドウゾ宜敷く！」

臍の緒切つて初めてこんな場所へ來た彼れ熊坂には何と云つたら儀禮に叶つてゐるか分らない。只本能的にこんな挨拶をしてから兩側の羽目にくつ ついてゐる七八人の先輩の眞中をオヅ〳〵通り抜けて、與へられた茣蓙の端にチョコンと座つてホツと一息した。

…………………………

一座を見渡すと、どれもこれも善人らしい。此の人々が娑婆で怖毛をふるつてる惡漢共なのかしら。モサ、タ、キ、ノビ、アキス、トバク、サギ、ペーパー、ユスリ、萬引、暴力、喰逃げ、姦通、傷害、色魔、斯うした講中が雜然混然と惡人のサンプルのやうに、ドラツグのウヰンドーのやうに並べられてゐるが、果して本當の惡人共なのかしら？

人間は傀儡である、社會は劇場である、劍と鐵砲を與へられたものは軍人になる、大禮服を着せられゝば大臣になる商人は商人に百姓は百姓に、泥棒は泥棒をすべく裁くものは裁くべく、傀儡師の糸に繰つられて動いてるのではないか？　惡役に興味を持つ傀儡もあらうが嫌で〳〵仕方がなくつても運命のきづなを斷ち切ることが出來ないで踠いてゐる者もあらふ。

で彼等が斯うして寛ろいでゐるのは次の幕へ出る間衣裳を脱いで大部屋へ下つてゐる役者のやうにも見られるのである。

…………………………

監房は東側が第一房から第十房まで張見世の如くズラリと並んでる、西側が第十一房第十二房とあつて、その次ぎが保護室二つ、それから北寄りの方に獨房とか女房……女房は變だが兎に角吉原の河岸見世みたいで奇觀を呈してる眞中は大きな衝立で仕切られて居るから他の房を見ることは絶對出來ない、北側は浴室兼洗面所になつてゐて假りに破獄を企てた處でが一歩も外へ踏み出さぬ中ギウと首根ッこを押へられるやう青鬼赤鬼がサーベルの柄に手を掛けて眼を光らしてゐる。

監房は六疊敷位の板の間に金網を張つた鐵格子、隅の方に小さな衝立があつてその蔭に赤ン坊の風呂桶みたいな便器（おまる）がある。板床には薄べり一枚に三人宛座れるやうに敷いてあつて、後ろの高窓には矢張り金網の鐵格子がはめられてある。この金網は何を意味するものかと稽えてみると自殺よけ即ち首の縊れない豫防であらう。既に入口で身體檢査の上身に寸絲を帶びず、手拭すら取り上げられた上尚且この金網とは何と云ふ用心堅固なことだらう。

これが人間を、法律の網にかゝつた人間を保管して置く倉庫なのか？　そしてこの金網が所謂法網といふ網なのか

この倉庫の中の人間はすべて番號によつて取引されてゐる。受け出される者流されるもの、何のことはない人間の質屋だ。この人間の質草が、黴のはへるまで毎日々々座つたきりで居ること、永い奴は最長期二十九日、むし返されて百日以上もこの倉庫に鎭座ましますといふ事は、何とつらい事ではないか。或者は早く監獄へ廻して貰い度いと云ふ。監獄ならば運動もさせるし仕事もさせて呉れる、人間口もきかず何にもしないといふ事程苦しいことはない。この警視廳の留置生活が一番難義だと云ふ。一寸體を横にしても、前へつツ伏しても、立つても足を伸ばしても看守が眼を怒らして怒鳴り付ける。併しこの地獄のドン底にも又云ふに云はれぬ樂しみの自ら湧いて來るのは不思議なものだ。毎日々々各警察から集められて來ては毎朝々々點呼されて手錠をはめられて送り出される吾等の同朋達が齎らしてくる赤裸々の告白、これ程面白い話は當抵裟婆では見られない。左團次がどうの澤正がこうのと云つた處でそれは影繪にすぎない。本當の社會を知ろうと思つたら諸君！監獄を知れ監獄を！

……………………………

「オイ向ふの、若いのお前モサか？」

「ン、俺あノビよ、隼の鐵風てんだ、親方は？」

「俺は猫釣りさ」

「チエ！」

「何がチエだ、猫だつて馬鹿に出來ねエぜ、一枚三四兩にや賣れらあ、日に五疋も釣つて見ねえ、お前の日當よりや割がいゝぜ、」

これを聞いて横合から久松町で擧げられたモサの吉といふのが羨やましさうに首を出した。

「へえ、そいつあボロいな、俺なんかこの商賣がツク〴〵嫌やになつた、命がけで二兩か三兩だ、それで捕まりや半殺しの目に合つてよ、こんなベラ棒な話はありやしねえ。」

こうした連中の話を聞いて斯くいふ熊坂、心中チヤンチヤラ可笑しくてならなかつた。

この連中は三兩五兩の問題で眼の色かへてゐるが、智能犯は何十萬何百萬の問題だ、モサが半殺しの眼に合つて、蟇口の中は聞が惡けりや小粒が二ツ三ツ、その上二犯三犯を重ねれば五六年と喰ひ込むに比べて、智能犯は一生食へるだけを何處かへコカシ込んで二年か三年、而も保釋出獄といふ結構な御褒美がある。地獄の沙汰も金次第とはこれをいふのか？　何處へ行つても弱者は踏みつけられるやうに出來てるのだ。

…………………………

朝は薄暗いうちに叩き起される。それから毛布を疊んで木枕を揃へて待つてるとやがて順々に錠前を開けて寢具を片付けさせる。それが濟むと、一房宛開放して洗面させる。この洗面たるや猫の顏洗ひより簡單だ。うつかり溫泉宿か貸座敷の朝歸りの積りで呑氣に構えてガー〳〵口でも嗽いでゐやうものなら怒鳴り付けられて仕舞ふ。ハンケチの用意のないものは紙で顏を拭いたり紙もないものはそのまゝ乾かしてしまはなければならない。

朝食は名ばかりの辨當箱に臭い飯が七分目、澤庵の見本が二ツ。これを入口の小窓から「ホラヨ」と云つて小使が施してくれる。味噌汁はバケツで配るのだがそのお碗の緣は多年の功勞によつて妙義山のやうに起伏してゐる。

娑婆では旨いとか無味いとかいふ言葉があるがこの世界にはそれが利かない。味を超越した味だから何と云ふたらよいか當て篏まる文字がない。

飯が濟むと一プク――は遣れない。暫らくすると檢事局送りの連中の番號札を各房へ配る。モジリ、半纒、下駄、草履、フンドシ、へこ帶、こうした携帶品が番號に合せて各房の入口へ置かれる、やがて四五人の看守が出て來て各房が一齊に開けられ番號を呼び上げてその殆どが檢事局へ護送される。

「番號を呼ぶから返事をしろ、そして手を前へ出すのだ、イ、カ。」

「斯くて」次ぎ〳〵に呼び上げられて體操のやうに手を突き揃へて待てゐると、澤山の手錠が眼の前へズラリと並べられた。先輩は手錠なんか屁でもないが新入先生にはこれが何より恐ろしいらしい。

……………………………

斯うして草賊共が送られて後に殘つたのは本廳直屬の犯人斗りだ。お客様を見送つた居殘り連中によつて各々房中の掃除が始められる、バタ〳〵ドン〳〵可成景氣の好い處をみせて待てると、看守が二人連れで各房の檢査に來る。居殘りの番號を呼び上げてから房中の隅々板の合せ目等を鵜の目鷹の目で點檢する。この點檢は朝晩二度づゝあるのだが考へて見ると彼看守もつらい商賣だ。彼等に自らの鍵で自らの自由を束縛してる、入監者がグウ〳〵高鼾で寢てゐる間でも彼等は一寸の油斷もなく見廻らねばならないではないか。犯人が看守か看守が犯人か?

……………………………

或時隣房から男の歔欷の聲がきこえて來た。何か頻りに怨言を並べてゐるらしいが何を云つてるのか分らない。その內看守が聞きつけて怒鳴り立てた。

「馬鹿！　何をぐづ〳〵云つてるのだ。」

その內男の泣き聲は段々大きくなつて來た。何でも十八九の男らしい。

「私は何にも知らないのです、早く出して下さい、斯麼處に居るのはいやです。」

泣きじやくりながら頻りに看守に訴へてゐるらしい。

「此處でそんな事を云つても駄目だ、その手で同情して貰はうと云ふのか、神妙にしてゐろ！。」

「本當に私は知らなかつたんですよ、私の友達が奪つて逃げてしまつて私が捕まつたんです。早く歸らして下さい。」

いくら訴へても看守が相手にしないので。此度はオイオイ泣きながらドン〳〵檻の戸を叩き出した。斯くするうち三四人の看守が飛んで來た。

「馬鹿野郎！」

「五月蠅い！」

「文句があつたら檢事さんの前で云へ、此處は地獄だ、貴樣らの訴へを聞く處ではない」

「神妙にしてゐないと不爲だぞ」

「野郎水を打掛けてやれ、小使！水を持てこい」

　看守がいくら嚇してもすかしても彼は必死であつた。益々猛り狂つて鐵格子を叩き出した。遂に泣き叫ぶ彼は三四人の看守によつて運び出され、風呂場で水責めにされたらしい。

　寃罪か横着かその謎は解けなかつた。けれどもその男が可哀そうでならなかつた。五歩と五歩なら看守共を叩きのめしてその男を救つてやり度い！　といふ心は同房者の誰れもが抱いたことであらふ。

……―………………………

　又或る晩十一時頃、皆なが枕についてからこの里に珍らしい赤ン坊の泣き聲がし、女の聲もした。

「こら五月蠅いから赤ン坊を何とかせんか」

これは看守の聲だ

「旦那、御無理です、此の兒はお腹が空いて泣いてるのです、乳が出ませんから………旦那、まことに相濟みませんが牛乳を頂く譯には參りませんか？」

「贅澤を云ふな、ずう／＼敷い女だな。」

「飯でも食はしてやれ。」

「ではせめて粥でも頂かせて下さい」

「そんなものが此處で出來るか？　馬鹿を云ふな」

　赤ン坊は飢えと恐怖に怯えて益々泣きさけぶ。女も泣き出した、

「無慈悲です、慘酷です、〇〇署では皆さんが同情して下さいました。親は飢えても赤ン坊だけは飢じい思ひをさせ度くないのです。こないだからの心配で乳が止つてしまつたのです」

「兒を泣かせるも親の罪だ兒が可愛かつたらなぜ罪を犯す自分を怨め自分を！」

「親に罪はあつても子には罪がありません、子供まで親の責任を負ふのでせうか？　斯麽嬰兒にも罪があるのでせうか……もう何もお願しません、鬼だ／＼。――坊や泣くの

ではありません。お母さんが惡かつたのです、堪忍して下さい」

女はだん〳〵ヒステリツクに泣き出した。鬼の眼に涙といふが、よくも斯う冷血に、無情に洗練されたものだと吾々人間はそら怖ろしくなつた。是が地獄の一部分なのか？彼の女の罪、それは何だか分らない？。斯くて社會の芝居は次ぎから次ぎへと人間のあらん限りフィルムのやうに連續して盡きないのである。——（未完）二、六、五

木賃宿巡禮

石角春之助

▽

梅原兄からこんな面白い原稿を書けとの仰せがあつたが餘りに變つてゐるので、何を書けば好いのか、聊か面喰つたかたちである。だがしかし幸にして、プロレタリア見本そつくりのような貧乏人である私には、かうした經驗を幾度か强ひられてゐるので、それ等の內幕等よく解つてゐる筈である。

東京では淺草町が振り出しで、こゝでは嘗つて前後三回に渡り二ケ月以上も定住したことがある。本所の富川町には一晩泊つたきり其他の場所は全然知らない。

大阪では今宮の廣田町に二晩、それも七八年前のことで嘗つて私が或新聞社へ記者として働いてゐる時分のことである。

木賃宿の體驗としては、先づこれ位ひな處であらうが、私はこれで充分であると言ふ確信を持つてゐる。何故なれば、其の體驗は無意味ではなく何物かを捕へようとする强い執着。そして、其の體驗からくる感想。そこに何ものかを求めようとする慾望、私は其の苦しい慾望の爲めの體驗に外ならなかつたのである。

だから私は此の短かい小さな體驗で、さま〴〵のものを見た。地獄のどん底であへぎ〳〵活きてゐるような人間、血で血を流すような赤裸々な人間、そして、それ等の人間

が活きて行かうとする暗闇、生を競ふ人間の爭闘。私はそんなことのさま〴〵をも見た。本當にそれは、人間の赤裸々な暗黒面であり忌はしい戰ひの一つである。

私は彼等の現代人らしい、餘りにも現代人らしい煩悶を見た。あの悩ましい生活、そして、其の哀れな生活からくる悩まし氣な、更らに苦痛多い性の悶え。そうだ。私はあの社會の監獄部屋見たいな不潔な部屋で、蚤と虱と南京虫と。更らに何物とも名狀しがたい不思議な害虫とに、さいなまれつゝあるあの無産階級の憐れむべき人の群れを見た

それは僅に泣き戀に泣き、そして、最後に泣く人間の悲鳴である。絶叫である。嘆聲である。本當に人間が生きるに悩み生に煩える程の悲惨事が、又と此の世にあるであらうか。私はそれ等の多くを見た。ジャン●ヴアルジャンが姉と姉の子供を養ふ爲めに、饉えたる腹を抱へて、一切のパンを盗む哀憐の人を見た。そしてジャン●ヴアルジャンが、無事に刑期を終へ脱獄後、宿を求めて斷られる悩ましい人生をも幾度か見た。ドストウエスキーの「罪と罰」のような凄惨さも見た。滑稽なドンキホーテの冐険も見た。細やかな燃えるような情熱に弄ばれつゝある「おしゆん傳兵衛」も見た。更らに鬼熊のような殘酷な戀も見た。本當に彼等の生活は、悲惨其のものであり、殘酷其のものである。

體驗と言ふ力強い經驗に、幾度となく遭遇してゐる私は彼等の生活が餘りに慘めであり、涙であり滑稽であり、笑ひであり、苦しみ其のものであることをシミ〴〵と感じた最も生活其のものが、そうであるように、それが餘りに露骨であり、赤裸々であり、寧ろ餘りにそれが超越してゐることが、意外であり驚きであつた。

▽

私は今そうした彼等の生活を描くと同時に、木賃宿の内幕。殊に私が感じた事柄を書いて行かうと思ふのであるが彼等の生活其のものは、木賃宿の内幕であり、私の感想である。

私が初めて木賃宿を訪づれたのは、今から丁度十年程も前のことで、尤も其の時は、僅かに一晩のみであつたから複雑な宿屋の内幕など解る筈がない。しかし、前にも言つたように其後六七年前二回に渡つて暫らく定住してゐたこ

とがあるし又大阪の今宮にも泊つた例があるので、其の内幕、其の生活がはつきり意識されるやうになつた。

私が初めて浅草町の木賃宿を訪ふた時は、本當に何んと言つて名狀して好いか、其の苦しみ、其の恥かしさは、とても筆紙に盡しがたいものがあつた。家に這入ると速ぐ帳場があり、そこで(當時十五錢二十錢だと思ふ)料金の何れかを支拂ふと、恰で官憲の訊問でも受けてゐるように住所、氏名、年齡、職業等を訊かれた。

私は當時も尙東京が住所であつた爲め原籍地の京都を言つた。さう言はねばならぬ規則になつてゐるからである。私は帳場に座つてゐた三十前後の女將の案內で寢室に通された。そこは四疊半そこ〳〵の狹苦しい奢間でも、慥かに眞闇だと思はれる陰氣な文字の如く不潔な部屋だつた。

それにわたしの意思が決しられず暫らく表で、ためらつてゐた故でもあらう、餘程時間が遲かつたと見え、そこの部屋には既に、二組の先客が枕を並べ默々として寢てゐた私は女將が敷いて吳れた隅つこの床に這入つたが、汗臭く殊に異樣な臭氣が、時々きつく私の鼻を刺戟したり、地ひゞきを起すイビキが、私のこまくを突いたりして容易に眠ることが出來なかつた。强いて眠らうと身體を靜めると、此度は無數の蚤が、虱が、南京虫が瘦せた弱々しい私の體に總攻擊を初めるのだ。私はそれ等の攻擊に脆くも敗北した。そして、とう〳〵跳ね起きた。が、二人の先客達は、私の苦痛など知らう筈もなく、初夏のことゝて暑苦しさうに、日燒けた太い腿をあらはに、生活に疲れたきつい嶮しい顏も今は、崩れて正體もなく安らかと言ひたいが、兎に角大きなイビキをかき時々寢返へりを打ちながら眠つてゐるのであつた。私はさうした無邪氣な罪のない二人が、憎らしく腹立たしかつた。いや、それよりも襖一重を隔てた一室から男と女の聲が、(多分つれ込みであらう)一晩中ひつきりなしに高く、低く、或時は强く、或は弱く、急に綏かに洩れ聞えた、さうした不調和なとろけるような戀物語を聞いてゐるには、餘りに年が若過ぎた。さうだ。戀を知り性を知らぬ血の頃の心の高鳴りを知つてゐた私には、堪えがたい殘酷さであつた。耻辱であつた。悲劇であつた。本當に私は一晩中一睡もしなかつた。夜がシラ〳〵と明け染めた頃になると、一人の先客、(それは頑丈な三十過ぎの男)が、むつくり頭を擡げ懸命にまたゝきもせず私を見守つてゐたが、間もなく無雜作に出て行つた。それから間もなく私も逃げ出すように其の家を出たのであつた。

言ふまでもなくこれは、私が初めて木賃宿に泊つた時の感想であるが、其後或事情で止むなく再び木賃宿の人になつたのである。

▽

しかし、二度目三度目は平氣だつた。尤も二度目は季節から言つても木賃宿に泊るに好都合な眞冬のことであつたが、蚤も虱も姿を見せない。只だ困るのは煎餅蒲團の悲しさ、夜明け近くになると、とても寒くて眠られなかつた。だが私は平氣だつた。寧ろそうした生活から來る安直な快樂に醉ふて居た。

時たまどゐらい大騷動がぽつ發した。

官憲の踏み込み（但しこれは一度切りである）
命知らずの男と男との凄い喧嘩、
妻をとられた男の泣面
春賣婦の囁き
なん〳〵喋々たる連れ込みの痴話喧嘩、
變態性慾者の覗きからくり、
駈け落ち者の悲鳴と絶叫。
あだつぽい女將を口說く勞働者、
痩せた男と太つた女の道行、
センチメンタリズムの心中未遂者
誘拐された田舍娘のおめかし、

それ等が入り亂れて、卑猥な戀を語り性を論ずる露骨さは、とても正氣の沙汰とは思はれない、殊に大道でほんのちよつとしたチャンスで、出來合つた者達の赤々裸々な戀の表現、何んと言ふ簡明な下卑な戀であらう。だが木賃宿としては、それが當然過ぎる程當然なことで、決して浮世離れのした戀ではない。現に私がゐる中にもそうした戀の葛藤を立證する者が決して少なくなかつた。

殊に五十近い「わかめ」賣りの小母さんが、其の中でも評判者であり人氣者の一人であつた。彼女はエキゾチックな、全く異國的な赤いちゞれ髮の女ではあつたが、勞働に鍛へたつや〳〵した赤ら顏が、健全其のものを語り、如何にもエロチックに弄ばれそうなコケットが、はち切れそうに丸々と太つた彼女のどこかに秘められてゐるかのように思はれた。

それなのに彼女は、年甲斐もなく赤ら顔や、ちゞれ毛の手入れを毎晩怠らなかつた。だから定住の勞働者の間に、チヤホヤ言はれるのは、無理もない話しであるが、彼女は非常な理財にとんだ女と見えて、時々彼女の蔭口を聞くことがあつた。つまり體裁の好い賣春婦だつたのだろう。

私に對しても矢張り馴々しく口を利くことが多かつた。が、しかし、子供のような私には、決して誘拐の手は延びなかつた。時々お菓子の殘りなど呉れたりした。

それから間もなく十三四の少女が、時たま其の家に泊ることがあつた。(これは其後になつて解つたことだが、當時少女の窃盗者として新聞の三面記事を賑かしたものである)彼女は乞食に近い身裝であつた。油氣の拔けた赤い艶のない髪を無雜作にくるめ汚光りのする處々ほころびのある着物を着てゐた。名は何んと言つたか、更らに記憶がないが、兎に角、十四としては早熟な少女ではあつたが、年だけに無邪氣な顔で、少女其のものゝようなあどけなさであつた。私は此の少女と口を訊いたことが一度もなかつたが、宿での噂は時々耳にした。しかし、其の噂は新聞のそれとは、全く異つたものであつた。

私は新聞に彼女のことが發表された時、どうしてもそれを信ずることが出來なかつた。かつ拂ひして來ては、それを身知らぬ男に貢ぐなど、どう考へても考へられないことだつた。殊に男を知ると言ふだけでも私には疑はれてならなかつた。

しかし、木賃宿としては、こんなことはあり振れた事件で、別に驚異の眼を以て見るだけの價値のない話であろうが、私にとつては珍らしいことでもあり驚きでもあつた。

夜眠られない朝寢坊の私には、朝追出されるのが、何よりも辛かつた。殊に三度目の私は、朝寢坊がすつかり慢性してゐたので全く閉口した。最も周圍の事件が、過敏な神經を持つ私を眠らせないことも慥かな原因でもあるが、どうも私は生れつき寢つきが惡くて、今でも困つてゐるのである。

客の種類は多くは男で、其の中でも最も多いのは、工場の勞働者、自由勞働者、無職者、さまざまの物賣り、田舎者の一晩泊りであらうが、それも場所と家とによつて異なつてゐる。甚だしい家になると、殆ど連れ込み專門と言つたような、曖昧な家も案外少くない。此の種の家は、矢張り吉原を控へてるだけに、淺草が一番多いようである。

▽

本所の富川町邊の木賃は、一般に自由勞働者の群れで、淺草町から見ると汚らしく餘程低級である。全く富川町や花町の木賃町は通つただけで其の不潔さが思ひやられる。更らに家内に這入つて見ると、其の徹底した不潔と、鼻をつく異様な臭氣とで、潔癖な者は必ず頭痛やみをする。それだけに淺草町の如く、なん〳〵たる艷聞を聞くことが、殆んどないと言つてもいゝ位ひである。これだけが儲け物かも知れないが、その代り時折り腐りかけた最も安い酒をあふつて、眞夜中に吶鳴り散らす迷惑、とても寢られたものではない。

彼等は地獄で極樂を味はつてゐるのだ。

私が彼等を愛するのは、地獄で極樂を味はうことの出來る無邪氣さである。本當に彼等は少年のような純潔さだ。そこには飾り氣も濁つた處もない。そして、其の純潔はとりも直さず赤裸々な人間の表現であり、自然な我が儘である。これを理解し、これを忍ぶものは、彼等を愛し彼等を讃美するであらう。

全く彼等の生活は、自然其のものである。有る時は食ひ無いときは、食はずして有る時の快樂を待つてゐる。そこに彼等の生命があり生活があるのだ。

これは人の話であるから其の信疑の程は保證の限りでないが、有る時大盡の例外をなす一つの珍らしい事件を擧げて見よう。

それは富川町一帶の自由勞働者を得意先とする一人の賣春婦のことである。彼女の異なる處は現金賣りでなく、所謂掛け賣りである。而かも、其の掛け金の返濟が、一時拂ひでなく、毎日拂ひ又は月末拂ひになつてゐることである。つまり一回の料金を假りに一圓とすれば、其の一圓を五日又は十日に分割して支拂ふと言ふのである。

これは總て常事者間の契約に基づくものであるから、あながち現金拂を排斥するのではない。寧ろ現金拂の缺點を補ふ爲めの掛賣りなのである。

物質文明の半面に横るものは、かうした簡便と、皮肉と經濟思想と、信用と、商賣氣質とである。このことは社會問題として、無産階級殊に自由勞働者救濟論の一頁を飾る立派な記事である。

▽

大阪今宮の廣田町。それは東京の淺草町であり、富川町である。淺草町のような艶めかしい戀を彩るものと、富川町のような地獄で極樂を語るものとがある。

殊に私が異樣に感じたのは、木賃宿を廻ぐる一廓に、貧しい女がおめかしゝて、夜にうめく夜鷹のように、當てどもなく彷徨歩いてゐることだつた。今はそうした忌はしいことの有無は、私の知る處でないが、當時私が今宮附近に興味を持ち殊更らに彼女等の擧動に付て、監視の眼を怠らなかつた時代には、隨分怪し氣なさまぐな事件があつた。尤も私は新聞記者と言ふ職掌柄。自然とそう言ふ慾望に弄ばれて居たのであらうが、其の他にも何等かを求めようとする慾望があつたに違いない。其の證據として殆ど三日にあげず天王寺公園から今宮にかけて、何んの的もなく散策を試みるのが常だつた。

大阪の木賃宿の內幕は、東京のそれと大同小異で、別に著しく異つたものを見出さない。只だこれに絡まる男女の關係が、東京よりも一層濃厚であり、露骨であるように感じたに過ぎない。實際又露骨である。殊に往來で出來合つた賣春婦を宿に連れ込む處など、東京のそれに比し稍々巧妙なものがあり、赤裸々な醜さがある。

此のことは少し餘談に涉るかも知れないが、當時の出來事でもあり、又珍らしいことでもあり、そして、大阪女の赤裸々な表示でもあるので、こゝにそれを紹介して、愈々本稿を終ることにする。

當時私の宿は上福島の福島旅館と言ふ旅人宿兼ての下宿屋であつた。そこには五十近い婆さんと、おきみ（假名）と言ふ當時十九の娘と、それに十三歲のお梅と言ふ女中とがゐた。處が血の頃のおきみさんが、急にめつきり色氣づき盛んに、色男を物色してゐたのである。そして、其の心の悶えを婆さんに內々そつと打明けた。理財に富んだ婆さん曰く「それは須らく金である」と、黃金の偉大な威力を辯々と說いたので、無智なおきみさんがひからびかけた腦味噌をしぼつて、一つの策略をめぐらしそれを實行したことが、圖らずも一大悲喜劇を演じた譯けである。

それはかうだつた。毎時ものように、私が黄昏近く社から歸つて見ると、私の大切なと言ひたいが、實は垢光りのする着物と、羽織とが二三枚入つてゐる柳行李が、そこに放り出され醜い着物や羽織が、無雜作に散ばつてゐることを發見した。私はそれを見ると何かしら秘密を暴露されたような氣持ちで、サツと顔を赤らめた。そして、別にこれと言ふ意味もなく心が焦ら立つたので、何時までも〳〵ベルの手を止めなかつた、婆さんが飛んで來て、詫びる前に次のようなことをさも面白氣に、辯々とお饒舌其のものゝような口調で、息もつかずに話したのであつた。

「これ、どうだす、おきみはんの惡戯けだすぜえ、ほんまに惡い子やな」

かう前おきして、おきみさんが色男を選擇する手段であつたこと、各自の荷物を調べて、最も高價な荷物を多く有する者を色男にする調査であつたこと等、細々と說いた後で「あんたはん、氣の毒だすけど落第だすぜえ」と、堪えがたく笑ひこけた。幾ら私が自惚の強い男でも其の貧弱な全く貧弱極まる荷物を前に見せつけられてゐる以上、戀の落伍者を恨む譯けには行かなかつた。婆さんは私に關係なく某銀行員に、其の有りがたい白羽の矢が立つたことを言つた。そして「あのお方はんはえらい荷物がおますさかいな」と、附け加へた。

私は餘りのことに怒ることも出來ず苦笑し續けてゐたが荷物の有無によつて色男を選擇する此の奇妙な戀に敗れたことは、一生涯に又とない失敗であり、滑稽であり、皮肉であり、物質文明の反映であることをつく〲感じさせられたのである。

今月の「東都暗黑面行脚」は一先づ此れで打ち切る。「東都てきや戸籍調べ」「おかま屋訪問記」「女マッサーヂの話」なぞはペーヂの都合で止むを得ず割愛した。順次に載せて行くつもりである。（編輯者）

「ファンニ・ヒール」の僞版その他

（梅原北明）

先日、突然、或人から次のやうな手紙が舞ひ込んだ。

「君達の所で出した例の秘密出版ファンニヒールは、餘りに人を馬鹿にした食はせものと思ひます。原書と對照して見たが、あのざまは何んだ。良心に恥ぢないのか？劣情をそゝらせる場面だけ拔いて、魔窟としての全體が少しも描き出されてゐない。殊に附錄（十八世紀倫敦遊里考）の文献が載せてあるとのことで、（と云ふのは、ファンニ・ヒールの原書でも附錄のついてゐる原書は珍品とされてゐるのだ）自分は、どれほど期待したか知れぬ。ところが、どうだ附錄のふの字もない。くだらない猥本だ。猥だと云はれても仕方があるまい。それで金儲けをするとは最近怪しからぬ奴……」云々のものであつた。憤慨せずにはゐれない。私は不快の絶頂に達した。そして一時は、もう此れ限り珍書道樂は斷然中止して了ひたいとの決心すらしたのであつた。

例の秘密出版とは何事だ？抄譯だとは何事だ？遊里考がないとは何事である？堂々と内務省へ納本出版して立派に發行頒布の禁止を食つてゐる。堂々と新聞に騷がれ、そして今や事件は檢事局に移り、最近罰金刑か體刑かが訪づれる筈になつてゐる。殊に金儲け云々に至つては不快の極みである發送半にして禁止命令に遭ひ、五百圓ほどの損害さへ招いてゐるのに……私は怒らずには居れなかつた。匿名で私に宛てた其の手紙に對して、どれほど憤りを感じたか知れなかつた。

が、再び玆に突然、私の友人の所へ、或る本屋でファンニ・ヒールの僞版を賣りつけに來たものがあつた。見れば表題の字と云ひ、挿繪と云ひ悉く吾々の出したものを其儘オフセットに飜刻したものである。而かも附錄遊里考を畧き、本文の紙を落し、見るからに粗製品であり亂造品である。一册の單價もの〻三十錢とはかゝらぬもの、それを二圓で賣るとは暴利も甚だしい。

扨て私は、玆に於て、漸やく或人の憤慨して寄越した手紙の意味を解することが出來た。その人は、このいかものを食はされたからである。誤解された私こそいゝ面の皮である。そこで私は云ふ。

「一夜漬の惡德出版屋さん。たつた今のうちに止めたがよい。警視廳もまだ知らないらしい。金儲けにやられちや堪らねリベルがさがりますぞとファンニ・ヒール自分も私に泣いて訴へるぢやないか」と。

私に、彼等の住所や氏名を知る必要を認めぬ。そんなものを知つたところで何になる？要は一日も早くやめて欲しいだけ。

理由なき寄附金

嘗て文藝資料研究會の同人の一名であつた私が、諸兄へ寄附金を强制したとのことであるが私にとつて、迷惑至極のことである私の性質として、道樂事業はへたばるまで理由なき寄附は仰がない。現在の文藝市場にしろあれを五十錢であげることは到底不可能であり、毎月二百四五十圓ほど損をする。併し從來のプロ中心雜誌であつた時代でも毎月それだけの損はして來たのだから多少損害は增へても絶對に値上げや寄附金は仰がない決心でゐる。理由なき寄附金は私の道樂心を暗くする。この點はつきり聲名して置きます。

世界珍書解題（二）

酒井　潔

アナンガ・ランガ
（愛の舞臺、或は愛の海を漕ぐ舟）

お断り

今月の世界珍書解題は、日本に於ける代表的のグロッス通の柳瀨君が、グロッスの畫集、版畫著書について忌憚なき招介批評をしてくれる筈であつたが締切間際になつて病氣の爲め、執筆不可能との通知が來た。何分當方では同君の原稿をすつかり豫定して待つて居たので、執筆不可能の通知には全く參つて仕舞つた。挿畫の方もグロッスのエクセ・ホモの中から素晴しいのを原色版で出すつもりで居たのに、これも駄目。然し失望よりもさしづめ困つたのは珍書解題を今月號に出すか出さぬかと云ふ問題である。面倒千萬な解題を一日や二日でやる事は誰だつて不可能だ。結局變なものを出すより今月は休載した方がよくないかと云ふ議も出たが、本誌の珍書解題は大事な呼物になつて居る。一月休んだら讀者諸君がやかましいだらうそれから我々の方でも、外の續き物はとに角、珍書解題丈は休み度くない、と云ふので、又無理矢理酒井君に押しつけて仕舞つた。先生厭だと云ふのをマア〳〵と云ひくろめて、とつときのアナンガランガの原稿を引つ張り出さして仕舞つた。そんな具合だから今月丈はあまり蛋取り眼で、アラを探さないで下さい。その代り來月は柳瀨君も責任上、充分諸君の滿足される樣なグロッス研究を發表してくれるであらう。

右　梅原北明

全く私も困りました。出鱈目の書けぬ珍書解題を一日でやれと要求する梅原北明氏の暴逆無道には驚嘆し且つ閉口しました。然し閉口してゐる丈では埒があかぬから仕方なくアナンガ・ランガの原稿を引つ張り出しました。到底文献の解説なんかやつてる暇はありません。それは此の次に、誰かゞやつてくれるでしやう。今月の私の分はアナンガ・ランガの內容招介に過ぎません。不滿足でしやうが、右の樣な次第ですから今度丈は勘辨して下さい。

右　酒井潔

此處に古の賢人達によりて讃へられし性交の部屋をかく整ふ可しと、指示するものなり。いとも廣く、美はしく、風通しよき室を撰み、石灰の白きにて隅なく淨め、宏大なる壁は人目を驚かしむべき精巧なる繪畫等を以て飾る可し。

木笛、竪琴其の他もろ〳〵の樂器をほどよく案配しココの實、ベテルの葉、乳等氣力體力を增す精凉劑、薔薇水、其の他種々なるエツセンスを供へ、華かなる扇子、愛の唄を書ける書物、そを秘戲挑情の畵もて飾り、よき所に置く。赫灼たるデヴァルジリ又は枝附燭臺は無數の鏡面に反映して全室を光の海と化さしめん。

かくて男、女、あらゆる世事を忘れ、風の如く自由に裸形となり、目も綾に作りなせる天蓋の下、豐かに飾り刻める床を高くし、あまたのクッションをそなへ、花をまき、麝香を薫ぜし敷物の上にて、思ふがまゝ愛慾の戰を行ふ。

是れ愛の王冠に登るなり。

これがアナンガ・ランガに記述せられた印度人の性愛に關する一ッの理想である。

一體此の書は十五六世紀頃 Kalyana Malla, が Guzerate の副王 Ahma-Khan, の息 Lava-Khan, の性敎育の爲に書いたもので、カーマ・スートラ以外の諸性愛書を要約したものと云はれて居る。著者カルヤナ・マラについては、よく知られて居ないがカランガの生れで、アナンガビマ或はラダビダ王時代の人であると推定されて居る。所で梵文の諸性愛書中、カーマ・スートラを最古とし、此書を最も新しいものとしてあるにもかゝわらず、ヨーロッパに紹介されたのは、カーマ・スートラよりアナンガ・ランガの方が先であつたのも一奇である。此の書はアラビック、ヒンドウスタニ、マズルマンの間では Lizzat al-Nisa（婦人の快樂）と呼ばれ、ペルサン、トルコでは共題名に多少の變更がある。本國の印度では「カーマ・シャストラ」（愛の聖書）或は「リラ・シャストラ」（愛の戯れ）と呼ばれ、俗稱としては「コカ・バンディ」と云はれて居る。又は「戀の舞臺」「戀の海を漕ぐ舟」と云ふ名もある。總ては十章に分れ。百三十餘の細則が擧げてある。

猶梵語の諸古典中、カーマ・スートラとアナンガ・ランガとの間には次の様な有名な書物が數種ある。アナンガ・ランガは當然これ等の諸書中から、自由にイ、所を拔萃したに違ひないから、面白い點では一番かも知れない左に大隅氏の「愛經」より代表的諸古典の解說を引用して見やう。

1 Ratira-hasya（戀の秘密）といふ。作家は詩人コカと呼ばる。恐らく王たりしヴエヌズッタと稱する人に、歡樂の生涯を送らしめん爲にと作つたものであらう。彼は毎章の終りにその實名を記し、尙ほ Pidda Patiya Pandita 即ち「學者の中にありて最も巧妙なる人」と書き加へてある。此書は極めて古き時代にヒンヅー語に譯せられ、印度の他の語に譯されたものと等しく、その中には作者としてコーカの名を與へて居る此書はコーカ・シャストラ或はコーカの敎義として、甚だ通俗的となれるが故に、カーマー・シャストラ「戀の原理」と同様に見られて居る。此中には八百の韻脚ありて、十章に分る（章はパチベタを呼ぶ）。その內容の或るもの、例へば女の四階級パドミニ、チトリニ、サンキーニ、ハスチーニの如き、各階級の女が戀に身を献ぐる時日の事の如きはヴッチャヤーナに見えずして、此書に委しく擧げてある。作者はゴニカ・プートラ、ナンジケシュヴラの意見によつて編める事を附記して居るが、此等は既にヴッチャヤーナの記した處である此書は今日は存せぬ。

此書の作られた時代に就いては大體の觀念を形成するも困難であるが、ヴッチャヤーナの書いたものよりも後、他の同種の作よりも前に書かれて居るものである。ヴッチャヤーナはその內容の初めに十作家の名を擧げて居るが、今は何れも失はれて居る。

2 Pancha Sakya（五個の矢）の作者はヂオヂリーチヤである。これは師中の師、六十四藝の蘊奥を究め、最も巧妙なる音樂の師と稱する人が、神託を受けて戀の詩句に就て長く反省し且ゴニカ・プートラ、ムラデヴギ、バビラヴァ、ラムケデヴ、ナンジ・ケシュヴーラ及びクシュマンドラ等の意見を深く參酌實驗した結果作つたのであると傳へらるゝも、果して前に述べた作家の作を親しく讀むだか、或は聞いた丈であるか明かではないが、要するに今日は存せぬものである。此書は殆ど六百の韻脚より成り、總て五章に分れ、その章を Sakya 即ち矢と呼んで居る。

3 Smara-Pradipa（戀の輝）の作者はグチャパーチの子詩人グナカーラで、全卷四百詩韻より成れども、戀の原則の頗る省略せるものを述べたのみである。

4 Ratiman-Jari（戀の花飾）は有名なる詩人ジャカデヴの作で、彼は自ら世界的の作家と稱して居るが、その記する處は極めて簡にして、百二十五詩韻に過ぎない。

5 Rosman-Jari（戀の芽）の作者はバーヌダツタと呼ぶ詩人で、梵語で書いたものである。男女の各階級、年齡、行爲に分類して說き、總て三章より成つて居る。其年代の如きは明かならず卒かに定め難い。

以上のものにカーマ・スートラ、アナンガ・ランガを加へると有名な印度性愛の書は盡した事になる。偖て、アナンガ・ランガは前述の通りカーマ・スートラより數世紀後の書物である故、其の内容は或る點でカーマ・スートラより興味深く、現實味に富み、ことに王子の性敎育の爲に編まれたものとして、實に痒い所へ手のとゞく程深切である。從つて秘藥方等の奥義篇の如きも、カーマ・スートラのそれより一層システイマテイクであり、豐富でもあり、實行味も多量である。

其の奥義篇を一寸列擧して見ると、

先づ、婦人の快感を速進させる處方が七種。男子の恍惚期を長引かせる處方が八種。元氣付け滿足する力を與へる藥が八種。男根(リンカ)を强大にする法六種。女陰(ヨニ)を縮小さす處方七種。ヨニに佳香を與へる藥二種。脱毛方三種。月經閉止療法二種。月經整調法三種。妊娠法六種。同じく三種。分娩を容易にする法四種。產兒制限法四種。コスメチツク四種。染髮法（黑色に）四種。肌の淸潔法三種。顏色の黑きを直す法二種。乳を堅く大きくする法二種。ブラ〳〵の乳を引き上げ堅くする法三種。惚れ藥。汗臭きを治す法六種。香油九種。口臭治療法五種。以上。

御覽の通り、至れり盡せりである。

カーマ・スートラの奥義篇は、錬金術師の無限の夢を萬華鏡で覗く樣なもので實感を超越した空想的詩境である。此の方は一寸試みて見やうかなどと云ふ野心は起きさうもないが、アナンガ・ランガの秘藥方は、何んだか出來る樣にも思はれ好奇心が頭を擧げる。

脫毛劑の處方。三種。

一、粉末の酸化鐵を苦味性の油に混じ、七日間天日に曝し用ゆ。

二、雄黃を交ぜし石灰を、バナナの汁の中に入れ、七日間天日に當て、少量の石黃に混じヨニの毛に適用す。

三、バナナの汁に粉末の雄黃とパラスカの灰を加へ用ふ。

腋下及陰阜等の脫毛が古代東洋人に重大な日課であつた事は疑なき事實である。それは單に清潔感のみならず男子の性慾を昂奮させる裝身術の一であつた事も疑へない。かのピエール・ルイスの代表作「アフロディット」の中で娼婦クリシスが朝の化粧をする時、陰阜の毛を奴隷女に剃らせる素晴しい描寫があるが、ルイスの筆力に依るとはいへ其の狀況を想像する時誰でもが一種の快よきパッションを感ぜずには居られまい。

其の他諸處方も右脫毛劑に於けるが如く甚だ簡潔に出來てゐる。然し筆者がアナンガ・ランガの秘藥方を多少實行味があると云つたのはカーマ・スートラに比較して云つたので、現今の吾々から、考へて見たら、もとより眉唾物なのは勿論である。江戸期の精細な秘藥方にすら信用の置けぬ以上、古代印度、アラビア、トルコ等のそれを實行出來る出來ぬと目角を立てるは野暮の沙汰であらう。

アナンガ・ランガの諸章中一番興味ある所は 第十章 Des jouissances internes et de leurs differentes formes, である。つまりカーマ・スートラの第二品性交篇中の第六章「性交姿態及び其の變態」に該當してゐる。カーマ・スートラに於ては六十四と云ふ數が重大な意味を持つ樣に、アナンガ・ランガに於ては三十二と云ふ數が重要視されてゐる。此の數は性交姿態が三十二通りある事を暗示してゐるのである。

性交姿態を大別して五ツとする。

1 Uttana-bandha (仰臥) 十一變化
2 Tiryak (横臥) 三 變 化
3 Upavistha (跪坐) 十 變 化
4 Utthita (佇立) 三 變 化
5 Vyanta-bandha (俯臥) 二 變 化

猶三變化を加へて三十二通りになる。

此の外、抱擁、接吻、齒爪によつてなされる傷、性交間に於ける嬌聲の種類等興味深い章は色々あるが、先づラテイラハスヤ（愛の秘密）に現はれた婦人の分類法とアナンガ・ランガのそれとを對照して見る事にする。

ラテイラハスヤ

第一品　種性篇

此の中に婦人を四種に分つとある。

（一〇）婦女には蓮花性、雜色性、螺貝性、象性あり。第一のもの最も勝れ、次第に劣る。

（一一）蓮花の蕾の如く柔く、その愛液には開きたる蓮花の香あり。眼は物に怖ぢたる鹿の眼の如き光あり。その緣潮紅せり。乳房は聖果に似てめでたし。

（一二）罌粟の花の如き鼻を持ち、常に高僧、神々の尊敬に信を置き、靑蓮の瓣の輝あり。或は金の如く黃白なり。その生殖器は開ける蓮花の如し。

（一三）柔く、媚を含み、鵝王の如く歩み、細身にして腰に三條の線あり、聲白鳥の如く、美髮なり。やさしく、淨く少食に、自重し、深く恥らひ、花、衣服白きを好むは蓮花性。

（一四）步容佳にして長短度を失せず。身瘦せ、乳房、臀部豐かに、鴉の腿、上ぞりの唇、甘き芳香ある愛液、螺貝の頸チヤコーラの聲して語り、舞踊、歌詠等に熟し、

（一五）その生殖器は圓く豐かに、內柔かにして愛液に富み、毛は密ならず。外部性交を好み、甘味ある食物を好む、これ雜色性にして變態性交種々なる色を好む。

（一六）或は瘦せたるあり。或は肥えたるあり。身體脚腰長く、花と衣服は紅を好み、怒り易く、頸動かず、生殖器長く極めて多毛、淫液に腐敗の香あり。

（一七）性交に多くの爪痕を生じ、愛液の分泌少量に、手足やゝ熱し、食少からず、多からず。通例膽汁質に、反逆性に

して汚れし心あり。聲驢の如きは螺貝性なり。

(一八)美しからぬ歩容、極めて粗き曲れる指ある足、短かく肥えたる頸、曲り亂れて太き赭色の髮、體にも生殖器にも象のマダの香あるは象性の女なり。

(一九)辛きもの澁きもの二倍量だけ食ひ、恥を知らず、動く極めて潤き唇、性交成就すること難く、生殖器外部多毛、内部廣濶に、吃音なるは象性なり。(泉師譯より引用)

この様に婦人を蓮花性、雜色性、螺貝性、象性の四種類に分類し、猶此れ等婦人達が各々其の屬する種類に從つて性交の日、時間等を定めたのもラテイラハスヤに初めて發見される事である。

ついでアナンガ●ランガになるとやはり婦女を次の四種類に分類してゐる。

1. Padmini　蓮花の如き女
2. Chitrini　種々の藝に達せし女
3. Shankhini　螺貝性の女
4. Hastini　象性の女

(1) バドミニ

其の面貌滿月の如く、其の肢體はシラスの如く、又芥子の花の如し。其の皮膚はあでやかに、撓(しな)やかなる事青春の血の熱く沸騰(たぎ)り彩る(いろど)にもかゝはらず、黒くも染まず、黄なる蓮華に似たり。目は鹿のそれの輝くに譬へて美はしく圍みし其の緣は赤し。高く張りし乳房に、貝の如き頸、鼻は眞直に通りて優雅なり。臍のあたり三條の線を刻み、ヨニは開ける蓮花にしてそが愛液は百合の香のたゆたふが如し。白鳥の高貴なる歩み、樂の音に比す可きコーキラ鳥の聲、白き衣服、優れし寶石、豐かなる裝身具を好む。少しく食ひ、輕く睡り、行儀正しく、禮節を守り、絕へず神々を崇め、婆羅門の言葉を用ふ。

(2) チトリニ

中庸の身體、蜜蜂の黑き髮をもち、其の頸は美にして丸く鼈甲の輝あり。背は雄獅子の如くなだらかに、乳房、臀部は堅く豊に滿ち足りたり。ヨニは闊く突き出で、軟かにして、其の周圍の毛は密ならず愛液は熱く交接の際に一種の音を發して出ず。目はよく動き、象の身をふりてゆるやかに歩むが如く人の目を惹(ひ)きて歩む、聲は孔雀に似て、もろ〳〵の娛樂遊戲唱歌等の技藝を好み行ふ。程よき性慾を持ち、鸚鵡其の他愛らしき小禽を好む。

(3) サンキーニ

膽汁質にして、肌は熱く、日に燒けてブロンズ色なり。身體は大にして、乳房は小さく、頭、手、足は貧しくして長し尻目にて人を見る。ヨニは常に愛液にて潤ひ、極めて多毛なり。嗄(しはが)れ荒き聲にてバス或はコントラルトなり。輕卒に步み、適度に食ひ、花、衣服は赤きを好む。愛の激情の發作のまゝに興奮し、心身をなやまし、性交の興に乘じては良人の肌に爪の搔傷を與ふ。怒り易く、傲慢にして、無作法、短氣にして、常に爭を求むる性格なり。

(4) ハスチニ

短軀、橫肥り、ブロンドの頭髮なれば皮膚は艷なくして白し、ブロンズ色の毛髮、强き唇、嗄れ荒々しき聲、頸は曲れり緩漫なる動作傾き步き曲れる足の指を持つ。愛液は春季、象のそれより流れ出す液の如し。愛の術に達せず、長き性交を持つてのみ滿足す、ガツ〳〵貪り食ひ、耻を知らず短氣なり。

これで見るとアナンガ•ランガの作者が婦人の四分類をラテイラハスヤに倣つて居る事は明瞭である。

これ位で今度はやめる。羊頭だと云つて狗肉を押し付けた樣にも思はれるが、何分前に云つた通り咄嗟の場合だからよろしく御斟酌願度い。

大正14年11月27日第三種郵便物認可
昭和2年6月27日印刷納本
昭和2年7月1日發　行

編輯人　東京市牛込區赤城元町三四　梅原北明
發行兼印刷人　東京市牛込區赤城元町三四　梅原貞康
印刷所　東京市神田區旭町二三番地　正文舍印刷所　電話神田〇八八三、二六二六

毎號定價五拾錢のこと。
（直接購讀者は三ヶ月郵稅共壹圓五拾六錢納入に限る）

（發行所）東京市牛込區赤城元町三四　文藝市場社　振替東京六四一〇四番　電話牛込三九〇六番

（發賣所）東京市神田區神保町一〇　溫古書屋坂本書店　振替東京四七五三五　電話神田二六八七

直接購讀は凡て牛込の發行所の方へ申込み下さい

編輯後記

この欄で、自分とこの雜誌に乘せた作品を自慢するのは、あんまり古くて氣が利かな過ぎるから、決してやるまいと思つたが今度の藤澤さんの「妖術者の群」丈は、一から十まで氣に入つて仕舞つた。

この忙しない世の中に、こんな浮世離れのした原稿を九十幾枚汗水たらして書いた藤澤さんも藤澤さんだが、これを又とても愉快に愛讀してくれる讀者諸君を持つ文藝市場も隨分變つた雜誌ですネ。

斯うした變つた筆者と讀者とを喰ひ合はさせる編輯者も、變つた方では一歩も引きませんよ。とに角、七月號では「妖術者の群」が呼物だから、よろしく賴む。

一體編輯後記なんて馬鹿々々しい物だ。これは誰々氏の原稿だとか、某々博士の原稿を如何に苦心して貰つたとか、鼻高々と吹聽したつて、それが何んになります？本誌は肩書附きの天降り原稿は一切御免。萬事實力で行きます。肩書より面白い方がよ御座んしやう。次には眞面目にして嚴格なる御話。

一、直接會員は勿論澤山ほしいのですが、飛込み會員腰掛會員は一切拒絕私達が絕對に信用してゐる現在の直接會員諸氏の良心的紹介がない以上總理大臣が來ても眞平御免を蒙ります。讀者が私達を絕對に信用し、私達が讀者を絕對に信用しなくては、世は面白く行きますまい。そんな面倒の嫌なお方は本屋でお買ひ下さい

二、本誌の値段は平伏ばるまでは絕對に値上せず、安からう。良からうと云ふものが出來たら滿足です。又それを無上の幸榮。絕大の自慢だと思つて居るのが、かく云ふ吾々です。

三、今度來月末頃から叢書を出す豫定ですヒネクレ叢書、無益有惡叢書、出鱈目叢書、讀ンデモ讀マンデモイヽ叢書、トコマカシテヨイトコサ叢書てな物騷にして治安上甚だ有効なものです一冊は一圓から二圓迄の間。とに角筆者は全部私達同人決して輸入原稿には非ず、だから筆者自身が面白い物でなければ、てんで書きません。以て其の珍品なる事を知れ！

四、來月初旬上海へ行くつもりですそれで八月號は發行が多少遲れるかも知れません念の爲一札を入れて置きます。（北明）

増補
艶本目録
（五）

ハの部

○八助飛鳥川　二冊　貞享年間

○右、好色本なりや、艶本なりや不詳。

○花の盃　大本一冊　菱川風の畫

○花のえん　春畫　一冊　元祿の頃

○(艶色)華曆　横本三冊　西川祐信畫

○(笑本)春の曙　半紙本三冊墨摺　鈴木春信畫

○(笑本)花の宴　半紙本三冊墨刷　嬉契子作

○右、安永頃版カ。畫は春信に似て稍異る。序の體裁等より推して、或は小松百龜かと思はる。藏本の表紙に、もとの落書ありて、「春色笑顏能袋」といふ。

○夕部口舌今朝波留箱入娘双居（はこいりむすめそろい）　黄表紙二巻物　政演（京傳）カ

○花合瀬戀皆香美　黄表紙

○（艶本）葉男婦舞喜（はたふぶき）　半紙三冊色摺　喜多川歌麿畫

○右、序によりて享和二年たること明けし。序は、匿名なれども、文體書體より見て、一九たる事紛ひなし。此頃彼と一九との提携密なりしと思はる。現に、後二年（享和四年）の一九歌麿の作畫「吉原年中行事」二冊本の如きあり。

○（繪本）拜開夜婦子取（よぶことり）　一卷　腎澤山人作

○（艶本）葉津茂美地（はつもみぢ）　三冊

○花の素顔　横本墨摺　二卷

○右、男色のみの書なりっ上方の本にして、享和以前のものと見ゆ。畫は中々雅趣あり。詞は文章頗るよし。畫、二卷にて十六葉あり云々。（不羈齋主人）

○はつはな　箱入一卷　文化の頃

○右、壇浦に於ける、ゝ判官を和文もて記す。繪五葉あり、喜多武淸畫くところ。箱蓋の裏に、春たてとひもとく梅のはなゑみにえまひひらかぬ人はあらしな、印行の短冊を貼す。文中、筆跡は、屋代弘賢に髣髴たり。傳ふる所によれば、塙撿校の戲作にかゝり、弘賢に書寫せしめて印行するといふ。（尚、此本「平太后快話」の書直しものと云。）

○藐姑射秘言（はこやのひめごと）　大本前後二冊　好色三奇書の内

○右、黒澤翁滿の作。後編は、安政六年刻成よし末尾に記せり。（例の向陵社の惡活字本あり）

○花の幸　寫本一冊　作者不詳

○右、一名、弓削道鏡物語。、、女帝の祕戯を記したるもの。惟ふ、如意君傳の和譯ならん。

○（繪本）花野家滿　半紙本三册 極彩色　鼻山人戯編 畫家不詳

○右、畫は、北齋風なれど、惟ふに北齋を模したる英泉ならん。紅毛傾城圖の珍畫（マリアの聖像などより思ひ付きしものか）あるものとして、嘗て、「新小説」（大正十五年七月號）に、拙稿「艶本に現れた紅毛」の中に、觸れたるもの也。殊に、此本、鼻山人（東里山人に同じ。人情本及び合卷の中堅作家）として、正道の上名を明らさまに誌したる點、異數なりと覺ゆ。

○はるのあそび　一冊　英泉畫

○春の若草　半紙三册彩色繪入　色山人題 東武嬌亭淫水著編

○右、嬌亭淫水は、狂訓亭春水の謂カ。尙、色山人は、無論蜀山人也。畫は、英泉たる事、紛ひなし。

○春野薄雪　大錦横帖極彩色　英泉畫作

○右、序に文政五年太郎月刊の意あり。序に、西早齋、本文末に淫亂齋とあり。中、淫亂齋は、英泉の別號也。（他にも散見せらる。）此畫帖、初めに光琳の梅に鶯、次ぎ自畫の山水をものせり。銀鶏など、贅をしるす。例の畫も英泉としては、若描きの處著く、彼の特色菲きだけ、別樣の雅味夥しきものといふべし。

○八百八後家　中寫本一冊

○右、越後の國の淫風を綴りじものと云。

○花勝美色結綿　半紙上中下三冊

○右、淨瑠璃風に、菊川多門と小傳のお大との冥途道行を仕組みたるもの。例のお傳三津瀬川物の一。繪拙なしと云。

○五十三次花の都路　半紙形　極彩色二冊　〔江戸戀痴庵戯著／不器用又平書〕

○右、又平は國貞。此種の書中、上乘なりといふ。

○濱千鳥百囀舌　六卷

○右、川邊千鳥之助といへるものゝ淫行を記せし人情本風の書也、文章は、佳とも思はれず。予が見しものは、寫本なれば、別に序文も挿繪もあらざる也。（不覊齋主人）

○春のかりね　半紙本三冊　國芳畵

○右、色の程よしの改題

○花のねふり　中本一冊

○春さめ日記　半紙本三冊　一に三代豐國畵と云。

○春の曙乙女七種（又草）　一冊

○花結色陰吉　三冊

○春雨草紙　一冊

○花暦轉寐ざうし　中本冊數不詳草雙紙體

○右、春の部を見たり。淫水亭。序の體裁は、小三馬に似たり。（尙此本、序につちのへ午のとしとあり、即ち安政五年刊也。）

○春の手かゞ美　小本三冊

○花古代美色遊　折本一冊

○花いかだ　中本一冊　末期もの

○波奈伊加多　半紙本彩色入三冊　〔好色外史／仇野山人合作〕

○右、程よし（國芳）畫、天保七年刊。畫美且つ精、讀は面白からず云。尙、此本、前揭、花いかだ（中本一冊）といふと同本にや。

○花　の　艶　中本一册　末期もの

○花の笑顏　同　同

○花のにしき　三冊

○双玉艶話花紅葉　半紙形無彩色三卷　嬌訓亭主人譯

○右、讀本形の本にて、開業開遊の普陀落山に神女を犯すと見て夢さめたる磯野艷之丞澤田優三郎兩人の前世をさとり、夫より艷之丞お磯を娶り、澤田策を設け之を奸し、磯野家を出て後室を犯し、侍女楓と交はることを記したり。文章は、通例中本の如し。畫は尋常にして、上卷に口繪四葉半、中卷七葉、下卷三葉、なりと云。

○葉名茂見誌　半紙本三冊　國芳畫

○右、前上と同本ならんか。（尙、別に「會本花最美人（はなもみぢ）」といふあり、これらと同本か否か。）

○波留乃世和（はるのよわ）　半紙本三冊　女好主人序

○右、口繪數葉彩色、美人は、廣重畫くものに似たり。附の說話をものせる夜每好重といふ署名も、廣重を暗示したるものかとまで思はる。

○春色初音の里　中本一冊彩色　陰門軒作／元來好色序

○右、玉蘂齋畫とあれど、廣重風なり。

○はゝのをしへ　寫本一冊

○葉名志那三話（さんな）　橫本無彩色三卷

○右、作者の名もなく、畫家の名もなし。又出版人の名もなし。然れども畫風にて見ればゝゝ、板は江戸の物の

如く思はる。（不覊齋主人）

○男女教訓　華のあり香　中本黒摺二篇揃八巻　飯（販カ）尾東作稿

○右、戀々山人校合、婦多川好員（芳員ならん）畫といふ「此書は、尋常の春本とは事かはり、色々房事接合の記事を集めしものにて、春畫中の隨筆ともいふべきもの歟。」（不覊齋主人）

○春の夢　中本極彩色一冊　金勢山人著

○右、別に見所なし。唯夢を見て、其の夢に交合の所を畫きしのみなり。畫て至つて拙なり。讀の文は、最も拙なり。（同）

○俳風豊の耕　二編一冊　中本形無彩色　淫水亭

○右、俳風末摘花の中より、バレ句の最も甚しきものを畫に添へたるものゝやう也。（同）

○はなのつ遊（ゆ）　大本（半紙より）上中下三冊彩色摺　序は白水山人　麿丸畫

○右、英泉の序、國麿畫といふべきものならん。上巻に、廓内遊女の圖あり。以下牡丹の露、櫻の露など文は、三冊につゞけり。

○花の情（なさけ）いろは文庫　中本一冊　淫水亭開好作

○右、口繪四丁、よみ八丁、墨摺入り、赤本。

○閨中俳閧蛸壺　中本一冊

○右、文には閨中風俗門選（もんぜん）とあり。但し前篇とあるを見たるのみ。逸佳堂淫人戯述、開好亭色照畫。此の逸佳堂とは、例の一荷堂半水、幕末明治へかけての、大坂在住のよしこの撰者（雜戯著も多し。）の謂ならん。無論其他に於て、大坂本の特色著し。

○初すがみ朧廼月暈　中三冊　女好庵主人作　交蝶子又平畫

○右、又平は、二代國貞。人情本形式の本也。

○春の世話　中一冊　末期もの

○白癡物語　寫本二卷　遠藤春足著

○右、上編二十五則、下編二十五則の短篇小話を國文にてつゞれるもの。

ヒの部

○ひとり笑　一冊　元祿の頃

○ひいな形　枕本五冊　西川祐信畫　自笑作　寛永八年

○右、「情雛形」とは別本ならん。

○美風　小横本三冊カ　月岡雪鼎畫カ

○右、卷初に美風、柱(はしら)同上。文の初めには、「閨乃くす玉」上とあり。嘗て拙編「あぶな繪畫集」に其の一圖を採りたるもの也。

○(畵本)比女發思妻(ひめはじめ)　三冊

○姉に身を打妹にしなふ美太平記呫競嘶　黄表紙二卷物

○(艶本)美女競　半紙本三冊　北齋風

○ひたち帶　半紙本三冊　國貞風と云

○百鬼夜行　半紙本三冊　（月成作　又平畵）

○右、初代國貞の又平也。妖怪に借りたるもの。(原據は、無論鳥山石燕の名著「百鬼夜行」なり。) 此種妖怪に模したるものとしては、艶本中の佳作也。

○美玉三十六佳撰　月の巻（三冊本カ）一冊中本　淫水亭開好述

○右、序に乙のはつ春とあり。各丁、繪の右上に、源公忠朝臣などの名と歌あり。下は、關係なき男女の態を描く

○秘事枕鴛鴦の衕　三冊　末期もの

○晝寐のあめ　小本三冊　同

○右、色摺文章入。東海道五十三次の各宿場を配す。上に、各飯盛値段附及び景況一般を記す。附に、短話二三づゝあり。

○雛（ひな）源氏　袖珍三冊

○右、三代豐國畫と一にあれど、イカヾ。

フの部

○袋法師繪巻　著色密畫六百入　一軸寫本

○一名、袋草子又は太泰（うづまさ）物語。原本は、畫は巨勢飛驒守惟久なりといふ。

○風流連三味線　畫入五冊　風音堂作　元祿十七年

○一名、數目かね。全くの好色本にて、後年八文字屋板にて世に流行せし三味線ものとか唱へし讀本の類にはあらずと云。

○風流三國志　枕本五冊　寶永五年

○風流色圖法師　横本五冊カ　西川祐信畫　正德四年

○右、風流色法師、上中下三冊横本墨摺、西川風をいふと同本カ。
○風流色八景　横本　西川祐信畫
○夫婦雙の岡　横本三冊　同畫　正德四年
○風流御長枕　西川祐信畫
○風流色著（いろめどき）　横本三冊　同畫　享保十八年
○風流三代記　横本
○風流いろ長者　横本　一冊
○風流色具合　奉書二切　横本墨摺一卷（西川祐信畫 寳永八年刊）
○右、情を極め風を盡して記されし處。當時の風俗想ひ見るべし。殊に文章も優にやさしく意餘りありて此筆なれば此書の工夫ありと思ひやらるゝ也。尤も古雅なる所は古雅なれども、精緻の處は後世の方優れたるは、言を俟たず云々。（不羈齋主人）
○風流遊仙窟　四冊齋克主人作　享保十八年
○風流玉の盃　横本五冊　祐信風の畫
○風流六女競　畫入半紙本六冊（小松屋百龜畫作 明和五年）
○右、肉蒲團の飜譯なりと云。
○富當雙六　都色里獨案內　古代京都板
○右、何と訓むべきかを知らず。姑らく元のまゝ此に入る。（久）
○風流艶色眞似ゑもん　折本二帖　湖龍齋畫

○右、豆右衛門をもじりたる外題也。

○風流男女相生吉凶圖　十二枚物小判錦繪摺　春信風

○(笑本)婦多葉志羅　半紙本三冊

○右、一に勝川春潮書と云。

○(艶本)ふたみかた　三冊

○(笑本)ふくあら戀　三冊

○(艶本)婦多み賀多　極彩色上下二冊カ　甚亭大野好人序

○右、前々掲の「ふたみかた」と同本か、年代不詳。「畫は歌麿の作と思はる。讀はいづれも下劣々々。」(不羈齋主人)

○(艶本)婦多津枕　中本上中下三冊　艶好房序

○右、奉書摺にて、精巧なるもの口繪に、大首美人數圖あり。艶好房は、英泉の匿名ならん。畫は、無論英泉。

○婦慈廼遊喜　半紙本三冊極彩色　英泉畫

○右、一に重信畫とあれど全くの謬り也。英泉畫恐らく佳作中の佳作也。上卷には、殊に傑作數枚の大首畫あり。他口繪も凡てよし。此の大首畫、拙著「浮世繪美人大首畫乃研究」に全部登載したり。就て見られよ。

○(繪本)婦女祿嘉僊　一圓齋國鷹畫

○風俗邂妓傳　半紙本三冊　落書庵景年著

○右、不器用又平(初代國貞)の才筆に依る。土器お傳ものゝ一也。お傳を大名の妾お大の方に藉りたり此後編は粹蝶記(半紙本三冊)也。

○風俗三國志　半紙本六冊彩色　國貞畫

○右、初編三冊二編三冊、全六冊。三國志の中の目を掲げて、或は詞出とし、或は讀とし記す。二篇目の中の書名には、諸葛孔明祕傳とあり。ヒラキには風俗三國志二篇とあり。（不羈齋主人）是、果して國貞畫か。國芳畫を偶見したることありとの記憶あれど、イカヾ。（久）

○風流色季寄　大錦版畫帖横　乾坤二冊

○右、女好庵編、彫摺精密、畫は國貞ならん。附錄の文あり。口繪並に數枚、無論極々彩色也。

○風流和歌三津　貞虎畫

○（艶本）二葉（ふたは）源氏（げんじ）　中本一冊色摺　淫水亭

○二葉由來　中本一冊　末期もの

○古狐

○右、吉原遊女の評書といふ。イカナルものか。年代不詳。

○（新板）ふみのはやし　中本一冊　大陰山人編

○右。無論末期もの。例の文學び形式の一。如例、下、文の見本、上は祕傳の數々也。

○文しなん　中本一冊　全亭好成誌

○右と同型のもの也。

○入畫 文のたより　中本一冊、陽氣散人作。好色庵ともあり。

○右、前、前々と同型。此類、なほ他に無數なるべし。

○ふたはの松　中本三冊　吾妻男一丁作

○風俗讃極志　中本冊數　不詳初編三冊を見たり。讀和風。

○右、慕々山人（魯文）作。三通亭茶の子畵。不覊齋主人は「二篇揃二卷」といへど、如何。

○風流艶くらべ　中本一冊　末期もの

○八百屋お七小姓吉三郎封文戀情紋　初編草稿一冊　〔慕々山人（魯文）作 芳幾畵〕

○風流枕拍子　半紙本彩色入三冊　〔玉門舍雁高著 安政萬延頃の刊〕

○右、書は近來のものにして、奇麗なれども。情合少し。詞書多くしつこく、讀の文章は可なり面白き文章なれども、情合は薄き樣思はるゝ也。（不覊齋主人）

への部

○參考源平盛衰記附錄平太后快話　寫本一冊

○「右、洛北隱士寓言翁著江東逸民竹堂山人補とあり。補者の序文あり。、、門院略傳あり。次に本文は源九郎と、、の接戰を軍書物語體の文にて描寫し、末に建久八年著者の跋あり。此年號の假託なるは勿論、著者の誰たるやも未詳なり。更に末尾に題詩四首長歌一首を添へたり。別に『源平娛船情史』と名づけ、中山愛親卿の作として傳ふる書あり。此の快話の書名を更へたるものに過ぎず、中山卿の作と稱するも信じ難し。」（藏春洞主人の記に據る）

ホの部

○本朝美人枕（イ遊）春畵二冊　元祿の頃

○偶（ほ）言（かん）三歲智惠　三卷　〔曾加股平太作 氣野行成畵〕　東都書林加亂堂梓

○（畵本）帆柱丸　三冊　歌川豐國畵と云

○右、和漢三才圖會に擬して、閨中の諸具を記せし書也。年號なくして、開板不明なりと云。

○星月夜糸の調　　半紙極彩色三巻　〔凸凹野夫著
五雲亭貞秀畫〕

○右、詞書は少く、讀は中通りのもの也。（不羈齋主人）

○玉門の中山賣（又此の賣字十三）物語。冊數年代不詳

○星月夜吾妻源氏草稿　二編上中下　慕々山人（魯文）作

マ　の　部

○枕物くるひ　菱川風の畫

○枕大全　大本三冊　山形屋板　天和二年

○右、奥書に、右此枕大全は世人のすける仕様模様を畫圖にして、首書狂歌を書加改書（イ出）といへども、其風流なる事をしらず、是をあらためずんばあるべからずと筆曲をつくし、新板に梓（シ）、男女喜悅のな（イ前）をひらきはんめる。

天和二年戊彌生上旬　大和畫師　菱川氏師宣

○丸はだか　三（又二）冊　元祿の頃

○右と同名一本に、一冊野郎評判といふあり。同じく元祿の頃と云。

○枕うたひ　同

○枕系圖　元祿の頃。

○右、英泉の「枕文庫」天の巻に、男形圖を其まゝ引用せり。

○枕書畫双六　大奉書一枚墨摺一折　享保元年刊　西川祐信畫作

○右、各種の人物交合の圖を集め、双六とせしのみ也。尤も少しは書入あれども、面白き程にはあらず。初めは若

衆の屏風をさしめす書にして、上りは源氏となす。又賽の目も下の如くなす。⚀を鳶。⚁を郭公。

⚂を雁。⚃を梟。⚄を鶯。⚅を鶏。

○房中補益 満倉妣男形　三冊

○離（籬カ）分根　湖龍齋畫

○股庫想志春情抄（まくら）　三冊

○枕文庫　春好畫

○（會本）松の内　三冊　山等州畫

○（繪本）枕の夢　無彩色中本横本一冊　政演畫カ

○まめだんご　小形本一冊　勝川風

○右、明和安永の頃。輕口三十五則を載す。

○萬福和合神　三冊　北齋畫

○荳（まめ）助話　一冊　一九作

○右、草双紙體にて、好色と滑稽の書入讀なりと云。

○枕文庫　半紙本　英泉畫作

○右、完本は、初編二編三編四編揃にて九卷といふ。英泉の此種編書の方を知るべき代表作にして、内容、又一編の百科全書也。

○まくらの數　寫本一冊　文ロ主人著

○右、好色讀本の序跋を纂せしもの。

○まくら屛風　中本三冊　年代不詳

○まくら筥（はこ）　小本二冊

○滿倉びやうし　中本三冊　英泉風　開亭好人戯編

○右、新曲枕表紙、一名、しん内四季戀。嘗て、此の解題、拙著『江戸軟派雜考』の「新内の話」の附になしたり

○枕拍子　大本三冊　廣重畫と云

○まゐらせそろ戀の棧　中本一冊　序は驕慢主人 跋は女好庵主人

○右、畫風は、國貞派。

○枕の海　大本一冊　國芳畫

○右、版下畫なりと云。（刊否未詳）

ミの部

○都風俗鑑　四冊　延寶九年

○一名、都色欲大全。

○みなつ（イす）き艸　一冊　元祿の頃

○みなの川　一冊　同

○みだれがみ　一冊　同

○（繪本）美徒和草　大本三冊　享保五年　西川祐信畫

○翠簾(みす)の内　奥村政信畫

○(笑本)美夜娯禽(みやこどり)　磯田湖龍齋畫

○見立忠臣藏　横本一冊　春好畫

○美津能男賀女(みつのたがめ)　三冊

○(會本)美津埜葉那(みつのはな)　半紙本三冊　歌麿畫

○(繪本)蜜須佳賀美(みづかがみ)　歌川豐廣畫と云

○美婦佐双紙　大本三冊

○三ツ組盃　上中下半紙本三冊　〔猿猴坊月成編　國貞畫カ〕

○右、序に文政八年正月の意あり。尚、此の月成の序、すでに此歳に至り、和印の作百餘編に餘ると頗る自慢の言葉あり。此の月成、無論二代焉馬也。

○三ツ組盃　横小冊極彩色摺　淫亂齋(英泉)畫

○右、英泉の作としては、着彩材料、描線、上乘也。此の上卷は、肉蒲團十契と別に題し、お染久松、お俊傳兵衛などの情話中の男女を取扱ひ、絶姿媚態、看る眼を惱殺せしむ。

ムの部

○夢想頭巾　横本豆男もの　奥村政信畫

○夢想曾我の番附　黄表紙十丁合冊　森羅萬象作

○無姑女嘉根（むしめがね）　三冊　峨眉九書

○右、序にとんとひつぢのはづ春、春色堂誌とありと云。

○むらさき　三冊　變りもの

○痴情夢多満佳話　半紙本三冊彩色　英泉書

○右、角書の痴情は、こうしよくと訓（よ）ませたり。上卷に、口繪六人の美女あり。大首にて、半丁に上下二人づゝ。以下の書、各卷共によし。

○(會本) 虫撰　中本一冊　玉の門笑山作　赤本

○右、口繪六丁あり。

○紫草紙　半紙本墨摺三冊　柳堤の市隱著

○右、乙卯新板、聚金堂梓といふ。即ち安政二年也。「此書は、尋常中本の如きものにして、春書の様子異なり。加藤繁氏死去後、後室紫の上病氣に付重臣の考にて、劍澤の神人玄洞を乞ひ、様々に腰元中を見立てゝ之が身の上を語り置き、其夜、其のものゝ未來の體を見せて、紫の上を悦ばしむることを密戯のことゝして記せり。餘り面白からず、其書も宜しからず、大方は、上方の本也。」（不羈齋主人）

メの部

○めさまし艸たか笑　繪入小本一冊　寛文九年

○右、好色の落し咄也

○迷所案内　洒落本一冊（内容は不詳）

(168)

○女夫圖會　墨摺　應擧風の畫（ママ）

○女夫艸　半紙三冊　國貞畫

○右、下卷、月夜輪姦の圖よし。

○名所穴さがし　中本一冊　墨摺本

○右、江戸名所を配したる拙畫、赤本といふ。

○女夫快淫水好傳　中本三編までを見たり。淫水亭開好作

○右、庚申孟春とあり、即ち萬延元年版也。墨摺よみ本。

七月一日より
中元御贈答品賣出し
御贈答用には三越の品
御中元の御贈答品に何方様にも喜ばれる三越の品を御用ひ遊ばすに限ります。三越では御選擇の御便宜を圖り中元御贈答用品賣出しを開催致し、御恰好品を澤山に取揃へました。何卒御用命の程願上げます
…中元の御贈答用には…
三越の商品券
贈るに便利受けて重寶
本店并に分店にて販賣
三越呉服店
東京駿河町
大正十四年十一月二十七日第三種郵便物認可
昭和二年六月二十五日印刷納本 第三卷第七號
昭和二年七月一日發行（毎月一回一日發行）
文藝市場
（定價五拾錢也）

叢書エログロナンセンス第Ⅱ期

文藝市場／カーマシヤストラ　第1巻

2016年12月15日　印刷
2016年12月22日　第1版第1刷発行

［監修］　島村 輝（しまむら てる）

［発行者］　荒井秀夫

［発行所］　株式会社ゆまに書房

〒101-0047　東京都千代田区内神田 2-7-6

tel. 03-5296-0491 / fax. 03-5296-0493

http://www.yumani.co.jp

［印刷］　株式会社平河工業社

［製本］　東和製本株式会社

落丁・乱丁本はお取り替えいたします。　Printed in Japan

定価：本体 16,000 円＋税　ISBN978-4-8433-4853-6 C3390